KB197988

기업을 위한

윤리경영

김정원, 김찬중, 권종욱, 설승현 공저

기업을 위한
윤리경영

김정원, 김찬중, 권종욱, 설승현 공저

도서출판 범한

머 리 말

시대와 사회가 변화해도 무엇이 옳고 그릇된 것인지에 대한 통념이나 사회적 상규는 본질적으로는 변함이 없다. 단지 차이가 있다면 과거와 달리 기업조직이 처한 경영환경이 비교가 무색할 정도로 급변하고 있고 다사다난해졌다는 점이다. 윤리적 의사결정을 내리는 일도 그만큼 힘들고 복잡해진 것이다. 우리 사회의 경우 부정청탁금지법이 시행되고 불미스런 사회적 수준의 부조리가 반복되면서 윤리와 도덕성의 가치가 재조명받고 있으며 기업의 윤리경영 및 사회적 책임에 대해 다시금 돌아보게 되었다. 이러한 흐름 속에 무엇보다도 기업의 사회적 책임(CSR)이 중요해지면서, 여러 기업들이 앞 다투어 사회 환원 및 봉사 등을 자처하고 있지만, 기업은 그 이전에 자신들이 판매하고 있는 제품과 서비스를 생산하고 판매하는 운영 방식이 윤리적인지를 점검해 보아야 할 것이다. 그것을 점검하는 것이야말로 기업의 동반자인 소비자와의 신뢰를 쌓는 첫 걸음이기 때문이다.

윤리경영은 경영과정에서의 도덕성과 선택의 문제이며, 윤리적 행동은 결국 개인과 조직의 의사결정으로부터 나온다. 오늘날 경영자는 세상을 보다 살기 좋은 곳으로 만들기 위해 올바른 일을 하도록 요구받고 있다. 이러한 윤리경영이 제대로 이루어지기 위해서는 이론적 담론에만 머물러서는 아니 될 것이다. 윤리경영이 기업과 조직 현장에서 어떻게 구현되고 있는지 살펴보고, 우수사례를 적극 개발하여 윤리적인 경영이 우리 사회에 확산되도록 관련정보를 공유하고 공감대를 이끌어내는 것이 무엇보다 필요하다. 이러한 사회적 요구와 변화에 발맞추어 본서는 미래의 경영자를 꿈꾸는 경영대학의 학부생들은 물론, 대학원과정에서 윤리경영을 처음 접하는 대다수 수강생들에게 기업의 윤리경영과 사회적 책임의 기본구성에 충실하면서도 트렌드 중심의 핵심내용을 간략히 정리한 교재를 제공하겠다는 목표를 가지고 집필되었다.

본서는 제1부 기업윤리 개요, 제2부 기업의 사회적 책임, 제3부 기업윤리와 관리기능, 그리고 제4부 기업윤리 및 사회적 책임의 이행과 평가를 포함하는 총 4부로 구성되었다. 제1부에서는 기업윤리의 기초, 기업윤리의 전개, 기업윤리의 가치와 윤리이론을 다루었고, 제2부에서는 기업의 사회적 책임에 대한 핵심개념과 접근방법, 관련 국제규범 및 사회적 책임투자에 대해 다루었으며, 제3부에서는 마케팅관리, 재무회계, 인적자원관리, 정보 및 생산기술관리 뿐만 아니라 환경경영을 포함한 관리기능들을 기업경영의 윤리적 관점에서 조명하였다. 마지막으로 제4부에서는 기업윤리 및 사회적 책임의 이행과 확산은 물론, 기업윤리 및 사회적 책임의 평가와 검증에 대한 주요내용을 간결하게 소개하였다.

또한 본서는 기업의 윤리경영과 사회적 책임 관련이론이나 개념에 대한 이해를 돕기 위해 다양한 기업현장의 사례들도 「기업 사례」로 소개하였다. 더불어 미래의 경영을 책임질 경영학도는 물론, 기업현장에서 땀을 흘리는 직장인들이 간편히 실무에 참고할 수 있도록 배려하였다. 대학에서 기업경영을 전공하든 혹은 기업현장에서 실제로 기업실무를 담당하든 윤리경영의 기본과 원리에 대한 충실한 이해가 무엇보다 필요하고 중요하다. 이런 의미에서 본서를 집필한 목적 혹은 본서의 역할은 기업윤리의 핵심개념과 현안에 대한 종합적이고 체계적인 이해를 바탕으로 윤리경영과 사회적 책임의 본질적 가치와 중요성을 인식하는 토대를 제공하는데 있다고 하겠다.

참으로 많은 시간과 노력을 투입하였지만 집필을 다 마친 지금에도 여전히 아쉬움이 남아있는 것을 보면 첫 결실은 늘 부족함을 절감하기 마련인가보다……. 이에 저자들은 윤리경영 수강생을 포함한 본서를 읽은 모든 독자들의 크고 작은 지적과 충고에 귀를 기울이고 이들의 발전적 지적과 충고를 겸허히 수용하여 앞으로도 지속적으로 내용과 체계를 보완해 나가고자 한다. 이를 통해 본서가 읽을 만한 충분한 가치를 가진 윤리경영 분야 전문서적으로 발전하기를 바라마지 않는다.

한편, 이번 수정본 작업 과정에서 저자들은 본서의 내용 중에 경영윤리보다는 윤리경영이라는 용어가 보다 빈번히 사용되었을 뿐 아니라 본서의 독자들 또한 관련 검색과정에서 윤리경영을 보다 보편적 검색어로 활용한다는 점을 인식하게 되어 본서의 도서명을 '기업을 위한 윤리경영'으로 변경하게 되었음을 밝힙니다.

끝으로 본서가 수정을 통해 출판되기까지는 많은 분들의 보이지 않은 지원과 도움이 있었다. 특히 전체 내용을 정리하고 교정 작업에 시간을 아끼지 않는 등 본서를 출간하는데 많은 도움을 주신 도서출판 범한 이낙용 대표님과 임직원 여러분께 감사를 표한다.

2023년 출판을 위한 수정작업을 마무리하며……

공동저자 일동

목 차

제3부 경영의 기능별 윤리

제 1 부

기업윤리 개요

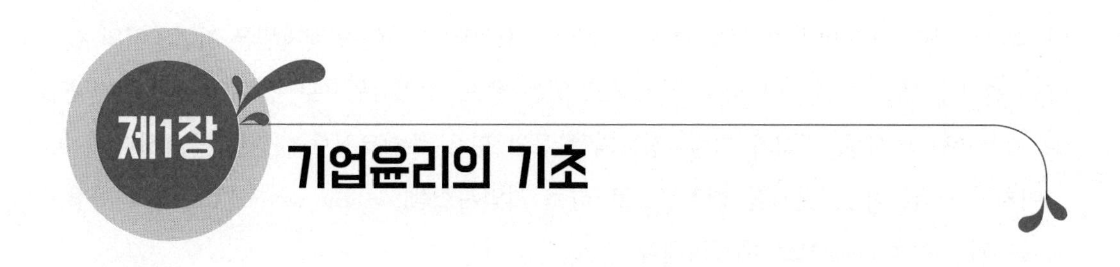

1. 기업과 사회

1) 기업시스템

오늘날 기업은 자본주의의 꽃이라고 할 만큼 자본주의 사회에서 차지하는 역할과 비중이 절대적이다. 이는 본질적으로 기업이 사회로부터 경영의 핵심 요소인 물자, 자금, 사람을 공급받아 상품과 서비스를 생산하여 사회에 제공하고 경제적 부가가치를 창출하는 주역으로서 사회와 유무형의 크나큰 영향을 주고 받기 때문이다. 이러한 기업의 1차적인 책임이 가능한 것은 자본주의 시장경제의 원칙이 유지되고 있기 때문이다. 먼저 이처럼 기업이 사회로부터 전적으로 의존하는 경영의 핵심요소에 대하여 살펴보면 다음과 같다.

첫째, 물자(material)는 기업 경영의 유형적 실체로서 토지, 건물, 원재료, 공장 및 사무실과 같은 생산의 기반, 기계 및 설비와 같은 업무의 도구, 컴퓨터와 같은 생산 활동에 필요한 도구 등을 지칭한다. 이러한 물자는 경영의 주요 관리 대상으로서 생산 활동의 효율성 측면에서 매우 중요한 요소라 할 수 있다.

둘째, 자금(money)은 기업의 자본으로서 경제적인 자금의 조달과 운용은 경영상의 주된 재무 의사결정의 내용이 된다. 자금의 조달 과정에서는 주식 또는 채권과 같은 자금조달 방법, 상환 기한과 조건의 결정이 조달된 자금의 운용과정에서는 투자의 대상과 자금 회수 나아가 이윤 창출 계획 등과 관련되어 중요한 경영 요소로 작용한다.

마지막으로 사람(man)은 기업 경영의 핵심 요소로서 인적자원(human resource)으로 불린다. 이는 경영의 다른 요소와는 그 특성상 차이가 존재함을 전제로 한다. 물자나 자금은 경영의 대상이자 객체로서의 특징을 지니지만 사람은 이러한 요소와는 다르게 경영의 객체이자 주체로서의 특성을 함께 지니기 때문이다. 즉, 사람은 요소들 간의 상호작용 과정에서 주도적

인 역할을 하여 최종적인 경영성과를 결정짓는다. 오늘날 이러한 인적자원은 기업경영의 전략적 관점에서도 그 역할이 더욱 강조되고 있는 중요 경영자원으로 간주된다. 즉, 전략(strategy) 수립과 실행, 지식과 기술, 정보의 보유와 활용 주체로서도 사람이 중요하다.

이처럼 사람, 자금, 물자를 핵심요소로 하는 기업시스템(corporate system)은 경영의 과정(process)과 기능(function)으로 체계화된다.

(1) 경영의 과정

경영요소는 경영관리 활동의 과정과 기능 영역에서 일관되게 고려되고 작용하게 되는바, 기업시스템은 기본적으로 이러한 경영의 과정과 기능으로 구성된다. 경영활동이 진행되는 경로인 경영의 과정(management process)은 조직의 목표를 효과적으로 달성하기 위한 경영활동으로써, 경영관리의 효과성을 결정하는 공통된 요소로 계획, 실행, 통제 활동을 포함하는데 그 내용을 살펴보면 다음과 같다.

① 경영계획

계획(plan)은 기업의 경영목표를 수립하고 이를 달성하기 위한 방법을 선택하는 의사결정 과정을 말한다. 이러한 계획은 경영관리과정의 가장 기본적인 기능으로서 조직이 효과적으로 성과를 달성하는 출발점이 된다. 이러한 경영 계획의 핵심활동은 목표설정과 계획수립으로 이루어진다.

가. 목표설정

조직의 전체적인 나아갈 바와 지향점을 결정하는 활동을 의미하며 그 유형은 다양하다. 범위 관점에서는 조직 전반적 목표를 달성하기 위한 전략계획(strategic plan)과 전반적 계획을 성취할 방법을 상술한 운영계획(operational plan)으로 구분된다. 기간 관점에서는 단기계획(short-term plan)과 장기계획(long-term plan)으로 구분된다. 업종의 특성과 변화의 정도에 따라 다를 수 있으나(예 : 패션산업과 유전개발사업) 단기목표는 일반적으로 1년 이내의 경우를, 장기목표는 3년 이상의 기간을 갖는 것으로 정의한다. 중기는 단기와 장기 사이기의 기간이다. 또한 사용빈도 기준으로는 특정한 상황의 필요성을 충족시키기 위해 특별히 고안된 일회성 계획인 일회사용 계획(single-use plan)과 반복적인 수행활동의 방향성을 제공해 주는 지속적 계획인 상시적 계획(standing plan)으로 구분된다.

나. 계획수립

이는 경영자가 설정된 목표를 달성하기 위한 방안을 모색하는 것으로서 환경을 고려하여 결정되며, 계획수립은 일반적으로 기회의 인식(미래의 기회와 위협, 조직의 장·단점과 능력 파악) → 목표의 설정(달성 방향과 시기) → 계획의 전제 고려(계획수립의 기초가 되는 예측자료와 기본방침 등의 설정) → 대안의 발견(목표달성을 위한 행동대안의 탐색과 검토) → 대안들의 비교(대안별 장·단점 비교를 통한 효율적 대안 검토) → 대안의 선택(상대적으로 우수한 대안의 결정) → 자원계획수립(조달 가능한 자원 검토) → 예산편성(수입과 지출을 기간별로 작성)의 단계를 거친다.

② 경영실행

실행(do)은 수립된 계획에 따라 자원을 조직하고 구성원을 지휘하는 경영 활동으로, 조직화와 지휘 활동을 포함한다. 조직화(organizing)는 계획을 통해서 목표가 설정되면 그 목표를 달성하기 위해 조직구조를 설계하고 각 부서별로 자원을 적절히 배분하는 과정을 말한다. 조직화는 효과적으로 목표를 달성하기 위하여 조직을 구성하고 유지하는 원칙으로서 직능원칙, 권한원칙, 인간관계원칙, 의사결정원칙을 포함한다. ㉠ 직능원칙은 유사한 과업과 직무를 한데 묶어 기능별로 정리하는 것으로 전문화의 원칙에 의해 이루어지며 계획에서 먼저 직능이 정해지면 이에 따라 개인의 책임과 권한이 결정된다. ㉡ 권한원칙은 조직에서 권한의 위임에 따라 계층적 연쇄조직이 형성되는 것을 의미한다. 권한은 공식적 직책에서 오는 힘으로서 권한이 부여되면 그에 대한 책임도 부담하게 된다. ㉢ 인간관계원칙은 조직의 운용에 있어 공식적인 권한보다는 구성원 개인 간의 인간관계가 기본이 된다는 의미이다. 즉, 조직과의 인간관계 속에서 조정의 기초를 둔다는 것이다. 효과적인 조직이 되기 위해서는 구성원간의 소통과 협동이 중요한데 이는 본질적으로 인간관계가 중요하게 작용하게 된다. ㉣ 의사결정의 원칙은 조직의 본질을 의사결정 활동으로 간주하며 이러한 시각에서 조직경영의 핵심적 활동은 효과적인 의사결정(decision making)으로 보는 것이다.

지휘(leading)는 구성원들의 동기를 유발하고 기업의 목표를 향하여 함께 효율적으로 나아가도록 이끌어 가는 리더십(leadership)을 말하며 이를 위해 구성원들과 지속적인 의사소통을 하지 않으면 안된다. 의사소통의 모든 단계는 시간이자 비용이고 또한 가치생산의 과정이기 때문에 조직의 구조와 의사소통이 합리적이어야 한다. 리더로서 경영자가 그 자신에 대하여 알아야 하고 스스로의 능력을 계발시키지 않으면 안되는바 이를 지휘 활동이라 한다.

③ 경영통제

통제(see)는 기업의 목표 달성도를 비교 평가하고 수정 조치하여 차기 계획에 반영하는 경영 활동과정을 의미한다. 최초에 설정된 조직의 목표가 달성되지 않는 경우도 있다. 따라서 주기적으로 목표달성 정도를 확인하고 부족할 경우 개선 여부를 관리해야 한다. 이러한 통제에는 성과표준 설정, 달성성과 측정, 성과표준과 달성성과의 비교, 필요한 수정조치와 같은 활동이 포함되며 환류(feedback) 조치를 통하여 차기 계획과 목표가 보다 정확하게 수립될 수 있다.

이러한 관리과정은 각각 독립적으로 작용하는 것이 아니라 상호 밀접한 관계를 맺으며 지속적으로 순환하는 활동이다. 또한 기업의 유형이나 관리계층에 관계없이 심지어 비영리 조직을 포함한 모든 조직에 적용이 가능한 보편적인 관리과정으로서의 의미를 지닌다.

(2) 경영의 기능

경영의 기능(management function)은 기본적으로 생산, 인사, 재무, 마케팅 등을 관리활동으로 대별할 수 있다. 생산관리는 생산 및 운영과 관련한 생산운영 전략, 생산운영 계획, 생산운영 실행 등을 포함한다. 인사관리는 오늘날 인적자원의 중요성을 강조하면서 인적자원관리로 불리기도 하며 직무, 확보, 개발, 보상, 유지 등의 활동을 수행한다. 재무관리는 자본예산, 자본구조와 배당정책, 운전자본 등을 포함한다. 마케팅 관리는 마케팅 기회의 분석 및 전략수립, 마케팅 프로그램의 관리 등을 수행한다. 이러한 경영의 기능은 경영의 과정과 함께 결합하여 상호작용하면서 기업경영 활동을 가능토록 체계화 하는데 이러한 관점에서 기업시스템(corporate system)을 전체적으로 정리하면 〈표 1-1〉과 같다.

〈표 1-1〉 경영의 과정과 기능의 결합

구분	계획(P)	실행(D)	통제(S)
생산(P)	생산계획(PP)	생산실행(PD)	생산통제(PS)
인사(H)	인사계획(HP)	인사실행(HD)	인사통제(HS)
재무(F)	재무계획(FP)	재무실행(FD)	재무통제(FS)
마케팅(M)	마케팅계획(MP)	마케팅실행(MD)	마케팅통제(MS)

2) 사회시스템

사회(society)란 공동생활을 영위하는 모든 유형의 인간 집단으로, 가족, 지역, 회사, 국가 등이 그 주요 형태이다. 그러나 사회는 특정한 형체만으로 규정하는 것은 아니고 그 내용이 복잡하여 한마디로 표현하기는 어렵다. 기업은 경영활동 과정에서 다른 개체들과 상호작용이 존재하여야 하고 상호작용이 없다면 이는 독립된 개체 개념이지 사회 개념은 아니라고 할 수 있다. 기업과 사회라는 분야의 학문연구에서 사회의 개념은 사회적 기관, 사회적 환경, 물리적 환경 등을 각각 강조하는 개체적 개념과 추상적인 부문도 포괄하여 사회 전체를 강조하는 전체적 개념으로 나타낸다.

전체 시스템적 관점에서 보면 사회와 기업과의 관계는 전체와 특정 부분의 관계로 볼 수 있다. 즉, 기업의 개체시스템은 전체 개념을 의미하는 사회시스템의 하위시스템을 강조한다. 사회시스템(social system)을 이해하기 위해서는 사회적 환경 속에서 삶을 영위하는 인간의 생활양식과 가치기준을 제시하는 사회이데올로기(social ideology)에 대한 이해가 필요하다. 이는 사회를 구성하고 있는 인간의 공동 가치나 추구하는 신념으로 사회의 바람직한 관념 및 가치체계로서 작용하기 때문에 중요한 의미를 지닌다. 사회이데올로기는 복잡하고 다양한 특성을 내포하기 때문에 한 가지 특징만으로 개념을 정의하기 어려운 점이 많다. 사회이데올로기 체제는 크게 경제적인 분야를 강조한 자본주의 체제, 사회적인 관점을 강조하는 다원주의 체제로 구분하여 살펴볼 수 있다.

(1) 자본주의체제

사회이데올로기의 경제적 측면을 중심으로 형성된 체제이다. 이 경제적인 분야를 강조하는 자본적 조직은 기업이 대표적이다. 따라서 자본주의체제(capitalism system)는 기업의 경영활동의 방향과 규범의 준거기준이 된다. 이러한 근대자본주의 발달 단계는 산업혁명 이후 본격화된 산업자본주의 → 독점자본주의 → 국가자본주의 → 정보자본주의체제로의 변화를 거쳐 왔다.

① 산업자본주의

산업자본주의(industrial capitalism) 시대는 18세기 중반 기업규모가 확대되고 소비시장이 넓어짐에 따라 기업이 사회 전반에 미치는 영향력이 증가하고 생산 활동의 주체인 자본가들에

게 권력이 집중되면서 전개되었다. 이 시기는 생산성의 증가와 더불어 자본가들의 이익을 강조한 나머지 근로자들의 임금을 낮추고 불공정한 평가 등으로 자본가와 근로자들의 갈등이 고조되고 소비자에게 피해가 가는 부작용도 발생한 시기이다.

② 독점자본주의

독점자본주의(monopolistic capitalism) 시대는 20세기 전반 산업화의 급속한 진전에 따라 기업의 경영활동의 분업화와 전문화, 합리화, 자동화 등으로 변화하면서 제품의 양적, 질적인 향상이 이루어지고 생산성은 더욱 향상되면서 본격화되었다. 사회적으로 불확실성이 고조되고 거대 기업들이 시장지배력을 공고히 하면서 기업은 이익에 대한 집착도 더욱 강화하면서 독점적인 경영활동의 환경이 조성되고, 자본주의 시장에서도 막강한 힘을 이용하여 대규모 자본이 시장을 독점하는 형태로 나타나게 되는 시기이다. 이러한 독점적 자본주의는 자유시장경제 질서를 무너뜨리고 사회적으로도 많은 부작용을 초래하였다. 소수 자본가에 의하여 자본시장이 좌우되어 부의 편중, 이익의 독점 등으로 사회공공시스템은 붕괴되고 경제는 공황상태에 빠지게 되었으며 이러한 문제점들을 해결하기 위한 정부의 경제 정책적 개입과 규제, 지도 등이 나타나게 되었다.

③ 국가자본주의

국가자본주의(state capitalism) 시대는 독점적 자본주의 피해를 최소화하기 위하여 국가가 정책적으로 시장 개입 활동에 나서게 된다. 20세기 후반 각국의 정부는 기업 활동과 자본주의 시장의 질서를 정립하고 공공의 이익과 사회의 복지 향상을 도모하기 위하여 정부의 정책적 규제를 전개한 시기이다. 기업은 이익을 목적으로 경영활동을 하게 되고 사회는 공공의 이익이나 복지향상을 위하여 정부가 개입하고 관리한다. 기업과 정부의 목적이 상충된다고 하더라도 기업은 사회의 틀 속에서 자원을 조달하고 이익 활동이 가능하므로 사회와 기업은 함께 발전해야 한다는 주장이 등장하게 되었다. 그러나 정부가 기업에 대하여 지나치게 규제나 간섭을 한다든가, 또는 기업이 공공의 이익을 도외시 한다든가 하는 일방적 관점의 경제활동은 바람직하지 않은 것이다. 이에 따라 기업과 정부는 상호 이익의 접점(profit of encounter)을 찾아나가는 것이 중요하게 되었다.

④ 정보자본주의

정보자본주의(information capitalism) 시대는 21세기 정보기술의 발달로 정보를 확보하는 것이 자산의 중요한 가치 증가로 인식하는 시대로 IT의 발전과 더불어 발전하게 되었다. 디지털네트워크와 디지털정보가 주축이 되는 정보화 사회가 이전의 산업자본 또는 금융자본과 같이 또 하나의 정보자본이라는 측면으로 나타내게 된 것이다. 자유주의 시장경제가 순기능적으로 작동하는 데에 있어서 정부주도형의 통제자본주의는 장애요인으로 작용할 수 있기 때문에 기업은 시장에 관계된 이해관계자들의 정보를 정확히 파악해야 한다. 이에 정보자본주의는 정보를 바탕으로 기업이 경영활동을 수행하고, 정부에서도 시장의 선순환적 기능을 조성하기 위하여 적극 노력하고 소비자 등 이해관계자들도 정확하고 신속한 정보를 토대로 한 경제활동을 영위하는 시대를 의미한다. 이 시기에는 원격거래 등 기업의 정보의존 경제활동 증가와 이에 따른 경영활동의 전반적인 범위 확대로 신뢰와 윤리성이 강조되기 시작하였다.

이와 같이 자본주의가 변화함에 따라 사회적으로 나타나는 문제점도 동시에 새롭게 등장한다. 자본주의체제가 시장의 순기능을 확보하기 위해서는 기본적으로 이러한 자본주의 이데올로기를 중요한 가치판단의 준거기준으로 삼아야 한다. 이상에서 살펴본 자본주의 이데올로기의 변화를 요약하면 〈표 1-2〉와 같다.

〈표 1-2〉 자본주의체제의 이데올로기 변화

구 분	시 기	특 징
산업자본주의	18-19C	대량생산방식으로의 전환, 기업의 생산성과 이익 증가, 임금문제 등 노사 간의 갈등 잉태
독점자본주의	20C 전반	기업시스템의 발전, 생산력의 증가와 급속한 산업화, 기업의 거대화, 자본가 이익독점, 공공의 이익보호 필요성 대두
국가자본주의	20C 후반	기업 폐해 최소화를 위한 정부의 정책적 개입, 기업의 규제, 기업과 사회의 공존모색
정보자본주의	21C	기업 활동의 정보의존 환경 전개, 정보의 활용을 통한 기업 경영활동의 신뢰와 윤리성 강조

(2) 다원주의체제

다원주의체제(plural system)는 사회의 규모가 증가하고 발전하게 되면서 어느 하나의 이해

관계자 보다는 다양한 이해관계자(stakeholder)의 이익을 함께 고려하는 사회적 관점을 강조한다. 이러한 다원주의 체제하의 주요 사회특성으로 동태성, 다양성, 의존성, 분산성을 제시할 수 있다.

① 동태성은 조직이나 사회가 정적이거나 고착화되어 있는 것이 아니라 지속적으로 발전하면서 계속적인 변화과정을 겪게 된다는 것이다.

② 다양성은 사회 내 다양한 이익집단의 존재로 인하여 서로 다른 관점을 갖게 되고 이로 인한 갈등 가능성이 존재한다는 것이다.

③ 의존성은 다원주의 관점에서의 의사결정은 어느 한 주체만의 결정과 작용으로 이루어진 것이 아닌 다수의 주체들의 사회의존적인 관계 형성으로 말미암아 광범위한 관점에서 접근해야 함을 말한다.

④ 분산성은 권력의 관점에서 다양한 이해집단이 분산하여 권력을 소유하고 행사하게 됨을 의미하고 이 때문에 조직의 의사결정은 상호견제를 위한 협상과 조정, 의사소통 등의 방법에 의하여 이루어진다는 의미이다.

이러한 다원주의 체제의 장점을 살펴보면, 개인이나 집단들이 사회적 자유를 실현할 수 있다는 점, 참여로 인한 의사결정 개선이 가능하다는 점, 구성원들의 다양한 욕구를 충족시킬 수 있다는 점 등이다. 반면 단점으로는 개별 조직이나 단체의 이익에 대한 과도한 집착으로 사회적 효율성 저하가능성, 권력을 점유한 소수의 지배권 독점에 따르는 과두체제로의 변질 가능성 등을 들 수 있다.

이처럼 다원주의 체제는 장단점을 동시에 가지고 있으므로 기업 등 사회경제 주체들은 다원주의 이데올로기를 이해하고 사회적, 경제적 활동 방향을 정립할 필요성이 커지게 된다.

3) 기업과 사회의 상생

기업의 목적이 이윤추구라는 사실은 분명하지만, 기업의 이윤추구 과정에서 사회적으로 많은 문제들이 발생하기도 한다. 대기업과 중소기업 간의 예속관계, 소득 양극화 및 불균형, 자연환경 오염 등 여러 부작용이 발생하는데 이러한 점들을 해결하지 않은 채 기업이 더 이상 이윤추구만을 목적으로 하는 경영을 계속할 수 없게 되었다. 자연스럽게 기업이 사회적 책임 의식을 가지고 경영활동을 수행해야 한다는 사회적 분위기가 일반화되면서, 이윤추구 활동과 더불어 윤리경영, 사회공헌활동 등을 함께 실천하는 경영철학이 점차 확산되고 있다. 이는 기업의 존재 당위성에 대한 일반 대중의 관점의 변화를 반영하고 있는 것으로, 특히 기업은 사회의 개별 구성원으로서 존재하는데 그 존재 방식에 있어서 과거와는 다른 관점이 필요하다는 점을 시사한다. 즉, 주주 관점에서 다원주의 관점으로 변화하고 다양한 사회적 이해관계자들을 동시에 균형 있게 고려해야 한다는 것이다.

기업의 이해관계자(stakeholder)는 기업 활동에 영향을 주고받는 당사자를 말한다. 이해관계자는 영향력을 기준으로 제1차 이해관계자(주주, 투자자, 종업원, 경영자, 고객, 지역사회, 공급자, 기타사업파트너), 제2차 이해관계자(정부와 규제, 시민단체, 사회 압력단체, 미디어와 학계인사, 노동조합, 경쟁자들)로 대별되는데(<표 1-3> 참조), 과거처럼 제1차 이해관계자의 단기적 이익만을 고려하면 장기적 관점에서 기업성과에 대한 사회의 기대와 기업의 실제 사회적 성과 간의 차이가 점차 확대되어 결국 기업이 사회 속에서 공존하기 어려울 수 있다([그림 1-1] 참조). 즉, 주주나 종업원의 이익 극대화에 치중할 경우 다른 이해관계자와의 이해 충돌 및 기업이미지 훼손 등으로 기업 경영의 어려움이 생겨난다는 것이다.

〈표 1-3〉 기업의 사회적 이해관계자

구 분	당 사 자
제1차 이해관계자	주주 및 투자자, 종업원과 경영자, 고객, 지역사회, 공급자와 기타 사업파트너
제2차 이해관계자	정부, 시민단체, 사회 압력단체, 미디어와 학계 해설자(academic commentator), 노동조합, 경쟁자

자료 : Carroll et al.(2017), Business & Society Ethics, Sustainability & Stakeholder Management (10th Ed.), Cengage Learning, 76.

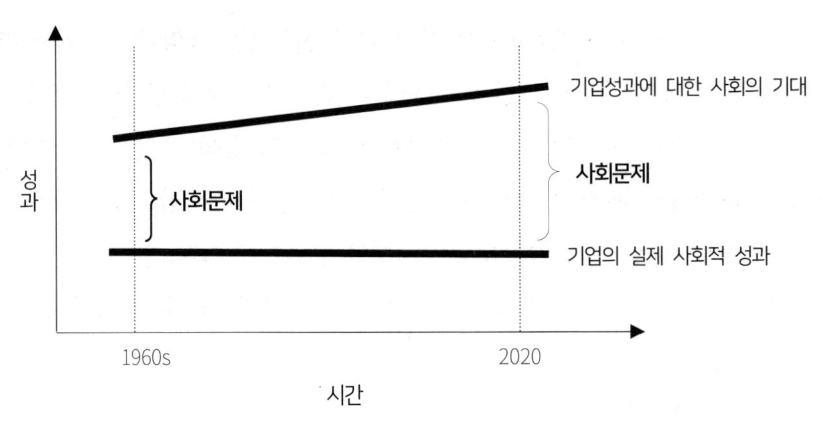

자료 : Carroll et al.(2017), Business & Society Ethics, Sustainability & Stakeholder Management(10th Ed.), Cengage Learning, 21.

[그림 1-1] 사회의 기대 대 기업의 실제 사회적 성과

특히 이해관계자의 개념과 관련하여 다양한 이해관계자를 동시에 고려할 필요성을 강조하는 이해관계자주의는 이해관계자이론(Stakeholder theoryl)으로 정립되었다(B. Nichols). 이는 경영활동의 이해관계자는 복잡 다양하기 때문에 기존의 소유주중심의 주주이론의 한계점을 극복하기 위해서는 타의에 의한 규제(여론의 압력 등) 이전에 광범위한 이해관계자들에 대한 고려가 장기적 기업 이익에 도움을 줄 수 있다는 의미가 포함되어 있다. 이에 기존의 주주이론의 비판점을 살펴보면 다음과 같다.

주주이론에 대한 비판점으로는 첫째, 환경오염과 자원고갈 같은 시장의 실패. 즉 공기오염, 지하수 고갈, 토양침식 등과 관련된 비용을 교환행위에 참여하지 않은 시민, 미래 세대가 부담한다는 점, 둘째, 시장이 최적 균형을 통해 최적 결과를 얻는데 실패하기 때문에 이런 외부효과를 내부화하기 위해 정부 통제가 필요하다는 점, 셋째, 맑은 공기, 지하수, 좋은 경치, 친근한 이웃 등 공공재를 시장이 배분하거나 최적의 만족을 줄 수 없다는 점, 넷째, 개인에게 합리적이고 좋은 것이라 해도 반드시 사회 전체에 좋은 것은 아니라는 점이다. 다섯째, 시장의 목표는 전체 행복의 극대화, 소비자 욕구에 대한 최적 만족, 최대 다수를 위한 최대 이익 등 공리주의는 최대 다수의 최대 행복을 추구하지만 시장은 오직 시장에서 표현되는 욕구들만 충족시킨다는 점, 여섯째, 정신적 건강, 사랑 등 행복의 중요 요소이지만 금전으로 살 수 없고 소비자가 살 수 있는 마약 등이 행복 요소인 경우와 같이 부정적인 측면

도 있다는 점, 마지막으로, 사유재산권도 절대적인 것은 아니며 총기, 토지 등 공공의 목적을 위해 권리제약을 받을 수도 있다는 점 등이다.

이러한 주주이론의 비판점을 감안하면 다양한 이해관계자에 대한 현실적인 영향력 고려가 기업경영에 도움을 줄 뿐만 아니라 정의와 형평의 개념에 부합된다. 즉, 다수 이해관계자의 사회정의를 고려한 기업 경영이 필요하다는 점이다. 이처럼 이해관계자이론(stakeholder theory)은 소유주인 주주의 이익을 극대화하기 위해 기업이 존재한다는 사고에서 탈피하여 주주 이외의 다양한 이해관계자까지 적절하게 고려함으로써 특정 이해관계자에 대한 특별한 우선성보다는 다원성을 강조하는 관점이라고 할 수 있다.

프리만(A. Freeman)의 이해관계자이론(stakeholder theory)은 기업의 의사결정이 어떤 사람에게는 이익을 가져다주고 어떤 사람에게는 비용을 지불하게 하는 등 다양한 사람들에게 영향을 미친다는 통찰에서 시작된 것으로, 이해관계자란 기업의 행동에 의하여 이익을 보거나 손해를 보고 권리를 침해당하거나 손상당하는 개인이나 집단을 의미하며, 주주들을 소유주로 보지 않고 투자자나 자본가로 본다. 투자자는 기업에 자본을 제공하지만 자본이 다른 요소들보다 더 중요하다고 보지는 않는다는 점이다. 또한 경영자는 소비자, 공급자, 직원, 지역사회, 주주들을 위한 가치를 창조하고 이들 이해관계자를 위해 가능한 많은 이윤을 추구해야 한다고 본다. 기업은 사회로부터 노동력, 자본, 원재료, 부품 같은 필요한 자원을 조달 받기 때문에 사회가 존재하지 않고는 기업도 존재할 수 없다는 관점을 중시한다.

이에 따라 기업은 장기적인 시각에서 사회 구성원의 일원으로서 주어진 역할과 책임을 다해야 하는 과제가 있다. 적정한 이윤을 창출하는 한편 사회와의 공생 관점에서 기업시민(corporate citizen)으로서의 사회적 책임을 다하고 높은 수준의 윤리성을 유지하여야 한다. 즉, 기업의 사회적 책임=기업윤리=기업의 장기적 이익이라는 기업과 사회의 공생 방정식 준수가 필요하다(이종영, 2011). 장기적 관점에서, 강요받지 않은 기업의 자발적인 사회봉사활동은 기업윤리 및 기업이익과 연결된다. 특히 기업의 긍정적인 이미지 향상을 위해서는 기업의 사회적 활동이 효과적일 수 있다.

그럼에도 불구하고 제기되는 이해관계자 이론의 비판점은, 첫째, 누가 기업의 이해관계자인지 그리고 그들의 이해관계가 무엇인지 불분명하고, 둘째, 다양하고 상충된 이해관계자들의 이익을 어떻게 균형 잡을 수 있을까 하는 점, 셋째, 주주들의 권리와 다른 이해관계자들의 권리가 과연 동등한지, 넷째, 이해관계자 이론이 너무 일반적이고 모호해서 경영자에게

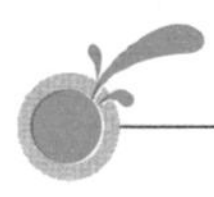

실질적인 지침이 될 수 있는지 등의 문제점이 제기된다.

전체적으로 기업은 거래적 교환관계를 통하여 경영을 지속하고 조직의 목적을 달성할 수 있다. 기업과 사회의 관계는 기업에서 강조되는 경제적 시스템과 사회 전체에서 요구되는 사회적 시스템 간에 이루어지는 상호작용적 관계를 의미한다. 기업은 사회의 구성원인 소비자를 만족시키는 생산 활동과 이익 창출을 통하여 본연의 목표 달성을 위한 경영활동을 수행한다. 또한 사회는 경제단위체인 기업을 배제하고 생산적인 사회시스템을 형성, 발전시킬 수 없다. 이는 기업이 창출하는 재화와 용역 등과 기업이 제공하는 부가가치 활동은 전체 사회의 역동적인 메커니즘을 통하여 사회 전체 시스템의 작용에 미치는 영향이 매우 크기 때문이다. 이에 따라 기업의 영향력은 사회의 제도나 관습, 관행, 생활양식의 개선을 가져오는 선순환적 관계를 지속하는데 이러한 기업과 사회의 상생 관계를 사회적 계약의 관점에서 그림으로 나타내면 [그림 1-2]와 같다.

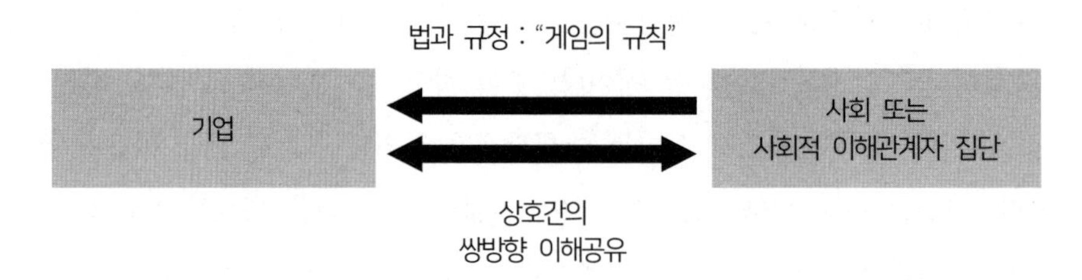

자료 : Carroll et al.(2017), Business & Society Ethics, Sustainability & Stakeholder Management(10th Ed.), Cengage Learning, 15.

[그림 1-2] 사회적 계약의 요소

[그림 1-2]에서 기업과 사회의 계약은 두 개의 주요 방법으로 요약된다. 첫째, 사회에서 인정되어 온 법과 규정은 하나의 틀(framework)로써 기업은 그 틀 안에서 이해관계자들과의 관계 속에서 운영되어야 하며, 둘째, 각기 다른 집단의 기대에 관하여 오랜 시간 걸쳐 이해의 공유를 점진적으로 발전시킨다는 점이다.

2. 기업과 기업윤리

1) 배경

근래 기업 환경변화의 가장 큰 특징 중 하나는 이른바 '윤리의 시대 도래(The Era of Ethics is advancing)'이다. 이러한 환경 변화의 배경에는 근본적으로 개인 및 사회 일반의 윤리의식 기대 수준의 변화 즉, 일반 대중이 기업에 대한 높은 윤리의식을 요구하는 경향을 기반으로 하고 있다. 이러한 기업윤리 환경의 변화를 국내적, 국제적 기준으로 구분하여 살펴보면 다음과 같다.

(1) 국내환경의 변화

기업윤리에 대한 국내환경의 중요 변화로 사회적 가치관의 변화, 성실한 기업 상의 강조, 국제뇌물방지법, 정부와 기업의 각성, 여론의 압력 등을 살펴 볼 수 있다.

① 사회적 가치관의 변화

기업에 대한 소비자들의 윤리적 요구수준이 높아짐으로 인하여 기업에서는 단기적인 시각으로 비윤리적인 의사결정을 할 수 없는 상황이 되었고, 기업의 주요 구성원인 종업원들의 삶에 대한 태도와 가치관도 많은 변화를 가져와 윤리적 기업경영은 이제 필수적인 사항으로 등장하였다.

② 성실한 기업상의 요구

성실한 기업상이 요구됨으로 기업은 공정경쟁 규칙의 준수 등 기업의 경영활동에도 윤리적 가치가 중요하게 되었다. 기업의 성실성은 정직성, 신뢰성, 공정성 관점에서 적용될 때 가능하다. 정직성은 기업이 대중을 상대로 진실해야 하는 것이고, 신뢰성은 윤리적 기업활동이 일관성이 있는 것이며, 공정성은 기업의 투입과 산출에 대한 인지적 비교의 과정을 공정하다고 대중이 인식하는 것으로, 이러한 요소들을 확보함으로써 기업이 긍정적 이미지를 확보할 수 있고 나아가 기업이 사회적으로 정당성을 확보하여 기업시민으로서의 역할과 활동을 인정받을 수 있다.

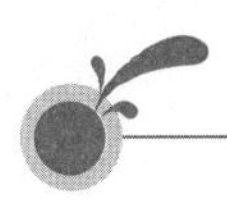

③ 국제뇌물방지법의 제정

국제뇌물방지법의 영향으로 기업 거래상의 관행으로 여겨져 오던 뇌물 제공 등의 행위가 법률적으로 금지되고 있다. 구체적으로 경제협력개발기구(OECD)의 '외국공무원뇌물방지협정'의 영향으로 각국이 이를 입법화하였고 우리나라의 경우에도 2010년 '국제상거래에 있어서 외국공무원에 대한 뇌물방지법'(약칭 국제뇌물방지법)이 제정됨으로써 그동안 해외에서 관행적으로 제공되어 온 외국공무원에 대한 뇌물 제공은 귀국 후에라도 국내에서 처벌할 수 있도록 법률로써 강제하고 있는바, 이는 우리나라의 국제뇌물방지법이 OECD 뇌물방지협약의 이행 입법으로서의 성격을 지닌 것으로 볼 수 있다.

④ 정부와 기업의 윤리적 각성

정부는 청렴도 제고를 위해 2008년 2월 국가청렴위원회를 국민권익위원회 부패방지부로 통합 및 명칭을 변경하고 기업들은 윤리경영을 제도화하며 나아가 경영전략으로 채택하면서 윤리적 측면을 핵심 비전으로 도입하고 있는 기업이 크게 증가하였다. 또한 기업지배구조(corporate governance : CG)에 대한 인식 변화는 기업의 목표, 수단, 자원 배분에 대하여 영향을 미치게 되었고, 기업경쟁력의 원천과 장기적 안정 성장의 기본 요건으로 소액주주 권한 강화를 위한 주주대표 및 집단소송, 주주장부열람권, 사외이사의 과반수 이상 확보 등으로 구체화 되는 등 기업의 각성은 국내 기업 자신의 기업윤리 인식을 반영하여 경영 실무에 적용하고 있다.

(2) 국제환경의 변화

기업윤리에 대한 국제환경의 주요 변화로 윤리적 국제표준(global standard)의 등장과 더불어 부패라운드, 윤리라운드, 업계와 정부의 자율과 장려로 인한 윤리기준의 강화 등이 나타나게 된바, 윤리적 국제표준은 무역 및 국제상거래상의 규제 및 장벽으로 등장하여 기업경영이 실질적으로 영향을 미치게 되었는데 이를 구체적으로 살펴보면 다음과 같다.

① 부패라운드

부패라운드(Corruption Round)란 국가간 부패 없는 공정무역질서 회복을 위한 다자간 논의를 말한다. 이와 관련하여 1976년 미국에서 제정된 법률로는 외국에서 '뇌물' 제공시

국내법을 적용 처벌하는 '해외부패방지에 관한 법', OECD '국제상거래에 있어서의 외국공무원뇌물방지협정', 우리나라의 '국제뇌물방지법'은 해외에서의 건설공사나 각종 입찰 등에 실질적인 영향을 미치고 있다.

② 윤리라운드

윤리라운드(Ethics Round)란 윤리적 경영 환경과 조건을 국제 표준화하려는 논의로, 비윤리적인 기업의 제품 및 서비스를 국제 상거래에서 규제하자는 것이다. 1995년 미국에서 제정된 '기업이 지켜야 할 원칙'은 '선량한 국제거래 관행 프로그램 원칙'의 시초가 되었고, 1999년 'OECD 기업지배원칙'은 주주의 권리, 주주의 평등한 대우, 기업지배에 관한 이해관계자의 역할, 정보공개와 투명성, 이사회의 역할 등 5개 원칙을 제정하였다. 나아가 국제표준화기구의 'ISO 26000'은 사회적 책임에 관한 국제적인 지침으로 책임성, 투명성, 윤리적 행동, 이해관계자의 이익존중, 법규준수, 국제행동규범, 인권 등의 7가지 원칙을 제시하고 이에 대한 재량적 인증과 적극적인 준수를 촉구하고 있다.

③ 기업윤리의 법제화

미국의 경우를 살펴보면 1991년의 '미국연방판결기준'은 기업윤리의 표준으로 작용하고 있으며, '군수산업자율규제'는 군수입찰 참여기업들 자체기준으로 활용되고 있고, 2002년 제정된 사베인옥슬리법(Sarbanes-Oxley Act, 회계개혁법)은 증권거래위원회(SEC) 재무제표에 대한 CEO의 책임서약을 의무화함으로써 국제적으로 기업의 윤리적 책임 준수를 법제화하였다.

2) 기업윤리의 개념

법과 도덕 및 윤리의 개념을 살펴보면 다음과 같다. 먼저 법(law)은 국가의 강제력을 수반하는 제 사회규범으로, 법은 최소한의 도덕이라 할 수 있다. 도덕(moral)은 인간으로서 마땅히 지켜야 할 도리로서 윤리를 존중하는 개개인의 심성이나 덕행을 말한다. 또한 윤리(ethics)는 사람으로서 지켜야 할 최소한의 도리, 선악시비의 판단기준으로 형성된 하나의 사회적 규범 체계라고 할 수 있다. 윤리문제도 많은 경우 법과 밀접한 관계를 지니는 특징이 있다. 이하에서는 기업윤리, 경영윤리, 윤리경영의 개념에 관하여 알아본다.

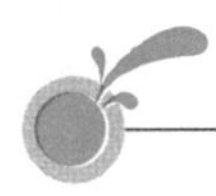

(1) 기업윤리

기업윤리(business ethics)에 대하여 바틀스(L. Bartels)는 '기업경영과 관련된 행동, 태도의 옳고 그름, 선과 악을 체계적으로 구분하는 판단기준'으로, 캐롤과 부시홀츠(Carroll, B. A. & Buchholt, A.)는 '규범적 판단 기준과 도덕적 가치와 관련된 기업행동과 의사결정 기준'으로 정의하였다. 이러한 기업윤리의 기본적 접근법은 윤리성 여부의 판단기준 자체를 중시하는 규범적 접근과 경영의사결정 상황에서의 실무적 적용에 초점을 맞춘 실용적 접근으로 구분된다. 또한 이러한 기업윤리의 네 가지 개념상의 특징으로 ① 도덕적 기준에 의한 선(善)을 '윤리'의 초점으로 바라보며, ② 기업의 추구 목표인 '이익'을 고려하고, ③ 최고경영자 입장의 의사결정을 가정하며, ④ 기업과 윤리를 함께 고려한다는 점이다.

(2) 경영윤리

경영윤리(management ethics)는 경영관리 기능을 수행하는 경영자나 종업원의 행동윤리로서 경영 의사결정 상황에서 요구되는 윤리적 규범체계를 말한다. 이는 개인의 도덕규범을 경영 활동에 적용한 것이며, 법적 기준은 최소한의 윤리적 기대수준으로 법률과 윤리성은 일치하지 않을 수 있다. 기업 활동과 관련한 기업윤리라는 정태적 관점에서 조직의 경영과정에서 발생할 수 있는 문제 해결 중심의 경영윤리로 개념이 진보하게 된 것이다.

(3) 윤리경영

윤리경영(ethical management)은 기업 의사결정과 실천과정에서 이해관계자의 권익과 기업의 경제적 이익의 균형을 취하여 존경과 신임을 얻는 경영활동을 말한다. 이러한 윤리경영은 윤리적 규범을 기업경영에 구체적으로 적용하는 것으로 동태적 관점이며, 윤리적 관점의 경영으로 지속가능발전(sustainable development)을 도모한다. 이는 기업 내 개인은 개인의 도덕적 가치관과 조직의 도덕적 우선순위를 동시에 만족시키는 의사결정이 필요하게 되면서 기업 활동과 관련한 기업윤리라는 정태적 관점에서 다양한 이해관계자를 중시하는 전략적 관점의 윤리경영으로 발전하게 되었다.

3) 기업윤리의 필요성

사회의 전반적 윤리의식 변화 속에서 기업의 기업윤리에 대한 기대가 높아지고 그에 따라 기업의 윤리수준에 대한 관심도 고조되고 있는 바, 기업윤리가 필요한 구체적 이유를 살펴보면 다음과 같다.

(1) 기업의 영향력 증대

기업규모 증대로 사회 전반에 미치는 기업의 영향력이 매우 커지고 있기 때문이다. 기업은 소비자의 욕구에 맞는 제품과 서비스를 생산하고 그를 통하여 소비자에게 효용을 제공하여 왔다. 이러한 기업의 제품과 서비스 제공은 결과적으로 소비자와 일반 대중에게 직간접적 영향을 미침으로써 하나의 사회적 트렌드를 형성하고 나아가 일반 대중의 삶의 방식에도 크나큰 영향을 미치게 되면서 기업은 일반 대중의 중요한 이해관계자로 등장하였고, 그 위상은 크게 변화하였다. 이에 따라 기업에 대한 윤리적 기대 수준도 높아지고 기업을 비롯한 조직의 기업윤리는 사회의 중요한 관심사가 되었다.

(2) 높은 생활의 질 추구

보다 높은 생활의 질(quality of life)을 추구하면서 인간 생활에 영향을 주고 있는 여러 요인들, 특히 자연과 환경의 보전에 대한 관심이 강조되었다. 이는 기업의 환경 보호에 대한 의무 이행 요구로 이어지게 되었고, 이는 현재의 세대뿐만 아니라 미래의 후손 세대들을 염두에 두고 지속가능발전을 추구하는 맥락의 요구이기도 하다.

(3) 윤리경영과 사회적 책임 실천

기업의 윤리경영은 결국 기업윤리의 적용과 실천을 의미하는 경영기법으로 이는 기업윤리의 실천이기도 하다. 더불어 기업의 사회적 책임(corporate social responsibility)은 오늘날 하나의 의무사항으로 당연한 기업의 책무로 여겨지고 있다. 이러한 추세 속에서 기업의 사회적 책임 활동은 기업시민으로서의 역할을 실천하기 위한 활동의 하나로 이 또한 기업윤리의 대외적 실천 활동으로 나타난 것이다.

(4) 윤리의식 제고

경영의 흐름이 효율성 중심에서 인간중심의 경영으로 변화함에 따라 인간의 보편적 행동 규범인 윤리 의식 제고가 중요시되고 있다. 경영의 모든 기능에 작용하는 인간은 그 자체가 하나의 목적이지 수단일 수 없다. 즉 본질적으로 경영의 주체인 인간에 대한 존엄성 보호 및 존중의 필요성은 기업윤리의 가장 기본적인 가치이다.

(5) 자유시장경제체제 유지

자본주의시장경제체제 하에서 공정경쟁을 통한 가격형성은 시장 질서를 유지하는 가장 기본적이며 중요한 메커니즘이 된다. 불공정과 기업의 비윤리로 인한 시장질서의 왜곡 등 부정적 기업 활동은 자유주의 경제의 질서를 무너뜨리고 나아가 시장 전체에 대한 불신을 초래한다.

(6) 기업 경쟁력 강화

기업윤리는 구체적으로 윤리경영으로 실천되는 바, 이는 효과적인 경영전략적 차원에서 활용될 수 있다. 윤리적 기업은 대중의 기업에 대한 신뢰도를 높여 윤리적 기업으로서 이미지를 심어주게 되고 이는 결과적으로 기업 제품에 대한 선호도 증가와 구매로 이어져 기업의 경제적 이익에 긍정적 영향을 미칠 수 있다. 다수의 사례에서 윤리적 기업의 시장 경쟁력이 강화되어 중·장기적 경영성과가 증진되는 것을 확인할 수 있다.

(7) 기업 신뢰와 장기 발전

기업윤리를 등한시한 비윤리적 기업의 사례가 불거지면서 현실적으로 기업의 존속이 심대한 타격을 받게 된다. 이는 근래 많은 기업들의 사례에서 증명되고 있다. 특히 기업의 유구한 역사와 대중의 신뢰도 하나의 비윤리 사례로 무너질 수 있다. 기업이 신뢰를 구축하는 데는 많은 시간이 소요되지만 그것이 붕괴되는 데에는 결코 많은 시간이 필요치 않다. 또한 비윤리 사례는 대내적으로도 구성원의 윤리적 자부심에 상처를 주고 결과적으로 사기와 생산성에 부정적인 영향을 미칠 수 있다.

4) 기업윤리와 사회이익모델

과거 경영자의 기업 의사결정에서 일반화된 자기이익모델(Self-interest model)의 추구 경향은 이제 유효하지 않게 되었다. 이는 기업이 이익극대화만으로는 더 이상 이해관계자들의 지지를 받기 어렵고 나아가 장기적 번영과 생존에도 도움이 되기 어렵기 때문이다. 즉, 현대 기업은 사회적 존재로서 이제 사회이익모델(Societal-interest model)을 추구해야 한다. 사회이익모델은 다양한 이해관계자의 욕구를 충족하려는 접근법으로서 매우 유용하다. 기업윤리의 판단시 기업은 이러한 사회이익모델에 기초한 이익을 추구하면서 다양한 가치 창출을 위해 이해관계자들과의 적극적인 상호작용과 사회의 공동선에 관한 능동적 조직학습이 필요하게 되었다.

〈표 1-4〉 자기이익모델과 사회이익모델

구분	자기이익모델	사회이익모델
목 적	이익의 극대화	가치의 창조
시간영역	단기적	장기적
행동준칙	법규와 업계의 관행대로	봉사에 대한 적절한 보수기대
기본가정	기업의 자기이익 추구가 최대 다수의 최대 행복	사회가 필요로 하는 가치의 제공
수 단	가급적 능률적 방법	지속되는 관계유지

자료 : 이종영(2011), 기업윤리 - 윤리경영의 이론과 실제 -(제7판), 31,

3. 기업윤리와 기업성과

1) 기업의 윤리수준과 이익수준

경영자의 윤리적 행동은 윤리적 문제에 대한 지각과 윤리적 의사결정으로 표출되고 이러한 경영자의 행동은 결과적으로 기업의 윤리수준, 나아가 이익수준으로 연결된다. 기업의 기업윤리수준과 이익수준의 관계를 기준으로 헌트와 비텔(Hunt & Vitell)은 네 가지 기업유형으로 구분하고 있다. 이들 기업유형은 [그림 1-3]처럼 기업윤리수준과 이익수준의 높고 낮음을 기준으로, 윤리수준과 이익수준이 모두 낮은 기업(필요 없는 기업), 윤리수준은 낮으면서

이익수준은 높은 기업(바람직하지 못한 기업), 윤리수준은 높으나 이익수준은 낮은 기업(지속할 수 없는 기업), 윤리수준과 기업수준 모두 높은 기업(바람직한 기업)이 존재한다. 이러한 헌트와 비텔(Hunt & Vitell)의 구분에서 윤리수준과 이익수준이 모두 높은 기업이 가장 바람직한 기업으로서 지속할 수 있음을 보여주고 있다.

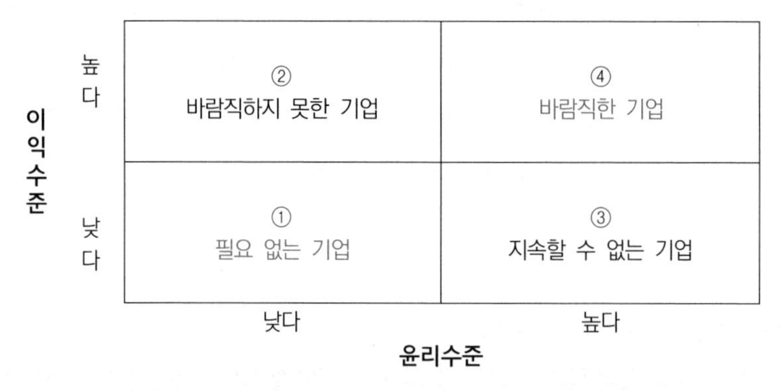

[그림 1-3] 윤리수준과 이익수준에 따른 기업유형

2) 기업윤리와 기업성과

기업의 기업윤리 실천은 많은 경우에 그 결과에 대한 논쟁을 불러올 수 있다. 이는 기업윤리 실천기업의 성과도 그에 따라 과연 증가하는가 하는 문제에 관한 논쟁을 의미한다. 초기의 실증연구에서는 상반된 연구결과를 보여주기도 하였으나 근래에는 많은 경우 기업윤리는 기업의 성과에 긍정적인 영향을 미치고(김찬중·조준희, 2016) 특히 경제적 성과에도 영향을 미친다는 연구 결과가 다수 보고되고 있다(〈표 1-5〉 참조).

대표적으로 전국경제인연합회(2010)는 윤리적 의사결정과 재무성과 간 정(+)의 상관관계를 보고하면서 사회적 책임 수행비용은 종업원 사기와 생산성 향상, 이익과의 상쇄 가능성을 보고하였으며, 박헌준 등(2004)은 윤리경영과 기업성과간의 관계 연구에서 윤리적으로 건전한 기업은 수익성과 단기 상환능력이 좋아지며 공정한 기업의 장기부채 상환능력이 좋아짐을 보고하였고, 기업윤리의 실천을 통하여 기업이미지 향상→고객충성도 강화→판매증가→이익증가로 이어지며 더불어 기업윤리의 실천은 종업원 윤리적 자부심 향상→사기향상→생산성 향상→이익증가로 이어진다고 보고하여 기업의 기업윤리 실천이 기업성과에 긍정적인 영향을 미친다고 주장하였다. 이와 같은 기업윤리와 기업의 성과에 관련된 주요 연구를 정리하면 〈표 1-5〉와 같다.

〈표 1-5〉 기업윤리와 기업성과 관련 연구

연구자	연구결과
Apperle, Carroll & Hatfield(1985)	사회적 책임 비용이 기업의 불안정한(-) 재무상황을 야기
Vitell Davis(1990)	윤리풍토와 직무만족간 정(+)의 관계
Vance(1975)	주가에 부정적(-) 영향
Hammond & Slocum(1996)	기업의 재무성과가 사회적 평판에 정의(+) 방향
Pava & Krausz(1996)	재무적 성과가 높은 기업이 사회적 책임수행 성과 높음(+)
Waddock & Graves(1997)	재무적 성과와 사회적 성과 간에는 양방향 관계 존재
Griffin & Manon(1997)	메타 분석 결과 그 동안의 연구가 의미 있는 결론을 보여주지 못함
Stanwick(1998)	기업의 사회적성과(CSP)가 수익성에 정(+)의 영향
Barlett & Preston(2000)	투자자들은 기업의 윤리적 의사결정에 대해 부정적(-) 입장
Cummings(2000)	기업의 윤리적 의사결정과 재무적 성과간 정(+)의 관계
Margolis & Walsh(2001)	사회적 성과와 재무성과 간 양방향 인과관계
박헌준(2002)	사회적 성과(경실련 경제성의 지수)와 재무적 성과 간 양방향 상관관계
박헌준, 신현환, 권인수(2004)	기업평판과 재무성과간의 양(+)의 관계
Kim, C. J.(2009)	윤리경영은 조직성과에 정(+)의 영향
김찬중, 조준희(2011)	윤리경영은 직무만족, 조직몰입에 정(+)의 영향
김찬중, 조준희(2011)	윤리경영은 조직성과에 정(+)의 영향
김경묵(2021)	윤리경영 시스템 구조화는 기업의 사회적 성과에 정(+)의 영향

자료 : 저자 정리

3) 윤리경영과 기업경쟁력

전체적으로 기업윤리의 실천과 기업경쟁력의 관계는 다음과 같이 요약할 수 있다.

첫째, 윤리경영의 실천은 장기적인 기업 이윤의 증가 및 이해관계자들의 이익에도 기여한다. 이는 기업이 주주중심의 이익모델에서 변화하여 전체 이해관계자의 이익을 고려함으로써 전체적으로는 이해관계자들의 이익 총량의 증가를 가져오고, 주주와 종업원뿐만 아니라 소

비자와 일반 대중의 이익에 기여함으로써 장기적인 기업 경쟁력을 강화시키는 전략으로 활용할 수 있다.

둘째, 윤리경영의 실천은 기업에 대한 우호적 이미지를 형성함으로써 고객충성도를 제고하고 이는 결과적으로 매출증가와 경제적 성과 증대로 이어지게 된다는 점이다. 이는 기업윤리의 실천과 기업의 이익실현의 병존 가능성을 보여줌으로써 이 또한 기업에서 기업윤리의 전략적 관점의 가치와 필요성을 의미한다.

셋째, 기업윤리의 실천은 조직구성원의 자긍심을 향상시키고 직무만족을 높이며 우수인적자원을 확보하고 나아가 이직률을 감소시킬 수 있다. 이는 기업윤리의 실천이 결과적으로 효과적인 경영관리의 대안으로도 작용하게 됨을 의미한다. 구성원의 윤리적 가치 공유는 결과적으로 긍정적인 조직성과를 가져오는 것이다.

마지막으로, 주주 및 투자자에게 공정하고 경쟁력 있는 보상을 제공한다는 점이다. 기업윤리의 실천을 통하여 얻어지는 경제적 이익은 결과적으로 주식의 본질적 가치를 상승시킴으로써 주식시장에서 투자자들의 적극적 투자의사결정에 영향을 미친다. 이는 주가의 상승으로 이어지고 투자자들에게는 배당 등을 가능하게 한다.

[그림 1-4]에서 기업윤리의 실천 활동인 윤리경영은 결과적으로 기업의 경제적 이익과 상당 부분 중복되고 밀접한 관련이 있음을 나타내고 있으며, 더불어 윤리경영의 일부분은 기업의 이익과 중복되지 않는 영역도 있음을 의미한다.

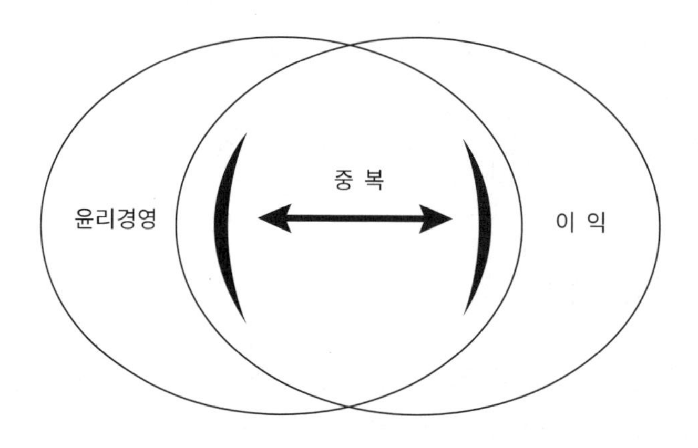

[그림 1-4] 윤리경영과 기업이익의 중복

4. 기업윤리와 위기관리

기업경영의 위기(crisis)는 생산과정 혹은 생산된 제품의 문제, 소비자 집단 클레임, 노사분규, 악성루머, 핵심정보유출, 산업재해, 부도 등 경영활동 전반에 걸쳐 잠재적으로 내재되어 있다, 특히 기업은 불법 및 비윤리 문제에 노출 시 언론 및 소비자 등 이해관계자들에 대하여 효과적 대응이 필요하다. 이처럼 기업의 위기는 잠재적으로 내재되어 있거나 또는 구체적으로 드러날 수 있는 바, 이는 위기관리(crisis management)의 상시적, 비상시적 관리 필요성을 의미하는데 이하에서는 이와 같은 기업경영과 관련한 상시위기관리와 비상시위기관리를 구분하여 설명한다.

1) 상시위기관리

기업의 상시위기관리는 기업의 잠재된 위험을 감소시키고 이를 일상적으로 관리하기 위한 것으로, 이는 아직 드러나지 않았으나 향후 드러날 여지가 있는 여러 가지의 위기를 관리하는 기업의 평상시 활동을 말한다. 경영자는 기업의 윤리수준 향상을 위해서는 물론 향후 불거질 수 있는 비윤리 사례의 발생을 방지하기 위한 잠재적인 위험에 대한 관리 활동으로서 평소 윤리경영 실천에 주력한다. 다음은 상시위기관리에 필요한 윤리경영의 핵심요인인 최고경영자(CEO)의 윤리실천의지, 윤리제도 구축, 윤리적 조직문화 구축, 기업윤리교육 평가보상을 중심으로 설명한다.

(1) 최고경영자의 실천의지

대내적으로 최고경영자의 강력한 의지 표명은 구성원들에게 분명한 메시지로 작용하고 기업윤리의 실천을 독려하는 작용을 한다. 특히 주기적이고 빈번한 최고경영자의 기업 기업윤리의 수준 향상과 업무처리 과정에서의 기업윤리 준수 강조와 솔선수범은 상당한 실행력을 담보하는 효과를 지닌다.

(2) 윤리제도 구축

기업윤리의 실천을 개인의 영역으로 하기 보다 조직 차원의 접근과 체계적인 관리가 필요

하다. 윤리헌장과 윤리강령의 제정은 물론 기업윤리의 실천을 주도하고 실행성과를 평가할 전담부서의 지정과 같은 제도적 접근이 필요하다. 또한 최고윤리책임자(Chief Ethics Officer: CEO)를 지정하고 기업 전체 차원에서 기업윤리 활동의 실천을 제도적으로 이끌 필요가 있다.

(3) 윤리적 조직문화 구축

구성원 모두가 윤리적 가치관, 신념, 규범 등을 공유하고 이를 통하여 기업의 윤리적 방향성을 명확히 설정하여야 한다. 이는 비교적 오랜 시간이 소요될 수 있다. 그러나 윤리적 조직문화의 구축은 기업 구성원의 윤리적 행동 기준을 제시하고 윤리적 행동을 촉진함으로써 장기적으로는 기업의 윤리적 성과에 긍정적인 영향을 미치게 된다.

(4) 기업윤리교육

기업차원의 체계적이고 주기적인 기업윤리 교육은 구성기업윤리 의식을 함양하고 조직 차원에서 필요한 윤리교육을 통하여 조직 전체의 기업윤리 수준을 높이게 되며 이는 강한 윤리기업으로서의 기업경쟁력 확보의 기초가 된다.

(5) 평가보상

기업윤리의 실천이 구성원에게 체화되기 위해서는 업무상의 기업윤리 실천 활동에 대한 주기적인 평가와 이에 따른 보상이 필요하다. 특히 인사고과에 기업윤리의 준수가 반영되고 보상으로 연계될 때 구성원의 기업윤리 실천은 보다 구체화 될 수 있다.

2) 비상시위기관리

비상시위기관리는 기업의 비윤리 사례가 대내외적인 문제로 불거졌을 때의 상황에서 필요한 관리활동으로서 이러한 비상시위기관리의 단계별 대응전략 및 구체적 대응방안이 필요한데 이를 살펴보면 다음과 같다. 위기대응전략을 위기 발생의 사전, 발생, 사후 단계별 전략으로 구분하여 살펴보면 다음과 같다.

(1) 사전단계

위기관리 매뉴얼의 구축과 사전 연습이 필요하다. 이는 위기관리 매뉴얼의 사전정립 및 교육, 특히 CEO, 홍보팀의 효과적 언론 대응법에 관한 사전 준비와 도상 연습이 필요하다는 점이다. 기존의 사례를 토대로 한 예상 가능한 시나리오 사전 작성, 홍보팀 및 CEO의 체계적인 사전 연습은 위기대응력을 높일 수 있다. 특히 많은 기업의 경우 준비되지 않은 CEO의 언론 대응과 직접 노출은 오히려 위기의 악화를 가져오는 사례가 발생할 수 있으므로 체계적인 사전 준비가 필요하다.

(2) 발생단계

적극적인 대응전략이 필요하다. CEO의 지휘 아래 위기관리팀을 즉시 가동하고 정확한 사실관계 규명 및 문제의 원인파악에 집중하고, 이해관계자들에 대한 보다 적극적인 관계관리가 중요하다. 이때 외부이해관계자(소비자, 언론, 정부)는 물론 내부의 구성원 관리도 필요하다. 외부인들은 구성원들에게 위기상황에 대해 묻고 그들의 반응에 따라 위기상황 내용과 정도를 파악하는 경향이 있으므로 이를 고려하여야 하고, 특히 경영자는 구성원이 위기상황의 최일선에 있다는 점을 중시하여 내부 구성원들이 회사에 대해 갖는 불안감을 줄여주어야 하므로 내부 구성원간, 부서간의 정확한 의사소통 노력이 필요하다. 나아가 유언비어를 통제하기 위해서 구성원들에게도 언론에 제공했던 동일한 내용으로 정보를 제공해야 한다.

(3) 사후단계

기업의 대응 종결 및 홍보 전략이 필요하다. 기업 위기의 해결을 선언하고 재발방지 체계 구축 내용을 홍보하여야 한다. 이와 같이 사후적인 대중 커뮤니케이션의 강화 및 위기 종결 후 기업이미지를 회복하기 위한 조직차원의 적극적인 노력 등을 체계적으로 이해관계자들에게 집중하여야 한다.

기업 사례 발렌베리

스웨덴 스톡홀름 아르세날스가탄 4번지에는 평범한 8층 높이의 건물이 있고 그 옆 공원에는 높이 2m가 채 되지 않는 동상이 있다. 이 건물이 스웨덴의 국민기업으로 존경받는 발렌베리(Wallenberg)의 재단이며, 동상의 주인공은 발렌베리의 창업자인을 앙드레 오스카 발렌베리(Andre Oscar Wallenberg)이다. 외교관이었던 그는 자신의 지위를 활용해 제2차 세계대전 당시 헝가리 유태인을 무려 10만 명이나 구해 냈다. 이 때문에 유럽에서는 그를 '스웨덴의 신들러'라고 부른다. 스웨덴의 국민기업으로 추앙받는 발렌베리 가문은 1856년 앙드레 오스카 발렌베리에 의해 창업돼 올해로 5대에 걸쳐 162년째를 이어오고 있다. 앙드레 오스카 발렌베리가 해군 장교로 제대한 뒤 1856년 스톡홀름엔스킬다은행(SEB: Stockholm Enskilda Bank, 현재 스칸디나비스카엔스킬다은행)을 창업한 것이 발렌베리 기업가문의 시작이다.

현재는 인베스터AB(Investor AB)라는 지주 회사가 SEB, 일렉트로룩스, 에릭손, 사브, ABB 등 스웨덴의 주요 기업 19곳을 거느리고 있으며, 100여 개 기업 경영에 직간접적으로 참여하고 있다. 지주회사는 인베스터지만, 이를 지배하는 곳은 발렌베리 가문의 공익재단인 크누트앤앨리스발렌베리재단(Knut and Alice Wallenbergs Foundation)이다. 창업 2세대인 크누트와 앨리스 부부는 후손이 없어 자신들의 재산 모두를 자신들의 이름을 딴 공익재단에 기부했고, 이 전통이 현재까지 이어지고 있다. 이 재단의 자산은 396억7800만 크로네(약 8조3600억 원)로 발렌베리 가문내 다수의 공익재단 중 규모가 가장 크다. 이 재단은 인베스터의 지분을 18.7% 소유하고 있고, 의결권 비중은 40.2%(차등의결권제)다. 발렌베리 그룹의 연매출은 1100억달러(2010년)로 스웨덴 국내총생산(GDP·2010년 4589억달러·세계은행 기준)의 30%를 차지하고 있다. 고용한 종업원 수는 39만1355명(2009년 기준)으로 스웨덴 인구의 4.5%에 달한다.

발렌베리그룹은 창업자인 안드레 오스카 발렌베리 이후 무려 5대에 걸쳐 경영권을 승계하고 있지만, 스웨덴 국민들로부터 존경을 받는 이유는 이 그룹 이익금의 85%를 법인세로 납부, 사회에 환원하고 있기 때문이다. 발렌베리 재단의 수익금 역시 전액 기초기술과 학술지원 등 공익적 목적에 활용한다. 발렌베리 가문 오너 개인들의 지분은 미미하지만 '차등의결권 제도'를 도입해 오너 일가의 주식에 일반 주식의 최대 1000배(현재는 최대 10배)에 달하는 의결권을 부여받고 있다. 이는 산업화 과정에서 국가적 노사갈등을 해결하는 과정에서 나온 노사간의 대타협의 결과다. 기업은 자신들이 속한 사회에 기여하고, 사회는 그 기업가문의 경영권을 보장해주는 형태다.

1938년으로 극심한 노사분규 과정에서 '노·사·정 대타협'인 살트셰바덴협약을 맺었다. 이 협약의 핵심 내용은 △차등의결권 제도를 도입해 오너 일가의 기업 지배권을 인정하고 △대신 회사 이익금의 85%를 법인세로 납부한다는 내용이었다. 이 제도는 개별 기업이 선택할 수 있도록 했고, 2011년 현재 스웨덴 상장기업의 55%, 핀란드 상장 회사의 36%, 덴마크 상장기업의 33%가 따르고 있다. 발렌베리 가문이 후계 경영자를 선택하는 방식은 독특하다. 발렌베리 가문은 CEO가 되기 위한 최소 조건으로 창업자와 마찬가지로 △부모 도움 없이 대학을 졸업하고 해외 유학을 마칠 것과 △해군 장교로 복무할 것을 조건으로 내건다. 후계 경영자들은 이 조건을 모두 만족시키는 전통을 이어오고 있다.

발렌베리 경영의 또 하나의 특징은 '투톱 경영체제'이다. 한쪽은 금융, 한쪽은 제조업을 맡는 형태로 한쪽의 독단으로 그룹이 위기에 처하는 것을 막기 위해서다. 발렌베리그룹은 지주회사인 '인베스터AB'와 은행인 'SEB', 두 개사를 주축으로 구성돼 있다. 지난 3월 방한해 이재용 삼성전자 사장 등을 만났던 야콥 발렌베리 회장(4세대)이 인베스터AB를 맡고, 마쿠스 발렌베리(5세대)는 SEB 회장을 맡고 있다.

발렌베리는 2차 대전 당시 3세대인 야콥 발렌베리가 나치에 협력한 혐의로 비난을 받는가 하면, 외교관이었던 라울 발렌베리의 경우 헝가리 유태인을 홀로코스트에서 구해내 '스웨덴의 쉰들러'로 불리기도 하는 등 긍부정의 평가가 존재한다. 이러한 발렌베리 가문은 스웨덴 산업화 역사에서 여러 가지 우여곡절에도 불구하고, 다양한 사회적 활동으로 스웨덴 국민기업으로 사랑 받고 있다.

자료 : 머니투데이(http://news.mt.co.kr)

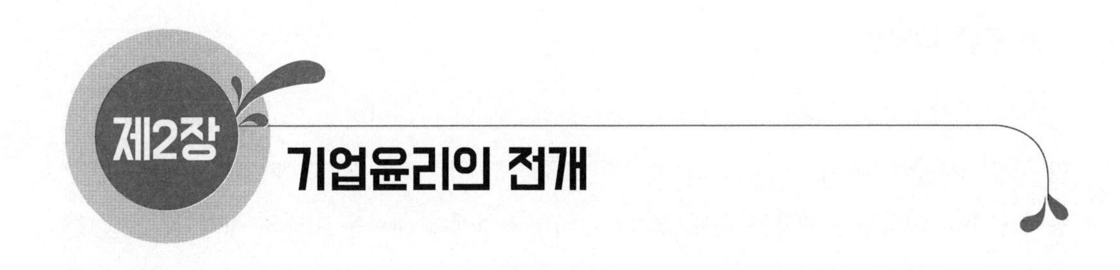

1. 기업윤리 관련 개념

1) 이해관계자주의

이해관계자(stakeholder)는 조직의 의사결정에 직간접적으로 영향을 주고받는 당사자들을 의미한다. 과거의 기업들은 주주에 최우선 순위를 두고 의사결정을 해왔으나 최근에는 주주나 출자자뿐만 아니라 다양한 이해관계자들을 함께 고려하는 경영이 필요하게 되었다. 이해관계자주의(stakeholderism)는 기업의 존재 이유를 기업의 이해관계자에 둔다. 따라서 기업의 내부이해관계자와 외부이해관계자의 가치 제고를 추구하면서, 그 대상을 주주나 종업원뿐만 아니라 고객, 지역사회, 정부, 비정부기구(NGO), 언론, 협력사, 정부, 채권단, 경쟁기업 등으로 확장하고 이러한 이해관계자들 간의 적절한 균형적 관계 설정을 모색한다. 이러한 관점은 기존의 기업 경영이 주주주의(shareholderism) 관점에서 주주나 투자자의 경제적 이익 추구 목적에 국한되는 것과 대비하여 윤리적 목적으로까지 그 경영 목표를 확대하면서 중시되고 있는 개념이다.

이러한 맥락에서 최근 들어 기업의 존재 이유와 관련하여 그 책임의 범주를 어디까지로 해야 하며 구체적으로 어떻게 이행할 것인가에 대한 논의가 활발하게 진행되어 왔다. 이러한 논의들은 마침내 내부이해관계자인 종업원뿐만 아니라 지역사회를 포함한 다양한 이해관계자를 함께 고려하는 기업의 지속가능성과 공생의 경영으로 초점이 모아지고 있다. 이는 기업과 사회 간의 조화를 추구하려는 관점에서 기업의 사회적 책임과 역할을 규정하는 기본적 토대가 되고, 이해관계자의 이익보호 등에서 사회적 책임을 다하고 장기적 이익 달성을 추구하는 입장의 기초 개념으로 이해관계자주의가 활용되고 있음을 의미한다.

2) 공유가치창출

최근 기업의 사회적 책임(CSR)을 넘어 포터(Porter, M.)와 크레이머(Kramer, M. R.)(2011)가 제안한 공유가치창출(Creating Shared Value : CSV)이 주목받고 있다. 이 개념은 기업의 사회 공헌활동이 단순히 편익을 가져오는 것에 그치지 않고, 기업에게 새로운 형태의 시장기회를 발견하도록 해야 한다는 것이다. 이는 기업이 단순한 금전적 기부나 사회봉사활동 수행을 통해 기업의 사회적 책임 활동을 전개하던 기존의 방식에서 탈피하여 기업의 이윤과 사회적 가치를 동시에 달성하려는 공유가치창출로 발전하고 있는 것이다.

기존의 사회공헌활동인 CSR은 기업들이 선행(예 : 기부, 자선활동, 봉사활동)을 통해서 이윤을 사회에 환원하는 것으로, 비용이 발생함으로써 기업의 본원적인 목적인 이익창출과는 무관하다고 인식하면서, 이윤창출과 사회공헌활동을 동시에 추구할 수 있는 방법으로 등장한 것이 CSV이다. CSV 활동은 기업이 시행해야 하는 사회적 가치와 함께 경제적 가치 모두를 달성하여 기업에 이익이 될 수 있도록 해야 한다는 개념으로, Porter & Kramer(2011)는 CSV를 가치창출 사슬 내에 있는 기업과 사회의 공유가치를 창출하는 것으로 더욱 기업의 지속 가능성을 높이는 것이라고 주장하였다(Yoo, 2015; Kang, Lee & Moon, 2014; Yang &Park, 2013).

CSV에 의한 사회공헌활동은 기업의 CSR이라는 활동에 하나의 또 다른 방향을 제시하여 주는 보완적이며 대체적 개념이라 할 수 있다. 그 이유로 CSV는 기업이 수익창출 이후에 CSR을 하는 것이 아니고 기업의 경영활동 자체가 사회적 가치를 창출함과 동시에 경제적 이익을 추구할 수 있는 방향으로 이루어지는 것이기 때문이다.

이러한 사회적 책임을 경쟁우위 확보를 위한 방법으로 인식한 포터 교수는 2011년 하버드 비즈니스 리뷰를 통해 공유가치창출이 사회책임경영이라는 용어를 대체할 것이라고 선언한바 있다. 그는 과거 기업이 고려할 필요가 없었던 다양한 사회적 비용이 경쟁우위에 영향을 끼치고 있음에 주목하였다. 특히 대표적인 사회적 비용 요인으로 물 사용, 에너지 사용, 환경적 영향, 공급업체와의 상생, 종업원 기술력, 종업원 보건 및 안전 등을 제시하였다. 이러한 비용의 증대에 따라 기업은 외부로부터 비롯되는 사회적 비용을 획기적으로 해결할 수 있는 방안을 마련해야 하며, 이러한 방안으로 공유가치창출을 제시한 것이다.

공유가치경영(Shared Value Management)의 경우 주주 가치 극대화를 위한 하나의 방식으로 언급된다. 다양한 이해관계 주체로 종업원, 공급업체 등을 상정하고, 해당 주체들의 생산성

향상은 곧 기업 전반의 생산성 강화로 연결된다는 통합적 관점이다. 이는 기업이 경제적 가치도 함께 추구하는 보다 진화된 경영활동이며, 기업의 입장에서 공유가치창출은 새로운 사업기회를 발견하고 사업에 성공할 수 있는 중용한 경영전략으로 활용될 수 있다.

3) 지속가능발전

지속가능발전(sustainable development)에 대한 논의가 처음 시작된 것은 50년 전의 일이다. 지속가능발전에 관하여 국제사회가 관심을 갖게 된 계기의 하나가 이른바 '성장의 한계(The Limits to Growth)'[1]라는 1972년 출간된 로마클럽(Club of Rome)의 연구보고서에서 제기된 환경보전과 경제발전에 대한 연구를 들 수 있다. 지속가능발전(sustainable development)은 '미래 세대가 필요한 능력을 약화시키지 않으면서 현 세대의 필요를 충족시키는 발전'으로 1987년 UN에 의하여 구성된 세계환경발전위원회(World Commission for Environmental Development : WCED)의 브룬트란드(Brundtland) 보고서인 '우리 공동의 미래(Our Common Future)'에서 정의된 이후 새로운 패러다임으로 등장하기 시작하였다.

이러한 지속가능발전 개념이 본격적으로 확대되기 시작한 것은 1992년 브라질의 '리우환경회의' 이후로서 그동안 다양한 분야에서 새로운 패러다임으로 전개되어 왔다. 2002년 남아프리카공화국 요하네스버그에서 개최된 지속가능발전세계정상회의(WSSD)에서 '요하네스버그 선언'과 '이행계획'을 통하여 리우회의 이후의 추진 실적을 종합평가하고 2002년 이후의 '지속가능발전전략' 추진을 독려하게 되었는데 이러한 지속가능발전은 주로 미래의 환경문제에 초점을 두고 출발하였다. 지속가능발전은 자연 자원과 생태계의 자정능력의 한계를 인정하면서 그 한계 안에서 인류의 기본적인 필요를 충족시키는 발전이다. 환경을 파괴하고 사회갈등을 일으키는 경제성장이 아니라 경제적 발전과 사회적 통합, 환경보전을 함께 이루

---

1) '성장의 한계'는 로마클럽 의뢰로 MIT에서 수행한 연구보고서로 로마클럽보고서라고도 한다. 만일 현재처럼 급속한 인구증가와 도시화, 산업화 등으로 경제성장이 지속되면 자원고갈과 환경오염으로 앞으로 100년 이내에 지구는 성장의 '한계'에 도달하게 될 것이라는 주장이 이때 제기되었다. 현재와 같은 생산 및 소비 방식이 계속될 경우 인류는 궁극적으로 파국을 면치 못할 것이라는 비판적 견해가 피력되었으며, 이는 이후 1992년에 출간된 '한계를 넘어서(Beyond the Limits)'라는 제목으로 출간된 개정판에서도 그대로 유지되고 있다. 이후 1980년대에 본격적으로 등장한 지속가능발전 개념은 '지속가능'에 초점을 맞추고 있다. 다시 말해서 지속가능발전 개념은 인류의 미래에 대한 전망을 '한계'로부터 '지속가능'으로 이전시키고 있다는 점에서 의미의 전환이 있다.

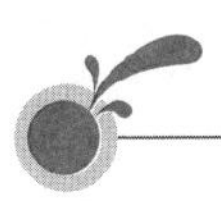

어가는 미래지향적 발전을 의미한다. 또한 경제성장 위주의 경제중심 발전 전략에서 경제발전, 환경보전, 사회통합의 유기적, 균형적 통합을 통한 지속가능발전을 추구한다.

한편 지속가능발전의 개념은 기업들에게 새롭게 요구되는 경영패러다임으로써 지속가능경영(sustainable management)으로 구체화되고 있다. 지속가능경영은 '주주가치를 제고시키는 동시에 외부이해관계자들에 대한 사회 및 환경적 가치를 부가하려는 기업 전략'을 의미한다(Statman, 2005). 지속가능경영은 경제적 책임(신뢰성), 환경적 책임(건전성), 사회적 책임(공익성)을 바탕으로 조직의 지속가능발전을 추구하는 경영활동으로, 경제적 측면에서는 제품의 품질이나 가격정책, 마케팅 전략을 통한 수익 증대라는 경영의 전통적인 가치를 중시한다(일반경영). 환경적 측면에서는 제품 생산 시 저탄소 녹색성장 등 환경보호를 추구하고(환경경영), 기업의 투명성 유지와 공익적 기여, 다양한 이해관계자를 고려하는 관점(윤리경영)을 유지함으로써 기업의 생존과 성장도 가능하다고 본다. 또한 세 가지 기본 성과(triple bottom lines)라는 용어가 사용되고 있는데 이것은 기업 활동이 경제, 사회 그리고 환경의 세 측면을 고려한 경영전략을 지향하여 결국 사회적, 환경적 요소를 전략적 요소로 취급하게 되므로 기업의 사회적 책임과 유사한 관점에서 등장하기도 한다.

4) 기업시민의식

기업시민(corporate citizen)은 건전한 사회구성원으로서의 역할을 다하는 기업 또는 기업의 행위를 말한다. 따라서 기업시민의식(corporate citizenship)은 개인과 마찬가지로 기업도 지역사회의 한 구성원으로서 일정한 책임과 권리를 공유하는 태도나 자세를 의미하는바, 최근 기업의 지속가능경영의 중요한 요소로 인식되고 있다. 구체적으로는 기업이 사회로부터 우수한 경영자원을 공급받을 권리가 있고, 그에 상응해 사회에 봉사하고 기여해야 기업시민이 된다는 주장이다. 기업의 사회적 기여와 연관하여 경쟁력을 높이고 이윤을 창출하며 이를 사회에 환원시켜 필요한 인프라를 조성하는 방식으로 상생의 구조를 만들어 나아가는 것을 지향한다.

1990년대 이래 미국과 유럽을 중심으로 발달한 개념인 기업시민의식은 간접적으로 기업의 사회적 책임의 이유를 주장할 때 자주 사용된다. 사회가 건전하게 발전하려면 구성원 개개인이 건전한 시민으로서의 의식을 가지고 역할을 다해야 하는 것과 마찬가지로, 기업도 사회의 하나의 중요한 구성단위이기 때문에 자신이 존재하는 사회의 건전한 발전을 위하여 기업시민으로서의 역할을 충실히 다해야 한다는 것이다.

이러한 기업시민의식은 지속가능한 재무적 성과, 철저한 준법 태도, 법이 정한 범위를 넘어서는 윤리적 행동, 기업명성이나 이해관계자와의 관계를 개선할 수 있는 자발적 기여 등 네 차원으로 구성되어 있으며 이들 각 차원은 상호 연관되어 있다. 이처럼 기업시민의식은 전략적 관점에서 기업의 사회적 책임(CSR)을 이행하기 위하여 이해관계자들에게 노력을 기울이는 정도를 의미하기도 한다(Ferrell et al., 2022).

5) 사회적 성과

사회적 성과(social performance)는 기업의 사회적 책임 원칙과 기업의 사회적 반응 과정이 결합된 것으로서 기업 이해관계자들에게 나타나는 결과이다. 사회적 성과와 관련하여, 부쉬홀츠와 캐롤(Buchholtz & Carroll, 2008)은 기업의 사회적 행동차원 개념을 기업의 사회적 책임, 사회적 반응 그리고 사회적 성과로 구분된다고 하여, 기업의 사회적 책임은 원칙(principle)이고, 사회적 반응은 과정(process)이며, 사회적 성과는 결과(outcome)라고 주장한다(Frederick, 1994). 반면 사회적 성과는 사회적 책임, 사회적 반응 및 이 영역의 정책과 행동을 모두 포함하는 개념이라는 주장도 있다(Wartick & Cochran, 1985; Wood, 1991).

사회적 책임에 충실한 기업은 이해관계자들에게 사회적 반응을 보이고 그 결과에 있어서 이해관계자들에 대한 사회적 성과를 증진시킨다(Buchholtz & Carroll, 2008). 기업의 사회적 성과는 기업의 사회적 책임의 당연한 결과 혹은 후속 결과로서, 사회적 성과를 거두지 못한다면 사회적 책임은 공허한 것이다(Visser et al., 2007). 요컨대 기업의 사회적 책임은 기업이 수행하여야 할 의무이고, 사회적 반응은 기업이 사회적 책임을 수행하는 활동 및 행위이념을 의미하며, 사회적 성과는 기업이 이해관계자들에게 도움이 되는 유익한 기업행위의 결과를 말한다.

2. 기업윤리의 발달

1) 개인의 도덕성 발달

콜버그(L. Kohlberg)는 개인의 도덕성 발달에는 일종의 단계가 있고 개인들의 도덕적 추론 능력은 다음의 3수준(6단계)의 과정을 통해 발달한다고 주장하였다(Kohlberg, 1983). 여기에서 도덕성 발달(moral development)은 '사회상의 행위규칙들에 대한 개인의 의식 내재화 과정'이라고 정의할 수 있다. 이러한 개인의 도덕성 발달 이론을 수준별로 살펴보면 다음과 같다.

(1) 제1수준 : 전인습적 수준

전인습적 수준(Preconventional level)은 자기 자신에 초점을 두어 자기지향수준이라고도 하며 제1단계와 제2단계를 포함한다.

① 제1단계 : 벌과 복종의 단계

처벌을 피하기 위해 순응하고 복종하는 단계로서 규칙을 준수하지 않을 경우의 처벌과 규칙을 준수하였을 때의 보상에 대하여 맹목적 주관성을 갖는 단계를 의미한다. 이 단계에서 개인은 법의 준수와 처벌을 회피하는 수준에 머무르게 된다.

② 제2단계 : 도구적 목적과 교환의 단계

교환관계에 기반한 인간관계를 지향하며 욕구충족을 우선시하는 순진한 도구적 상대주의(naive instrumental relativism) 단계를 의미한다. 이 단계에서는 보상을 의식한 윤리적 행동에 주력한다.

(2) 제2수준 : 인습적 수준

인습적 수준(Conventional level)은 타인의 시선을 중시하는 타인의식 수준이라고도 하며 제3단계와 제4단계를 포함한다.

① 제3단계 : 개인 간의 상응적 기대, 관계, 동조의 단계

타율적 도덕성을 형성하는 수준으로, 12~17세의 청소년 반항기에 나타나는 현상의 하나이다. 남을 해치는 행동에 대한 부정과 타인과의 공인(共認)을 지향하는 단계이다. 이 단계에서는 타인과 사회로부터 인정받는 것이 주요 관심사이다.

② 제4단계 : 사회체제와 양심보존의 단계

사회화의 단계로 법과 규범을 준수하고 개인의 사회적 의무를 다하고 남을 배려하는 마음도 있지만, 소수의 권리인정 등에 대한 성숙도는 부족하다. 대부분의 사람들이 이러한 제4단계에 마무르게 된다. 최소한의 법질서는 준수하는 단계이다.

(3) 제3수준 : 후인습적 수준

후인습적 수준(Postconventional level)은 보편적 인류애에 초점을 두어 보편성지향수준이라고도하며 제5단계와 제6단계를 포함한다.

① 제5단계 : 사회계약 지향 단계

'민주적 법률'을 인식하는 단계이기도 하며, 개인의 권리 보호도 정의라고 생각하는 단계이다. 이 단계에서 사회적 선과 계약을 준수한다.

② 제6단계 : 보편적 윤리원칙 지향 단계

인간의 생명을 중시하는 '보편적 원리'로서의 보편적 도덕성을 인식하는 단계이다. 이 단계에서는 보편적 정의, 도덕, 윤리와 같은 가치를 인식하고 자연스럽게 실천하는 가장 상위의 도덕성 발달 단계이다.

〈표 2-1〉 도덕성 발달 수준

수 준	단계	사회적 지향성	비 고
전인습적 수준 (Preconventional)	1	처벌과 복종 (punishment & obedience)	처벌을 피하기 위해 법과 규칙에 순응
	2	도구적 상대주의 (instrumental relativist)	보상이나 타인의 호의 목적으로 순응
인습적 수준 (Conventional)	3	좋은 인간 (good boy & nice girl)	타인과 사회로부터의 좋은 평판에 순응
	4	사회유지, 법과 질서 (society maintaining, law & oder)	법과 질서에 의한 사회적 기준에 순응

후인습적 수준 (Postconventional)	5	사회계약 (social contract)	공동체에 근거한 불편부당한 기준을 준수
	6	보편적 윤리 원칙 (universal ethical principle)	윤리적으로 행동하고자 보편적 도덕 인식

자료 : Kohlberg(1983)의 내용을 정리함->Kohlberg(1984), The psychology of moral development: The nature and validity of moral stages, Harper & Row. 202.

한편, 이러한 콜버그 이론에 대한 비판점을 살펴보면, ㉠ 도덕성의 발달단계는 과연 불변적 순서인가에 대한 논쟁이 제기되며, ㉡ 발달단계에서 퇴행은 없다고 보았는데 어떤 연구에서는 대학생들이 일시적으로 퇴행을 보였다는 보고가 있고, ㉢ 도덕성 발달단계에서는 도덕의 원천으로서 이타심 혹은 사랑과 같은 감정적(affective) 측면에 대한 고려가 결여되어 있는 점, ㉣ 남성이 여성보다 한 단계 더 높은 발달단계에 이른다는 성별 격차를 주장한 점 등은 근거가 희박하고 객관성이 결여되어 있다는 점이다.

2) 기업의 윤리수준의 발전

개인과 마찬가지로 어느 기업이나 조직도 기업윤리 수준의 발전단계가 있다. 라이덴바흐와 로빈(Reidenbach & Robin)은 기업의 이윤추구와 윤리적 고려 간 균형 정도를 기준으로 기업의 윤리수준의 발달단계를 [그림 2-1]과 같이 5단계로 구분하여 설명하고 있다(Reidenbach & Robin, 1991).

(1) 제1단계 : 무도덕 단계

기업의 윤리수준 발달단계 중 제1단계인 무도덕 단계(amoral stage)는 기업이 윤리적 문제를 전혀 고려하지 않는 단계로 가장 낮은 윤리 수준의 단계이다. 이 단계에서 기업 행동의 주된 목적은 소유주와 경영자를 주요 이해당사자로 보고 이들을 위한 이윤극대화를 달성하는데 있다. 또한 비윤리적인 행위에 대한 처벌은 이윤 획득을 위한 대가로 인식하여 처벌을 받더라도 이익을 위해서는 비윤리적 행동을 주저하지 않는다. 따라서 기업은 윤리보다는 비용과 이익의 크기를 비교하여 행동하기 때문에 비윤리적이더라도 윤리적 문제에 대해서는 적극 고려하지 않는다.

(2) 제2단계 : 준법단계

기업의 윤리수준 발달단계 중 제2단계인 준법단계(legalistic stage)는 기업이 윤리적으로 행동하려는 노력은 아니라할지라도 적어도 법규는 준수하려고 노력하는 단계이다. 따라서 이 단계의 기업은 기업의 윤리적 의무는 법규를 어기지 않으면 된다고 보고 그 이상의 노력은 하지 않는다. 이는 기업의 성장과 발전을 위해서는 법규를 어기지 않는 범주 내에서는 무엇이든 가능하다고 보는 경영자의 시각이 지배적이다.

(3) 제3단계 : 대응단계

기업의 윤리수준 발달단계 중 제3단계인 대응단계(responsive stage)는 윤리적 문제를 생각하고 관심을 갖는 단계이다. 기업은 이 단계부터 윤리적 문제를 고려하기 시작한다. 이 단계에서 기업은 기업의 사회적 책임문제를 인식하기 시작하고 사회공헌 등으로 기업 가치를 향상시킨다. 지역사회의 공헌 등 대외적으로도 기업의 사회적 책임 활동을 전개하나 이는 어디까지 기업의 이익극대화를 위한 방편으로, 이익을 달성하기 위하여 윤리적인 경영을 다한다. 즉, 기업이익을 먼저 생각하며 이를 위해 윤리경영을 실천하는 단계이다.

(4) 제4단계 : 윤리태동단계

기업의 윤리수준 발달단계 중 제4단계인 윤리태동단계(emerging ethical stage)는 기업이익과 기업윤리의 균형을 찾으려고 노력하는 단계로서, 기업의 목적, 기업의 경영이념 등을 제정하면서 윤리를 반영한다. 기업윤리강령을 제정하고 윤리위원회를 운영하며, 윤리문제를 인사고과에 반영하고, 때때로 이익을 포기하더라도 기업윤리행위를 오히려 중요시 한다.

(5) 제5단계 : 윤리선진단계

기업의 윤리수준 발달단계 중 제5단계인 윤리선진단계(developed ethical stage)는 명확한 윤리관과 윤리원칙을 천명하고 그에 따라 행동하는 수준으로, 기업의 윤리수준 발달 단계 중 가장 상위의 단계이다. 이러한 윤리선진단계에서 조직구성원들은 윤리원칙에 따라 윤리관련 문제를 개선하며 기업이익보다 기업윤리를 우선적으로 고려한다. 이러한 기업조직의 윤리수준 발달단계를 정리하면 〈표 2-2〉와 같다.

〈표 2-2〉 기업조직의 윤리수준 발달단계

단계		특징
1	무도덕단계	• 기업주들과 경영자들만 중요한 이해관계자라고 생각 • 대가를 치르더라도 기업의 이익만 극대화시키면 됨
2	준법단계	• 위법만 안하면 비윤리적이 아니라고 인식 • 법규만 준수하되 그 이상의 윤리는 고려치 않음
3	대응단계	• 기업의 사회적 책임을 다하는 것이 기업에 이익이 된다고 인식(CSR 중시) • 지역사회에 봉사하고 이를 대외적으로 홍보
4	윤리태동단계	• 윤리와 이익의 균형추구 • 기업신조, 윤리강령, 윤리위원회 등 조직화
5	윤리선진단계	• 윤리적 원칙에 따라 행동 • 윤리우선 및 윤리체화

자료 : Reidenbach, R. E. & Robin, D. P.(1991), A Conceptual Model of Corporate Model Development, Journal of Business Ethics, April, 10.

이러한 라이덴바흐와 로빈(Reidenbach & Robin) 모델이 제공하는 경영관리적 시사점을 살펴보면 첫째, 기업윤리수준의 제고는 경영자의 의지와 노력이 중요하다는 점, 둘째, 윤리수준을 높이려면 때로는 경제적 이익을 단기적으로 희생시켜야 높은 윤리수준이 가능하다는 점, 셋째, 윤리신조, 윤리방침, 윤리강령의 제정, 공포, 윤리위원회 및 윤리전담부서 신설 등 윤리경영 관련 제도화가 중요하다는 점 등이다. 요컨대 기업윤리수준의 변화에는 경영자의 노력이 영향을 미치고, 윤리수준의 제고를 위해서는 단기적인 기업이익의 희생이 수반될 수 있고, 기업윤리에 관한 기업의 방침을 천명하고 실천을 위해서 이를 제도화해야 한다는 점이다.

기업 사례 타타그룹

최근 인구 12억, 세계 구매력 4위의 인도시장에 대한 관심이 뜨겁다. 한국에서도 2010년 한·인도 포괄적 경제동반자 협정(CEPA)이 정식으로 발표되면서, 현대·기아차그룹, 포스코, 한전, 삼성, LG그룹 등 굴지의 대기업들이 인도 현지 공장설립과 시장기반 확대 등에 노력을 기울이고 있으며, 연초부터 대통령을 포함한 대규모 사업단이 인도를 방문했다. 한국과 인도 양국은 현재 122억 달러규모의 교역량을 5년 내 두 배 이상으로 확대하여, 2014년까지는 300억 달러 규모로 확대키로 합의했다(매일경제, 2010a; 2010b).

이러한 인도를 대표하는 세 개의 그룹이 있다. 에너지와 화학 부문이 주축인 릴라이언스(Reliance)그룹, 자동차, IT, 철강 등을 주요 사업으로 하는 타타(Tata)그룹 그리고 금속부문이 핵심인 아디티야 빌라(Aditya Birla)그룹이다. 그 중 사회적 공헌 등으로 가장 존경받고, 가장 오래된 그룹이면서 성장동력으로서 글로벌 M&A를 적극 활용하고 있는 그룹이 바로 타타그룹이다. 또한 때로는 자신보다 큰 기업을 M&A의 대상으로 하는 경우도 있다. 타타그룹은 어떤 역사를 가지고 있으며, 어떻게 이러한 급격한 성장이 가능할 수 있었을까?

2000년 조그마한 인도의 '타타 티(Tata Tea)'는 세계 2위의 영국 차(Tea)판매업체인 '테틀리 티(Tetley Tea)'를 인수하였다. 인수규모는 약 4억 달러로 당시 인도로서는 사상 최대 규모의 해외 M&A였으나, 세계는 이러한 인도기업에 그다지 큰 관심을 보이지 않았다. 그러나 이 '테틀리 티(Tetley)'의 인수는 타타그룹이 세계로 나아가는 서막이었다. 6년이 지난 2006년 세계 56위 철강업체가 9위인 영국 철강사 '코러스'를 인수할 것이라는 소식이 전해졌다. 세계를 놀라게 한 주인공은 바로 타타스틸로 타타그룹의 계열사이다. 결국 브라질 철강사 CSN과의 접전 끝에 2007년 1월 자신보다 규모가 4배나 큰 거구를 인수하는데 성공했다. 인수규모는 121억 달러로 인도 사상 최대의 글로벌 M&A기록을 또 한 번 경신했다. 이 거래로 타타스틸은 세계 5위 철강업체로 도약했으며, 전 세계인에게 인도기업에 대한 새로운 이미지를 불러일으켰다.

타타그룹은 윤리경영을 실천하고 있다. 타타그룹은 인도에서 가장 존경 받고 사랑 받는 기업집단이다. 기업지배구조, 종업원복지제도, 기업의 사회적 책임(Corporate Social Responsibility : CSR) 측면에서 어느 선진국 기업보다 앞서있기 때문이다. 식민지시대에 민족자본을 모아 1907년 타타스틸을 설립한 이래 그룹의 역사와 경영철학이 언제나 국가와 국민들을 향해 있었다(임정성, 2008). 어떻게 보면 타타그룹은 지나칠 정도로 이윤의 사회 환원을 추구한다. 그룹의 지배 구조가 이를 단적으로 보여주고 있다. 2대 기업주인 도랍지 타타 트러스트와 3대인 현재 라탄 타타 회장의 자선단체 기금이 지주 회사 격인 타타 선스 주식회사 지분의 65.98%를 갖고 있다. 즉, 모회사 지분의 3분의 2를 자선단체가 소유하고 있는 셈이다(박형기, 2005). 따라서 그룹 수익의 상당 부분도 각종 연구, 장학사업, 국민의 생활환경 개선 등에 활용되고 있으며, 라탄 회장의 지분은 1% 미만에 불과하다(임정성, 2008).

또한 진출국가의 경제를 선도하고 함께 번영을 꾀하는 해외진출 전략을 구사한다. 타타그룹은 해외시장을 단순히 자신의 시장 확장 차원에서만 바라보지 않는다. 일반적으로 글로벌 기업들은 해외시장 5% 점유 등 일정 수준의 시장점유를 목표로 하고 단기간의 투자자금 회수에 주력하는 경우가 많지만, 타타그룹은 보다 거시적 차원에서 상호 공영의 전략으로 접근한다. 단기간의 시장점유율 확산과 수익의 증대보다는 진출국가의경제 선도에 일조하면서 함께 번영하고자 하는 것이다(정진섭·신영애, 2010).

1. 기업윤리의 가치

1) 이해관계자별 가치

기업윤리는 기업 경영에 관련된 의사결정 과정에서 적용되는 응용윤리이자 실천윤리로써의 특성을 지닌다. 이러한 기업윤리는 적용하는 이해관계자별로 요구되는 주요 가치가 다양하다. 이해관계자 관점에서 이해관계자별로 우선적으로 추구하여야 할 기업윤리의 핵심 가치를 정리하면 〈표 3-1〉과 같다.

〈표 3-1〉 기업윤리의 가치와 이슈

이해관계자	추구하는 가치	기업윤리 이슈
경 쟁 자	공정한 경쟁	불공정거래(카르텔, 담합), 지적재산권침해, 덤핑, 가격제한, 차별, 기업비밀침해, 뇌물제공 등
고 객	성실, 신의	결함제품, 유해상품, 허위/과장광고, 과대효능/성분표시, 정보은폐
투 자 자	공평, 형평	내부자거래, 분식결산, 시세조작, 인위적 시장조작, 기업지배 행위 등
직 원	인간의 존엄성	고용차별, 성차별, privacy침해, 작업안전, 단결권, 회사이익 우선 등
정 부	엄정한 책무	탈세, 뇌물, 부정 정치헌금, 보고의무위반, 허위보고, 감시활동 방해, 공무방해 등
지역사회	기업시민	환경보호, 산업공해, 산업재해, 산업폐기물 불법처리, 공장폐쇄 등
국제관계	공정한 협조	덤핑, 자금세탁, 유해물 수출, 공해방지시설 미비, 법규 악용
지구환경	공생관계 모색	환경오염, 자연파괴, 산업폐기물 수출입, 지구환경 관련 규정 위반 등

2. 기업윤리의 추론

1) 윤리적 추론의 개념

추론(reasoning)은 미리 알려진 근거를 토대로 새로운 결론을 도출하는 과정을 말한다. 기업윤리의 추론은 경영의사결정에 적용된다. 따라서 경영자는 윤리적 문제를 해결하는 의사결정과정에서 윤리적 추론 능력이 필요하다. 윤리적 추론(Ethical reasoning)은 윤리적 문제점을 체계적으로 분석하고 그것을 어떤 윤리적 표준에 적용시키는 일련의 절차를 말한다. 기업윤리는 본질적으로 윤리적 분석과 추론 과정이 그 핵심이다. 기업윤리는 어떤 의사결정이 결론에 도달했는가 보다는 어떻게 그 결론에 도달했는지에 대한 추론 과정이 더 중요하다고 할 수 있다. 이러한 윤리적 추론은 무엇보다도 윤리적 논쟁(argument) 상황에서 유용하다. 또한 윤리적 판단(ethical judgement)은 윤리적 기준(ethical standards)과 적절한 사실(relevant facts)에 의하여 지지되어야 한다. 이러한 윤리적 추론은 다음 3단계의 과정을 거쳐 이루어진다(Laczniak & Murphy, 1993).

2) 윤리적 추론의 단계

(1) 윤리문제 파악

기업이 경영에 관계되는 의사결정을 할 때에 그 의사결정에 어떤 윤리적 문제가 있는지, 만일 있다면 의사결정의 결과가 그 회사뿐만 아니라 회사의 활동에 직·간접적으로 관련된 이해관계자들에게 각각 어떤 영향을 미칠 것인지를 규명하고 파악해야 한다.

(2) 윤리기준 선정

어떻게 하는 것이 윤리적 행동이냐? 라는 물음에 대하여 적용 가능한 윤리기준은 여러 가지가 있다. 또한 어떤 주어진 상황을 분석하는데 다른 윤리적 기준을 택하더라도 같은 결론에 도달할 수 있다. 그러나 때로는 다른 윤리적 기준을 적용하면 전혀 다른 기준에 도달할 수도 있다. 따라서 윤리적 행동을 해야 하겠다고 경영자가 생각해도 어떤 기준을 적용하느냐에 따라서 윤리적으로 어느 것이 타당하냐 하는 것에 대해서는 의견이 다를 수 있다. 이는 윤리이론에 따라 항상 선이 아닐 수도 있음을 의미하는 것이다.

(3) 윤리기준 적용

윤리이론 중 윤리적 기준이 선정되면 이것을 당면한 문제에 대한 의사결정에 적용하여야 한다. 즉, 선정된 기준을 사례의 대안에 적용하여 그 중에 가장 적절한 대안을 선택하는 과정이 윤리적 추론 절차이다. 흔히 기업윤리를 논하는데 있어서 철학적, 이론적 원칙만을 논의하고 기업 경영자에게 실무적으로는 문제 해결에 도움을 주지 못하는 경우가 많다. 이때 경영자(또는 관리자)가 윤리이론을 이해하고 추론의 절차를 따르면 문제를 해결할 기본적, 윤리적 원칙과 해결방안도 발견할 수 있을 것이다. 이 단계에서는 윤리적 대안의 실무적 유용성이 중요한 것이다.

3. 윤리이론

윤리(ethics)는 인간의 도덕적 기준과 전통적인 믿음에 바탕을 두고 도덕성과 인간행동의 체계를 연구하는 철학의 한 학문 분야이다(Newton, 2005). 이는 오랜 역사를 가진 매우 체계화된 학문영역으로 윤리학은 인간 행동에 영향을 미치는 도덕성, 의무, 가치, 덕과 같은 개념들을 종합적이고 복합적으로 연구한다(Newton, 2005; Johnson 등, 2011). 인간 행위에 대한 윤리적 해석은 다양하나 올바른 행위와 윤리가 존재한다고 본다는 점에서는 공통적이다. 이러한 관점에서 행위의 윤리적 가치판단의 기본이 되는 보편적이고 본원적인 윤리적 가치판단의 기준이 되는 윤리이론을 살펴볼 필요가 있다. 일반적으로 기업의 기업윤리 관점에서 윤리이론을 살펴볼 때, 관련된 기본적인 윤리이론은 근대 윤리학의 쌍벽을 이루어 온 목적론과 의무론으로 대별하여 접근할 수 있다. 이러한 목적론과 의무론은 오늘날까지도 논쟁이 지속되고 있는 윤리이론으로서 윤리적 가치판단을 위한 기준에 대한 접근법을 달리한다.

1) 목적론

목적론(teleology)은 눈에 보이지 않는 행위의 윤리적 정당성을 눈에 보이는 결과로서 판단하려는 관점의 윤리이론이다. 즉, 행위의 윤리성을 행위의 객관적 결과에 의해 판단하려는 관점으로 수단보다 행위의 결과에 초점을 두는 결과주의적 입장을 취한다. 목적론은 최선의 결과를 가져오는 행위, 즉 궁극적인 목적을 달성하는 행위는 윤리적으로 옳고 그렇지 못한 행위는 그르다는 주장을 제기함으로서, 결과를 가지고 말한다는 의미에서 결과주의라고도 한다. 목적론의 대표적인 학자는 아리스토텔레스(Aristoteles)로 그는 최고 선(善)은 행복이며 그것은 본래적 가치이자 본질적 가치, 목적으로서의 가치라고 주장한다. 목적론은 어떠한 결정에 대한 결과의 합당성을 따지기 전에는 그 결정을 사전에 정당화시키는 도덕적 원칙은 없다고 주장하여 '좋음의 철학'을 강조한다.

예를 들면, 진실을 말하는 것이 옳은 결과를 가져왔을 때는 옳은 것이 되고, 옳지 않은 결과를 가져올 때는 옳지 않다고 본다. 따라서 목적론은 결과주의가 되고 도덕원칙이 절대적이라고 보지 않음으로서 상대론의 입장을 견지하고 있다 목적론은 이기주의와 공리주의 이론을 탄생시켰다.

그러나 목적론은 다음과 같은 비판을 받는다. 첫째, 인생의 궁극적인 목적이 존재하느냐는 질문에 답하지 못한다. 아리스토텔레스는 이러한 목적이 행복이라고 주장하며 행복은 중용을 지키는 것이라고 강조함으로서 종국에 도달할 어떤 상태라고 보지 않았다. 둘째, 목적론은 극대화의 원리에 기초하고 있기 때문에 목적의 성취 정도, 즉, 즐거움이나 쾌락을 측정할 수 없다는 점이다. 셋째, 쾌락의 극대화, 공리의 극대화, 효용의 극대화가 정의를 구현할 수 있느냐는 비판이다. 총합의 원리를 강조함으로서 분배의 문제를 소홀히 한다는 비판이 제기된다. 넷째, 목적론은 결과에 따라 선악이 결정됨으로서 수단이나 과정의 도덕성과 윤리성을 소홀히 한다는 점이다. 이러한 목적론의 대표적인 이론인 이기주의와 공리주의 이론의 요지를 살펴보면 다음과 같다.

(1) 이기주의

이기주의(egoism)는 자신의 이익 최대화에 윤리적 가치판단의 기준을 둔다. 따라서 이기주의는 여러 가지 행동 대안들 중에서 자신의 이익을 장기적으로 최대가 되게 하는 행위를 선택한다는 것이다. 이기주의는 자신에게 가장 유리한 경제적 가치를 창출하도록 기업을 운영하는 것이 가장 큰 경제적 '선'을 준다는 아담스미스의 '보이지 않는 손'의 법칙을 통해 이해될 수 있다(이종영, 2013). 이기주의론은 개인이 각기 자기의 이익을 극대화하기 위해 행동한다는 개념으로 자신에게 유리한 '선'에 초점을 둔 것이다. 도덕철학자들은 개인적 이기주의와 비개인적 이기주의를 구분한다. 개인적 이기주의론자들은 그들 자신의 최선의 이익을

추구해야 한다고 주장하면서 다른 사람들은 무엇을 해야만 하는지에 대하여 이야기하지 않는다. 반면 비개인적 이기주의론자들은 모든 사람들은 개인 자신들의 이익을 추구하도록 해야 한다고 주장한다. 이러한 이기주의 이론의 한계와 비판점으로는 모두 이기주의를 원칙으로 삼으면 자기이익 극대화가 성취될 수 없고, 이해관계자의 이익이 상반될 경우 해답을 제시하지 못할 수 있다는 점이다.

나아가 관리적 이기주의론(managerial egoism)은 관리자나 경영자가 자신이나 자신이 속한 조직의 이익을 가장 효율적으로 증진시키도록 하는 것이 선(good)이며 옳은 의사결정이라는 윤리이론이다. 따라서 관리적 이기주의론의 관점에서 기업 관리자(경영자)는 관리자 자신이나 기업의 장기적 이익을 위한 행동은 선이라고 본다. 따라서 경영자는 기업 재무제표상의 이익극대화를 위한 행동 대안 선택이 윤리적인 의사결정이 된다. 이러한 관리적 이기주의론의 문제점은 공동체 내의 모든 개별 관리자나 기업이 자신의 이익만을 추구하게 되면 시장에서 거래가 이루어질 수 없고 따라서 특정 관리자나 경영자 또는 기업의 이기주의는 실제 가능하지 않게 된다. 또한 다수의 관리자나 기업 등 이해관계자의 이익이 상충될 경우 누구의 이익을 따라야 할 것인지를 결정하기 어렵게 된다. 이는 개별기업의 이해관계자인 경영자, 주주, 종업원, 지역주민, 소비자의 이익이 상충될 경우 과연 누구의 이익을 우선시해야 하는지에 대한 해답을 제공해 줄 수 없음을 의미한다.

(2) 공리주의

공리주의(utilitarianism)는 최대 다수의 최대 행복을 가져오는 행위의 선택을 윤리적인 것으로 본다. 대표적 학자인 벤담과 밀(J. Bentham & J. S. Mill)은 '최대 다수의 최대 행복'을 선으로서 윤리적 판단 기준으로 삼으며 공리주의에서의 '선'은 어떠한 결정에 의해 영향을 받는 사람들에게 돌아가는 혜택의 정도를 의미한다. 특히 벤담(J. Bentham)은 인생의 궁극 목적을 쾌락으로 보았으며, 쾌락은 측정이 가능하다는 양적쾌락주의 아래서 사회 전체의 쾌락을 강조함으로서 '최대 다수의 최대 행복'의 원리를 주장하였다. 공리주의는 기업 활동에서 비용과 편익에 대한 분석과도 관련되며 어떤 행동으로 인한 결과에 따라 윤리성에 대한 판단을 하게 되므로 목적론적 윤리이론이라고도 한다(Velasquez, 1988; Wisner 등, 2012). 공리주의는 목적론적 윤리설의 대표적인 학설로 결과주의와 극대화의 원리를 특징으로 하고 도덕의 경험과 학화를 추구하고 있다. 이처럼 공리론은 결과적 '선'에 초점을 둔 것이다.

이러한 공리주의에 대한 비판은 다음과 같다. 1) 결과적인 선이 어떤 선인지, 누구 입장에서의 선인지 불분명하다. 2) 소수의 사람들의 이익이 무시될 수 있다. 다수의 사람을 위해서라도 소수의 사람들이 희생되는 것이 과연 윤리적인지에 대한 의문이 제기된다. 3) 절대 다수의 이익이라도 그 이익이 선이 되지 않을 수도 있다. 특히 다수의 경제적 이익도 윤리적으로 정당한 방법에 의한 획득이 필요하다. 4) 극대화한 선의 공평한 분배에 관한 논의가 없다는 점이다. 소수의 사람들이 많은 이익을 차지하여 전체적으로 이익이 큰 경우일지라도 과연 윤리적인지가 문제될 수 있다.

공리주의가 사회윤리로서 역할을 다하고 의사결정에서 유용한 기준이 되기 위해서는 개인의 만족 크기를 측정하는 것, 개인 간 만족의 비교 그리고 배분을 원리로 하는 정의의 원리를 만족시켜야 한다. 그리고 전체공리주의와 평균공리주의가 다르다는 점, 질적으로 다른 효용을 양적으로 측정하는 문제, 쾌락과 고통은 반대가(反對価)를 가진다는 전제하에서 쾌락에서 고통을 공제한다고 하나 쾌락과 고통은 비대칭성을 갖고 있다는 점, 효용의 개인 간 비교, 최대 다수의 원리와 최대 행복의 원리의 상충가능성, 그리고 도구적, 타산적 합리성과 죄수의 딜레마 등의 문제점이 지적된다(김항규, 2009). 요컨대 공리론의 한계점은 '결과로 나타나는 선을 극대화한다고 하지만 그 선은 과연 누구의 입장에서의 선인가? 결과만 좋으면 과정 또는 수단은 정당화될 수 있는지, 선의의 소수자는 희생되어야 하는가 등의 문제이다. 더불어 어떤 선, 누구를 위한 선인지 분명하지 않고, 비윤리적 행위를 정당화하기 위한 수단으로 활용되며, 경제적으로 다수에게 이익이 되는 것이 반드시 옳지 않을 수 있고, 선의 분배에 관해서는 논의하고 있지 않다는 점 등이다.

2) 의무론

의무론(deontology) 또는 동기론은 인간이 마땅히 지켜야 할 도덕법칙을 행위의 옳고 그름을 판단하는 기준으로 하는 관점의 윤리이론이다. 즉, 행위의 '수단 자체'의 선에 윤리적 판단의 근거를 두며 이 점에서 행위의 결과에 초점을 두고 그 수단을 경시하는 목적론과 대비되는, 목적보다 수단에 초점을 두는 비결과주의적 입장이다. 이처럼 의무론은 '절차적 선'에 초점을 둔다. 이는 누구나 마땅히 지켜야 할 의무를 행해야 하는 것, 결과가 아닌 행위의 과정 자체가 선(善)이어야 한다는 관점이며, 옳고 그름에 대한 판단이 결과에 따라 결정되지

않고 보편적 원칙 또는 의무의 준수와 이행에 의해 결정된다는 것이다. 또한 개인의 존엄성, 타인에 대한 존중, 정의, 도덕, 신뢰, 공정, 타당성 등도 중요한 가치로 강조되며, 개인이 전체의 이익을 위한 수단으로 이용될 수 없는 존엄한 권리를 갖는다는 입장이다.

의무론의 대표적인 학자인 칸트(I. Kant)는 보편적으로 적용될 수 있는 도덕원리가 존재함을 가정한다. 그러므로 개인과 사회에는 다양한 규칙들이 존재하고 실제적으로 개인들이 결정을 내릴 때 기준이 될 수 있는 지표가 된다고 하는 '옳음의 철학'을 강조한다. 그러나 목적론자들은 다양하게 존재하는 규칙 자체가 일반적인 도덕규범이 없다는 사실을 증명한다고 보는 반면, 의무론자들은 도덕 윤리는 존재하나 아직 충분히 이해되지 않고 있다고 반론을 제기한다. 개인의 존엄성, 생명의 존귀함, 약속의 이행 그리고 의무의 이행 등은 기본적인 덕목이므로 비록 결정의 결과가 바람직하지 않더라도 수행되어야 한다고 주장한다. 대표적인 의무론적 윤리이론으로는 칸트의 의무론(도덕법칙)과 롤스(J. Rawls)의 정의론이 있다.

(1) 의무론

의무론의 대표적인 학자 칸트(I. Kant)는 의무라는 개념은 결과의 유효성과는 별개의 독립된 개념으로 본다. 인간은 누구나 자기의 행동이 보편화되어서 모든 사람이 같은 행위를 해도 좋을 행동을 해야 한다는 '절대적 의무'를 주장하였다. 그리고 여기에서 인간의 행동을 좌우하는 보편적인 법칙(universal rule)을 '정언명령(categorical imperatives)'이라고 칭하고 사람은 누구나 이 원리에 따라 행동해야 한다고 주장한다. 이는 보편적 윤리표준을 부정하고 관행을 중시하는 윤리적 상대주의(ethical relativism)와 대립되는 절대주의(absolutism) 관점을 취한다.[2)]

이러한 의무론에 따르면 개인 행위의 옳고 그름은 그 행위 결과와 상관없이 원칙들에 부합하는지 여부에 의하여 결정된다. 칸트에 따르면 어떤 행위는 그것이 정언명령(categorical

---

2) '윤리적 상대주의'는 사회의 관행대로 하면 된다는 주장으로 상황을 강조하는 입장이다. 따라서 윤리성의 판단은 개인의 가치관이나 사회의 문화와 전통, 시대와 장소, 그리고 상황에 따라 달라져야 하며, 윤리판정의 표준은 없다고 보는 견해이다. 즉, '로마에서는 로마의 법을 따르라'는 비유가 적용되는 윤리이론이다. 상대주의를 강조하면 보편적 윤리판단기준이 모호해지고 극단에는 윤리성은 개인적 판단에 의존할 수밖에 없을 것이다. 반면 '윤리적 절대주의'는 시대와 장소를 초월하여 절대불변의 기준과 원칙(보편성, 비예외성)이 존재한다는 입장이다, 플라톤의 이데아(idea)설에 근거를 두며, 인류 역사를 관통하여 변하지 않는 원칙으로 지켜야 할 윤리적 기준 혹은 법칙이 선험적으로 주어져 있다고 보는 관점이다. 따라서 원칙적으로 전통적 사회의 규범이나 관습 혹은 문화적 특성을 존중하고 시대적 상황에 맞게 신중히 해석하고 적용하는 지혜에 대한 논의가 모색된다.

imperatives)에 부합하거나, 혹은 그로부터 도출된 것이라면 그것은 도덕적으로 옳은 것이다. 상대주의 입장인 '가언명령(hypothetical imperatives)'은 윤리적인 것이 아니라고 보는 것이다.

이러한 칸트의 절대적 의무론은 다음과 같은 비판도 제기된다.

첫째, 시공을 초월한 절대적인 도덕법칙이 존재한다는 주장 자체가 의문시된다. 둘째, 인간 행위의 선천적인 법칙이 인간 자신의 내부에 본래 존재한다는 주장 자체가 과학적 근거가 뒷받침되지 못하고 있다는 점이다. 심리학, 민속학, 진화론 등의 연구를 통해서 도덕관념도 시공에 따라 다르다는 것이 밝혀지고 있다. 셋째, 보편적인 도덕법칙이 존재함을 인정한다 하더라도 그것을 어떻게 발견하느냐 하는 것도 문제이다. 넷째, 절대적인 도덕법칙이 의무라면 과연 인간에게 이를 실천할 수 있는 의지가 있느냐 하는 것 등이다.

또한 이러한 의무는 신의, 감사, 정의, 선행, 자기개선, 타인에 대한 무해성의 하위의무를 포함한다(Wisner 등, 2012).

(2) 정의론

롤즈(J. Rawls)의 정의론(Justice Theory)은 사회적 정의 실천을 기준으로 하는 윤리이론으로, 정의(justice)는 다른 사람을 평등하고 공정하게 대하는 것을 의미한다. 롤즈는 공리주의로 대표되는 목적론적 철학을 비판하고 의무론적인 철학인 정의론을 주장하면서 '공정으로서의 정의(Justice as fairness)'를 중시하였다. 롤즈는 이러한 공정으로서의 정의의 실현에 '원초적 입장(original position)'을 가정하고 있는데 이 가정에는 모든 인간은 자신의 천부적 재능과 사회적 조건들을 모르는 '무지의 베일(veil of ignorance)', 사회구성원 모두가 타인의 이해에 무관심하고 단지 합리성을 추구하는 존재인 '상호 무관심 합리성(mutually disinterested rationality)'을 포함한다(Rawls, 1999).

롤즈의 정의론은 이러한 원초적 입장의 가정하에, 정의의 제1원칙(평등한 자유의 원칙)과 정의의 제2원칙(공정한 기회균등의 원칙과 차등의 원칙)으로 요약되는데, 이러한 원칙들은 병렬적 관계에 있지 아니하고 축차적 서열 관계에 있는 것으로 본다.

정의의 제1원칙은 '평등한 자유의 원칙'으로 모든 인간은 기본적 자유에 있어서 평등한 권리를 가진다는 것으로, 모든 인간이 평등하게 자유를 누릴 권리에 대한 합의는 무엇보다 중요하기 때문에 전체 사회라도 복지라는 명목으로도 모든 개인을 침해할 수 없는 정의에 입각한 불가침성(inviolability)을 갖는다. 다만, 이러한 원칙을 예외적으로 제한할 수 있는데 이

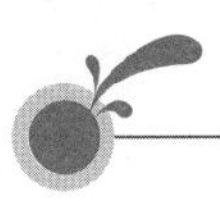

는 공정한 기회균등을 보장하기 위한 경우와 최소수혜자들에게 최대 의 이익이 보장되는 경우이다.

정의의 제2원칙은 '공정한 기회균등의 원칙'과 '차등의 원칙'을 포함하여 일컫는다. 공정한 기회균등의 원칙은 모든 사람은 다른 사람의 유사한 자유와 상충되지 않는 범위 내에서는 평등한 기본적 자유에 대한 기회를 동등하게 보장해야 한다는 원칙으로, 이는 평등한 자유의 원칙이 충족된 후 고려되어야 하는 원칙이다. 그리고 차등의 원칙이란 모든 사회적, 경제적 불평등은 사회적으로 혜택을 적게 받는 사람들인 최소수혜자에게 최대의 이익을 돌아가는 경우에만 허용되어야 한다는 것이다. 이러한 차등의 원칙을 이행할 수 있는 방법은 절차적 정의를 준수하는 것이며, 이는 평등한 자유의 원칙, 공정한 기회균등의 원칙이 실현된 이후 고려해야 하는 원칙이다(Rawls, 2001).

이러한 정의론은 인간의 의사결정과 활동에 사회적 정의의 원칙이 기준으로 적용되어야 한다고 주장한다. 정의론에 의하면 '정의'는 타인을 공정하고 평등하게 대하는 것을 의미한다. 이는 이익이나 혜택뿐만 아니라 비용이나 고통도 평등하게 배분되어야 하고 잘못을 행한 사람에게는 응당한 불이익이 돌아가도록 해야 한다고 주장한다(Velasquez, 1988).

한편 그동안 이러한 롤즈의 정의론에 대한 가장 강력한 비판은 소위 공동체주의자들이라 불리는 진영에서 나왔다. 대표적으로 마이클 샌델(Michael J. Sandel)은 그의 저서 『자유주의와 정의의 한계(Liberalism and the Limit of Justice)』에서 롤즈가 제안한 정의 개념의 한계를 제시하고 이를 통해 롤즈식의 자유주의가 가지는 한계 또한 지적하고 있다. 그에 따르면, '선에 대한 의의 우선성'을 주장하는 롤즈의 정의론은 하나의 특정한 자아관에 기초하고 있는데, 그것은 공동체의 목적이나 목표에 우선하면서, 그것에 독립적인 태도를 취할 수 있는 자아이다. 이 자아는 도덕적 유대를 통해 결합된 어떤 공동체에도 속하지 않는다는 의미에서 무연고적 자아(unencumbered self)라고 불릴 수 있다. 샌델은 이러한 무연고적 자아를 기초로 한 롤즈의 정의론을 의무론적 자유주의로 부르면서, 의무론적 자유주의는 결코 사회공동체를 구성하기 위한 충분한 토대를 제공하지 못한다고 비판한다. 샌델에 따르면 자아는 공동체의 목적과 분리된 무연고적 자아가 아니라, 공동체의 목적을 소유하는 것을 통해 비로소 자신의 자아를 구성하는 존재로 파악되어야 하며, 따라서 공동체는 자신의 목적을 공동체로부터 부여받는 자아, 가족과 친구들과 도덕적인 유대를 통해 결합되어 있고, 도시와 국가에 헌신하는 자아들에 기초해야 한다고 주장하여 공동체주의를 피력하였다.

요컨대 정의론은 기업 활동의 의사결정 기준이 '사회적 정의'가 되어야 한다는 것으로, 정의는 다른 사람을 평등하고 공정하게 대하는 것이며, 모든 사람을 평등하게 대우해야 하고 누구나 직위와 권한에 상응하는 차등대우는 인정하되, 그것이 각자에게 이익이 될 때 정의라고 보는 것이다. 그러나 정의론은 경영자가 자의적으로 도덕적 정의를 결정할 수 있느냐의 문제, 경영자의 이해와 관계될 경우 과연 공정한 분배가 가능한지가 의문시된다는 비판도 존재한다. 이상의 윤리이론별 특징을 정리하면 〈표 3-2〉와 같다.

〈표 3-2〉 윤리이론별 특징

구분	요지	장점	한계점
이기주의	• 자신의 이익극대화가 선 (결과 중시의 목적론) • 관리적 이기주의는 개별기업 및 관리(경영)자의 이익극대화가 선	• 개인의 이익 추구에 대한 명분 제공 이론 • 개별기업의 영리추구 활동의 이론적 근거	• 다수의 이해관계자 이익 상충시 우선이익 제시 불능 • 개별기업이 자신만의 이익을 추구하면 시장거래는 불능
공리주의	• '최대 다수의 최대 행복'이 선(결과 중시의 목적론) • 기업이윤극대화의 논리기반 (경영자의 사회기여 긍정평가) • 과정보다 결과를 중시하므로 결과는 수단 정당화	• 기업의 능률과 생산성 촉진의 논거 제시가능 • 기업이윤극대화와 일치 • 의사결정시 개인이 아닌 조직중심의 의사결정 가능	• '행복' 변수의 측정 및 계량화 불가능 • 공리적 의사결정의 결과에 영향 받는 소수의 권리는 무시될 가능성(목적이 그릇된 수단 정당화)
의무론	• '보편적 법칙' 준수행위는 선·인간의 행동은 좋은 결과를 기대하기 때문이 아니라 그렇게 행하는 것(절차적 선)이 당연한 의무이기 때문(수단을 강조하는 의무론)	• 시간, 장소, 사람에 무관하게 원칙에 기초한 판단을 지지하여 유용하게 사용가능 • 선한 의무의 개념 확장(신의, 감사, 정의, 선행, 자기개선, 타인에 대한 무해성 포함)	• 복수의 기본 원칙들이 충돌 시 대안 부재 • 의사결정의 결과를 고려하는 것이 대부분이기 때문에 순수하게 의무론을 따를 현실적 가능성은 낮음
정의론	• '사회적 정의' 상태가 선 • 사회적 정의는 '공정성' 강조 • 개인의 비용과 이익의 균형을 이루는 공평한 분배를 중시하며 특히 '절차적 공정성' 강조	• 혜택과 고통의 공정분배 강조 • 민주적 원리에 부합 • 소외계층의 권익보호에 절차적 공정성이 도움	• 혁신, 생산성을 위축하는 권리의식(사회정의) 조장가능 • 경영자 자의적 분배 가능성 • 정의의 중요한 요소인 공정 한 분배의 몫에 대한 이견

이상의 윤리이론들의 특징을 요약하면, 이기주의론은 자신에게 유리한 선, 공리론은 다수

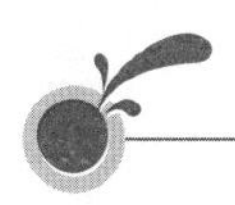

의 결과적 선, 의무론은 절차적 선, 정의론은 행동의 결과에 대한 공평한 분배가 선으로서, 이러한 선에 초점을 둔 의사결정이 윤리적 의사결정이라고 본다. 이처럼 기업윤리에 적용되는 윤리이론별 가치판단기준의 두드러진 특징을 요약하면 〈표 3-3〉과 같다.

〈표 3-3〉 윤리이론별 가치판단기준

범주	이론	윤리적 가치판단기준	강조점
목적론	이기주의	자신의 이익 최대화	행위의 결과
	공리주의	최대 다수의 최대 행복	행위의 결과
의무론	의무론	절대적 윤리	행위의 수단
	정의론	공정한 분배	행위의 수단

3) 통합적 판단기준

통합적 판단기준이란 목적론과 의무론이라는 윤리의 양대 이론을 통합한 윤리적 판단기준을 말한다. 이처럼 윤리의 양대 이론은 상호 보완적이므로 이들을 통합할 때 상당히 포괄적이며 유용한 윤리 기준을 발견할 수 있다. 이 점에 착안하여 모든 윤리적 판단문제의 기준이 되는 의무, 이상, 결과라는 세 가지 개념으로 통합적 접근을 시도한 것이 배리(Barry, V)의 통합적 가치 판단기준 연구이다. 의무(obligation)란 행위의 주체인 인간이 대상과 맺는 관계에서 비롯되며, 이상(ideal)이란 윤리 주체의 목표 내지 가치관의 목표로써 여기에는 사회적, 문화적 차이가 반영된다. 그리고 결과(effect)란 행위가 초래하는 최종 효과를 말한다. 배리는 모든 윤리문제에 있어서 윤리적 가치판단의 요소로서 이들 세 개의 차원을 들면서, 다음과 같은 구체적인 실행기준을 제시하고 있다([그림 3-1] 참조).

첫째, 의무들 간에 갈등이 생기면 보다 중요한 의무를 먼저 고려한다.

둘째, 이상들 간에 갈등이 생기거나 이상과 의무사이에 갈등이 생기면 높은 이상에 봉사하는 행위를 선택한다.

셋째, 결과가 복잡하면 가장 큰 이익을 가져오거나 가장 작은 손실을 가져오는 행위를 선택한다.

이러한 통합적 접근은 실무에 적용되는 실천적 기업윤리로서 활용될 수 있다.

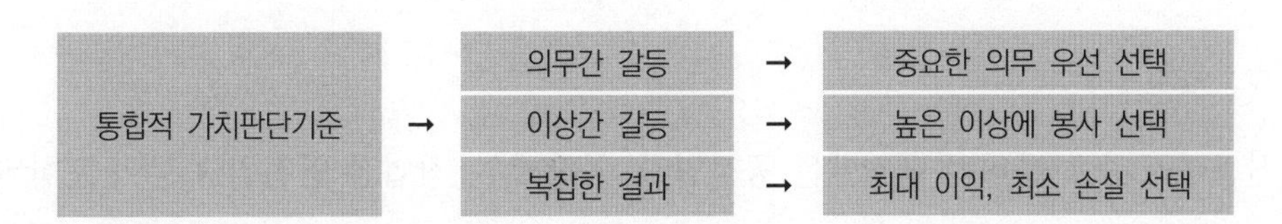

[그림 3-1] 통합적 가치판단기준

4. 기업윤리의 기능별 주제

기업의 경영관리 하위기능 즉, 주요 경영기능에 따라 발생 가능한 기업윤리 문제를 확인하고 이를 유형화할 때 다음과 같은 주제들을 중심으로 기업윤리를 고찰하여 보다 세부적으로 살펴볼 수 있다(Dunfe & Robertson, 1988; Gands & Hayes, 1988).

① 전반관리

경영의 전반관리 관점에서 주요 윤리적 쟁점에는 합병, 투자결정, 윤리헌장, 환경문제 등이 포함된다.

② 인사관리

인사관리의 주요 윤리적 쟁점에는 차별처우, 부당노동행위, 사생활 침해, 부당인사관행 등이 포함된다.

③ 마케팅 관리

마케팅관리의 주요 윤리적 쟁점에는 허위, 과대광고, 가격조작, 담합행위 등이 포함된다.

④ 재무관리

재무관리의 주요 윤리적 쟁점에는 특혜대출, 내부자거래, 공금유용 등이 포함된다.

⑤ 회계관리

회계관리의 주요 윤리적 쟁점에는 허위보고서 작성, 탈세, 분식회계 작성 등이 포함된다.

⑥ 생산관리

생산관리의 주요 윤리적 쟁점에는 공장입지, 공장폐수, 작업장 안전위생 등이 포함된다.

⑦ 정보관리

정보관리의 주요 윤리적 쟁점에는 정보유출, 개인정보 침해, 정보스파이 등이 포함된다.

⑧ 글로벌경영

글로벌 경영 분야의 주요 윤리적 쟁점에는 외국 정부관료 매수, 외화도피, 현지인 차별문제 등이 각각 포함된다.

기계 사례 두산

세계적으로 백년 이상의 역사를 가진 장수 기업은 극히 드문 현실에서 두산의 122년 역사는 두산의 핵심 경쟁력이 존재한다는 증거이다. 특히 두산이 기업 활동을 해온 대한민국의 지난 100년간의 역사는 일제시대 – 6.25전쟁 – 전후 복구시기–산업화시기–국제화시기 등의 격동적 변화와 불확실성으로 점철된 시기였다. 따라서 본고는 120년 동안 기업 환경의 변화에 대처해온 적응력 그 자체를 두산의 핵심 경쟁력으로 간주하고, 두산이 왜, 그리고 어떻게 변화를 하려는 의사 결정을 내릴 수 있었는지를 인터뷰와 문헌을 통해 살펴보았다.

두산은 1894년 갑오개혁으로 독점권을 갖고 있던 육의전이 폐지되자 1896년 배오개 지역에 개인 포목점인 '박승직상점'으로 출발하였다. 이를 바탕으로 1904년에는 26명의 동료 상인들과 근대적인 주식회사를 만들어 창고 및 토지대부업 사업을 시작하였다. 그리고 1906년에는 대한상공회의소의 효시가 된 한성상업회의소를 설립하는 데에 참여하였다. 1930년대에는 일본의 경제지배가 만주로 확장되면서 한반도내의 맥주수요가 급증하였는데 일본에서 맥주를 수입할 경우 물류비가 과다해지기 때문에 한국 내에서 일본 맥주 메이커들은 현지 생산을 검토하였다. 이에 박승직은 쇼와기린맥주가 설립될 때 이사로서 참가하였다.

광복 이후 정부에 의해 몰수된 일본인 재산을 미군정이 민간에 불하하자 박승직의 장남인 박두병은 1945년 9월에 쇼와기린맥주를 운영하기로 하였고 11월에 맥주생산을 재개, 1948년에는 상호를 동양맥주주식회사로 변경하였다. 1950년 한국전쟁의 발발로 동양맥주를 다시 출범시켰다. 맥주업과는 별도로 1946년에는 운수업과 무역업을 하는 "두산"을 설립하였고, 더 나아가 1948년에는 무역업 등을 목적으로 산 "두산상회"를 새로 설립하였다. 한국전쟁으로 운송수단이 매우 부족해 두산상회의 운수업은 호황을 맞이하였다. 그 후 한국경제의 성장과정에서 두산은 정부의 경제개발계획에 맞추어 소비재산업 뿐만 아니라 중화학공업으로 진출도 모색하기 시작하였다. 그 결과 70년대 말에는 그룹의 매출구조에서 소비재가 삼분의 일, 중화학 제품이 삼분의 이를 차지하여 회사의 이름도 "두산그룹"으로 바꾸었다. 80년대 역시 정부의 중화학 공업 투자 격려는 계속되었으나 79년의 오일쇼크와 국내적으로 과당경쟁과 중복투자의 문제점이 발생하여 수출을 통해 해외시장을 개척할 필요성이 커지게 되었다. 중동 건설시장의 붐이 발생하였을 때는 해외건설공사를 수주하면서 기술과 경험을 축적시켰고 국내 건설시장의 확장을 통해 주택사업과 개발사업에도 참여하였다.

그러나 1992년 페놀유출사고가 치명타가 되어 두산은 맥주사업을 접고 한국중공업을 인수하며 중공업전문 그룹으로 변신하여, 국내사업의 위기를 국제화로 타개하였다. 이와 같이 두산의 역사는 시대와 기업 환경의 변화에 따라 경기 확장기에는 다각화를 구사하고, 경기 수축기에는 선택과 집중의 구조조정을 선도적으로 수행하며 변신을 거듭한 결과이다. 적자생존(適者生存)이라는 말은 인간에게만 적용되는 것이 아니라 장수기업에도 똑같이 적용될 것이다. 즉, 기업도 인간과 마찬가지로 환경변화에 잘 적응하는 기업만이 계속해서 생존할 수 있는 것이다. 이러한 변신의 원동력은 몇 가지로 귀결되는데, 첫째는 능력 없는 승계를 부정하는 창업주의 의지, 이를 위하여 창업자 가족들에게 경영자 교육 을 중시하고 능력 있는 최고경영자를 중용하는 문화, 그리고 두산의 생존과 번영을 위해서는 사업의 진출과 퇴출에 대한 결정을 과감히 내려온 경영 전통이었다고 볼 수 있다(신현한·야나기마치이사오·곽주영, 2017).

제 2 부
기업의 사회적 책임

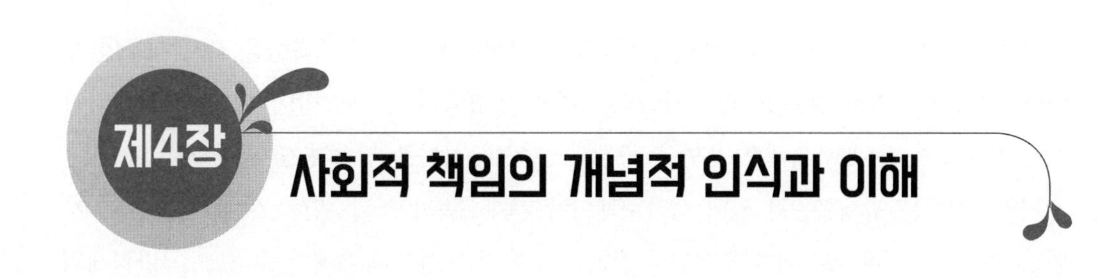

사회적 책임의 개념적 인식과 이해

1. 기업의 사회적 영향력과 책임성

자유시장 경제체제 내에서 사회를 구성하는 조직체들 중에서 그간 눈부신 성장과 발전 양상을 보여 온 기업이 갖는 영향력은 해당 사회나 국가경제는 물론 정치나 문화 전반의 각종 양태를 규정할 만큼 막강해지고 있다. 더구나 전 지구적으로 진행되는 글로벌 접속성의 강화(intensification of global interconnectedness)로 규정되는 글로벌화(globalization)의 진행이 심화되어 갈수록 다수의 국민국가(the nation-state)의 개별 역량은 초국가 기업(transnational corporations : TNCs)의 그것에 훨씬 미치지 못하는 사례가 많아지고 있다. 이에 따라 다른 사회구성체들에 비해 기업조직체(Business organisations)가 가지는 의사결정과 활동의 사회적 영향력은 압도적 위치를 차지하게 되었고, 아울러 기업의 사회적 권력도 매우 강력해졌으며, 이에 비례하여 기업에 대한 공동체 구성원들의 사회적 기대 수준은 물론 그에 대한 기업의 사회적 반응 수준도 이전에는 고려되지 않았던 영역이나 범위로까지 확장되고 있다.

1) 기업의 역량과 영향력

사회를 구성하는 체계화된 조직 집단의 힘은 개체의 힘보다 훨씬 강하다. 이는 조직집단 내의 세분화된 분업과 전문화된 업무 수행으로 인한 조직 효율성의 성과가 단위 개체들의 단순집합적 역량의 총합보다 우월하게 나타나기 때문이다. 인간 고유의 특성인 협업(collaboration)과 통찰력(insight)을 효과적으로 결합시키는 조직체 활동의 장점은 효율적이고 경쟁적인 기업조직 시스템을 통해 증폭되어졌으며, 이에 따라 현대 기업조직체가 갖는 사회에 미치는 전반적인 역량은 매우 괄목한 만한 수준에 이르게 되었다. 그것은 현대사회에서 차지하는 기업의 활동영역이 매우 광범위하고 또 기업체 의사결정이나 활동과정 및 결과가

사회에 미치는 영향력이 상대적으로 강력하고 반복적이며 지속성인 특성을 갖기 때문인 것이다. 따라서 기업이 갖는 조직체 역량의 수준과 영향력의 범위를 상대적으로 분석하려면 객관적 비교가 용이한 경제적 측면을 중심으로 하여 살펴볼 필요가 있다.

기업조직체는 경제활동의 최대 생산주체이자 가계소득과 조세수입의 주 원천이므로, 기업의 지속적인 이윤 발생이 이루어져야만 가계의 안정과 성장이 유지할 수 있고 국가경제의 발전도 도모할 수 있다. 그래서 기업이윤 발생의 원천이 되는 효율적 조직운영은 기업활동의 핵심적 요소로서 현대사회의 발전이나 변화의 추동력으로 작용하고 있다.

이 같은 기업조직체의 상대적 역량과 관련하여 암스테르담 대학 Milan Babic, Jan Fichtner & Eelke M. Heemskerk 등의 연구 'States versus Corporations: Rethinking the Power of Business in International Politics'에 따르면, 전세계 100대 경제주체 중에서 71개 경제주체가 기업조직체이며 나머지 29개는 정부조직체로 나타났는데, 이 같은 연구결과를 유엔개발계획(UNDP) 등에서 그 이전에 실시된 전세계 100대 경제주체(The world's top100 economies) 조사 결과와 함께 살펴보면, 100대 경제주체에 해당되는 기업조직체 수가 2002년 51개, 2014년 63개, 2015년 69개, 2017년 71개 등으로 계속 증가 추세에 있다는 것을 알 수 있다. 물론 조직체 경제활동의 대표적 지표로서 정부조직체는 총수입, 기업조직체는 총매출(세전수익, 직원급료, 분할상환 및 감가상각 등을 포괄하는 부가가치기준)을 기준으로 맞비교하는 방식에 대해 다소간 거칠다는 일부 견해도 있을 수 있지만, 본서 저술의 목적에 부합하는 기업조직체의 상대적 중대성(the relative importance of transnationals) 명제의 도출에 부응하면서 접근 및 활용 가능한 객관적 데이터를 구하는 과정에서, 정부 수익(government revenues) 자료로는 'the CIA World Factbook' 데이터를 사용하고 기업 매출(corporate turn-over) 자료로서는 'Fortune Global 500' 데이터를 사용함으로써 데이터의 객관성을 최대한 유지한 Milan Babic 등의 연구 결과를 채택하게 되었으며, 이를 바탕으로 경제적 측면에 한정할 경우 기업조직체의 사회적 역량이 다수 정부조직체의 그것을 압도하는 경향에 있다는 사실을 추론할 수 있다.

〈표 4-1〉 글로벌 100대 국가 및 기업

Top 100 Countries/Corporations								
Country/Corporations		Revenue (US$, bns)	Country/Corporations		Revenue (US$, bns)	Country/Corporations		Revenue (US$, bns)
1	**미국**	3,363	35	삼성전자	177	69	패니 메이	111
2	**중국**	2,465	36	글렌코어	170	70	핑안보험	110
3	**일본**	1,696	37	ICBC	167	71	크로거	109
4	**독일**	1,507	38	다임러	166	72	소시에테 제네랄	108
5	**프랑스**	1,288	39	유나이티드헬스그룹	157	73	아마존	107
6	**영국**	996	40	**덴마크**	157	74	차이나 모바일	106
7	**이탈리아**	843	41	EXOR 그룹	154	75	상하이 자동차	105
8	**브라질**	632	42	CVS 헬스	153	76	월그린부츠얼라이언스	104
9	**캐나다**	595	43	제너럴 모터스	152	77	HP	103
10	월마트(미국)	482	44	비톨	152	78	제네랄리 보험	103
11	**스페인**	461	45	포드	151	79	카디널 헬스	103
12	**호주**	421	46	중국건설은행	150	80	BMW	102
13	국가전망공사	330	47	**사우디아라비아**	150	81	익스프레스 스크립트 홀딩	102
14	**네덜란드**	323	48	AT & T	147	82	닛산 자동차	102
15	**대한민국**	304	49	토탈	143	83	차이나 생명보험	101
16	중국석유화공	299	50	혼하이정밀공업	141	84	J.P. 모건체이스	101
17	시노펙 그룹	294	51	GE	140	85	코흐 인더스트리	100
18	로열 더치 셀	272	52	CSCEC	139	86	가즈프롬	99
19	**스웨덴**	248	53	아메리소스버진	136	87	중국철도건설공사	99
20	엑슨모빌	246	54	중국농업은행	133	88	페트로브라스	97
21	폭스바겐	237	55	버라이존	132	89	슈바르츠 그룹	97
22	토요타	237	56	쉐브론	131	90	트라피구라 그룹	97
23	애플	234	57	에온	130	91	NTT	96
24	**벨기에**	232	58	악사	129	92	보잉	96
25	BP	226	59	**인도네시아**	129	93	**베네수엘라**	96
26	**멕시코**	224	60	**핀란드**	128	94	중국철도건설공사	95
27	**스위스**	216	61	알리안츠	123	95	MS	94
28	버크셔 해서웨이	211	62	중국은행	122	96	Bank of America	93
29	**인도**	200	63	혼다	121	97	Eni	93
30	**노르웨이**	200	64	카길	120	98	**그리스**	93
31	맥케슨	192	65	일본우정국	119	99	네슬레	92
32	**러시아**	187	66	코스트코	116	100	웰스파고	90
33	**오스트리아**	187	67	**아르헨티나**	116			
34	**튀르키예**	184	68	BNP파리바	112			

출처: Forbes, "Fortune Global 500 List 2017", http://fortune.com/global500/에 기반한 저자의 계산 ; 및 CIA, "The World Factbook 2017", https://www.cia.gov/library/publications/the-world-factbook/

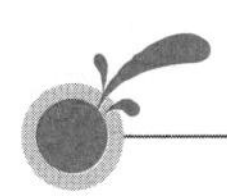

2) 기업의 사회적 권력과 정당성

앞서 살펴본 바와 같이 최근 기업조직체 역량이 정부조직체와 비교하여 월등히 앞서고 있는 것으로 확인되고 있는데 이런 기업체의 역량이 공동체 전반으로 확대되어 막강한 영향력을 발휘하고 이에 따른 기업의 사회적 권력 장악이 일반화되는 사회 현상은 기업행위의 윤리적 판단논리에 따른 접근 차원을 넘어 사회의 지속가능성 차원의 접근에 따른 조직체의 상응하는 책임성에 대한 깊은 성찰을 요구하고 있다.

(1) 기업의 사회적 권력

기업조직체는 현대 산업사회의 핵심적인 구성요소로 작동되면서 그 영향력이 경제적 측면은 물론 사회적, 정치적 측면에서 점진적으로 증대되기 시작하여 이제는 사회 각 부문에서 절대적인 영향력과 지배력을 발휘하고 있다.

이와 같이 기업체들은 막강한 사회적 권력을 차지하고서도 정작 자신들이 감당해야 할 위험(risk)은 사회 전체 혹은 하청업체나 일반인들의 부담으로 떠넘기고 있으며, 사회나 일반인들은 이를 제대로 눈치 채지 못하거나 혹은 부분적 사실은 알지만 전체 사항은 묵인 또는 방조하는 등의 방식으로 당연한 현실로 인정해버리고 만다. 드폴대학교 폴 부케이트(Paul Buchheit) 교수의 연구(2015년도)에 따르면, 미국 기업들은 미국의 각 가구마다 매년 1만 달러씩의 부담을 떠넘기고 있는 것으로 나타났다. 이를 원천별로 세부화하면 5천 불은 공적연구비용(the Public Research Bill), 2천 불은 탈 오염 및 재해구조 비용(Pollution and Disaster Relief Costs), 나머지 3천 불은 탈세 및 기업복지(Unpaid Taxes and Corporate Welfare) 명목인 것으로 분류하고 있다. 또한, 기업의 외부성(externalities)에 관련한 UN의 최근 연구에 의하면, 세계에서 가장 규모가 큰 기업들(the world's biggest companies)이 자신들이 초래한 환경 피해(the environmental harm)에 대한 비용을 지불하게 된다면 그 비용은 연간 2조2,000억 달러에 이르며 해당 기업들의 수익을 약 3분의 1 가량 줄이는 결과를 가져오는 것으로 추산하고 있다. 이 뿐만 아니라 다른 조직체와의 상호작용 과정에서 상대방 조직체에 많은 부정적 영향을 끼치고 있으며 또 생활 및 자연 환경이나 생태계 전반에 대해 원자재 획득이나 제조 및 판매 그리고 소비폐기 등 제품생명주기 전반에 걸쳐 심대한 영향을 끼치고 있다.

기업조직체는 이런 다양한 사회적 영향력을 통해 사회 전반에 긍정적이거나 부정적인 결과를 가져다주는 지배적 위치를 차지하게 되었으며, 이러한 기업의 강한 영향력이 사회 지배적 권력으로 전환되어지는 메커니즘은 일반 권력적 속성과 별다를 바 없이 조직적으로 작동되어지고 있으며, 이러한 현대사회의 지배적 사회구성기관으로서의 기업조직체가 갖게 된 사회적 권력은 최근 글로벌화 되고 디지털화된 산업환경에서 효율적인 시스템으로 뿌리내려 날이 갈수록 막강한 파워를 만들어 나가고 있다.

① 기업과 권력

기업권력이란 기업이 경제활동과정에서 공동체 일반에 영향력을 미칠 수 있는 역량 또는 작용행위로서 기업이 시장권력을 획득하는 과정에서 확보되어지는 기업 역량을 개인이나 사회 혹은 다른 단체나 조직 등에 작용하여 기업이 원하는 방향으로 영향력을 행사하는 기업행위라고 할 수 있다.

기업이 시장에서 자신의 역량을 충분히 발휘하여 이익을 올리는 것은 영업활동의 자유에 속하지만 그러한 기회를 이용하여 불법적인 수익을 올리거나 사회적 재산을 횡령하기 위한 조작행위 등을 용인하는 사회는 그 어디에도 있을 수 없다. 기업 이윤의 극대화를 위해 경영자에게 실질적 권한은 어느 정도 인정되지만 그 허용치는 해당사회의 통제 범위 내라야 하고, 기업권력이 통제되지 못하는 사회는 기업뿐만 아니라 사회 자체의 지속가능성에도 부정적 영향을 줄 수 있으므로 기업권력이 공동체로부터 정당성 확보를 위해서는 경제적, 정치적, 사회적 측면에서의 상호간의 조화와 조율이 절대적으로 요청된다고 할 것이다.

현대기업에서 경영자가 갖는 막강한 권력은 제3자에게서 부여받은 것이 아니라 무소불위의 권력을 행사할 수 있는 영향력을 갖고 있는 경영자 본인으로부터 나오고 있는데, 이와 관련하여 P. 드러커는 기업 권력이 정당성을 갖는 조건들에 대해 분석한 그의 두 번째 저서 '산업인의 미래(1944년)'에서, 재산권과 분리된 막강한 기업 권력은 단지 관료주의적 속성만을 배태할 것으로 보았다.

오늘날 소유와 경영이 분리된 기업현장에서 타인의 재산인 기업체를 경영하면서 적절한 통제를 제대로 받지도 않고 응당한 책임도 부담하지 않은 채 막강한 권력만을 향유하는 최고경영자가 생겨날 수 있는데, 대규모 기업에서의 CEO는 중세 봉건영주에 맞먹는 권력을 지니면서도 조직지배구조상의 견제기구인 이사회조차 자신의 개인적 서포터즈로 전락하는

등 조직지배구조상의 허점들이 이용되는 경우가 많다.

② 기업사회 현상

현대사회의 주요한 사회구성요소로 인정받고 있는 대규모 기업조직체의 경우는 전례 없는 제도적 현상에 의해 국가와 개인 사이에 놓인 자치적 기업(autonomous enterprise)으로서의 사회적 권력기관이 되고 있으며, 이에 따라 현대사회는 칼 폴라니(Karl Polanyi)가 말하는 '기업사회(corporate society)', 즉, 시장이 사회로부터 분리되어 자율적인 것이 되는데 그치지 않고 사회 자체를 식민화한 상태로서, 기업이 단순히 사회의 일부인 것이 아니라 오히려 사회가 기업의 비즈니스 모델과 논리에 따라 재조직화 되는 상황에 처한 사회 현상을 말한다.

기업조직체가 가진 각종의 사회적 권력은 당초에는 계획적으로 의도 되지 않았지만 현대사회에서 기업의 효율적인 자원관리 및 축적 능력에 의해 막강한 사회적 지배권을 행사하는 위치에 서게 되었고, 더욱 대규모화된 기업조직체는 사회적 권력자로 등장하여 공동체 지배권의 일정 지분을 행사하는 통치권력의 일원으로 편입되어 사실상의 사회통치기구가 되는 기업사회(corporate society) 현상화의 우려까지 낳게 된 것이다. 이 같은 현상은 미국 수정헌법 제13조에 대한 법률적 해석이 기업을 자연인과 동등한 권력을 가진 인격체로 대우하도록 규정되어졌다는 실무적 해석이 보편화되어지기 시작한 1880대 이후부터 발아되기 시작하여 제2차 세계대전 이후의 세계경제 부흥기를 거치면서 기업의 비즈니스 범위와 영역이 끊임없이 확대되어지면서 다른 사회조직체에 비해 월등하게 강력한 권력자적 특징을 갖는 조직체가 된 것이다.

이와 관련하여 페렐먼(M. Perelman)은 '기업권력의 시대(Manufacturing Discontent)'에서 통렬하게 비판하는 두 종류의 미국 개인주의 신화(the myth of individualism), 즉, 오늘날 기업권력의 시대를 가능하게 만든 소비자주권(consumer sovereignty) 등의 허구적 이데올로기와 기업 스스로 나서서 하나의 자연인과 동일한 인격체로 대우해 달라는 주장이 합쳐져서 하나의 신화로 완성되어지는 과정에서, 기업들은 일반 소비자들이 무모한 과시적 소비를 하도록 부추기거나 상품 정보를 제대로 알지 못한 채 위험물질이 함유된 제품을 구매하게 하거나, 소비자피해를 발생시켜놓고 원상회복을 제대로 하지 않거나 또는 소비자 소송에서 패하더라도 배상금 지급액수를 최대한 낮추는 등 책임 회피에 급급하다고 진단하고 있다.

(2) 기업권력의 정당성과 책임

일반적으로 현대사회에서 대규모 기업들은 경제적, 정치적, 사회적 권력을 갖고 있다고 할 수 있으며, 사회적 책임에 관련된 의사결정에 있어 중요한 것은 기업조직체의 권력과 책임의 원칙이고 현대사회는 기업이 소유하고 있는 권력에 상응하는 의무나 책임을 요구하는 경향이 점차 확산되는 추세에 있다. 따라서 소속 사회에 기반을 두고있는 기업조직체는 경제적 권력에 상응하는 책임과 정당성에 기초한 기업활동의 수행을 요청받게 되는 것이다. 여기서 말하는 정당성(Legitimacy)은 어떤 조직체의 행동이 규범(norms), 가치(values), 신념(beliefs), 정의(definitions) 등으로 구성된 사회시스템(some socially constructed system) 속에서 바람직하고 적합한 것이라는 인식과 가정을 의미하는 것이다(Schulman, 1995). 특히, 대규모 기업조직체의 사회적 권력에 대해 합법성과 정당성을 요구하는 사회적 반응은 중대한 사회 이슈를 생산할 가능성이 높아지고 있다. 현대산업사회에서의 기업조직체는 사회 질서에 의해 지지되는 합법적인 권력에 의해 조직 운영이 이루어져야 하며 이런 조건을 만족시키기 위해 두 가지의 본질적 요구조건이 필요한 데, 그 중 하나는 자율적으로 움직이는 대규모 법인조직체를 사회 대표기구로 인식해야 하는 것이고 다른 하나는 기업조직체의 최고경영자는 일종의 통치기관으로서의 정당성을 부여받을 필요가 있다.

권력이란 그 사회의 기초적 신념과의 관계 속에서만 정당성이 인정될 수 있는데, 기업권력의 정당성과 관련하여 필요한 철학적 성찰의 범위는 사회적 합의에 의한 정당성 인정 여부, 문화적 신념과 가치의 포괄성 여부, 목적의 수단 정당화 여부 등에 걸쳐 있는데, 기업권력의 정당성이 문제가 되는 것은 기업경영 자체적으로 정당성 문제를 해결하지 못하게 되면 국가가 통제기구로서 개입하여 전체주의적 경제체제로 전환될 위험성이 있으며, 또 기업권력을 정당화할 능력이 없다면 기업권력이 스스로 부패하고 타락할 가능성을 배제할 수 없기 때문이다.

기업조직체 중에서 특히 대규모 기업의 경우는 사회적 영향력이 막강하기 때문에 기업권력의 정당성 문제는 매우 중대한 철학적이고 사회적인 주제가 될 수 있다. 이와 관련하여 드러크(Peter F. Drucker)는 경제·사회·정치적 측면에서 기업권력의 성격에 대한 다각적인 정의가 필요한 것으로 보고, 기업은 재화나 일자리와 부 등을 창출하는 경제적 의무를 수행하는 경제적 권력으로, 다음은 직원 생계를 조정하고 고용규율을 정립한다는 면에서 정치적

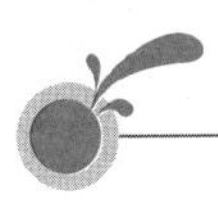

권력으로, 끝으로 근로자에 대한 사회적 지위를 부여하는 측면에서 사회적 권력 등으로 규정한다. 그러면서 하나의 기업조직체는 이러한 세 가지 영역의 기업권력을 각각 다른 차원에서 구사해야 하는 것으로 제안하고 있다.

또한, 그는 '기능하는 사회(functioning society)'의 요건으로서 사회의 '결정적 권력'은 합법적이고 정당한 권력이라야 하고, 사회는 개인에게 사회적 지위와 역할을 부여해야 한다는 두 가지 명제를 제시하면서 대규모 기업조직체는 이러한 요건을 모두 만족시켜야 한다고 주장하였는데, 이는 현대사회에서 결정적인 권력 주체로 등장한 기업체는 반드시 정당성에 기반한 행동을 취해야 할뿐 아니라 막중한 사회적 책임도 져야 하는 이유가 되고 있다.

3) 사회적 책임성에 대한 인식

권력을 누리는 자가 그 권력을 무책임하게 사용할 때 결국 권력을 잃게 된다는 데이비스의 통칙(the general rule)은 소위 '사회책임 철칙(the iron law of the social responsibility or The Law of Long-Run Self-Interest)과 함께 1960년대에 등장하였는데, 데이비스(Davis)의 견해에 따르면, 기업인들은 다른 어떤 것보다도 이익과 즉각적인 경제적 이해관계에 더 관심이 많은데, 기업권력을 계속 유지하려면 사회적 책임에 의해 항상 견제를 받아야 하고, 또 업무관행으로 발생된 문제들을 해결하여야 한다.

(1) 사회 책임성 관련 개념의 이해

책임이란 권리에 대한 평행력(Responsibility is the counterbalance to rights)이기 때문에 권리를 완성시키는 장치로 볼 수 있는데, 비즈니스에서 영업적 권리에 대한 균형력, 즉, 권리의 완성을 위해 보충되어 사업을 완성시키는 것이 바로 책임인 것이며, 비즈니스 권리의 완성은 의무나 책임의 보충에 의해 완성되어지고 일반적으로 조직성과도 사리분별력 있는 구성원이나 조직 자체가 갖는 권력과 책임의 균형력에 의해 유지되거나 완성된다고 볼 수 있다.

권력은 크든 작든 간에 반드시 책임을 수반한다는 기본원리에 따라 경제적 측면에서 막강한 권력을 갖게 된 기업들이 존재목적이나 행동동기를 이윤극대화에만 두는 의사결정이나 행동을 하는 것은 기업의 존재 목적을 편협된 시각으로 접근하는 것이 된다.

사회에 대한 강한 기업지배권이 그 존재를 인정받기 위해서는 반드시 정당화가 필요하므로 정치적 제도인 정부조직체에 적용된 사회계약 개념을 경제적 제도인 기업조직체에 적용함으로서 정당성을 확인할 수 있는데, 이와 관련하여 사회와 정부조직체 사이에 존재하는 국가의 책임성에 대한 사회계약을 사회와 기업조직체 사이의 책임성 문제로 치환시켜 검토하면서, 아울러 기업이 사회적 대응 차원의 조직적 전략으로서 사회적 책임을 자발적으로 채택하는 논리적 타당성을 제공하고 있는 책임윤리 개념, 그리고 기업의 도덕적 의사결정과 정의 조건 충족 등과 연관 있는 도덕적 행위자 개념 등에 대해 살펴보기로 한다.

① 사회계약론

사회계약론(social contract theory)은 개인의 자발적인 합의로부터 지배관계의 정당성을 도출해내는 정치적 이론으로 이해되는데, 공동체 정당화의 근거를 계약론과 자연법론으로 나누어 접근해 보면 후자의 경우와 같이 객관적 도덕으로 추정되는 형이상학적 명령에 의해서가 아니라 전자의 경우와 같이 자발적으로 만든 계약에 의해 제약될 수밖에 없다.

기업과 사회 간의 계약은 현실세계에서의 성문화된 계약이 아니라 시민과 정부 간의 사회계약과 유사한 형이상학적인 것으로 기업의 간접적 의무의 본질을 파악하는데 도움이 되기 때문에 매우 중요하며, 기업의 사회계약이란 개념이 명확히 부여되면 기업의 간접적 의무를 보다 더 잘 이해할 수 있게 된다.

정치적 의미의 사회계약은 국가 존재를 정당화(justification)시켜 주는 유효한 이론적 수단이 되고 있어, 만약 정부가 부당하게 시민을 속이고 권리를 짓밟고 사회복지를 임의로 축소한다면 이는 사회계약을 정면으로 위반하는 것이므로 정부는 계약불이행으로 전복될 수도 있는 것이다. 따라서 이러한 정치적 계약이 국가의 존재를 정당화시켜준다면, 기업의 사회계약은 기업의 존재를 정당화시켜준다고 볼 수 있으며, 기업의 존재를 정당화시켜주는 근본적인 목적 또는 집합적 목적들은 정부와 시민간의 계약조건에서부터 출발할 수 있을 것이다.

홉스(Thomas Hobbes), 로크(John Locke), 루소(Jean Jacques Rousseau) 등의 사회계약이론에서 유추할 수 있는 것은 첫째, 사회계약 이론들의 전통은 사회변화와 사회개혁의 전통이며, 둘째, 계약의 형태로서는 2가지가 있는데, 하나는 인간을 자연 상태에 있는 존재로 보고 조직화된 사회를 만드는 데 동의한 존재로 가정하고 있으며, 다른 하나는 인간이 정부를 만들었다고 상상하지는 않지만 그들과 현존하는 정부 사이의 관계를 '암묵적 계약'이란 용어로서 정의하고 있으며, 셋째, 집단 동의를 중요시하는 공통적인 요소가 있다는 것이다.

이와 같은 정치적 계약을 경제적 제도에도 그대로 적용하여 기업과 사회 간에 묵시적인 합의(implied agreement)가 존재한다고 할 수 있으며, 또 계약에 참여하는 집단을 보다 명확하게 규정하여 기업의 사회계약은 생산조직과 사회의 개별구성원 사이에 체결되는 것으로 상정할 수 있다.

생산조직인 기업은 자신의 특별한 이점은 확대하고 불리한 점은 축소하는 방식으로 소비자와 노동자의 만족을 추구하며 이를 통한 사회적 부의 증대를 꾀해야 하며, 소비자 이익과 노동자 이익의 상호조정(trade-offs) 그리고 생산조직에 적용되는 정의의 개념들은 생산조직의 속임수와 부정을 금지하고 인간으로서의 노동자는 존중되어야 하며 사회 집단의 상태를 체계적으로 악화시키는 행위는 회피하는 것 등을 계약조건으로 하고 있다. 이런 것들은 기업의 도덕적 바탕이 되어 생산조직이 계약조건을 제대로 이행할 때는 그들이 올바른 행위를 하고 있다고 판단할 수 있고 그렇지 못할 때는 사회가 기업에 대해 비난하는 것이 도덕적으로 정당화된다.[3)]

한편, 개인과 정부조직체의 관계 측면에 있어 힘의 압도적 불균형 상태에서 발생된 강자와 약자 사이의 합의점인 사회계약론에 기반을 두고, 사회와 기업조직체와의 관계 측면에서 힘과 영향력의 차이로 발생한 조직활동의 부작용 등에 대한 문제해결의 합의로서 등장하게 된 통합사회계약론(integrative social contract theory)[4)]은 규범론적 보편성과 경험론적 다양성의 실천적 통합에 의해 조직 외적환경, 즉, 사회와 시장 등에의 적응이라는 사실적 요인과 의사결정자 가치관에 의한 선택이라는 가치적 요인이 결합한 것으로 볼 수 있다.

기업은 사회와의 협력이나 사회에의 참여를 통해서만 존재 가능하고, 기업의 존재 조건을 제공할 책임이 있다는 묵시적 합의(implied agreement)가 재화나 용역 생산에서 협동하는 생산조직과 사회 개별구성원 사이에 체결된 통합사회계약에도 내재한다는 강력한 암시에 따른다면, 계약내용에 있어 사회에 대한 생산조직의 책임과 의무는 그 반대의 경우보다도 더 까다로울 수 있다.

생산조직의 본질적 목적은 소비의 편익과 고용제공의 편익을 최대화하여 사회 전체의 부를 증대시키고 공해 유발과 자원 고갈 등 비용의 최소화로서 전체적으로 비용보다 편익이 최대화되도록 하는 것이다. 만약 소비자 편익과 노동자 편익 사이의 상충관계(trade-offs)가 발

3) Thomas Donaldson, 'Corporations and Morality', Prentice-Hall, Inc., 1982, p. 85.
4) Donaldson & Dunfee, 1994.

생할 경우에도 사회 전체적인 부가 증대된다면 불가피한 선택이 필요하겠지만, 사회적 부의 상충관계는 사회적 정의(justice)의 기준에 최대한 부합하여야 하고 불공정한 행위도 금지되기 때문에 만약에 생산조직 존재가 사회 개별 구성원을 비인간화하거나 노예화한다면 그런 계약체결은 불가할 것이다.

생산조직은 사회적 정의라는 일반 규범 내에 존재해야 하므로 생산조직의 속임수, 부정, 사회상태의 체계적인 악화 행위 등은 반드시 회피되어야 하는 것이 사회계약의 원칙이며, 또, 소비자와 노동자의 만족을 추구하면서 이를 통한 사회 전체적인 부의 증대를 위해 노력하는 것이 생산조직인 기업의 도덕적 바탕이 되고 있다.

생산조직이 계약조건을 이행하면 올바른 행위를 하는 것이며, 그렇지 못할 때는 사회가 기업을 비난하는 것이 도덕적으로 정당하므로 사회적 계약은 생산조직의 행위를 판단하는 도구적 역할을 하게 되며 계약체결의 목적인 사회적 부가 더욱 증대되면 사회계약은 생산조직의 도덕적 기반을 제공하게 될 것이다.

② 책임윤리

책임윤리와 심정윤리의 차이에서 발견되는 윤리적 이슈로서의 사회적 책임은 분명히 심정윤리보다는 책임윤리에서 그 유래의 근접성을 쉽게 찾을 수 있고, 도덕철학에서는 의무론보다 목적론에 근접해 있다고 볼 수 있다. 그래서 조직체가 사회적 대응 차원의 조직전략으로서 자발적으로 사회적 책임을 채택하는 것은 책임윤리적인 관점에서 본다면 타당할 수 있는 것이다.

베버(M. Weber)에 따르면 심정윤리와 책임윤리의 대립은 불가피하고 의무론과 목적론 사이의 화해나 통합 가능성은 불가능하다. 그러나 베버의 모순으로 일컬어지는 상호보완성 논제로서 목적의 정립(가치) 차원에서는 두 윤리관이 대립하지 않지만 행위의 수행(선택) 차원에서는 대립이 불가피하므로 비합리적인 최종 결단이 요구된다고 할 수 있다. 따라서 베버는 가치 다원주의와의 타협성, 세계의 윤리적 비합리성에 대한 경험 적합성 그리고 근대의 시대정신 등을 감안할 경우 적어도 공적 영역에서 책임윤리를 선택하는 것이 제한적 수준에서 합리적 선택이 될 수 있는 것으로 보았다.

③ 행위자

기업조직체의 도덕적 지위를 규정하려는 접근방법 중에서 조직체를 일종의 도덕적인 행위자로 보려는 도덕적 인간관(the moral person view)에 의하면, 기업조직체의 특정 행동이 의도적으로 이루어진다면 행위자로서의 지위가 획득되어 해당 조직체는 자신의 행동 결과에 대해 스스로 책임을 져야 마땅하다. 그러나 그런 경우에도 기업이 의도적으로 행동한다는 것을 입증하기 위해서는 해당 조직체의 의사결정구조를 깊이 있게 살펴볼 필요가 있는데, 연구에 따르면 기업조직체가 반드시 의도적으로 행동하는 것이 아닌 경우도 있는 것으로 나타난다.

기업조직체의 활동 중에서도 꾸준한 의사소통이 이루어지고, 의사결정과정이 개인의 경우와 마찬가지로 '도덕적인 행위자가 되기 위해 만족시켜야 할 의사결정과정의 최소조건'을 갖춘 경우, 즉 조직이 의사결정을 할 때 도덕적 이성을 사용할 수 있는 능력과 행위를 가졌을 뿐만 아니라 정책이나 규칙 구조를 통제할 수 있는 의사결정능력을 갖는 경우이거나, 또는 이런 최소조건들을 어느 정도로 만족시키는 경우에는 비록 완벽하진 않지만 다소간의 합리적이고 도덕적인 통제가 가능한 상태가 되므로 기업조직체의 도덕적 의사결정 조건이 충족된다고 볼 수 있다. 특히, 소규모 기업의 경우는 개인 의사결정과 거의 비슷하기 때문에 도덕적인 행위자임을 부인하는 것이 쉽지 않으며, 대규모 기업체도 도덕적인 의사결정 과정의 최소조건을 만족하는 경우는 행위자로서의 능력을 갖췄다고 볼 수 있다.

(2) 기업의 책임성과 의무

기업을 비롯한 모든 사회 조직체도 공동체를 형성하고 사회적 영향을 주고받는 사회구성체로서 자신이 속한 공동체의 존속에 협력해야 하고 그렇지 않을 경우 해당 구성체는 공동체 전체의 유지에 필요한 정도로 적절한 규제를 받게 되는 것은 사회계약론에서 도출된 상호 균형의 작용이다.

그러나 개인이나 조직체의 존재 목적이 반드시 공동체 번영이 될 수는 없으며, 개별 구성체의 자발적 의지나 자유의지는 가장 존중되어야 할 공동체의 핵심 덕목이어야 한다. 그런 의미에서 개인의 자유와 마찬가지로 조직체의 자유도 중요하며, 공동체에 기여하거나 해악을 끼치거나 하는 등의 선택도 개체의 자유 의지에 속한다. 그러나 개인은 사회 자체의 존속이나 질서 유지를 위해 요구하는 법적, 윤리적, 사회적 의무를 다해야 하며 여기에는 개인의 자발성이 동반되는 것은 아니며, 사회적 의무를 따르지 않으면 일정한 형태의 공동체 제재가 불가피하다.

따라서 조직체의 구성 개체가 의무사항을 자발적으로나 비자발적으로 이행하는 것은 당연한 사회적 책임이며, 비의무사항을 자발적으로 이행하면서 사회적 의무감으로 받아들이는 것은 순전한 개인 선택의 자유이고 자유 의지로서의 사회적 책임이 될 것이다. 그것이 공동체의 요구나 희망과는 상관없이 또는 구성 개체의 순수한 의지든 대응적 의지든 관계없이 사회적 의무로서 받아들이는 것은 사회적 책임성 문제에 해당 될 것이다. 이와 관련하여 프라이드(William Pride)는 '사회적 책임(social responsibility)이란 사회에 대한 긍정적 임팩트(positive impact)는 최대화하고 부정적 임팩트(negative impact)는 최소화하기 위한 조직의 의무(organization's obligation)'라고 정의함으로써, 사회적 책임과 의무의 관계성에 대해 잘 적시하고 있다.

기업은 경제 공동체의 주요 구성원으로서 사회적 책임과 의무를 다해야 한다는 도덕적 행위자 관점에서 바라보는 '기업시민(corporate citizenship)'의 역할과 책임이 주목받게 되면서, 도덕적 행위자로서 주주의 요구에 부응하거나 기업헌장을 준수해야 할 임무를 가지는 등 직·간접적인 사회적 의무를 부담하는 주체가 된다.

여기에서 직접적 의무란 그것이 존재한다는 단순한 사실 자체가 의무를 이행해야 할 결정적이고 도덕적인 이유가 되며, 공식적이고 명시적으로 규정되어 있어 쉽게 확인되고 표면적 구체성을 띠고 있다. 그리고 하나의 규칙으로서 주주나 종업원, 공급자, 소비자 등과 같이 기업과 직접 관련이 있는 대상들에 대한 의무라 할 수 있다.

이에 비해 간접적 의무는 좀 복잡하여 윤리적 초점을 맞추기가 쉽지 않은데,[5] 도덕적 행위자로서 인간의 의무와는 다른 직간접적인 의무 부담자로서 기업이 받아들여야 하는 간접적 의무는 공식적으로 규정되어 있지 않은 경쟁자나 지역사회, 일반대중 등 기업과 직접 관련이 없는 대상에 대한 것이다.

5) Thomas Donaldson, 'Corporations and Morality', Prentice-Hall, Inc., 1982, pp. 56-90.

4) 사회적 책임에 대한 시대별 인식 변화

지난 수십 년 동안 조직체의 사회적 책임과 관련하여 기업을 중심으로 다양한 개념으로 발전되어 왔다. 그러한 과정에서 기업의 사회적 책임(CSR) 자체도 조직체의 사회적 책임(SR) 개념으로 확대되었고, 그 실행 형태도 기업의 수익과 직접적으로 관련되지 않으면서 단순하게 공익적 측면만 강조하는 기업의 자선 행위에 집중된 초기의 경향에서 조직체 운영 전반의 모든 행태적인 측면으로 점차 확대되고 있다.

이러한 기업의 사회적 책임이라는 개념은 미국에서 1930년대에 복지국가 개념이 정립되면서 간혹 일시적인 관심들이 집중되기도 했지만, 이론적으로나 실무적으로 본격적으로 사용되기 시작한 것은 사회 환경 및 가치상의 현저한 변화가 일어난 1960년대 이후라 할 수 있다. 따라서 1960년대 이전에는 최고경영자의 자선사업이 주를 이루며 사회적 책임을 개인적 영역에서 이행하는 경향이 주류를 이루는 시기였다.

1960~1970년대에는 기업이 야기한 환경문제와 갈등으로 인해 사회적 각성과 책임을 요구받기 시작하였고, 1960년대에 들어서 기업의 사회적 책임의 의미는 보다 공식화되고 정교해지면서 케네디 대통령에 의해 소비자권리장전(Consumer's Bill of Rights)이 발표되고, 데이비스(K. Davis)의 '책임의 철칙(iron law of responsibility)'이 제시되는 등 사회적 책임의 개념과 의미를 공식화하려는 시도가 빈발하였다. 1970년대는 사회적 책임(CSR)의 수행을 기업의 사회성 인식과 함께 장기적 기업이익의 추구라는 전략적 시각에 대한 인식이 시작되었다.

1980~1990년대는 기업 내부의 조직문화에 따른 기업윤리 및 윤리헌장이 등장하는 등 기업 전체가 사회적 책임경영의 실천을 받아들이려는 분위기가 구체화되기 시작하였다. 1980년대는 CSR 이외에 기업의 사회적 반응, 기업의 사회적 성과(corporate social performance : CSP), 공중정책(public policy), 기업윤리, 이해관계자 이론 및 경영(stakeholder theory/management) 등과 관련되는 개념과 용어들이 등장하기 시작했으며, 1990년대에는 캐롤(Carroll, B. A.)의 CSR에 관한 이전 모형이 재정립되었다.

그리고 2000년대 이후는 지난 시기의 사회적 책임을 포함하여 기업의 시민의식(corporate citizenship) 등이 강조되고, 사회적 책임에 대한 국제규범화가 구체화되어 UN에서 GC, GRI, PRI, UNEPFI 등의 조직체를 비롯하여, OECD나 ISO 등의 국가 간 기구(IGO)나 NGP 등에서 사회적 책임과 관련된 각종 표준이나 선언들이 쏟아지기 시작했다.

2. 사회적 책임의 정의와 개념적 모델

1) 사회적 책임의 정의

(1) 개관

모든 조직체의 사회적 책임(SR : Social Responsibility)이란 용어는 국제표준화기구(ISO)가 2010년 기업의 사회적 책임(CSR : Corporate Social Responsibility)에 대한 글로벌 스탠더드를 제정하면서 탄생한 용어이다. 여기에는 사회적 책임을 부담해야 하는 주체를 기업체를 비롯하여 공공기관이나 비정부기관 및 정부기관 등을 포함한 모든 조직체로 규정하고, 이들 조직체들이 사회·경제·환경 등에 관련된 각종 조직 활동을 수행하는 과정에서 이해관계를 갖는 모든 객체, 즉, 조직체 내·외부 구성원, 지역공동체 및 사회 전반에 혜택을 줄 수 있는 방향으로 추진해야 한다는 의미에서 SR(Social Responsibility)이라는 용어를 개념화한 것이다. 사회가 영향력이 높은 여러 형태의 조직체 중에서 유독 기업조직체에게만 사회적 책임을 부담하도록 하는 것은 형평성이나 효율성 측면 등에서 문제가 있다는 산업계 지적을 수용하여 사회적 책임의 수행 주체를 여러 사회구성체 중에서 집단적 파워를 행사할 수 있는 모든 조직체로 확대한 것이라 할 수 있다.

본 절에서는 사회적 책임(SR)의 개념에 대한 깊은 이해를 위해 SR 개념이 확립되기 전부터 학문적으로나 실무적으로 널리 사용되어온 개념인 기업의 사회적 책임에 대한 이해가 선행될 필요가 있고, 또 CSR에 대한 다양한 개념적 정의를 폭넓게 이해하는 것은 SR에 대한 올바른 개념 형성 및 지향성 정립에 기여할 것이므로, 기업의 사회적 책임(CSR)에 대한 개념과 모델을 중심으로 살펴보기로 한다.

1930년에 버얼(Adolf Berle) 교수와 도드(Merrick Dodd) 교수 사이에서 기업경영자의 책임에 관련된 논쟁이 벌어진 이래로 본격적으로 기업의 사회적 책임에 대한 논의가 이루어진 것은 1953년 보웬(Bowen)의 저서 "기업가의 사회적 책임(Social Responsibility of the Businessman, 1953)" 발간 이후라 할 수 있는데, 그가 사회적 책임에 대한 개념을 개발하는 과정에서는 다수의 선행연구들[6]이 활용되어졌으며, 또 기업활동에 관련하여 사회적 책임에 대한 최초의 개념

6) Berle & Means, 1932; Cheit, 1964; Davis & Blomstrom, 1966; Greenwood, 1964; Mason,

적 정리가 이루어진 기념비적인 동 저서는 이후의 수많은 관련 연구에서 이루어진 사회적 책임에 대한 개념을 발전시키는데 크게 기여하였다고 볼 수 있다.

CSR의 개념적 정의에 대해서는 관련 학계나 산업계에서 다양한 시각으로 접근하여 각자 나름대로 이론을 정립해 왔으며, 경영학계나 산업계는 물론 언론이나 관련 기관단체 등에서도 각자의 접근방법에 따라서 CSR의 개념 정의에 대해 규정을 내려오고 있는 중인데, 관련 학자들이나 연구자들을 중심으로 그 세부내용들을 살펴보기로 한다.

(2) 학문적 정의

① 1970년대 이전

보웬(Bowan, 1953)은 기업조직체 자체가 아닌 기업가의 사회적 책임과 관련하여 기업가는 사회의 목표나 가치 관점에서 바람직한 정책을 추구하고 의사결정을 하며 그에 따른 행동을 해야 할 의무가 있는 것으로 보았으며, 데이비스(Davis)는 기업의 사회적 책임에 대해 기업인들이 눈앞의 경제적, 기술적 이익을 넘어 취하는 결정과 행동으로 정의하면서 사회적으로 책임 있는 일련의 사업에 참여하는 것은 장기적인 관점에서 회사의 이득을 가져다주는 만큼 정당화된다고 주장하였다. 또한 맥과이어(McGuire, 1963)는 CSR에 대해 기업의 사회에 대한 경제적, 법적 의무뿐 아니라 이러한 의무를 넘어 전체 사회에 대한 책임까지를 의미한다고 규정하고 그의 저서 “기업과 사회(1963)”를 통해 기업에 의한 사회봉사를 특징적으로 강조한 바 있으며, 홀랜드(Jeffrey Hollender)는 CSR은 비즈니스의 미래이며 기업들의 일거수일투족이 모두 노출되는 세상에서 살아남아 번영하기 위해 기업들이 꼭 해야 할 일로서 규정하였고, 바칸(Joel Bakan)은 기업들이 자기 이익을 안정적으로 유지하는 동시에 도덕적 우려를 불식시키기 위해 CSR을 설계한 것으로 보았다. 또한 아커먼과 바우어(Ackerman & Bauer, 1976)는 기존의 사회적 책임에 대한 규정들은 너무 좁고 정적으로 이루어져 있어 기업의 사회적 노력이나 성과를 완전히 묘사하는데 한계가 있다면서 사회적 책임은 의무를 확인하는 과정이고 성과보다는 동기를 강조하는 것으로 사회적 요구에 반응하는 것이 무엇을 행하는 것보다 더 중요한 것으로 보고 CSR에 있어 사회적 반응의 중요성을 주장했다.

세티(Prakash Sethi, 1975)는 CSR을 사회와 환경 문제를 해결하고 윤리 원칙을 준수하는 것으

1960; McGuire, 1963.

로 규정하면서 사회적 측면인 타율성과 윤리적 측면인 자율성 두 가지로 구분 강조하면서 기업은 법률적, 경제적 의무를 넘어서 사회규범이나 가치 그리고 사회적 기대와 조화를 이룰 수 있는 기업 행위를 해야 한다고 주장했다.

그리고 캐롤(Carroll, B. A.)은 CSR을 사회적 성과 모델의 한 부분으로 포함시켜 경제, 법, 윤리, 자선적 책임 등 4개의 범주로 분류하고 기업들이 이런 책임들에 대해 모두 충실할 때 비로소 사회적 책임을 다하는 것으로 보았다.

이에 비해 울프(Martin Wolf)는 CSR은 수익 창출이라는 기업의 가장 중요한 역할에서 벗어나게 함으로써 시장을 왜곡할 수도 있기 때문에 바람직하지 않을 뿐만 아니라 잠재적으로 매우 위험한 것이라는 견해를 나타냈고, 프리드먼(Milton Friedman)은 자유경제체제에서 기업의 유일한 사회적 책임은 법을 준수하면서 자원을 활용하며 속이지 않고 개방된 자유경쟁 내에서 이윤을 증식시켜 주주가치를 증대시키는 것이며, 따라서 순수하게 사회에 이득을 주기 위한 기업 지출에 대해서는 분명하게 반대하며 오염 감소나 소수자와 약자 고용과 같은 사회적 목적을 위해 기업 이익을 줄이는 임원의 역할은 정부 기능을 수행하는 것이 되어 기업 임원이 공무원이 되는 것과 같은 것으로 보았다. 다만, 직원 거주의 지역공동체를 위한 기업의 기부행위는 주주 이익에도 도움이 되므로 정당한 것으로 보았지만 사회적 책임의 명분으로서 이를 합리화할 수 없는 것으로 주장했다.

② 1980~90년대

맥파랜드(McFarland, 1982)는 CSR은 개인, 조직, 사회제도들 간의 상호의존성 인식과 그런 인식을 도덕적, 윤리적, 경제적 가치의 프레임에서 행동으로 옮기는 것으로 보았으며, 먼디(Mondy, 1990)는 자신이 속한 집단이 아닌 다른 집단의 이익에 봉사하거나 그것을 보호하려는 경영자 의무라고 정의하면서 이는 기업 이익을 배제한 상태에서 사회적 책임 영역을 말하는 것으로 규정했다. 바톨(Bartol, 1991)은 CSR에 대해 조직 자체의 이익과 함께 사회복지를 보호하고 증대시키는 행동을 추구할 의무라고 정의하였고, 데이비슨(Davidson, 1994)은 CSR에 대해 일반적으로 사회와 하부사회그룹에 개인기업이 빚진 것에 대한 책임으로 규정했으며, 클락슨(Clarkson, 1995)은 이해당사자 모델을 사업장 조사 연구에 적용하여 이해당사자를 1차 그룹(primary stakeholder)과 2차 그룹(secondary stakeholder)으로 구분하면서 1차 그룹은 투자자, 노동자, 소비자, 공급자 등으로 구성하고 2차 그룹은 기업 생존과 직접적인 관계는 없으나

기업에 영향을 미치는 미디어와 특별한 이해관계자 그룹(시민단체) 등으로 구성하였다.

③ 2000년대 이후

2000년대에 들어서도 CSR 정의와 관련하여 다수의 연구자들이 나름대로 규정을 하고 있는데, 먼저 맥윌리엄스와 시걸(McWilliams & Siegel)은 CSR을 법적으로 요구하는 수준과 기업의 이해를 넘어 사회를 좋게 만들기 위한 기업 행동으로, 마스던(Marsden)은 기업을 권리와 의무를 가진 법적인 존재로서 그들이 운영하고 있는 지역 '시민'으로 보았으며, 매이그념과 페럴(Maignam & Ferrell)은 CSR을 기업이 그들의 이해관계자들로부터 부여된 경제적, 윤리적, 자유재량적 책임을 이행하는 정도로 보았다. 존스(Jones)는 무엇이 사회적으로 책임 있는 행동인가에 대한 합의에 이르기 어렵기 때문에 CSR은 일련의 결과물이 아닌 하나의 과정으로 이해해야 한다고 주장하였으며, 블럼(Blomm & Gundlach) 등은 기업이 이해관계자에게 지는 책임은 법적인 것을 넘어선 의무이며 이런 의무 이행은 기업이 사회에 미칠 장기적인 영향을 최대화하고 잠재적인 위험을 최소화하는 것으로 보았다. 모르(Mohr et al.) 등은 사회에 대한 어떠한 위험한 효과를 최소화하여 제거하고 장기적으로 도움이 되는 영향을 최대화하는 기업의 행동으로 규정하였으며, 페트코스키 등(Petkoski & Twose)은 CSR에 대해 종업원과 그 가족, 지역사회 등과 함께 삶의 질을 향상시켜 사업과 사회 발전에 모두 좋은 방향으로 지속가능한 경제적 발전에 기여하는 기업 활동으로서 규정하고 있다. 앤드슨과 란다우(Anderson and Landau, 2010)는 일반적인 CSR은 법적 요구사항 준수 이상의 수준을 요구하는데 현대적 의미의 CSR은 광의의 이해관계자 집단에 대한 책임을 강조하고 있으며, 기업의 이해관계자들은 근로자와 협력업체, 고객과 공급자, 비영리 조직을 포함한 지역사회, 사회의 환경을 포함한다고 하였다.

〈표 4-2〉 사회적 책임에 대한 대표적 정의

연구자	내 용
맥과이어 (J.B.McGuire)	기업의 사회에 대한 경제적 및 법적 의무뿐만 아니라 이러한 의무를 넘어서 전체 사회에 대한 의무로서 눈앞의 경제적, 기술적인 이익을 넘어서 취해지는 결정과 행동
바칸 (J. Bakan)	기업들이 그들의 이익을 안정적으로 유지하는 동시에 도덕적 우려를 불식시키기 위해 설계한 것

연구자	내 용
세티 (P. Sethi)	사회와 환경문제를 해결하고 윤리원칙을 준수하는 것이며, 기업의 법률적, 경제적 의무를 넘어서 사회적 규범이나 가치, 그리고 사회적 기대와 조화를 이룰 수 있는 기업행위
캐롤 (B. A. Carroll)	경제, 법, 윤리, 자선적 책임 등 4개 범주로 분류하고 기업들이 이런 책임들에 대해 모두 충실할 때 비로소 사회적 책임이 완성
홀랜더 (J. Hollender)	비즈니스의 미래이며 기업들의 일거수일투족이 모두 노출되는 세상에서 살아남아 번영하기 위해 기업들이 꼭 해야 할 일
페트코스키 등 (Petkoski & Twose)	종업원, 그들의 가족, 지역사회 등과 함께 삶의 질을 향상시켜 사업과 사회 발전에 모두 좋은 방향으로 지속 가능한 경제적 발전에 기여하는 기업의 활동
프리드먼 (M. Friedman)	자유경제체제에서 기업의 유일한 사회적 책임은 법을 준수하면서 자원을 활용하며, 속이지 않고 개방된 자유경쟁 내에서 이윤을 증식시켜 주주가치를 증대시키는 것이며, 순수하게 사회에 이득을 주기 위한 기업지출은 반대하지만 지역공동체를 위한 기업의 기부행위는 주주 이익에 도움이 되므로 정당
울프 (M. Wolf)	수익 창출이라는 기업의 가장 중요한 역할을 벗어나게 함으로써 시장을 왜곡할 수도 있기 때문에 바람직하지 않을 뿐만 아니라 잠재적으로 매우 위험
유럽연합 (EU)	기업들이 자발적으로 그들의 사업 영역에서 이해관계자들의 사회적 그리고 환경적 관심사들을 수용해 적용함으로써 이해 당사자들과 지속적인 상호작용을 이루는 것(2010)
국제협력개발기구 (OECD)	기업과 사회 사이의 공생관계를 성숙시킬 목적으로 기업이 취하는 행동
국제상공회의소 (ICC)	책임 있는 방식으로 기업활동을 하고자 하는 기업의 자발적 의지[7]
지속가능발전세계기업협의회 (WBCSD)	직원, 가족, 지역사회 및 사회 전체와 협력하여 지속가능한 발전에 기여하고 삶의 질을 향상시키고자 하는 기업의 의지

(3) 관련 기관단체의 정의

U.S Steel 사장 퍼킨스(George Perkins, 1908)는 기업들이 거대해질수록 공동체에 대한 책임도 커지게 되므로 미래의 기업들은 주인의식을 가지고 종업원들이 친구처럼 의지할 수 있도록 공평하게 대해야 하며, 대중들을 섬기는 준공공봉사자(semi-public servants)가 되어야 한다고 주장한 바 있다. 또한 경제전문지 이코노미스트지는 CSR을 자본주의가 도덕을 위해 사회에 바치는 선물이라고 규정한 바 있다.

7) the vountary commitment by business to manage its activities in a responsible way.

그리고 관련 국제기구나 단체들은 자신들의 고유한 가치관, 윤리관 등을 반영하여 CSR의 의의에 대해 각각의 관점에서 규정하고 있는데, 먼저, 국제협력개발기구(OECD)는 CSR에 대해 '사회적'이란 단어가 갖는 한정적 의미를 피하기 위해 CR(Corporate Responsibility)로 대체된 용어를 사용하면서, 기업과 사회 사이의 공생관계를 성숙시킬 목적으로 기업이 취하는 행동[8]으로 정의하고 있다. 국제상공회의소(ICC)는 책임 있는 방식으로 기업 활동을 하고자 하는 기업의 자발적 의지로 보았고, 유럽연합(EU)은 종래에는 기업의 책임 있는 행동이 지속가능한 비즈니스로 이어진다는 인식하에 사업 활동과 이해관계자를 대상으로 사회와 환경에 관한 문제의식을 자주적으로 취하는 행동으로 규정했으나, 2010년도에 이를 다소 정정하여 기업들이 자발적으로 그들의 사업 영역에서 이해관계자들의 사회적 그리고 환경적 관심사들을 수용해 적용함으로써 이해 당사자들과 지속적인 상호작용을 이루는 것으로 보았다. 지속가능발전세계기업협의회(WBCSD)는 직원, 가족, 지역사회 및 사회 전체와 협력하여 지속가능한 발전에 기여하고 삶의 질을 향상시키고자 하는 기업의 의지로서 정의내리고 있으며, 일본 경제산업성은 자사의 경영이념에 따라 기업을 둘러 싼 이해관계자와의 적극적 교류를 통해 원활한 사업 활동과 이에 따른 성과확대로 기업과 사회의 지속적 발전에 기여하기 위한 경영수단으로 규정하고 있으며, ISO에서는 사회적 책임 범위에 일반조직이나 정부기관 등을 포함하여 SR(Social responsibility)이라는 용어를 대체 사용하고 있다.

(4) 종합

기업조직체에 자유시장 체제를 제공해 오면서 발전하고 있는 오늘날 자본주의 사회는 그 성숙도가 증대되는 가운데 사회적 가치의 전반적 체계가 단기적 성과를 중시하는 개인주의적이고 단원주의적 입장에서 장기적 성과를 추구하는 공동체주의적이고 다원주의적인 관점으로 변하고 있다. 또한, 시장 자본주의의 대표인 주주(shareholder)에 대한 책임 위주에서 책임 자본주의를 상징하는 이해관계자(stakeholder)에 대한 책임 위주로 변화하고 있으며, 단일한 가치에서 다양한 가치로, 재무성과 위주에서 균형적 발전으로 기업조직체의 중점적 가치가 변화하는 과정에 있다.

따라서 위에서 살펴본 바와 같은 기업의 사회적 책임(Corporate Social Responsibility)에 관한

8) The actions taken by businesses to nurture and enhance this symbiotic relationship between business and society.

다양한 개념과 정의들을 종합해 본다면, CSR이란 막강한 사회적 권력기관으로 등장한 기업 조직체가 존재 기반인 사회 공동체 구성원들의 사회적 욕구를 만족시키는 과정에서 사회로부터 요청받게 되는 다양한 이슈들에 대한 총체적 책임, 즉, 사회를 기반으로 존재하는 기업 조직체가 조직의 목적을 실현시키고 조직의 욕구를 만족시키는 과정에서 제기되는 다양한 이해관계당사자 가치에 부응하기 위하여 부담해야 할 책임이라 할 수 있다.

그리고 이러한 조직체의 사회적 책임(SR)이 포함하고 있는 기업활동 범위와 영역은 기업 지배구조의 투명성 확보, 조직체 내·외부의 인권 및 노동권 보호, 환경 보호, 소비자 권리 충족에 필요한 조치, 공정한 경쟁조건의 확보, 지역공동체에의 참여 등 매우 다양하며, 세부적으로는 공해방지나 녹색기술 개발 등의 환경문제, 아동노동 착취 금지나 소수인종의 동등 취업기회 제공 등의 노동문제, 제품 품질과 안전 그리고 마케팅 과정 등의 소비자이슈 그리고 공정한 업무관행과 공동체 참여 발전 및 조직지배구조 등과 관련되는 다양한 문제들을 광범위하게 포괄하는 개념으로서 기업의 경제적, 법적, 윤리적 책임뿐만 아니라 공동체 삶의 질적 개선책임까지도 포함된다고 할 수 있다. 또 개별 기업에 요구되는 사회적 책임의 구체적인 내용은 해당 조직체의 사업내용, 사업 활동영역의 특성, 시대적 과제 등을 반영하여 커다란 차이가 있다.

따라서 기업조직체의 경영에 있어 주주 이익의 극대화만이 기업의 최종적인 목적이 될 수 없으며, 기업내부의 이해관계당사자는 물론 외부의 소비자, 원료공급선, 판매처 그리고 공동체 및 생태계 전반에 걸쳐 적절하게 균형 잡힌 가치 배분이 이루어져야만 비로소 조직체의 사회적 책임이 완성될 수 있을 것이다.

2) SR의 개념적 모델

(1) 개관

사회적 책임 이론에서 비교적 오랜 기간 많은 연구가 이루어져 온 CSR 이론에 대해 그간 다양한 개념적 모델들이 제안되어졌는데, 가장 먼저 나온 것이 이데올로기에 따른 기업의 사회적 책임 차이를 개념화하는 이데올로기 모델(Ideology model)이며, 이후에 CSR 내용 - 성과(Content-Performance) 측면에서 접근하는 다수의 모델 등을 중심으로 다양한 측면에서 다수

의 CSR 이론 모델들이 제시되어졌다.

그 중에서 엘스(R. Eells), 월튼(C. Walton) 등에 의해 전통적 기업모델(Traditional corporation model), 투자모델(Investment model)을 비롯하여, 정의를 주요 내용으로 하는 최소요구자 모델(Minimalist model), 도덕적 윤리적 동기에 의해 관리자나 회사의 자선활동을 포괄하는 박애적 모델(Philanthropic model), 주주뿐만 아니라 모든 이해관계자에 대한 책임을 포함하는 포괄적 모델(Encompassing model) 등이 각각의 개념상 주안점과 차별점을 강조하면서 계속 제시되어 왔다.

이하에서는 이들 중에서 현재의 사회적 책임 이론의 발전과 관련하여 의미가 깊은 동심원 모델(The Concentric-Circles Model), 세티 모델(Sethi's three-stage schema model), 피라미드 모델(The Pyramid Model), 교차고리 모델(The Intersecting Circles Model) 등을 중심으로 하여 사회적 책임 이론의 개념적 모델에 대해 살펴보기로 한다.

① 동심원 모델

가. 개요

동심원 모델(Concentric-Circle model)은 기업체의 사회적 책임을 정의하는데 있어 경제적 개념에서의 책임뿐만 아니라 비경제적 개념의 책임에 대한 체계적인 접근방법으로, 미국 경제발전위원회(The Committee for Economic Development : CED)가 1971년에 발간된 자료를 통해 기업들이 사회적 역할과 기능에 있어 보다 넓고 다양한 인도적 관점을 채택하도록 촉구하는 과정에서 제시된 모델이다.

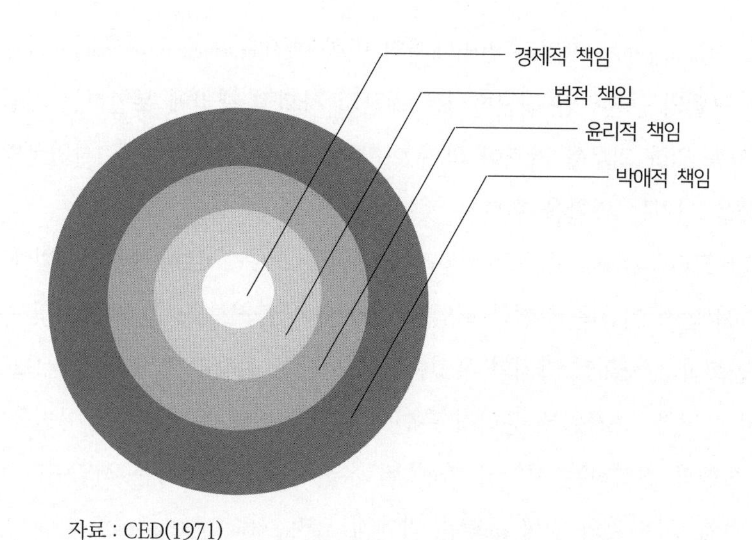

자료 : CED(1971)

[그림 4-1] 동심원 모델

이 모델은 경제적 원형 고리(economic circle), 법적 원형 고리(the legal circle), 윤리적 원형 고리(ethical circle), 박애적 원형 고리(philanthropic circle) 등 4개의 원형 고리 동심원을 갖는데, 당초에는 법적 원형 고리가 없는 3개의 동심원으로 제안되었으나, 나중에 1개의 동심원이 추가되어졌다.

나. 세부 내용

첫 번째 중심부 고리는 경제적 고리(economic circle)로서 제품과 일자리 그리고 재정안정과 성장 등을 나타낸다. 경제적 기능의 효율적 실행을 위한 기본책임을 포함하는 핵심적 책임으로서 보다 넓은 범위의 경제적 책임을 갖는데, 국가의 생활수준을 증진시키기 위해 부를 창출하고 국민들의 재화와 서비스에 대한 요구 및 욕구에 응하면서 공정한 가격으로 팔며 고용과 공정 임금을 제공하며, 통합적 방식으로 가난을 제거하는 것 등을 포괄하고 있다.

두 번째 고리는 법적 원형 고리(the legal circle)로서 2개의 책임을 포괄한다.[9] 첫째 원은 법을 따르는 것이며, 둘째 원은 법의 정신(the spirit of law)을 따르는 것, 즉, 사회적으로 적절한 고려를 통해 법을 준수하는 것(considered autonomy)으로, 이 원형 고리의 범위 내에는 제한적인 법적 준수(Restrictive compliance), 기회주의적인 법적 준수(opportunistic compliance), 민사소송의

9) Stone, 1975.

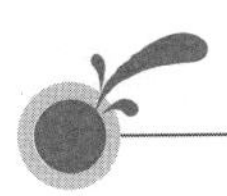

회피(avoidance of civil litigation) 그리고 입법에서의 변화 예견(anticipation of changes in legislation) 등이 있는데, 동 모델의 근본적인 접근방식은 최근의 사회적 책임에 부합하는 개념으로서 기업이 사회 개선을 위한 의무를 가져야 하며 이러한 의무는 기업의 모든 사업운영 측면에서 지속적인 영향을 미치는 역할을 한다는 것이다.

세 번째 중간 고리(intermediate circle)는 윤리적 고리(ethical circle)로서, 윤리 규범에 대해 민감하게 자각하면서 법적 기능을 수행할 책임을 나타낸다. 환경보호, 고용문제 및 종업원 관계와 관련하여 변화하는 사회적 가치와 우선순위에 민감한 감각이 필요한 영역으로 경제실행 책임을 포괄하고 있다. 중간원은 윤리적 측면에 관한 것으로서 기본 윤리규범을 고려한 경제적 기능의 실행과 변화하는 사회적 가치 및 우선사항을 반영하는 책임이다.

끝으로 네 번째 맨 바깥의 원형 고리는 박애적 고리(philanthropic circle)로서, 기업이 사회적 환경을 개선시키기 위해 개입해야 할 비정형적 책임을 나타내고 있다.[10] 빈곤 및 도시 문제 등을 포괄하는 외부영역은 기업이 활동적으로 사회 환경을 개선시키는데 폭넓게 참여하도록 새롭게 부상하고 있는 확정적이지 않은 책임영역을 나타내고 있는데, 동 원형 고리가 강조하는 사실은 기업헌신(corporate contributions)이 대의명분(a cause)을 촉진하기 위한 것이 아니라 주요 사회문제를 풀기 위한 수단으로서 기업의 사회적 역량과 유리점을 이용하기 위한 것이다.

다. 평가

여러 다원적 목표의 문제점들은 사회복지 증진(improvement of social welfare)이라는 단일기준을 가지고 있는 본 모델에 의해 해결되는데, 맨 앞부분에 오는 개념은 잘못 정의되어진 지역적 규범을 이용하는 경우 조직체가 사회적으로 책임 있는 것으로 평가될 수 있다는 것이다.

이러한 맥락에서 대규모 다국적기업은 사회적 변화를 위한 적극적인 매개자가 되어야 한다는 것으로, 하나의 지배적인 사회기관(a dominant institution in society)으로서 기업조직체는 올바른 위상을 확립해야 하며, 다른 조직에 의해 옹호되어지는 정책 선택에 단순 반응하는 대신에 공적 아젠다를 만들어 가는데 기여해야 한다.

또한 이 모델에서는 CSR의 책임 간에서 발견되는 상호의존성을 강조하고 있으며, CSR

10) Committee for Economic Development, Social responsibilities of business corporations, New York, 1971, p. 15.

개념을 전개함에 있어 두 관점(outside-in, inside-out)에서 기업과 사회의 관계를 설명하고 있는데, 바깥 원에서 안쪽으로의 이동(outside-in)은 사회 발전의 중요한 수단인 기업의 기능이 유지되기 위해서는 기업의 경영활동에 대한 사회적 요구를 의미하는 것이며, 안쪽 원에서 바깥쪽으로의 이동(inside-out)은 적극적인 의무로써 비즈니스 내부에 존재하고 작용하는 사회규범의 내부화를 의미한다고 해석할 수 있다.

한편 외부의 원에서 내부의 원으로의 이동은 비즈니스 핵심에 대한 적절한 기능(proper functioning of the business core)을 통해 사회적 진보를 확보하려고 기업 활동 표준(standards of business activity)에 부과하는데 사회가 필요로 하는 통제권을 반영하고 있고, 다른 한편으로는 내부의 원에서 외부의 원으로의 이동은 적극적이고 긍정적인 의무로서 기업내부에 내재되어 작동되고 있는 사회적 규범의 내부화(the internalization of social norms)를 나타낸다.

또한 동 모델에서 안쪽 원에서 바깥쪽으로의 이동(inside-out)과 바깥 원에서 안쪽으로의 이동(outside-in) 차원이 동시에 작용하는 것으로 CSR 구성요소는 사회의 선(good)을 증진시키는데 어느 정도 영향을 미치며, 각 책임들이 상호 연계되어 향상됨으로써 병용효과(combined effect)를 창출할 것이라고 주장하고 있다.

동심원은 모든 기업의 사회적 책임들이 공통적인 핵심 본질을 공유하며, 기업의 경영활동에서의 핵심 기능으로 경제적인 책임을 받아들이고 있지만 경영의사결정에 있어 경제적 요소와 도덕적 요소가 상호 연계되어 있기 때문에, 이러한 CSR의 '책임' 개념을 표시한 원들이 서로 포함된 구조는 다양한 책임 간의 차이를 모호하게 할 수 있으며 각 책임 간에 선형성과 계층성이 존재하지 않는다고 가정하고 있다.

이 모델에서의 자선활동인 사회적 공익 창출을 촉진하는 기업의 의무로 기업시민으로서의 경영활동과 통합하는 포괄적인 관점에서 책임의 범위를 바라보고 있다. 또한 기업의 자선활동은 특정 명분을 목적으로 한 공헌활동이 아니라 사회적인 중요한 문제를 해결하기 위한 기업의 특정 기능으로 자선적 책임을 설명하고 있다.

② 세티 3단계 스키마 모델

세티 3단계 스키마 모델(Sethi's three-stage schema model)은 CSR 개념 정립에 있어 사회적 측면인 타율성과 윤리적 측면인 자율성을 강조하면서 기업은 법률적, 경제적 의무를 넘어 사회적 기대와 조화를 이룰 수 있는 기업 활동을 해야 한다는 모델로, 사회에 대한 기업의

접근방법과 관련하여 사회적 욕구에 대한 기업행동의 적응과정에서 기업의 사회적 관계 유형으로 사회적 의무, 사회적 책임, 사회적 대응성 등 3개 하위차원의 구성개념을 제시하고 있다. 기업의 행동을 분류하는 첫 단계는 시장의 영향력에 대응하는 사회적 의무(Social obligation), 그 다음 단계는 사회의 보편적 규범에 기업행동을 맞추는 사회적 책임(Social responsibility), 그리고 마지막 단계는 예측적이고 예방적인 기업행동을 바라는 사회적 대응성(Social responsiveness)이다.

하위 구성개념에 대해 좀 더 살펴보면, 기업의 사회적 의무(corporate social obligation)는 시장권력이나 법적 제약에 대응하는 기업의 행동으로서, 기업조직체가 법적 테두리 내에서 소유주의 이익을 추구해야 할 의무가 있기 때문에 경제적이고 법적인 책임감을 갖는다는 개념이다. 다음으로 기업의 사회적 책임(corporate social responsibility)은 사회적 의무를 넘어서는 개념으로서 기업의 행동을 보편적인 사회 규범이나 가치 및 기대 행동과 일치하는 수준까지 끌어올리는 것으로, 예측 가능하고 적극적이며 사전예방적인 행동까지 갖기 때문에 경제적이고 법적 그리고 사회적인 책임감뿐 아니라 시민으로서의 책임감까지 포함하는 개념이다.

끝으로 기업의 사회적 대응성(corporate social responsiveness)은 사회 요구에 따라 기업이 반응하는 수준을 넘어 장기적 관점에서 기업이 사회적 구성기관의 일원으로서 응당 부담해야 하는 역할을 전향적으로 수행하는 것으로, 기업체가 사회적 규범이나 가치관 및 기대 등에 반응하기 때문에 경제적, 법적, 사회적 책임감을 갖게 된다는 개념이다.

세티(P. Sethi)는 특히 사회적 대응성의 중요성을 강조하면서 사회시스템에서 기업의 장기적인 역할 수행은 참여적이고 예방적일 필요가 있는 것으로 보았는데,[11] 결국은 기업의 사회적 의무와 책임(social Obligation and responsibility)만으로 충분하지 못하며 기업이 운영되고 있는 사회적 맥락 내에서 장기적 역할(a long-term role in the social context)이 능동적으로 이루어질 필요가 있다는 것을 나타내고 있다.

---

11) Sethi, P., Dimension of Corporate Social Performance : An Analytical Framework. California Management Review, Spring 1975, pp. 58-64.

〈표 4-3〉 세티 3단계 스키마 모델의 구성개념

사회적 의무	사회적 책임	사회적 대응성
낮음		높음
반응적	규범적	예방적
금지적	법률에서 요구되는 것보다 더 많은 것을 이행	문제의 예측 및 예방
법적 요구사항의 충실한 준수	경제적 고려에 의한 요구 보다 더 많은 사항의 이행	사회적으로 책임 있는 행동의 추구
경제적 고려사항에 충실	이슈에 대한 공중태도의 회피	이슈에 대한 공중태도의 수용

출처 : Cavett-Goodwin, 2007.

③ 피라미드 모델

가. 개요

캐롤(Carroll, B. A.)은 2차에 걸쳐 피라미드 형태의 모델(the Pyramid model)을 완성하면서 하위 차원의 구성개념으로서 4가지 유형의 사회적 책임(four very different aspects)을 설정하고 있다. 기업들은 사회적으로 책임져야 할 활동들을 동시이행적 개념으로 받아들여야 하며, 기업이 처한 상황이나 맥락에 따라 그 중요성이 다소 감소하는 다른 책임에 대해서도 모두 다 고려해야 하는 필요충분적인 활동으로 표현하면서, 기업이 반드시 충족해야 하는 사회적 기대를 네 가지 차원으로 나누어 CSR의 본질을 피라미드 형태로 제시하고 있다.

1차 제안(1979년)에서는 경제적 책임(economic responsibility), 법적 책임(Legal responsibility), 윤리적 책임(Ethical responsibility), 임의재량적 책임(discretionary responsibility) 등으로 분류했으나, 2차 제안(1991년)에서 임의재량적 책임을 박애주의적 책임(Philanthropic responsibility)으로 변경하여 기업의 사회적 책임을 4대 유형으로 확립하고 있다.

1차 제안(1979년)에서 캐럴은 CSR을 사회적 성과 모델의 일부로 포함시켜 이를 경제적 책임, 법적 책임, 윤리적 책임 및 임의재량적 책임 등으로 구분하였다. 먼저 경제적 책임은 CSR 중 제1의 책임이며 사회의 기본경제단위로서 기업은 재화생산의 책임을 맡고 있으며 다른 모든 기업의 역할도 이런 근본적인 가정에 입각하고 있다. 다음으로 법적 책임은 기업이 생산 기능을 수행하는데 있어 사회가 경제적 시스템에 일정한 법적 규제를 가하는 것은

기업이 이런 법적 요구사항의 구조 속에서 경제적 임무를 수행할 것을 기대하고 있는 것이다. 그리고 윤리적 책임은 경제적 책임과 법적 책임이 기업의 윤리적 규범을 다소 구체화시켜 주기도 하지만 법으로 미처 규정하지는 못하지만 사회 일원으로서 기업에게 사회가 기대하는 행동과 활동들이 남아있는데 이것이 윤리적 책임이다. 끝으로 임의재량적 책임은 기업에 대해서 명백한 메시지를 갖고 있지는 않지만 기업의 개별적 판단이나 선택에 맡겨져 있는 책임으로서 기업의 자발적인 영역에 속한다.

캐럴(A. Carroll)은 2차 제안(1991년)을 통해 기업 성과의 3차원 개념 모델을 체계화하면서 앞서 제안했던 CSR 피라미드를 재정립하였다. CSR은 주어진 특정 시점에서 사회가 기업에 거는 제반 기대를 모두 포함한 구성적 개념(Construct concept)으로서 경제적(economic), 법적(legal), 윤리적(ethical) 책임을 아래서부터 위로 가는 순서대로 배치하여 1차 제안과 마찬가지로 기업이 가장 먼저 수익을 내어 경제적 생존을 하고, 이어 법적 책임과 윤리적 책임을 다하는 것으로 설정하고, 마지막 단계에서 임의재량적(discretionary) 책임을 박애적(philanthropic) 책임으로서 대체하고 있는데, 좀 더 세부적으로 살펴보면 다음과 같다.

나. 세부내용

경제적 책임(Economic Responsibility)은 이익을 내는 것(Be profitable)으로 투자자들에게 수익을 주는 책임과 일자리를 창출하는 책임 그리고 경제시스템 내에서 제품과 서비스 생산과 판매를 통해 경제에 기여하는 책임 등을 포함한다. 경제적 책임은 기업이 사회의 기본적 경제단위로서 재화와 서비스를 생산할 책임을 갖고 있는 것으로, 기업은 반드시 돈을 벌어들여야 한다는 1차적 책임을 지고 있지만 공정하게 돈을 벌어야 한다는 것을 내포하고 있으며, 기업이 이익을 내지 않고는 존립 자체가 불가하다는 점에서 이윤 극대화와 고용 창출 등과 같은 가장 기본적 사항에 대한 책임이라 할 수 있다.

법적 책임(legal responsibility)은 법에 복종하는 것(obey the law)으로 법과 규정(laws and regulations)을 지켜야 하는 책임을 말하는 것이다. 기업이 어느정도 경제적으로 안정되면 법적 책임에 철저해야 한다는 의미이긴 하지만 충분한 이익이 나지 않는다고 해서 법을 어겨가며(회계의 투명성, 성실한 세금 납부, 소비자의 권익 보호 등과 관련된 법규) 기본적 책임인 경제적 책임을 완수해야 한다는 뜻은 전혀 아니다.

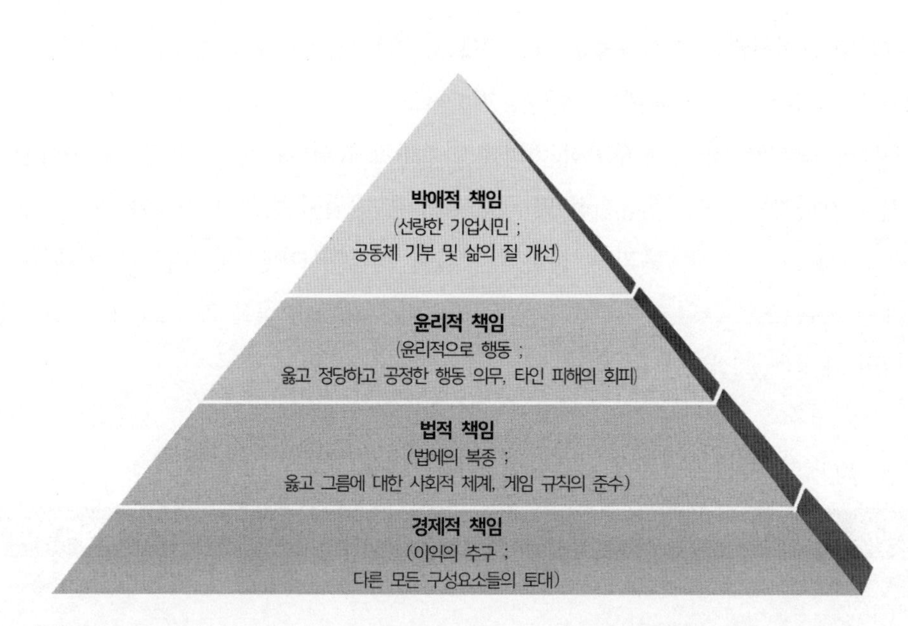

출처 : Carroll(1991), "The Pyramid of Corporate Social Responsibility: Toward the Moral Management of Organizational Stakeholders", p. 42, Figure 3.

[그림 4-2] 피라미드 모델의 사회적 책임 범주

윤리적 책임(ethical responsibility)은 윤리적이어야 한다는 것(Be ethical)으로 법규를 지키는 것은 기본이고, 신뢰를 쌓고 고객과의 장기적 관계성을 유지하려면 윤리적 책임을 다해야 한다는 것을 의미한다. 돈은 벌더라도 올바르고 정당하게 벌어야 한다는 의미이며, 환경보호 활동이나 취약집단(여성, 현지인, 소수인종 등)에 대한 공정한 대우 등 법률로서 세부적으로 규정되어 있지 않지만 기업이 사회 일원으로서 기대되어지는 행동과 활동 등을 의미하는 것이다.

박애적 책임(philanthropic responsibility)은 선한 기업시민이 되어야 한다는 것(Be a good corporate citizen)으로, 박애적(philanthropic) 책임은 반드시 요구되는 것은 아니지만 사회복지(welfare)를 증대시키고 사회적으로 공동선(common good)을 촉진한다는 면에서 바람직하며, 이러한 박애적 책임은 기업의 개별적 판단이나 선택에 맡겨져 있어 일반적 기부행위를 비롯한 난치병 치료제 개발 지원, 교육·문화행사 등에 대한 기업지원활동 등은 순전히 자발적 영역에 속하는 것이다.

이상과 같은 책임의 유형을 종합해보면 경제적 책임과 법적 책임은 합법적인 시스템 내

에서 사회를 발전시키는 경제활동을 하는 것으로 이는 기업의 기본적 의무에 속하며 윤리적 책임은 사회가 기업에 대해 기대하는 깨끗하고 공정한 활동을 그리고 박애적 책임은 기업이 자체적인 판단에 따라 사회적 대의에 기부하고 공헌하는 등 자발적으로 박애활동을 하는 것을 가리키는 것이다. 경제적 및 법적 책임은 기업이 반드시 지켜야 하는 것(needed and required by society)으로, 윤리적 책임은 기업이 반드시 이행해줄 것으로 기대하는 것(expected by society)으로 그리고 박애적 책임은 기업이 이행하면 좋은 것(desired by society) 등으로서 하위 개념들을 정리할 수 있다.

〈표 4-4〉 피라미드 모델의 사회적 책임 비교, 박애적 책임

책임수준	박애적 책임	윤리적 책임	법적 책임	경제적 책임
사회적 기대	desired	expected	required	needed
윤리원칙	사회적 약자의 최대 복지	보편적 의무, 인권	최대 다수의 최대 행복	자기이익 극대화, 적자생존원칙
윤리학설	정의론	의무론	목적론	관리적 이기주의
예시	기부, 자선사업, 지역공헌, 현금, 자원봉사 휴가	투명거래, 법의정신, 존중, 인권, 환경보호, 신뢰, 안전, 문화존중	공정거래, 뇌물금지 /각종 법률 및 규정준수	이익극대화, 점유율 확대, 혁신전략

출처 자료 : Carrol & Buchholtz, 2003 등

다. 평가

피라미드 모델은 캐롤(2003년)이 스스로 인정한 바와 같이 여전히 몇 가지 문제를 안고 있는데, 그중 하나는 4단계 피라미드 모형은 CSR 영역들 간에 우선순위가 있다는 오해를 불러일으킬 수 있다는 것이며, 다른 하나는 피라미드 모형은 상호 중첩될 수 있는 CSR 영역을 제대로 설명하지 못한다는 것이다.

또한, CSR 책임의 범위와 관련하여, 경제적 책임은 경제적 수익 창출에 대한 강조로 인해 그 역할 범위가 축소되고 있으며, 법적 책임은 성문화되어 법률에 명시 규정된 사항으로 한정시키고 있으며, 윤리적 책임은 법적으로 성문화되지 않은 사회적 기대나 규범 등 관련 개념으로 폭좁게 설정하고 있으며, 박애적 책임은 내재하는 다른 책임들과의 경계선 문제로 인해 자유재량적인 본질이 부정되고 있다.

한편 우드(Wood, 1991)는 이 같은 피라미드 모델과 관련하여 캐롤이 주장한 기업의 4가지 책임 요소에는 동의하면서 기업의 사회제도적 기능이 단순히 경제적 기능에 머무르지 않고 기업을 경제적 기능은 물론 사회 통합, 사회유형 유지, 목표지향 등의 여러 기능을 수행하는 다기능적 조직으로 파악하고, 이러한 기업의 다기능성을 고려하여 기업의 사회적 정체성과 그에 따른 요소별 CSR 우선순위에 대해서는 의견을 달리하고 있다. 그리고 기업이 윤리적, 사회적 책임에 대한 이행 없이 경제적 책임만을 최우선시 하는 것은 정당치 못하며, 기업이 사회적 존재 가치를 인정받기 위해서는 경제적 이윤을 창출해야 하나 이윤의 창출은 도덕적이나 법적으로 정당한 방법에 의한 것이어야 한다. 즉 윤리적, 도덕적 책임을 보다 우위에 놓음으로써 기업으로 하여금 이윤을 추구하되 도덕적, 법률적 측면에서 할 일을 다 하면서 이윤을 극대화하도록 요구하는 것이다(문용갑, 2006).

한편으로 워틱과 코크란(Wartick and Cochran, 1985)은 피라미드 모델을 확장형으로 재구성하여 책임, 책임주의, 사회적 이슈 등 세 가지 차원의 CSP 모델(CSP : corporate social performance model)을 제시하였는데, 이는 캐롤(Carroll, 1976)이 기업의 사회적 성과를 세 가지 차원의 CSR 영역, 경영철학 또는 사회책임주의(반응, 방어, 조정, 선도적 활동) 그리고 경영활동에서 다루어져야 하는 사회 이슈(소비자주의, 환경, 제품안전) 등으로 파악한 데 따른 대안이라 할 수 있다. 워틱 등은 경영과 사회 영역의 CSR 원칙에 관련된 기본 개념적 성향, 사회책임주의 프로세스에 관련된 제도적 성향 그리고 사회이슈 관리정책에 관련된 조직적 성향 등은 CSP 모델에 통합 가능한 것으로 보았다.

④ 교차고리 모델

가. 개요

교차고리 모델(the Intersecting circles model)은 CSR의 하이어아키적 순위를 부인하면서 경제적, 법적, 윤리적인 세 가지 측면의 통합을 제시하고 있으며 CSR 벤다이어그램 모델로도 불린다. 슈워츠와 캐롤(Schwartz and Carroll, 2003)은 CSR에 있어 어떤 측면이 다른 측면보다 더 중요하다는 주장을 부인하면서 이를 실증적으로 보여주기 위해 이 모델을 제안하고 있는데, 경제적 책임을 가장 우선적 순위에 두는 것을 부인한다는 점에서 '데이비스의 책임 철칙(Davis' Iron Law of Responsibility, 1960)'과 일맥상통한다고 할 수 있다.

이 모델은 경제적, 법적, 윤리적 영역으로 구성된 CSR 벤다이어그램 모델을 통해 자선은

의무 범위를 넘은 '바람직한(desirable)' 행위이기 때문에 기업의 책임으로 단정할 수 없어 이를 제외한 새로운 모형을 제시하고 있다.

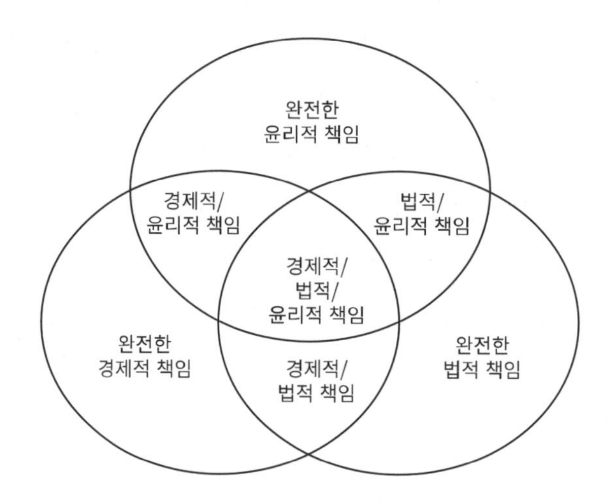

출처자료 : Schwartz, Mark S. and Archie B. Carroll, "Corporate Social Responsibility : A Three-Domain Approach", Business Ethics Quarterly 13(4), 2003, pp. 503-530.

[그림 4-3] CSR 벤다이어그램 모델

이 모델은 경제적 영역, 법적 영역 그리고 윤리적 영역의 3개 기본 영역과 4개의 중첩 영역을 포함하여 모두 7개의 상호배타적인(mutually exclusive) 영역으로 구성되어 있는데, 피라미드 모델이 암시하고 있는 책임영역 간의 위계를 배제하고 중첩 영역의 도입으로서 3개의 책임변수가 어떻게 상호작용하고 있는가를 제시하면서, 개인이나 기업 및 국가 등 조직체들에게 CSR의 실체를 확립시키는데 사용되어질 수 있다.[12]

나. 평가

이 모델의 가장 중요한 장점은 유연성으로 각자의 필요에 따라 다양하게 해석할 수 있는데, 명백한 우선순위가 없는 책임 영역의 차이에 따라 다양한 상호관계가 제시될 수 있고, 내포되어 있는 의미의 무한성에서 오는 해석의 방대함은 기회주의적 성향의 사회적 책임을 수행하는 경영관리자에게 매력적인 모형이 될 수 있다. 그러나 기업의 자원배분 의사결정에

12) Geva, 2008.

서 동심형 모델의 비계층적 특징이 의사결정에 대한 기본 기준이 없는 부도덕한 경영자에게 사리사욕을 추구할 여지를 남길 수 있으며, 경영자들이 선호하는 책임을 강조함으로써 기회주의적인 경영자들에게 사익편취의 정당화 여지를 제공할 수 있다.

이 모델은 CSR 전략과 연계한 프로그램 개발 및 기업 내 CSR 확산에 있어 기업 내에서 각 책임의 상호관계를 제시해주고 책임의 다각적인 접근 가능성을 제시해 주기 때문에 유용하게 사용될 수 있는 측면이 있으나, CSR의 목적과 책임의 중요성 및 파급효과 등을 제시할 수 없기 때문에 CSR 도입단계의 기업에 적합하다. 따라서 CSR 개념 정립과 중요성에 대한 인식이 부족한 CSR 도입단계의 기업에게 사회구성원으로써 기업이 당면한 책임을 어떠한 수준에서 이행할 것인가를 알려줄 수 있는 모델이다.

3. 사회적 책임에 관한 상호대립적 관점

여기에서는 사회적 책임에 관한 접근방법에 대한 고찰 및 분석을 통해 관련 개념들에 대한 이해의 수준을 확장시키기 위하여 사회적 책임에 관한 긍정론과 부정론의 상호대립적인 관점에 대해 살펴보기로 한다.

모든 조직체, 특히 기업조직체의 사회적 책임에 대해 상호 대립적인 두 가지 접근방법에 대한 논리적 분석이 필요한데, 그 이유는 경영이론 뿐만 아니라 경영실무상으로도 존재하는 기업의 사회적 책임(CSR)에 대한 긍정론적 입장과 부정론적 입장에 대한 이론적 근거와 논리를 명확히 밝히고 이해를 확대함으로써, 경영관리현장에서 보다 균형 잡힌 경영의사결정과 행동을 취할 수 있도록 하는데 있다.

앞서 살펴본 바와 같이 오늘날 영향력이 막강해진 기업조직체의 사회적 책임성에는 해당 조직체가 가진 사회적 권리나 권력에 대한 평행적 벌충에 따른 합리적이고 정당한 견제의 의미가 포함되어있다고 할 수 있다. 따라서 비즈니스에 있어 모든 권리는 의무나 책임의 보충으로 완성되며, 또 조직체의 최종적인 성과는 사리분별 있는 개인이나 조직체가 갖는 자유와 책임의 균형 능력에 의해 완성된다고 볼 수 있다.

현대 경영에서 정부 규제나 공중 요구와 같은 외부 환경적 영향 등으로 인해 사회적 책임의 대중적 수용으로 귀착되는 경우가 많아지고 있지만, 그 발단은 그간의 수많은 경영적 특

혜에 기반하여 이루어진 다수의 기업의사결정 및 행동에 있다고 할 수 있다. 경영에 있어 그간 사회로부터 받아온 다양한 형태의 특혜와 압력에 대해 어떤 입장을 취하는가에 따라 또는 기업이 사회에서 수행하는 기능과 역할을 어떻게 보느냐에 따라 사회적 책임에 대한 상호 대립적인 입장 차이를 가질 수 밖에 없다.

이에는 몇 가지 접근방법상의 차이가 부각되어지는데, 그 하나는 사회경제적 모델과 경제적 모델이고, 다른 하나는 사회계약적 접근방법과 도구적 접근방법이며, 또 다른 접근방법은 사회적성과 이론과 경제적성과 이론이다.

1) 사회적 책임에 관한 긍정적 관점

기업이 적극적이고 자발적으로 경영환경을 구성하는 여러 이해관계자들의 요청을 긍정적으로 받아들여 이에 적절히 대응하는 것이 기업의 존속 및 성장에 필요하다는 입장으로서, 데이비스(K. Davis), 블룸스트롬(R. Blomstrom), 월튼(C. C. Walton), 버얼(A. A. Berle) 등이 대표적 학자들이다. 사회적 문제에 대한 책임의 규범적 측면, 전략적 측면, 책임과 권력의 균형적 측면, 자율권을 자발적으로 지키는 방법론적 측면 등을 고려한 접근방법론을 채택하고 있다.

기업의 사회적 책임(CSR)에 대한 긍정론의 성립 배경으로는, 첫째, 기업에 대한 사회구성원의 욕구와 기대의 변화, 둘째, 힘에 걸맞는 책임의 요구, 셋째, 사회적 책임을 수행할 자원 보유, 넷째, 정부규제의 예방, 다섯째, 장기적인 이윤, 여섯째, 도덕적 의무감 및 사회에의 피해보상, 일곱째, 기업평판 및 이해관계자 관계의 개선 등을 들 수 있다. 이에 관련된 바탕이론으로는 사회경제적 모델, 사회계약적 접근방법, 사회적 성과이론 등이 있다.

(1) 사회경제적 모델

사회적 책임이 대두하게 된 배경은 독점기업의 출현으로 가격설정, 수량통제 등을 통해 기업이 대규모화에 따라 소유와 경영의 분리가 일어나서 경영자 권력이 증대되고, 또, 기술의 고도화 및 대량 생산에 의해 생산에 수반되어 생기는 각종 오염, 자원낭비, 매점매석, 가격통제 등으로 인해 여러 사회적 문제들이 발생하게 되었는데, 이에 대해 기업은 주주에게 뿐만 아니라 고객, 종업원, 공급자 및 일반공중 등 이해관계자에 대해서도 책임감을 가져야 한다는 요구가 강해졌다.

이에 따라 기업은 주주(shareholders)뿐만 아니라 이해관계자(stakeholders)에 대해서도 책임을 진다는 견해가 사회경제적 모델(the socioeconomic model)의 토대가 되었으며, 기업 운영은 사회에 부정적인 영향을 줄 수 있기 때문에 기업의사결정과정에서 사회적 영향에 대해 고려가 불가피해졌다.

프리먼(R. Edward Freeman)은 '전략적 경영관리 : 이해관계자 접근법(1984)'을 통해 이해관계자론(the Stakeholder Theory)을 도입하여 기업체의 도덕적 의무(the moral obligations)에 접근하는 논거를 제공하였는데, 즉, 기업은 주주는 물론 종업원, 공급자 및 고객에서부터 정부, 공동체, 동업자까지 다양한 당사자들의 이해관계에 대해 책임감을 가져야 한다는 것이다.

따라서 기업은 기본적인 목적에 내포되어 있는 전통적 가치를 넘어서서 보편적 가치의 실현에도 기여해야 한다는 것이 사회적 책임을 규정하는 출발점이 되었다. 즉, 기업의 사회적 책임이란 개념에는 기업은 관련 사회문제의 해결을 위해 고유의 자본과 함께 인적 및 물적 자원을 할당해야 할 책임이 있음을 의미하는 것이다. 이러한 사회적 책임에 따른 경제효과, 즉 '비즈니스 근거(Business case)'로 나타나는 일반적인 효과로는, 기업명성 및 브랜드가치 제고, 이윤과 매출액 및 소비자 충성도 증대, 투자 및 협력업체 유치, 업무 효율성 증대, 새로운 사업기회 창출, 위기관리 및 방지, 우수인력 확보 및 유지, 지역사회와의 협력, 정부 지원 및 정치적 자원 확보 등을 들 수 있다.

사회경제적 모델(socioeconomic model)을 기업들이 선호하는 이유는, 첫째, 공중으로부터 자금이 조달되거나 생산품 선호가 필요하므로 이상적인 대중 이미지 촉진이나 유지를 위해 사회적 책임을 이행할 필요가 있기 때문이고, 둘째, 이해관계자로부터 오는 법적 소송 등에 의해 야기되는 번잡한 문제 해결에 도움이 될 수 있는 수준으로 사회적 책임을 이행하는 것이 기업에게 더 큰 이익을 주기 때문이며, 셋째, 기업 스스로가 사회 환원을 기업 자신들의 고유한 행동양식의 일부로까지 인식하고 사회적 책임 플랫폼이나 프로그램 등에 진지하게 참여하기 때문이다.

(2) 사회계약적 접근방법

사회계약적 접근방법(social contract approach)은 기업의 행위가 외부에 영향을 미친다는 것을 인정하고 기업경영을 보는 입장으로서 기업도 주주의 요구뿐만 아니라 사회 전체의 요구에 부응해야 한다는 접근법이다. 이 접근법은 앞서 제1절의 사회계약론에서 살펴본 대로 기업-

사회 간에 성립되는 통합사회계약론(integrative social contract theory)에 따라 사회적 책임에 접근하려는 방법으로, 자본주의가 고도화되어짐에 따라 기업의 지나친 사적이익 추구로 인해 공익이 심각하게 침해되는 경우가 발생함으로써 기업과 사회의 새로운 관계 정립이 강조되어진 것이다.

국가와 개인 간의 사회계약론을 유추 확대시켜 기업과 사회 사이에 새로운 형태의 사회계약을 상정하여 성립시킨 사회계약론에 따라 형성되는 기업과 사회의 기본적 관계가 주는 시사점은, 첫째, 기업은 사회 구성원 전체의 이익을 위해 존재한다는 것이고, 둘째, 사회적 계약 관계는 시대에 따라 변할 수 있기 때문에 과거에 기업과 사회 사이에 형성되었던 바람직한 관계 유형이 현재 이후에는 타당하지 않을 수도 있다는 것이다.

또한 여기서 말하는 기업의 사회적 책임은 단순한 법률적 의무사항으로서 책임이 아니라, 지속가능한 발전에 맞는 사회구조 유지를 위해 경영자가 자발적으로 수락해야하는 자기부과적 책임이다. 기업과 사회 간에 존재하는 사회계약의 토대를 이루는 논거 중의 하나가, 사회는 기업의 존재 조건을 제공할 책임이 있는 반면에 기업이 부담하는 가장 큰 책임이 바로 기업의 사회적 책임(CSR)인 것이다.

사회적 계약의 의미는 생산조직은 사회의 한 특권집단의 이익을 만족시키기 위해서가 아니라 다수의 집단을 만족시키기 위해 존재하며, 또, 생산조직의 가장 기본적인 기능은 정의를 구현하면서 1차적으로 소비자와 노동자의 이익을 만족시켜 주는 것을 통해 사회적 부를 증대시키는 것으로 생산조직체가 이런 기대를 지키지 못할 때는 기업은 사회와의 계약 위반으로 비판받아 마땅할 것이다.

이런 측면을 고려한다면 사회계약은 기업이 자신을 넘어서는 실체에 공헌하기 위해 존재한다는 중요한 이념적 목표를 매우 잘 표상하고 있다고 할 수 있으며, 아울러 사회계약에 바탕한 접근법은 기업의 사회적 책임에 대한 긍정론을 잘 받쳐줄 수 있는 방법론으로 보인다.

(3) 사회적 성과 이론

사회적 성과 이론(social performance theory)은 기업활동의 성과를 취약계층 근로자수 및 고용률, 사회서비스 취약계층 제공비율, 정규직 비율 등을 평가하는 이론으로서, 기업의 사회적 책임에 대한 적극론에 바탕하여 사회 전체의 발전이 기업발전에도 유리하다는 입장이다.

사회적 성과 이론에 따른 기업의 사회적 책임 활동의 긍정적 결과로는 사회문화적 규범의 준수, 기업의 장기적 생존과 이익보장, 사회적 재난의 예방, 정부 규제의 회피 등을 들 수 있는 데, 특히 사회문화적 규범의 준수와 관련하여 기업은 소속된 사회적 조건 내에서 설립되고 또 지속가능성도 보장받을 수 있기 때문에, 기업의 행동은 단순히 시장경제 논리에 맞는 의사결정 원칙을 따르는 것만으로 충분하지 않고 제반 사회문화적 제약조건에도 적합한 행동 원칙이 요구되며, 따라서 기업의 사회적 책임 활동은 해당 공동체의 사회문화적 규범의 수용을 통해 긍정적인 사회적 성과를 가져올 필요가 있다는 시각이다.

2) 사회적 책임에 관한 부정적 관점

기업의 사회적 책임을 경제활동에만 국한시키고 주주를 제외한 나머지 이해관계자의 요구사항은 정부나 법제가 맡아서 처리할 문제라는 입장으로, 대표적인 학자들로서는 앨버트 카(Albert Carr), 밀튼 프리드만(M. Friedman), 레비스(B. W. Lewis), 로버트 라이시(Robert Reich) 등이 있다. 사회적 문제에 대한 기업 책임 문제에 접근함에 있어 본질적 기능 수행의 저해, 다원화 사회 와해의 위험, 실천기준 보고의 문제, 실천능력과 비용의 문제 등을 충분히 고려할 필요가 있다.

이러한 기업의 사회적 책임(CSR)에 대한 부정적 관점이 제시되는 배경으로는 기업이 수행하는 사회적 책임 활동으로 인해 초래되는 부정적인 기업성과, 즉, 기업의 경제적 효율성 및 이윤의 감소, 목표 분열 및 경제성 감소, CSR 수행 대가의 지불, 사회적 기술의 부족, 기업의 도덕적 선택능력 부족, 사회적 비용의 증대로 인한 경쟁력 약화 등을 들 수 있으며, 이와 관련되는 기초 이론으로는 경제적 모델과 도구적 접근방법 그리고 경제적 성과 이론 등이 있다.

(1) 경제적 모델

프리드먼(Milton Friedman)은 그의 저서 '자본주의와 자유'(1962)와 뉴욕타임즈 게재 세미나 논문(1970) 등을 통해 소위 "SR 프리드먼 독트린(the Friedman doctrine of social responsibility)"을 도입하였는데, 그의 주요 논지에 따르면, 기업의 유일한 사회적 책임은 기업이 운영되고 있는 사법권내의 법률(the laws of the jurisdictions)를 따르면서 이윤극대화(maximising profitability)를 추구함으로서 주주의 이익을 지켜주어야 한다는 것으로, 기업의 책임을 공동체 영역까지 확장

하게 되면 자유시장경제의 목적이 아무 짝에도 쓸모없게 되며, 또, 기업이 이윤보다 공동체에 관심을 더 쏟게 되면 전체주의(totalitarianism)에 도달할 위험까지도 있다는 것이다.

기업의 본질은 시장수요에 따른 질 좋은 상품 생산으로 초과이윤을 발생시킨다는 경제적 모델(economic model)의 기본적 논거에 의하면, 기업 성공의 과실은 사회에 환원되므로 생산조직인 기업은 이윤을 얻기 위해 사회가 요구하는 상품을 만들어 시장에 내놓게 되면 사회적 혜택이 발생되어지는 것이며 또한, 사회적 책임은 정부나 시민단체 등의 고유 책무에 해당되는 것인데 기업이 수익도 나지 않는 사회활동에 개입하여 기업의 생산자원을 소모하는 일은 기업 주권자인 주주에게는 불공정한 일이 된다는 것이다.

따라서 기업은 이미 관련 법령에 맞게 세금 납부 의무를 이행했기 때문에 정부조직체가 사회적 필요에 따라 적정 예산을 할당하고 집행하는 과정에서 소요되는 예산은 기업으로부터 이미 징수한 세금으로 충당해야 하며, 따라서 이윤획득을 고유 목적으로 삼는 기업조직체는 사회적 의무사항에 속하는 세금의 납부과정 등을 통해 자원 투입적인 사회적 책임 활동에는 이미 충분히 참여했다는 것이다.

이와 관련하여 프리드먼(M. Friedman)은 경영자가 '사회계약'의 준수를 위해 주주에 대한 신탁의무를 저버리는 것은 도적질과 같다고 기업의 사회적 책임 활동을 비판하면서, 사회계약은 생산조직에게 도덕적 기반을 제공하므로 경영자는 주주와 협약을 맺을 권리를 갖고 있지만 노동자와 소비자가 우선권을 갖기 때문에 권리간의 충돌이 발생하게 되는 것이며, 또, 경영자가 생산조직의 이윤극대화가 제대로 추구되어질 때 사회계약이 가장 만족한 상태에 있게 되기 때문에, 사회적 책임은 사회계약에 기반하고 있지만 그러한 사회계약을 만족시키는 것은 이익극대화를 통해야 한다는 것이다.

(2) 도구적 접근방법

도구적 접근방법(instrumental approach)은 기업경영을 이윤추구라는 본연의 목적 달성을 위한 도구로 인식하는 접근방법으로서, 경제적 모델에서 프리드먼(M. Friedman)이 제시하는 견해, 즉, 자유경제체제에서 기업의 유일한 사회적 책임은 법적 준수의 범위 내에서 기업 자원을 활용하여 상대를 속이지 않으면서 개방적인 자유경쟁 내에서 이윤을 증식하는 일이라는 주장과 유사한 입장을 가진다.

일반적으로 기업의 사회적 책임은 이윤 동기를 넘어서는 보다 넓은 범위의 기업활동을 그 책임 영역으로 간주하기 때문에 기업활동의 목적과 수단이 혼재되는 결과를 초래하게 되어 기업의 사회적 책임 자체까지 부정되는 결론에 도달하게 된다는 것이다.

(3) 경제적 성과 이론

경제적 성과 이론(economic performance theory)은 당기순이익, 매출액, 영업이익률, 영업이익 등을 기업활동성과의 평가기준으로 삼고 있는 이론으로서, 기업이익과 직접적으로 연결되지 않는 기업의 사회적 활동은 타당치 못하며 이윤추구적 행동이 필요한 경우에 국한하여 사회적 성격을 갖는 기업 활동이 가능하다는 입장이다.

따라서 기업의 사회적 책임 활동으로 인해 나타날 수 있는 부정적 결과로서, 기업의 이익 극대화 저해, 기업가 역할에 대한 위협, 권력의 집중과 다원사회의 분열, 수행능력의 논란 및 비용의 문제 등이 야기될 수 있는데, 특히, 기업의 이윤극대화 저해와 관련하여 기업의 사회적 책임은 경제적 이윤을 추구하는 것이며 기업가들은 이익극대화를 위한 능률 증진과 비용 절감 활동으로 사회에 공헌해야 하며, 또, 기업은 자선기관은 아니므로 창출된 이윤은 사회 기부나 환원 등이 아닌 품질향상이나 가격인하 및 확대재생산 등을 위한 투자로 전환되어야 한다는 주주이론(또는 사회적 책임 소극론)에 바탕을 두고 있다.

4. 기업윤리 및 ESG 에 대한 사회적 책임(SR)의 비교적 관점

1) 기업윤리와 사회적 책임(SR)

현대사회에서 기업들이 자신의 권력에 걸맞은 책임있는 행동을 보여주지 못하는 경우가 자주 발생하고 있으며 그러한 결과로 인해 기업과 사회의 관계에서 극단적인 마찰과 갈등이 초래되어 자율적인 기업 경영을 어려워지는 경우까지 생겨나고 있다.

이로 인해 기업의 생존 기반이 위협당하는 사회적 정당성의 위기 문제가 부각될 수 있기 때문에 기업이 거시적 환경에서 경영활동을 수행할 때 사회적 정당성의 구체적 실천 바탕이 바로 기업의 경영 윤리와 사회적 책임이라 할 수 있다.

사회적 책임에 대한 연구자들은 대체로 경영학이나 경제학, 사회학 등의 사회과학에 기반

을 두고 있는 경우가 많은 반면에 기업윤리에 대한 연구자들은 대체로 철학이나 윤리학, 신학, 교육학 등의 인문 과학에 그 학문적 기반을 두는 경우가 많은 편이지만, 조직체의 윤리적 행위에 대한 판단 논리로서 도덕철학에 해당되는 영역인 기업윤리의 개념은 공리론적 공동선을 우위에 두는 사회적 책임의 개념과는 자주 혼용 또는 대체 사용되어지는 경우가 많이 있다. 그러나 관련이론의 구성이나 실무현장 등에서 두 가지 개념에 대해 서로 다른 맥락으로나 의미로 구분하거나 접근해야 하는 경우도 있기 때문에, 먼저 양자를 각각의 고유한 특징에 집중하여 비교론적인 측면을 중심으로 살펴보기로 한다.

기업윤리와 사회적 책임이라는 두 개념에서 각 어휘의 핵심을 이루는'윤리'와 '책임'이라는 개념만으로 상호 대비시켜 비교해 보면, '윤리(ethics)'란 어떤 행위의 옳고 그름 또는 선과 악을 구분해 주는 원칙들의 집합이라고 할 수 있기 때문에 뚜렷한 대상이 없거나 구체적인 지위나 역할도 필요로 하지 않을 수 있으며, 또, 윤리가 논의되어지는 영역은 구체적인 행위뿐만 아니라 추상적인 태도나 가치까지도 포함된다. 이에 비해, '책임(responsibility)'이란 개인의 지위, 기능, 행위 등의 본질에 의해 부과된 의무의 범위를 일컫는 것으로 실무적인 역할과 깊은 연관성을 가지며, 또, 특정 역할에서 파생되어지는 권한이나 권력에 대응되는 개념으로 그 주체는 자연인뿐만 아니라 법인격을 갖는 조직체도 가능하다.

따라서 기업윤리는 경영활동과정에서 기업이 마땅히 지켜야 할 규범과 도리이지만 기업 구성원의 개별적 차원에서 요구되어지는 측면이 강해 상대적으로 소극적 활동이라고 할 수 있는 반면에, 사회적 책임은 기업 자산을 활용하여 보다 나은 그리고 지속가능한 사회를 만들기 위한 목적에서 주로 조직체 차원에서 적극적으로 이루어지는 활동이라는 측면에서 기본적인 개념상의 대비를 이룬다고 할 수 있으며, 이를 반영할 때 기업조직체의 운영 과정에서 제기되는 기업윤리와 사회적 책임의 개념에는 다음과 같은 차이점을 확인할 수 있다.

〈표 4-5〉 기업조직체의 기업윤리와 사회적 책임의 차이점

항목	기업윤리	사회적 책임
역할의 수행주체	˙조직의 개별 운영자 및 구성원 ˙조직 구성원이라는 개인적 차원을 강조	˙조직 차원의 조직체 ˙조직적 차원을 보다 강조
강조 및 중시	˙조직행위의 선악 판단 기준 ˙규범의 준수라는 수동적 역할이 강조	˙사회에 대한 조직 부담의 의무영역 ˙조직의 실천이라는 능동적인 역할이 강조
판단기준	˙조직 행위의 옳고 그름을 판단하는 기준으로 삼는 사회적 윤리규범 ˙외부에 의해 강제되는 수동적이며 소극적인 성격 ˙사회의 보편적 기준	˙이해관계자들의 사회적 기대와 요구에 부응하는 규범체계 ˙기업의 자유의지를 반영하는 자율적이고 적극적인 성격. ˙이해관계자 기준

첫째, 논리적으로 강조되는 기준이나 역할면에서, 기업윤리는 기업 활동이나 의사결정과정의 옳고 그름을 따지는 판단기준에 관심을 두고 있다고 보는 반면에, 사회적 책임은 기업 활동의 결과에 관심을 갖는다고 볼 수 있다.

둘째, 실무상으로 강조되는 역할성 측면을 보면, 조직 행위의 옳고 그름을 판단하는 기준으로 삼는 사회적 윤리규범으로서 조직체의 기업윤리는 수행주체인 조직 운영자나 구성원에 의한 규범준수라는 수동적인 역할이 강조되어지는 데 비해, 조직이 사회에 대해 부담하는 의무영역을 중시하는 이해관계자들의 사회적 기대와 요구에 부응하는 규범체계로서 조직체의 사회적 책임은 수행주체가 조직 차원의 조직체로서 조직적 실천이라는 능동적인 역할이 강조되고 있다. 즉, 기업윤리는 사회적 규범에 대응하는 규범체계로서 상대적으로 외부에 의해 강제되는 수동적이며 소극적인 성격을 갖는데 비해, 사회적 책임은 사회가 요구하거나 기대하는 사항에 따르는 규범적 체계이기 때문에 기업의 자유의지를 반영하는 자율적이고 적극적인 성격을 갖는다고 보는 것이다.

셋째, 역할수행의 주체 측면을 보면, 기업윤리는 조직구성원이라는 개인이 강조되면서 조직체는 개인의 윤리적 의사결정에 영향을 미치는 하나의 조건 내지는 여건에 지나지 않기 때문에 개인적 차원이 보다 더 강조되지만, 사회적 책임은 기업과 사회, 기업과 이해관계 집단이라는 조직적 차원을 보다 더 강조하고 있다고 볼 수 있다.

한편, 기업윤리(business ethics)와 사회적 책임(social responsibility)은 서로 다른 차원으로 각각 별도로 영역 설정이 가능한 개념으로 존재하기 때문에 논리적으로나 의미론적으로나 확연

히 구별되는 개념으로 접근할 수도 있는데, 어떤 경영적 이슈가 윤리적이라 해서 반드시 합법적인 것은 아니듯이 윤리적이라고 해서 반드시 사회적으로 책임 있는 것이 아닐 수도 있는 것이다.

그래서 이와 관련하여 각각 구별되는 네 가지 상황이 상정되어질 수 있는 바, 첫째, 사회적으로 책임 있고 윤리적인 상황(Socially responsible and Ethical), 둘째, 사회적으로 책임 있지만 비윤리적인 상황(Socially responsible and Unethical), 셋째, 사회적으로 무책임하지만 윤리적인 상황(Socially irresponsible & Ethical), 넷째, 사회적으로 무책임하고 비윤리적인 상황(Socially irresponsible & Unethical) 등이 그것이다.

이상과 같은 기업윤리와 사회적 책임이 갖는 개념상의 차이는 원론적인 의미에 주목할 때 주로 확인할 수 있는 구분점일 뿐, 실무상으로는 다수의 이슈를 다루는 데에 있어 상호공통적인 모습을 보이고 있으며 설사 차이가 다소 있다고 하더라도 그것은 상대적인 정도의 개념에 불과한 경우가 많다. 기업윤리와 사회적 책임은 경제적이고 법적인 수준을 초월한 사회적 수준에 대한 기대 측면, 사회의 가치와 규범 및 기대 등에 부응하는 측면, 조직 운영의 의사결정과정을 중시하는 측면, 실정법 수준을 넘어선다는 측면 등 본질적 측면에서는 상호간에 공통되는 점이 많다고 할 수 있다.

따라서 기업윤리는 옳고 그름에 대한 판단의 문제로서 사회적 책임의 기초가 되며 사회적 책임은 조직의사결정의 사회에 대한 전체적 영향에 대한 문제이므로, 기업이 사회적으로 책임 있게 활동하려면 우선 기업 구성원, 특히, 경영진들의 높은 수준의 윤리적 기준이 설정되어야 하고, 또 기업활동 전반에 관련된 개별적 의사결정들이 기업 시스템 내부로 일체화 되어져 있어야 할 것이다.

2) ESG와 SR(사회적책임)

후술하는 제5장에서 자세히 설명하겠지만 사회적책임(SR)에 대한 글로벌 스탠다드인 'ISO 26000 SR가이던스'는 7대 원칙(principles)과 더불어 7대 핵심주제(core subjects)를 주요 근간으로 하여 성립되었으며, 그 핵심주제로서는 조직지배구조(OG : Organizational governance), 인권(HR : Human rights), 노동관행(LP : Labor practices), 환경(E : The environment), 공정운영관행(FOP : Fair operationg practices), 소비자이슈(CI : Consumer issues), 공동체 참여 및 개발(CID:

Community involvement and development) 등을 설정하고 있다.

따라서 ESG는 이러한 SR 7대 핵심요소들의 영문 두문자를 축약·합성시킨 용어인데 환경(E)과 조직지배구조(G)는 각각의 독립 이니셜을 사용하고 나머지 5대 핵심요소들은 사회(Social)의 두문자로써 축약시켜 합성한 용어이다. 이러한 용례는 제6장에서 후술하게 될 SRI(Socially Responsible Investment) 개념이 발전되어 오는 과정에서 비즈니스 조직체의 비재무적인 가치판단을 위한 SR수준평가의 기준점으로 그간 사용되어오던 SEE(Social, Environmental, Ethics) 프레임워크가 ESG(Environmental, Social, Governance) 프레임워크로 대체되어진 것으로, 이는 비즈니스 조직체에서 조직지배구조(Governance)의 가치에 무게가 두어지는 최근 경향을 반영한 것이라 할 수 있다.

SR 글로벌 스탠다드에서는 이러한 SR 핵심주제는 고정불변적 요소가 아니므로 시대나 사회적 가치 변화에 따라 얼마든지 제외되거나 추가될 수 있는 것으로 규정하고 있다. 따라서 현행의 SR 국제규범에서 7대 핵심주제(core subjects)로 제시된 구성요소인 조직지배구조(OG), 인권(HR), 노동관행(LP), 환경(E), 공정운영관행(FOP), 소비자이슈(CI), 공동체 참여 및 개발(CID) 등은 SR 글로벌 스탠다드 성립 당시의 가치 기준에 따라 규정된 것이기 때문에 향후에 사회적 가치나 요구가 변화되면 새로운 핵심요소들로 대체되거나 추가되어질 수 있다.

최근에는 반(反) ESG, 오크자본주의(woke capitalism) 등 ESG에 회의적 시각을 가진 인사들이나 정파들이 강력한 사회적 책임 의식으로 미국자본시장에서 ESG투자를 주도해나가고 있는 Larry Fink 블랙록 CEO와 BlackRock 기업에 대한 악의적인 공격이 심해지자 해당 기업은 2018년부터 CEO 연례서한에서 항상 사용해오던 ESG에 대한 직접적 언급을 올해는 생략했을뿐 아니라 금년 6월에는 아예 ESG 용어의 사용 폐기까지 선언한 바 있다.

또한 일각에서는 ESG 용어가 지나치게 정치화되어버렸기 때문에 환경(E) 요소를 나머지에서 별도로 분리해야 한다는 주장도 나오고 있는데, 이는 ESG 투자에서 ESG 전체 영역을 평가하는 것보다 ESG 요소별로 평가하는 것이 더 효율적이라는 BIS(국제결제은행)의 최근 연구(Deconstructing ESG scores : How to invest with your own criteria)에 기반한 것으로, 최근 에너지 이슈의 정치화에 정면으로 부딪혀 반대세력의 집중 타킷이 되고 있는 E(환경)요소에 덜 집중하고 사회적책임(SR)의 나머지 요소들에 보다더 초점이 맞춰져야 사회적책임(SR)의 건전하고 착실한 발전이 이루어질 수 있다는 견해이다.

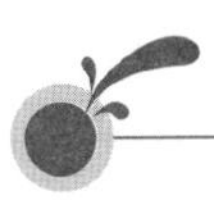

한편, UN PRI는 최근에 S(사회) 요소를 강조하면서 사회문제와 인권에 대한 이니셔티브인 'Advance'를 출범시켰는데, ESG의 'E(환경)'가 아닌 사회문제와 공동체의 권리 등 'S(사회)'와 관련된 부분을 더 챙겨야 한다는 것이다. '어드밴스'에는 약 30조 달러 상당의 관리자산을 대표하는 220명 이상의 금융투자자들이 참여하고 있는데, 이들은 대상 기업조직체들에 대해 집단적인 영향력을 사용하여 근로자나 지역사회 및 사회전반에 긍정적 결과를 가져올 수 있게 할 목적으로 인권 문제의 시급성과 체계적 특성을 인정하는 공개성명서에도 서명했는데, 동성명서는 기업조직체의 국제기준에 규정된 인권 존중에 대한 책임을 다할 필요성과 투자 수익과 세계 번영이 의존하는 사회적 자산으로서 인권 보호의 중요성을 충분히 인식할 필요성을 강조하면서 주주총회 및 공공정책참여 등 다양한 활동을 지원해 나갈 것을 밝히고 있다.

또한, 하버드 경영대학원 IWAI(Impact-weighted account initiative, 임팩트가중회계이니셔티브)는 기업이 환경에 얼마나 큰 영향을 미치며 고용을 통해 사회가 얼마나 긍정적으로 변화되었는지를 측정하는 최근 연구를 통해, 애플, 아마존, 오라클 등 대기업들의 종업원 관련 인적자원에 대한 조사와 diversity분석 결과를 바탕으로 하여 IWAI 로날드 코헨(Ronald Cohen) 의장 등이 작성한 'How to Measure a Company's Real Impact'라는 제목의 칼럼을 발표하였는데, 그 주내용은 E 요소보다는 S 요소에 더욱 주목해야 한다며 사회적책임(SR)의 핵심주제 노동관행(Labor practice)을 강조하고 있다.

사회적책임(SR)의 특정 핵심요소만 강조하는 것이나 ESG요소 전체를 뭉뚱거려 기업조직체의 지속가능성을 평가하는 것에는 모두 다 문제가 있을 수 있다는 지적은 오래 전부터 제기되어 왔으며, ESG라는 축약용어 사용으로 특정 핵심주제가 다른 요소에 비해 우월적으로 강조되어지는 현상은 기업조직체 운영시스템의 효율성을 떨어뜨릴 뿐 아니라 기업조직체의 사회적책임의 건전하고 균형적인 발전을 저해할 수 있다 .

따라서 환경(E)를 별도로 분리해내야 한다는 주장이나 혹은 현재 유행적으로 널리 사용되고 있는 ESG 경영이니 ESG 투자니 하는 용어들에 너무 매몰되어 사회적 책임(SR)을 인식하거나 기업조직체를 경영하는 것은 사회적 자원의 낭비나 SR의 건전한 발전 및 건강한 SR 생태계 조성 등에도 심각한 장애를 초래하는 결과를 가져올 수도 있을 것이다.

사례　'디젤게이트' 8년 만에… 獨법원, 폭스바겐 前 경영진 첫 유죄

이른바 '디젤게이트'로 불린 배기가스 조작 사건과 관련해 유럽 최대 자동차업체 폭스바겐 그룹의 전직 경영진이 최근 독일에서 유죄를 선고받았다. 배기가스 조작 관련 형사 재판에서 폭스바겐 그룹 전 경영진이 유죄 판결을 받은 건 이번이 처음이다.

27일 DPA통신과 도이체벨레(DW) 등 독일 매체에 따르면 독일 뮌헨지방법원은 사기 혐의로 기소된 루퍼트 슈타들러 아우디 전 최고경영자(CEO)에게 징역 1년 9개월의 집행유예를 선고했다. 판사가 혐의를 자백할 경우 정상 참작하겠다고 제시한 형량(1년 6개월~2년 형)의 중간치다.

아울러 법원은 슈타들러에게 110만 유로(약 15억6794만원)의 벌금도 선고했다. 이 금액은 국고와 비정부기구에 기부될 예정이다.

이로써 슈타들러는 디젤 게이트로 선고를 받은 최초의 폭스바겐 이사회 멤버가 됐다.

아우디와 모그룹인 폭스바겐은 지난 2015년 배출가스 테스트를 속이기 위해 불법 소프트웨어를 설치한 사실을 인정했다. 검찰에 따르면 이 회사 엔지니어들은 테스트에서는 법적 배기가스 배출량이 준수되게 엔진을 조작했으나 시판용 차량의 엔진은 기준치 미달이었다.

슈타들러는 스캔들이 알려진 후에도 조작된 차량 판매를 중단하지 않은 혐의로 기소됐고, 해당 재판은 2020년 9월부터 진행됐다.

슈타들러 측은 지난 5월 16일 변호인을 통해 그가 조작된 차량을 고의로 판매하지는 않았고 구매자가 피해를 입었다는 사실도 알지 못했다고 주장했다. 그러나 조작 가능성이 있었고 더 많은 주의가 필요했다고 인정했다. 전 폭스바겐 그룹 경영진으로서 잘못을 시인한 것은 슈타들러 전 CEO가 처음이다.

그는 그동안 기술자들이 그를 속여 왔었다면서 혐의 일체를 부인해 왔었다.

재판부는 3월 말 슈타들러가 자백하지 않을 땐 징역형에 처할 것이라고 경고하기도 했다. 이후 재판부는 슈타들러가 본인의 범행 사실을 자백하면 벌금을 내는 조건으로 집행유예를 약속한 바 있다.

디젤게이트는 폭스바겐을 비롯한 유럽 자동차회사들이 유해한 질소산화물 배출로 비판받아온 디젤 자동차의 배출 가스량을 조작해온 사실이 2015년 뒤늦게 발각된 사건을 일컫는다. 2020년대 이후에도 각국에서 소송과 추가 조사가 계속되고 있다.

자료 : 중앙일보(www.joongang.co.kr)

1. 사회적 책임의 규범화

세계 주요 각국들이 2000년대를 전후하여 각 나라의 수준에서 사회적 책임과 관련하여 강제적이거나 자율적 규범화를 진전시키는 한편, 국제수준에서도 정부 간 국제기구(Inter Goverment Organization : INO)인 UN, OECD, ISO(International Organization for Standardization)나 국제 NGO 등에서 사회적 책임과 관련하여 다양한 주제와 범위 내에서의 규범화 노력을 활발하게 진행하였다.

이하에서는 현재까지 성립되어 산업계에서 실제 활용되어지고 있는 국가 간 국제기구 등에 의한 SR 관련 국제표준 및 규범들을 중심으로 사회적 책임의 국제규범화활동에 대해 알아보기로 한다.

1) 사회적 책임 관련 국제규범화 활동

(1) OECD의 규범화 활동

OECD는 기업의 사회적 책임과 관련하여 '다국적 기업에 대한 OECD 가이드라인(OECD Guidelines for Multinational Enterprises)'을 1976년도에 채택하여(2000년 개정) 운용 중에 있으며, 정보공개, 고용, 환경, 반부패, 소비자이익, 과학기술, 세제, 경쟁 등 8개 분야에서의 기본 지침 준수를 권고하고 있으며, 2000년 개정 시에 OECD 회원국뿐 아니라 전 세계 모든 지역에서도 동 지침을 준수할 것을 결의하였다. 또한, '국제거래 관계에서 외국 공무원의 부패척결에 대한 협약(OECD Convention on Combating the Bribery of Foreign Public Officials in International Business Transactions)'을 1997년도에 제정(2004년 개정)하여 국제상거래에서 뇌물제공을 범죄행위로 규정하고 있다.

〈표 5-1〉 OECD의 규범화 활동 현황

규범명	내 용	비고
다국적 기업에 대한 OECD 가이드라인	정보공개, 고용, 환경, 반부패, 소비자이익, 과학기술, 세제, 경쟁 등 8개 분야에서의 기본 지침 준수를 권고(OECD 회원국뿐 아니라 전 세계 모든 지역에서도 동 지침을 준수할 것을 결의)	1976년 채택 (2000년 개정)
국제거래 관계에서 외국 공무원의 부패척결에 대한 협약	국제상거래에서 뇌물 제공을 범죄행위로 규정	1997년 제정 (2004년 개정)
기업지배구조에 관한 원칙	각국의 기업지배구조에 가이드라인으로 작용할 수 있는 지침을 제정하여 권고하고, 정보공개와 투명성, 이해관계자들에 대한 기업의 책임, 내부고발자 보호와 같은 이슈들에 대한 원칙을 제시	1999년 제정 (2004년 개정)

그리고 '기업지배구조에 관한 원칙(OECD Principles for Corporate Governance)'을 1999년 제정(2004년 개정)하여 운용 중에 있으며, 각국의 기업지배구조에 가이드라인으로 작용할 수 있는 지침을 제정하여 권고하고, 정보공개와 투명성, 이해관계자들에 대한 기업의 책임, 내부고발자 보호와 같은 이슈들에 대한 원칙을 제시하였다.

(2) UN의 규범화 활동

① GC

글로벌콤팩트(The Global Compact : GC)는 코피아난(Kofi Anan) 전 UN사무총장이 1999년 1월 다보스 세계경제포럼(WEF)에서 제창한 후 2000년 7월 UN본부에서 인권, 노동기준, 환경 등 3개 분야 9개 원칙(2004년 반부패 분야 추가로 총 4개 분야 10개 원칙)으로 발족한 국제기구로, 기구의 설립 목적은 범지구적인 보편 원칙에 기반한 유일하고 최초로 만들어진 가치 틀(First and only value framework based on universally recognized principles)로서, 인권, 노동, 환경, 반부패 등의 영역에서 기업체의 공중 설명책임(Public Accountability)과 투명성(Transparency) 강화를 위한 자율적 실천원칙을 제공하는 데 있다.

GC는 전 세계에서 가장 큰 규모의 자발적 CSR 이니셔티브(CSR World's largest voluntary CSR initiative)라 할 수 있으며, 2023년 7월 현재 전 세계 165여 개국 20,000 기업참여자 등(corporate participants and other stakeholders)이 가입되어 있으며, 참여조직체는 GC 원칙을 준수하고

주기적인 CSR 활동과 보고서 발행을 실천해야 하는데, 가입한 날로부터 2년 이내 첫 COP(The Communication on Progress)를 제출하고, UNGC 10대 원칙 이행과정에서 이해관계자들과 대화를 하며, CEO의 GC 원칙 지속적 지지 선언 기술, 최근 제출한 COP 이후의 실질적 행동 서술, GRI standards 등에서 제시한 지표나 수치를 이용해 활동결과 평가 등 COP 작성의 3단계를 거친 후 그 내용을 이해당사자에 공개, 전달하고 유엔 웹사이트 등재하며, 기본원칙의 구체적 이행 사례를 2년에 한번 이상 GC 웹사이트에 게시하도록 규정되어 있다.

② GRI

글로벌 보고 이니셔티브(Global Reporting Initiative : GRI)는 전 세계적으로 통용되는 지속가능성보고서(Sustainability Report) 작성을 위한 가이드라인(Standards)의 제정 및 운영을 주관하는 연구센터로, 상세하고 종합적인 사회적 책임 보고서를 발행하고 이를 확인하기 위해 1997년 설립되어 비재무적 보고 기준을 제정하여 운영하는 기관으로서, 1997년 CERES 원칙을 제정한 미국 NGO 환경책임경제연합(Coalition for Environmentally Responsible Economies : CERES)와 유엔기구 국제연합환경계획(United Nations Environment Programme : UNEP) 등이 중심이 되어 경제, 환경, 사회면의 성과를 작성하기 위한 "GRI 가이드라인"을 발표하기 위해 설립한 UNEP 산하기구이다.

〈표 5-2〉 SR 관련 UN 활동

명 칭	활동내용	비고
UNEPFI (UN Environment Programme Finance Initiative)	환경에 대한 금융기관의 인식을 제고할 목적으로 1991년 설립된 투자원칙 이니셔티브	1991년
GC (Global Compact)	기업의 투명성과 사회적 책임을 강조하며 인권, 노동, 환경 등의 분야에서 10개의 원칙을 제시	2000년
GRI (Global Reporting Initiative)	기업의 경제, 환경, 사회분야의 성과에 대한 보고서 작성을 위한 가이드라인	1997년
PRI (Principles for Responsible Investment)	기관투자자들의 투자의사결정시나 기업운영에 있어서 환경, 사회, 지배구조 이슈들을 주요 고려사항으로 포함시켜 투자자들의 장기적인 이익을 향상시키고자 하는 원칙이자 운동	2006년

동 가이드라인은 경제, 환경, 사회에 관한 기업의 사업 성과와 구체적 수치를 기업이 적극적으로 기재하도록 한 지속가능성보고서의 작성이 주요 목적이 되고 있으며, 지속가능보고서 보고 기업의 72%가 GRI 기준을 사용하고 있으며 글로벌 250대 기업들 중 74%가 사용하고 있다. 지속가능성 보고서를 발간하는 기업이 점차 증가하고 있을 뿐만 아니라 이에 대한 이해관계자들의 요구 또한 증가하고 있으며, GRI에 대한 세부사항들은 뒤에서 추가로 살펴볼 것이다.

③ PRI

PRI(Principles for Responsible Investment)는 기업 스스로가 사회적 책임을 다할 수 있도록 유도하기 위해 2006년 4월에 출범하면서 각국 정부 및 금융기관의 연기금 운용 시 CSR 활동에 충실한 기업을 선별하여 투자할 것을 권고하고 있으며, PRI와 관련된 보다 자세한 사항들에 대해서는 뒤에서 다시 살펴보기로 한다.

④ UNEPFI

유엔환경계획투자기구(UN Environment Programme Finance Initiative : UNEPFI)는 유엔기구인 UNEP(UN Environment Programme) 주도에 의해 환경에 대한 금융기관의 인식을 제고할 목적으로 1991년 성립된 투자원칙 이니셔티브로서 현재 40여 개국에서 도이치방크, 홍콩상하이은행 등 국제 선도은행 200여개 금융기관들이 참여하여 환경과 지속가능한 발전을 위한 금융기관들의 역할을 중심으로 활동하고 있다.

UNEPFI는 생태, 환경 등을 경제, 금융에 연관 지어 연간 세계환경금융의 개요를 발간하고, 그 밖에 많은 보고서들을 수시로 발표하고 있으며, 은행업무, 투자, 보험, 지속가능성, 기후변화, 생물다양성, 물과 금융, 지역별(대륙), IT 산업 등의 섹터로 나누어 리포트 작성하고 있다.

UNEPFI 투자원칙으로서 지속가능발전에 대한 헌신(Commitment to Sustainable Development) 5개 조항, 지속가능경영(Sustainability Management) 7개 조항, 공중의 인식과 소통(Public Awareness and Communication) 7개 조항 등을 포함하고 있다.

(3) ISO의 규범화 활동

국제표준화기구 ISO(International Organization for Standardization)는 재화 및 서비스와 관련된

제반설비와 활동의 표준화를 통하여 국제 교역을 촉진하고 지적, 학문적, 기술적, 경제적 활동 분야에서의 협력증진을 하기 위한 목적으로 1947년에 창설된 국제기구로서, 사회적 책임과 관련이 있는 국제표준 ISO 9000 등 다수의 경영시스템 국제표준을 제정, 보급하고 있다.

① ISO 9000

ISO 9000 시리즈 규격(품질경영규격)은 공급자에 대한 품질경영 및 품질보증의 국제규격을 의미하는바 세계경제가 글로벌화 되고 있는 상황에서 국가와 조직(기업 등)에 따라 품질보증에 대한 개념은 서로 상이하다. 따라서 제품과 서비스의 자유로운 유통이 방해 받지 않도록 하기 위하여 ISO 9000 시리즈가 제정된 것이다.

ISO 9001의 요구사항은 회사의 전반적인 경영측면을 평가하는 것으로, 품질경영시스템 수립 및 운영에 대한 사항, 경영책임 부문, 자원관리 부문, 제품실현 부문, 측정과 분석 및 개선 부문 등으로 이루어져 있다.

〈표 5-3〉 ISO의 SR 관련 국제표준

명칭	주요 내용	비고
ISO 9001	• 국가와 조직(기업 등)에 따라 품질보증에 대한 개념상이 • 제품과 서비스의 자유로운 유통이 방해받지 않도록 제정 • 품질경영, 품질방침, 품질시스템 등에 대한 국제규격	품질경영인증 시스템
ISO 10002	• 각 나라의 문화 차이에 따라 불만 대응에 차이가 존재하는 사태는 국제문제로 발전될 수 있으므로 이런 문제를 해결하기 위함. • 2004년 7월 6일자로 국제규격 ISO 10002가 제정되었으며, • 품질경영시스템 규격(ISO 9001)과 호환할 수 있기 때문에 조직에 대해 가치와 효율성을 제공	고객만족 규격
ISO 14000	• 기업이 해당 환경법규나 국제기준을 준수했는지를 평가 • 경영활동 전단계에 걸쳐 환경방침, 추진계획, 실행 및 시정 조치, 경영자 검토, 지속적 개선들의 포괄적인 환경경영 실시 여부 평가	환경경영 인증시스템
ISO 26000	• 기업, 정부, 노조, 시민단체 등 모든 조직체에 적용 가능한 사회책임(SR) 표준	SR 가이던스

② ISO 10002

ISO 10002은 불만을 가진 고객에게 최적의 결과를 가져다 줄 불만처리 방법에 관한 규격(ISO standard for satisfying dissatisfied customers)이라고 할 수 있는데, IT의 진화에 따라 EC에 의한 국제상거래는 개인 차원에 있어서도 증가일로에 있으며 각 나라의 문화 차이에 따라 불만 대응에 차이가 존재하는 사태는 국제문제로 발전될 수 있으므로 이런 문제를 해결하기 위해 2004년 7월 6일자로 국제규격 ISO 10002가 제정된 것이다.

동 규격의 9가지 원칙으로 효과적인 불만처리를 위한 투명성, 접근의 용이성, 대응성, 객관성, 비용, 기밀성, 고객지향적 접근, 설명 책임, 지속적인 개선 등을 규정하고 있으며 불만 접수에서부터 대응의 완료에 이르는 불만처리의 전 과정에 있어서 효율적이고 효과적인 절차를 구체적으로 표현하고 있다.

③ ISO 14000

국제환경규격으로 불리는 ISO 14000은 기업의 환경경영체제를 평가하여 국제규격임을 인증하는 제도로서, 기업이 단순히 해당 환경법규나 국제기준을 준수했는지를 평가할 뿐만 아니라 경영활동 전(全)단계에 걸쳐 환경방침, 추진계획, 실행 및 시정 조치, 경영자 검토, 지속적 개선들의 포괄적인 환경경영도 실시하고 있는지를 평가하는 규격으로 1996년 9월 ISO 14001 국제규격이 제정되고 각국에서 ISO 14000 인증제도 실시를 시작하였다.

ISO 14000 규격시리즈 구성을 보면 ISO 14001은 환경을 중시하는 경영을 하기 위한 회사 규정을 만들고 이에 맞게 운영하는 환경경영시스템에 대한 규격이고, ISO 14010은 환경경영시스템 심사원칙, 심사절차와 방법, 심사원자격을 규정하고 있으며, ISO 14031은 환경성과에 대한 평가기준을 설정하고 있다. ISO 14040은 어떤 제품, 공정, 활동의 전 과정의 환경 영향을 평가하고 개선하는 방안을 모색하는 영향 평가 방법을 규정하고 있으며, ISO 14020은 제3자 인증을 위한 환경마크 부착 지침 및 절차 자사 제품의 환경성 자기주장의 일반지침 및 원칙 등을 규정하고 있고, ISO 14050은 환경용어에 대한 정의를 하고 있는 규격이다.

④ ISO 26000

ISO에 의해 2010년 11월 1일자로 성립된 사회적 책임 가이던스(SR Guidance)는 사회조직

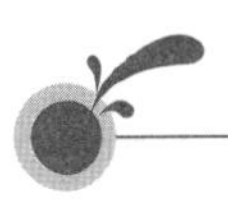

체의 구조와 운영방식에 있어 새로운 모델과 이념적 근거로서 작용하는 경영시스템 국제표준의 하나로, 기업체를 비롯한 모든 유형의 사회조직체에 있어 주요한 경영 나침판의 하나로서의 역할이 기대되는 경영시스템 표준이다.

(4) NGO 등의 규범화 활동

① CRT

CRT(Caux Round Table)는 1986년 국가 간 무역 마찰 완화, 미·일·유럽 간 경제사회관계의 건전한 발전 그리고 여타 지역에 대해 공동체의 책임을 다하기 위한 기반 구축을 목적으로 스위스 코오(Caux)에서 창설된 도덕적 자본주의의 실현을 목적으로 설립된 국제민간경영자 단체로서, 일본, 유럽, 미국, 캐나다 등지의 대기업체의 비즈니스 리더들이 모여 기업윤리와 CSR을 중심으로 하는 사업 수행의 원칙을 정리한 리스트 제정을 추진하여 그들의 윤리적인 가치를 국제적인 코드로 공식화하여 1994년 7월에 발표한 것이 CTR 기업 원칙이다.

국제적인 기업 경영의 기본 원칙을 천명한 CTR 기업원칙은 공생, 인간존엄성, 이해관계자의 이익 존중 등을 주요내용으로 하는 국제적 기업의 행동 표준으로서 기업윤리강령의 기본원칙을 제시하는 데 그 목적이 있으며, 각국의 기업들이 기업윤리강령을 제정하는 데 있어 일종의 표본이 되고 있다. 동 원칙은 전문에서 기업경영에서의 도덕적 가치의 필요성을 재확인하고 이것 없이는 안정적 기업관계와 국제사회의 지속적 발전은 불가능하다고 천명하면서, 일반원칙 7가지를 제시하고 있다.

② TI

국제투명성기구(Transperancy International : TI)는 베를린에 본부를 두고 1993년에 설립된 NGO로서, 설립자인 피터 아이겐(Peter Eigen)이 부패가 후진국 발전을 가로막고 있다는 점에 주목하고 국제적·국가적 부패 억제라는 설립 목적을 가지고 창설하였으며, 각국의 공무원이나 정치인이 얼마나 부패를 조장하는지에 대한 인식을 나타내는 부패인식지수(CPI : Corruption Perceptions Index)의 산출 및 발표 활동을 하고 있는데, CPI는 괴팅겐대학교 요한 람스도르프 교수와 TI가 부패 문제에 대한 관심을 불러일으키기 위해 공동으로 개발하여 1995년부터 매년 발표하고 있다.

또한 기업의 윤리의식 향상을 목적으로 1995년을 "세계 반부패의 해"로 지정하고 1999

년부터는 뇌물제공지수(Bribe Payers Index : BPI)도 함께 발표하고 있는 데, 부패인식지수는 각국의 공무원과 정치인들의 부패의 존재정도를, 뇌물제공지수는 각종 공사나 계약을 따기 위해 외국기업 및 공무원에 대한 뇌물 제공 정도를 각각 지수화 하여 국별로 순위를 부여하고 있다.

③ AA

어카운트어빌리티(AccountAbility)는 글로벌 수준에서 활동 중인 영국의 비영리 연구단체로서, 기업의 사회적 책임과 지속가능개발의 검증을 위하여 AA1000 표준을 1999년에 개발하여 운영 중에 있는데, AA1000의 목적은 조직체들이 이해관계자 참여과정을 일상업무에 통합시킴으로써 조직의 책임성과 전반적인 업무성과를 향상시키도록 지원하는데 있다. 즉 체계적인 이해관계자 참여과정을 수립하고 조직의 사회·윤리적 회계 및 보고의 질을 향상시켜 조직의 책임성과 업무성과를 높인다는 것이다.

동 표준은 지속가능경영보고서 검증 원칙인 AA1000(2008)APS, 지속가능경영보고서 검증절차에 관한 표준 AA1000(2008)AS, 그리고 이해관계자 참여 프로세스를 위한 표준 AA1000(2008)SES 등으로 구성되어 있으며, 전세계의 수많은 기업, NGO 및 공공기관들이 사용하고 있는데, 동 표준 인증의 핵심은 기획, 회계, 감사, 보고 등 기업경영활동에 내재화된 이해관계자에 대한 포용성(inclusivity)이며, 표준 인증의 초점을 보고의 내용보다는 방법에 맞추고 있다는 점에서 GRI 가이드라인과 상호보완관계에 있다.

④ SAI

사회설명책임기구(Social Accountability International : SAI)는 사회적 책임 표준 수행과 개발을 통해 직장에서의 인권을 개선하려는 목표를 가진 비정부적이고 국제적이며 다수 이해관계자로 이루어진 인권기구로 미국에 소재하고 있다. 1997년 근로자의 인권 및 근로조건을 개선시킬 목적으로 기업, 노동조합, NGO 등과 공동으로(a multi-stakeholder initiative) 세계인권선언, ILO 협약, ISO 9000 등에 기초하여 SA8000 인증표준을 개발하였으며 현재는 SA8000 : 2014가 운영되고 있다.

이 표준에서는 아동노동(Child Labor), 강제노동(Forced or Compulsory Labor), 안전보건(Health and Safety), 결사의 자유 및 단체교섭권(Freedom of Association and Right to Collective Bargaining), 차

별대우(Discrimination), 징계관행(Disciplinary Practices), 근로시간(Working Hours), 임금(Remuneration), 경영시스템(Management System) 등 9가지 분야(Elements)를 다루면서 운영과정에서 근로자나 NGO 등 이해관계자 의견을 듣도록 의무화하고 있다.

⑤ 기타

그 외에도 국제 차원의 사회적 책임 규범화와 관련하여 후진국 영세 하청업체의 근로조건 개선을 목적으로 하는 BSCI(Business Social Compliance Initiative), CSR을 추진하려는 기업들에게 사회적 책임을 기업 전략에 반영하는 방법을 지원하고 관련 이해관계자들과의 협력 매개 역할을 수행하는 BSR(Business for Social Responsibility), 지역사회 및 환경에 긍정적인 영향을 주고 조직체 대내외적 문제 해결을 지원하는 BITC(Business In The Community) 등이 있다.

2) 사회적 책임 국제표준의 의의와 구성체계

(1) 사회적 책임 국제표준의 의의

기업시민으로서 기업에게 요구되는 사회적 책임에 대해 다양한 이슈들이 제기되어지면서 UN을 비롯한 각종 국제기구에서 다각적인 측면에서 CSR의 규범화를 추진하였지만, 이런 모든 노력을 하나로 집대성하려는 시도가 국제표준화기구(International Organization for Standardization : ISO)를 중심으로 전개되어 마침내 글로벌 스탠더드가 2010년 11월 1일자로 성립되었다.

이렇게 탄생된 ISO 26000 SR Guidance는 주주이익중시모델(Shareholderism Model)에 이념적 가치 기반을 두고 있는 신자유주의 주도의 자유시장 경제체제라는 단원적 사회가치 패턴을 변화시켜 점차적으로 이해관계자중시모델(Stockholderism Model)이 지향하는 다원적 사회가치의 공존지향적 패러다임 전개를 불러일으켜, 종국에는 모든 조직체의 운영 이념과 시스템 체계 전반에 인간적 가치를 담아내는 기폭제가 될 수 있을 것이다.

따라서 모든 조직체는 SR Guidance가 조직구조나 운영체계를 통해 구현하려는 가치에 대한 직간접적인 영향을 받아들여 제반 경영활동과정에서의 변화를 시도하는 움직임이 불가피할 것이다.

(2) 사회적 책임 국제표준의 성립 배경 및 경과

2000년대를 전후하여 기업의 사회적 책임에 대한 전 세계적 요구가 확산되면서, 영국(영국 AA 1000, BS 8900), 프랑스(SD 21000), 호주(호주 AS 8000)뿐 아니라, 미국(BCMMS), 캐나다(캐나다 NQ 9700-950), 스페인(스페인 PNE 165010) 등에서 SR 관련 표준을 이미 개발했거나 또는 개발 중이였고, UN이나 OECD 등에서도 SR 관련 규범을 적극 다루어 나가는 상황이 되었다. 이에 따라 CSR 관련 표준들이 국가 간의 교역에서 이기적 가치기준을 관철하는 제한 규범으로 적용되어져 각국이 고유의 가치기준으로서 자국의 산업이나 경제를 보호하는 무역장벽으로 발전될 가능성이 점차 높아졌다.

그리하여 2004년 10월부터 공식적인 국제표준화 작업을 개시하여 2010년 9월 12일까지 국제표준안(FDIS)에 대한 찬반투표가 진행되어 마침내 2010년 11월 1일자로 국제표준(ISO26000 SR Guidance)으로 성립된 것이다.

(3) 사회적 책임 국제표준의 구성체계

ISO 26000 구성내용과 체계는 본문 7개 장과 부속서로 구성되어 있으며, 부속서에는 SR을 위한 자발적 이니셔티브 및 툴의 사례 등이 포함되어 있다. 이런 SR 국제표준에 대해 전반적인 구성체계에 대해 세부적으로 살펴보면, 먼저, 제1장에서 적용범위를 그리고 제2장에서 용어 및 정의 등에 대해 규정하고 있으며, 제3장에서 조직체 SR의 역사적 배경, 추세, 특성, 관계 등을 주 내용으로 하는 SR 이해 등이 규정되어 있다.

그리고 제4장에서는 SR의 원칙으로서 설명책임, 투명성, 윤리적 행동 등 7대 원칙에 대해 규정하고 있으며, 제5장은 SR 핵심주제를 다룰 때 고려해야 하는 요소인 SR 기본관행(fundamental practices)인 SR 인지와 이해관계자 확인 및 참여 등으로 구성되어 있다. 제6장에서는 SR 핵심주제에 대한 가이던스로서 조직지배구조, 인권, 노동관행, 환경, 공정운영관행, 소비자이슈, 공동체 참여 및 개발 등을 핵심주제로 규정하면서 각 핵심주제별로 세부적인 이슈를 제시하고 있다.

제7장에서는 조직체 전반에서의 SR 통합지침에 대해 다루고 있는데, 여기서는 조직체 특성과 SR과의 관계, 조직체의 SR에 대한 이해, 조직체 전반에 걸친 SR 통합을 위한 실무관행, SR에 대한 의사소통, SR 관련 신뢰도 증진, SR 관련 조직체 조치사항과 실무관행에 대한 검토 및 향상 등에 대해 규정하고 있다.

2. 사회적 책임의 원칙

SR 가이던스는 사회적 책임의 궁극적 목표를 지속가능한 발전의 극대화에 대한 기여에 두고서 이를 위해 모든 조직체는 다음의 7대 기본원칙(Principles)과 함께 각 핵심주제(core subject)에서 정하는 세부원칙(principles)에 대해 존중하도록 규정하고 있으며, 모든 조직체들은 비록 경영 여건이 좋지 못한 상황에서라도 '옳거나 좋은 관리방식으로 인정되어진 원칙들(accepted principles of right or good conduct)'에 기초하여 운영되어질 것을 요청받고 있다.

1) 설명 책임의 원칙

설명 책임(Accountability)의 원칙은 모든 조직체가 사회, 경제 및 환경 등에 미치는 제반 영향에 대해 이해관계자들에게 설명해야 할 책임을 가리키며, 이는 조직체가 내외부로부터 요청받는 적절한 감시(scrutiny)를 인정해야 할 뿐만 아니라 그러한 감시에 순응하는 것을 하나의 의무사항으로 받아들여야 한다는 뜻한다.

이 원칙은 잘못(wrongdoing)이 발생했을 때는 그 피해구제를 위한 적절한 조치뿐만 아니라 재발방지 조치까지도 포함하는 책임이며, 따라서 모든 조직체는 사회, 환경 및 경제 등에 미치는 조직체 의사결정 및 활동의 영향이나 혹은 의도치 않았고 예상치 못했던(unintended or unforeseen) 부정적인 영향의 재발방지 조치 등에 대한 설명 책임까지도 부담하는 것으로 규정하고 있다.

2) 투명성의 원칙

투명성(Transparency)의 원칙이란 사회, 경제 및 환경에 영향을 미치는 조직 의사결정 및 활동 과정이나 결과가 투명해야 한다는 원칙으로, 여기에서 투명성이란 사회, 경제 및 환경에 영향을 미치는 조직체의 의사결정 및 활동에 대한 개방성과 영향을 받는 이해관계자들과 의사소통하려는 자발성을 말한다.

조직체는 사회, 경제 및 환경에 미치는 알려진 영향이나 일어날 수 있는 영향을 포함한 조직체의 정책, 의사결정 및 활동 등에 대해 명백하고 정확하고 완전한 방식에 의해 합리적이고 충분할 정도로 공개해야 하지만, 법적으로 보호받고 있거나 또는 법률, 상거래, 보안 또는 프라이버시 보호 등의 책무를 위반할 수 있는 정보제공은 제외될 수 있다.

조직체의 투명성 확보가 필요한 항목으로는 조직활동의 목적과 성격 및 위치, 조직활동에서 관리하는 모든 이해관계의 식별, 조직 내의 서로 다른 기능에 걸쳐있는 역할, 설명책임 및 권한에 대한 정의, 조직의사결정이 이루어지고 실행되고 검토되는 방식이나 조직체가 사회적 책임 관련성과를 평가하는 기준(standards and criteria), 중대한 사회적 책임 이슈에 대한 조직성과, 조직체 자금의 출처와 금액 및 용도 그리고 이해관계자, 사회, 경제 및 환경 등에 대한 조직의사결정 및 활동의 영향, 조직체 이해관계자의 식별, 선정 및 참여에 이용되는 기준 및 절차(the criteria and procedures) 등을 명시하고 있다.

3) 윤리적 행동의 원칙

윤리적 행동(Ethical behaviour)의 원칙은 정직성(honesty), 평등성(equity) 및 성실성(integrity)의 윤리적 가치를 기반으로 하여 조직 행동이 이루어져야 한다는 원칙을 말하며, 여기에서 윤리적 가치는 인간과 동물 및 환경 등에 대한 관심, 이해관계자의 이해관계에 미치는 조직활동 및 의사결정의 영향 등을 다루겠다는 의지 표명 등을 의미한다.

윤리적 행동의 원칙을 위한 조직 역할에는 조직체의 핵심가치 및 원칙을 식별하여 명시하며 조직의사결정 및 다른 조직과의 상호작용에서 윤리적 행동을 촉진하는 조직지배구조(governance structures)를 개발하고 이용하는 것뿐만 아니라, 조직체의 목적 및 활동에 적절하면서 사회적 책임 가이던스의 원칙을 지키는 윤리적 행동 표준의 식별, 채택, 적용은 물론 조직체의 윤리적 행동표준의 준수를 장려 및 촉진하는 것도 포함하고 있다.

또한 조직체는 윤리적 행동 원칙을 위해 조직체 전체에 걸쳐 비윤리적 행동으로 이어지는 이해관계 상충을 방지하거나 해결하며, 윤리적 행동을 모니터링하거나 지원 및 집행하기 위한 감독 메커니즘 및 통제체계(oversight mechanisms and controls)의 수립·유지뿐만 아니라, 보복의 두려움 없이 비윤리적 행동에 대해 보고할 수 있는 메커니즘의 수립 및 유지 등을 적극적으로 촉진할 뿐만 아니라, 인간 대상의 연구 수행에서 국제적으로 인정된 윤리적 행동 표준의 채택 및 적용, 동물의 양육, 번식, 생산, 수송, 이용과정에서 제대로 된 조건의 제공 등 동물복지의 존중 등을 위한 역할 등이 필요한 것으로 규정하고 있다.

4) 이해관계자 이익 존중의 원칙

이해관계자 이익 존중(Respect for stakeholder interests)의 원칙은 조직체가 의사결정 및 행동을 함에 있어 이해관계자 이익을 존중하며 고려하고 대응해야 할 책임을 가진다는 원칙을 말한다. 이러한 원칙에는 조직의 이해관계자를 포괄 구성하는 다른 개인 또는 그룹도 조직이 고려하고 있는 권리나 클레임 또는 특정 이해관계 등을 가질 수 있다는 것을 인정하는 것도 포함된다.

이 원칙과 관련하여 기대되어지는 조직체 역할로서는 이해관계자를 식별하고, 그의 법적 권리뿐만 아니라 이해관계를 고려하며 표명된 관심사에 반응을 보여야 할 것뿐 아니라, 이해관계자의 상대적인 능력에 대한 평가와 고려를 하고, 그의 이해관계가 사회의 광범위한 기대와 지속가능발전에 대해 갖는 관계를 고려해야 하며, 또, 이해관계자가 조직지배구조에서 공식 역할이 없거나 이해관계를 인식하지 못해도 조직 의사결정이나 활동으로 영향 받을 수 있는 이해관계자의 관점(the views of stakeholders)까지 고려해야 하는 것 등을 포함하고 있다.

5) 법적 지배 존중의 원칙

법적 지배 존중(Respect for the rule of law)의 원칙은 모든 조직체는 법적 지배를 존중하는 것이 의무사항이라는 사실을 인정하면서 조직체 활동에 관련되거나 해당되는 모든 법규를 준수하는 원칙을 말한다. 이 원칙은 조직체가 해당 법규를 인식하고 조직체의 준수 의무를 조직 내에 알리면서 그런 조치를 실행하는 단계를 밟는 것을 포함하며, 이때 이 원칙에서 존중의 대상이 되는 법적 지배란 법의 최고권(the supremacy of law)을 의미하는 것으로 어느 개인이나 조직체도 법 위에 존재하지 않으며 이는 정부조직체에게도 동일하게 적용되는 것이며, 또, 권력의 자의적 행사와 대조되는 것으로 법규가 성문화되고 일반 대중에 공개되며 절차에 따라 공정하게 집행하는 것을 말한다.

이 원칙과 관련하여 정부조직을 포함하는 모든 조직체는 법규가 제대로 집행되지 않는 경우에도 조직체가 운영되는 권역 내에서의(in all jurisdictions) 사법적 요구사항을 준수해야 한다. 또 조직체와의 관계 및 활동에 관련되는 법적 프레임웍을 준수하면서 모든 법적 의무사항에 대해서는 조직체가 스스로 알고 있어야 하며(remain informed of all legal obligations) 아울러 해당법규 준수의 주기적 검토하는 역할을 요구되는 것은 규정하고 있다.

6) 국제행동규범 존중의 원칙

국제행동규범 존중(Respect for international norms of behaviour)의 원칙은 조직체가 법적 지배의 존중 원칙에 충실 하는 것뿐만 아니라 운용중인 다양한 국제행동규범(international norms of behaviour)을 존중해야 한다는 것이다.

이 원칙과 관련하여 모든 조직체에 요구되는 역할은 법 또는 법의 시행이 적절한 환경 또는 사회보호수단을 제공하지 않는 특정한 상황에서도 최소한의 국제행동규범을 존중해야 할뿐 아니라 법률이나 그 시행이 국제행동규범과 상충하는 국가에서도 최대한으로 국제행동규범을 존중하면서 만약 그렇게 하지 않는 것이 중대한 결과를 야기할 수 있는 상황이라면 해당 사법권 내에서 조직체 활동의 성격을 검토할 필요가 있다. 아울러 그러한 상충을 처리하기 위해 관련 조직체나 해당 정부조직체에 영향을 미칠 수 있는 합법적 기회 및 채널(legitimate opportunities and channels)을 고려하는 것도 좋겠지만, 이 원칙이 잘 지켜지지 않는 다른 조직체 활동에 연루되거나 공모되는 것을 가능한 피하도록 규정하고 있다.

7) 인권 존중의 원칙

인권 존중(Respect for human rights)의 원칙은 조직체가 의사결정이나 행동에 있어 인간의 권리를 존중하고 그 중요성 및 보편성(importance and universality)을 충분히 인식해야 한다는 원칙으로서, 3절에서 살펴보게 될 인권 핵심주제의 내용을 함께 참고하면 전체적인 이해의 폭을 넓히는데 도움이 될 것이다.

이 원칙과 관련하여 모든 조직체는 국제인권장전(the International Bill of Human Rights)에서 규정하고 있는 모든 권리를 존중하고 가능한 한 이를 촉진할 필요가 있다. 특히 인권의 보편성, 즉 모든 국가, 문화 및 상황에서 분할하여 적용할 수 없다는 기본적인 전제조건은 반드시 존중될 필요가 있으며, 인권이 보호되지 않는 상황에서도 인권 존중의 조치들은 필요하며 그런 불리한 상황 자체가 이용되지 않아야 하며, 만약 법률이나 그 시행이 인권 보호에 적절치 못한 상황에서는 국제행동규범 존중의 원칙을 고수하도록 규정하고 있다.

3. 사회적 책임의 핵심주제

사회적 책임 국제표준의 7대 핵심주제(core subjects)는 7대 원칙(principles)과 더불어 SR 가이던스의 주 근간을 이루고 있다고 볼 수 있다. 이런 핵심주제는 고정불변적인 요소는 아니고 시대나 사회적 가치의 변화 추세에 따라 제외되거나 추가될 수 있는 것으로, 금번 국제표준 제정의 시점에서는 조직지배구조, 인권, 노동관행, 환경, 공정운영관행, 소비자이슈, 공동체 참여 및 개발 등 7대 주제(subjects)를 핵심으로 제시하고 있는 것이다.

각 핵심주제별로는 세부원칙 및 고려사항 등과 함께 세부이슈들이 규정되어 있으며, 각 세부이슈에서는 해당 이슈에 대한 해설과 함께 관련 활동 및 기대 사항 등이 규정되어 있다.

1) 인권(Human Rights)

(1) 인권의 개념적 의의

인권(Human rights)이란 인간으로서 당연히 가지는 기본적 권리로서 조직체와 관련해서는 인간의 기본적인 자유와 존엄성을 저해하는 조직체 활동으로부터 개인이나 집단을 보호하는데 있어 필요한 보편적이고 법적인 보증을 의미한다고 할 수 있으며, 인권은 고유하고(inherent), 양도할 수 없으며(inalienable), 보편적이고(universal), 분할될 수 없으며(indivisible), 상호의존적(interdependent)인 권리라는 특성을 갖는 것으로 규정되어 있다.

먼저 고유한 권리는 인간이기에 각 개인에게 소유되는 권리이고, 다음으로 양도할 수 없는 권리는 인간이 포기에 동의하거나 정부 또는 다른 어떤 기관에 의해 박탈할 수 없는 권리를, 보편적 권리는 지위에 상관없이 모든 사람에게 적용되는 권리를, 분할할 수 없는 권리는 어떠한 인권이라도 선택적으로 무시하는 것이 불가능한 권리를 그리고 상호의존적 권리는 하나의 권리 실현이 다른 권리의 실현에 기여하는 권리를 의미하는 것으로 명시하고 있으며, 2022년 7월 국가인권위원회에서 '제4차NAP권고안'을 결정한 바 있다.

인권은 일반적으로 두개의 대범주로서 대별되는데, 그중 하나는 시민권과 정치적 권리인 CPR(Civil and Political Rights)로 이에는 생명권, 자유권, 평등권 및 표현권 등이 포함되고, 다른 하나는 경제적, 사회적 및 문화적 권리인 ESCR(Economic, Social and Cultural Rights)로 이에는 노동권, 식량권, 최상보건권, 교육권, 사회보장권 등이 포함된다.

일반적으로 인권이라고 하면 정부 역할로만 인식되지만, 기업조직체나 학교나 병원조직체, 종교단체나 NGO 등 비국가 조직체 등도 해당 조직체와 관계를 맺고 있는 개인의 인권에 커다란 영향을 미칠 수 있으므로 국가의 정부조직체가 아닌 일반조직체들도 조직 영향권 내에서 인권 존중에 대한 책임을 지니고 있으며, 대다수 국가의 형벌 규정에서 정부조직체뿐만 아니라 일반조직체도 법적으로 설명 책임이나 배상책임 등을 부과하고 있는데 여기에는 고문, 반인도적 범죄, 노예제 및 대량학살 등에 관련되는 문제들을 포함하고 있다.

UN은 1948년 총회에서 채택된 'UDHR(Universal Declaration of Human Rights)'에서 인권에 관련되는 행위의 주체를 "모든 사회 조직체(Every organ of society)"로 명시함으로써 인권에 대해서는 정부조직체뿐만 아니라 각종 사회조직체들의 책임을 천명한 바 있다. 또 인권과 관련하여 UN은 1966년에 채택하고 1976년에 발효시킨 ICCPR(Int'l Covenant on CPR)과 ICESCR(Int'l Covenant on ESCR)에서 모든 형태의 인종 및 여성차별 제거, 고문 및 잔인하고 비인간적이고 모욕적 대우 혹은 처벌 등의 방지 및 제거 조치, 아동의 권리, 무력분쟁에의 아동관여, 아동 매매와 매춘 및 포르노, 이주노동자 및 가족의 보호 그리고 강제 실종으로부터의 보호 및 장애인 권리의 보호 등에 대한 핵심적인 인권 이슈들을 명시하고 있다.

인권에 대한 인식 및 존중을 법치나 사회정의 및 공정성 등의 핵심적 개념으로 간주하고 사법시스템 등 주요 사회제도의 기본적 토대로 규정하면서, 모든 조직체는 각 조직체의 영향권 내에서의 인권 존중에 대한 책임이 있는 것으로 명시하고 있다.

또 인권 핵심주제와 관련하여 필요한 고려사항으로서, 조직체는 인권에 직·간접적으로 영향을 미칠 잠재성이 있고 또 실제로 영향을 미친다는 보편적 인식을 필요로 하며, 국가가 인권보호 의무를 이행할 수 없거나 이행할 의지가 없는 것과는 별개로 조직체는 모든 인권에 대해 존중할 책임이 있으며, 인권 존중의 기본은 타인의 권리를 침해하지 않는 것으로, 이에는 조직체가 인권침해를 수동적으로 받아들이거나 적극 참여하는 것을 피하도록 하는 긍정적 조치를 수반하고 있으며, 또한, 조직체는 공급자 등 타 조직에 영향을 주려고 할 때는 부정적 결과에 대한 잠재성을 항상 고려해야 할뿐만 아니라 영향력 있는 지위에 있는 사람들의 인권의식 향상을 위한 인권교육 실시 등을 포함시킬 것을 명시하고 있다.

(2) 인권과 경영

최근 들어 다수의 세계적인 대규모 기업의 경영 실무에서는 인권 존중의 원칙을 경영시스템에 반영시키고 있으며, 전 직원을 대상으로 하는 유엔인권선언(UDHR)에 대한 실무교육을

실시하고 있는 등 기업경영 활동의 전반에서 인권 존중의 원칙을 폭넓게 받아들이고 있다.

또한 UN은 2000년에 사회적 책임 추진체계로서 Global Compact(UNGC)를 발족하여 모든 조직체에서의 인권 경영을 장려하고 있는데, GC은 인권·노동·환경·반부패 등의 부문에서 기업 등 모든 조직체들이 지켜야 할 10대 원칙을 천명하고 있다. 그중에는 인권과 관련하여 '기업은 국제적으로 선언된 인권 보호 원칙을 지지하고 존중해야 한다'는 원칙과 '기업은 인권 침해에 가담하지 않아야 한다'는 2대 원칙을 제시하고 있다.

① 기업경영에서의 인권 이슈

기업조직체가 다른 조직체에 비해 인권에 대한 이슈가 빈번한 편인데, 그 이유는 기업의 본질 및 목적과 관련하여 '사람보다는 이윤' 또는 '사람보다 조직'을 우선시하는 기업인들의 인식과 행태에 주로 기인하고 있다. 기업조직체에서는 기업 소유주나 상사들의 일반 직원들에 대한 인권무시 언행, 성 차별과 성희롱 및 성폭력, 취약그룹에 대한 차별적 취급, 협력업체 관계자에 대한 인격모독 등 인권 존중 전반에 대한 무지와 자기과시적이고 차별적인 의식 등으로 인해 반인권적인 행태가 기업 활동 속에 일상화되어 있다.

기업체의 영향력과 권력이 막강한 현실에서도 인권경영이 주요 사회적 이슈로 부각되고 있는 것은 현대 사회에서 가장 중요한 가치가 '인권, 즉 인간으로서의 존엄성과 그에 따른 개인의 자유과 행복추구의 권리'이기 때문이다. 그래서 인권경영을 제대로 못하는 기업조직체가 다른 부문에서 아무리 훌륭한 SR 성과를 달성하더라도 일반소비자들로부터 받는 종합적인 사회적 책임 평가는 좋을 수 없을 것이다.

② 인권경영의 의의

인권경영이란 기업의 인권책임(Corporate Human Rights Responsibility : CHR) 이행 활동의 일환으로 기업이 이윤극대화 추구에 매몰되지 않고 모든 이해관계자의 인권을 존중하는 경영방식으로, 기업활동과 직접 관련되는 관계자뿐만 아니라 간접적인 관계에 있는 이해관계자에 대해서도 인간으로서 존엄과 가치를 존중하는 경영이라고 할 수 있다.

개인의 권리와 행복보다 국가와 기업조직체의 경제발전이 우선되어 왔던 우리 현대사에서 인권경영은 최근에 와서 대두된 개념으로 많은 과제를 안고 있다. 직장 내 성폭력이나 성희롱 문제를 비롯한 상급자 폭언과 폭행, 차별적 대우와 불공정한 처우, 거래업체에 대한 우월적 지위 행사 등은 기업조직체 내부에 존재하는 관행으로 자리 잡고 있다.

이러한 인권경영의 근원적 유래는 앞서 언급한 제3차 유엔총회에서 결의된 '세계 인권선언'으로 볼 수 있는데, 총 30조로 구성된 세계인권선언은 전문에서뿐만 아니라 '모든 인간은 태어날 때부터 자유롭고, 존엄성과 권리에 있어 평등하다'라고 규정하고 있는 본문 제1조를 통해서도 인권의 막중함이 천명되고 있다. 유엔 세계인권선언이 선포된 이후 실제로 기업경영에서의 인권이슈에 관심을 모아지기 시작한 것은 1970년대 글로벌화가 상당히 진척되어진 이후부터라 할 수 있다.

UN은 1974년 유엔경제사회이사회 발의로 '다국적기업위원회'를 구성하고 1982년 '다국적기업에 관한 행동규칙'을 통해 '인권과 기본적 자유에 대한 존중'을 규정에 반영시켰지만 구체적 실행내용이 없는 가운데 폐기되고 말았고, 한동안의 공백기를 거쳐 2003년 인권에 대한 기업의 책임을 보다 체계적으로 규정한 '인권에 관한 다국적기업 및 일반기업의 책임규범(Norms on the Responsibilities of Transnational Corporations and Other Business Enterprises with Regard to Human Rights)'을 제정하려 했으나 인권위원회 본회에서 채택이 불발되었다.

2005년 '존 러기(John Gerard Ruggie)' 특별대표에 의해 기업인권 문제에 대한 현황 조사가 실시되어 2008년 'UN 기업과 인권에 대한 프레임 워크(Protect, Respect and Remedy : A Framework for Business and Human Right)'라는 제목의 보고서가 발표되었다. 동 보고서를 기본으로 하여 "'기업인권에 관한 이행원칙 : 유엔 '보호, 존중, 구제' 프레임워크의 실행"이 2011년 UN 인권이사회에서 만장일치로 승인되어 현재 각국에서 실시되고 있는 인권경영의 기반 이념이 되고 있으며, 2014년 12월에는 동 이행지침의 실천 확보를 위해 '추가적인 지침 권고'가 채택된 바 있다.

그리고 다수의 산업계에서 자발적으로 산업별 인권경영과 관계되는 규범 및 원칙들을 국제적 차원에서 제정하여 운영하고 있는데, 그중 '전자산업 행동 규범(Electronic Industry Code of Conduct)', '글로벌 e지속가능성 이니셔티브(GeSI·Global e-Sustainable Initiative)', '안전과 인권에 관한 자발적 원칙(Voluntary Principles on Security and Human Rights)' 등이 잘 알려져 있다.

한편 국내에서는 2014년에 국가인권위원회가 '인권경영 가이드라인'을 마련해 공기업과 공공 기관 및 대기업 등 500여개 조직체에 보급한 바 있으며, 2015년에는 인권경영의 자발적 참여와 인권 친화적 기업문화 조성을 유도하기 위한 목적으로 공기업 조직체 대상의 임직원 교육을 실시한 바 있다.

그리고 2015년에는 기업에 의한 인권침해 방지를 위해 국제기준에 맞는 '기업과 인권 국가기본계획(NAP : National Action Plans for the Promotion and Protection of Human Rights)' 수립 권고안

을 제정했는데, 동 권고안은 인권 관련 정보의 의무공시 등 기업의 인권존중 경영을 유도하며 공기업의 경우는 인권경영 결과를 공공기관 평가에 반영하도록 권고하고 있다. 또한 2018년 4월 법무부가 제시한 '국가인권정책 NAP(3차 : 2018년~2022년)'에서 기업은 '유엔의 기업과 인권이행지침' 등 국제기준에 맞는 인권존중 책임을 이행해야 하며, 협력사나 거래업체에도 인권침해가 발생하지 않도록 주의하며, 정부는 이에 필요한 지원과 제도를 정비하도록 하는 등의 인권경영의 제도화를 명시하고 있다.

③ 인권경영의 특성

인권경영의 특성으로는 책임성, 보편성, 당위성, 능동성 등을 들 수 있는데, 첫째, 책임성은 기업의 영향력에 있는 모든 인간의 존엄과 가치 및 인권을 존중해야 하는 책임을 중시하는 것을 말하며, 둘째, 보편성은 사업지역, 규모, 업종 등에 상관없이 국제적으로 인정된 인권을 존중할 책임을 다해야 하는 것이고, 셋째, 당위성은 국제사회의 요구로서 인권 관련 국제규범을 지켜야 하는 것이며, 넷째, 능동성은 인권에 대한 부정적인 영향이 있는 경우에 문제해결을 위해 노력하며 일상적인 기업활동에서 인권을 존중한다는 사실을 대내외에 알리고 실천할 수 있는 정책과 절차를 갖추는 것으로, 기업은 인권에 관련된 국제기준을 잘 파악해야 하여 기업과 관련된 모든 이해관계자에 적용될 수 있도록 능동적인 노력을 다해야 한다는 것이다.

(3) 인권 핵심주제의 세부이슈

인권은 SR의 출발점이자 최종 목적지라고 할 수 있으며, ISO 26000 인권 핵심 주제에서는 세부이슈로 상당한 주의의무, 인권 위기상황, 공모 회피, 불만 원인 해결, 차별과 취약집단, 시민권과 정치적 권리, 경제·사회·문화적 권리, 직장에서의 기본 원칙과 권리 등 8대 이슈를 제시하고 있다.

① 상당한 주의 의무

상당한 주의 의무(Due diligence) 세부이슈는 인권 존중을 위하여 조직체가 인권에 대한 실질적 또는 잠재적 영향의 식별, 예방, 대처에 필요한 상당한 주의 의무를 수행하는 것과 관련이 있는 이슈로, 조직체는 그 규모 및 상황에 적합한 방식 내에서 상당한 주의 의무(Due diligence) 프로세스를 수행하여야 한다. 이에는 조직체의 인권 정책, 조직체 활동의 인권영향

평가수단, 조직체 전반에 걸쳐 인권정책 통합수단, 성과 모니터링 수단, 조직의사결정 및 활동의 부정적 영향에 대한 조치 등을 포함하도록 SR 가이던스에서 규정하고 있다.

② 인권 리스크 상황

인권 리스크 상황(Human rights risk situations) 세부이슈는 조직체가 인권에 관련된 도전이나 딜레마에 직면하기 쉽고, 인권침해 리스크가 악화될 수 있는 민주 또는 사법시스템의 실패나 또는 보건위험과 자연재해 그리고 부패문화 등의 상황에 직면해 있다는 인식에 관련된 이슈다.

③ 공모 회피

공모 회피(Avoidance of complicity) 세부이슈는 조직체가 알면서 인권 침해에 도움을 주는 직접공모(direct complicity)나 조직체가 타인이 저지른 인권침해로부터 직접적으로 이득을 얻는 이득공모(beneficial complicity), 특정그룹에 반하는 제도적 차별에 대해 의견을 제시하지 않는 침묵공모(silent complicity) 등의 3가지 형태로 나타나면서 불법행위 또는 부작위의 원조 및 교사에 연관되며 법적 및 비법적 의미를 가지는 공모(complicity)에 관련되는 이슈이다.

④ 불만 해결

불만 해결(Resolving grievances) 세부이슈는 조직체 의사결정 및 활동이 인권에 미치는 영향에 대한 논란이 발생할 때 구제받는 메커니즘에 관한 이슈로서, 조직체는 인권침해를 받았다고 믿는 사람이 구제받을 수 있는 메커니즘을 확립해야 한다. 이때 효과적인 구제 메커니즘(remedy mechanisms) 수립을 위한 조건으로 정당성(legitimate), 접근가능성(accessible), 예측가능성(predictable), 공평성(equitable), 권리양립성(rights), 명료성 및 투명성(clear and transparent), 대화와 조정 기반성(based on dialogue and mediation) 등에 대해 규정하고 있다.

⑤ 차별과 취약집단

차별과 취약집단(Discrimination and vulnerable groups) 세부이슈는 정당한 근거보다는 편견에 기반하고 있으면서 대우 또는 기회의 동등을 효력이 없게 만드는 모든 구분, 배제 또는 선호를 포함하고 있는 차별(discrimination)에 관련되며, 추가적 차별에 취약하며 인권 보호 및 존중 측면에서 관심이 더 필요한 여성, 장애인, 아동, 이주근로자, 고령층, 난민, 빈곤층, 문맹 등

과 같이 지속적 차별로 고통 받는 취약그룹(vulnerable groups)에 관련된 이슈이다.

⑥ 시민권 및 정치적 권리

시민권 및 정치적 권리(Civil and political rights : CPR) 세부이슈는 생명권, 존엄하게 살 권리, 고문으로부터 자유로울 권리, 안전할 권리, 재산소유권 등과 관련되는 이슈이다. 이에는 개인의 자유 및 존엄성, 형사상 기소에 처했을 때 정당한 법 절차, 항변권 같은 절대적 권리, 언론 및 표현의 자유, 평화로운 집회 및 결사의 자유, 종교 선택 및 종교생활의 자유, 신앙의 자유, 프라이버시 그리고 공공서비스 접근권 및 선거참여권 등을 포함하고 있다.

⑦ 경제·사회·문화적 권리

경제·사회·문화적 권리(Economic social and cultural rights) 세부이슈는 사회의 일원으로서 자신의 존엄성 및 개인 발전을 위한 필요한 경제적, 사회적 및 문화적 권리 등과 관련되는 이슈이다. 이에는 교육의 권리, 공정하고 유리한 조건에서 일할 권리, 결사의 자유에 관한 권리, 적절한 건강수준에 대한 권리뿐만 아니라, 본인이나 그 가족의 신체적, 정신적 보건 및 행복에 적절한 생활수준을 영위할 권리 등은 물론 각 권리와 관련된 긍정적 관행을 지지하고 부정적 관행을 막는 의사결정에 차별 없이 참여할 수 있는 기회에 대한 권리 등을 포함한다.

⑧ 직장에서의 기본 원칙과 권리

끝으로 직장에서의 기본 원칙과 권리(Fundamental principles and rights at work) 세부이슈는 노동 이슈에 초점을 두는 이슈로, 'ILO 직장에서의 기본권리'에 명시된 결사의 자유 및 단체교섭권의 효과적인 인정, 모든 형태의 강제노동 또는 의무노동의 제거, 아동노동의 효과적인 폐지, 고용 및 직업에서의 차별 제거 등이 포함되어 있다.

2) 노동관행(Labor Practices)

(1) 노동관행의 개념적 이해

노동관행(Labour practices) 핵심주제는 해당 사회에 큰 영향을 미칠 수 있으며 지속가능한 발전에 기여할 수 있을 뿐만 아니라, 법률의 존중 및 사회적 공정성 관점에서도 지대한 영향을 미친다. 또 사회적 정의 및 안정성 측면에서도 필수적 요소로서, 직원채용, 동기유발, 직무유지 능력 등에 있어 큰 영향력을 가지며 조직의 목표 달성이나 조직체의 사회적 평판도 등에도 영향을 미칠 수 있다.

노동관행은 노동현장에 존재하는 기본적인 권리로서 결사의 자유와 단체교섭권의 효과적인 인정, 모든 형태의 강제노동 또는 의무노동의 제거, 아동노동의 효과적인 폐지, 고용 및 직업에서의 차별 제거 등을 포함하면서, 조직구성원의 채용 및 승진, 규율 및 고충 절차, 이직 및 전근, 고용기간 만료 및 근로환경 등에 영향을 미치는 정책이나 실행 등에 대해서도 명시하고 있다.

일자리 창출은 수행된 근로에 지급되는 임금 및 기타 보상뿐만 아니라 조직의 가장 중요한 경제 및 사회 기여 중의 하나로서 의미 있고, 생산적인 근로는 인간개발의 핵심 요소이며 완전하고 안정적인 고용을 통해 생활수준이 향상되지만 고용부족은 주요한 사회문제이며, 노동관행은 법치 존중 및 공정성에 중요한 영향을 미치며 사회적으로 책임 있는 노동관행은 사회정의와 안정 및 평화(social justice, stability and peace)에 필수적이다.

국제적으로 인정된 인권이슈는 노동관행 이슈와 연관되어 있는데, 근로자들만의 조직을 형성하거나 참여할 수 있는 권리, 고용주와의 단체교섭권, 고용 및 직업에 관련한 차별로부터 자유, 아동 노동 및 강제 노동으로부터 자유 등에 대한 근로자 권리는, 노동관행 핵심주제와 직접적인 연관성을 갖지만 인권 핵심주제에서도 기본적인 인권 이슈로 다루고 있다.

국내에서는 노동관행과 관련하여 2018년 4월 법무부가 제시한 '국가인권정책 NAP(3차 : 2018년~2022년)'에서 해당되는 부분을 살펴보면, 4대 ILO 핵심협약에 속하는 '결사의 자유 및 단결권 보호에 관한 협약', '강제노동에 관한 협약', '강제노동 폐지에 관한 협약', '단결권·단체교섭권 원칙 적용에 관한 협약' 등에 대한 비준 계획을 마련하고 있어 앞으로 국내 노동관행에서의 많은 변화가 예상되고 있다.

한편으로 노동관행과 관련하여 대표적인 국제 인증표준으로 인정받고 있는 SA 8000는 사업장에서의 종업원 관련 경영시스템에 관한 제반사항들에 대해 규정하고 있는데, 그 주요 내용은 15세 이하 아동노동의 금지, 여권 압수 등에 의한 강제노동의 금지, 건강하고 안전한 직장 조성, 단체교섭권 보장, 차별(국적, 피부색, 성, 종교 등)의 금지, 징계에서 체벌이나 모욕 금지, 주당 48시간 근로시간과 최소 1일 휴무 보장 그리고 인간생활의 기본적 수요 충족과 약간의 여유를 위한 보수 지급 등을 포함하고 있어, SR가이던스의 노동관행 핵심주제와 관

련하여 대리 또는 우회 표준으로 역할을 할 수도 있을 것이다.

(2) 노동관행 핵심주제의 세부이슈

SR 가이던스 핵심주제인 노동관행은 고용 및 고용관계, 근로조건 및 사회적 보호, 사회적 대화, 직장 보건 및 안전, 인적개발 및 현장훈련 등 5개의 세부이슈를 설정하고 있다.

① 고용 및 고용 관계

고용 및 고용 관계(Employment and employment relationships) 세부이슈는 사회에서 가장 널리 받아들여지는 목표 중 하나인 완전하고 안정적인 고용 및 양질의 일자리에 관계되며, 사용자 및 피고용인 모두에게 권리 및 의무를 부여하고 있는 고용관계에 관련되는 이슈다.

조직체는 완전하고 안정적인 고용 및 양질의 일자리를 통해 생활수준의 향상에 기여하며, 개별 근로자 및 사회 모두에게 안정된 고용이 중요하므로 법률로서 사용자에게 부과한 의무에 대해 회피를 금지한다. 또 근로자 대표자에게 적시에 필요한 정보를 제공해야 하고, 근로자에게 평등한 기회를 보장함으로써 직·간접적인 차별을 금지하고 있다. 그리고 조직체는 영향력 수준이 높을수록 책임수준이 높아지므로 조직 영향권 내에 있는 다른 조직체들의 책임 있는 노동관행의 격려 등에 대해 명시적 규정을 하고 있다.

② 근로조건 및 사회적 보호

근로조건 및 사회적 보호(Conditions of work and social protection) 세부이슈는 근로자와 그 가족의 삶의 질 그리고 경제 및 사회 발전에 큰 영향을 미치는 임금이나 근로시간, 휴식기간, 휴가, 징계 및 해고 관행, 모성 보호 및 안전한 식수, 위생시설, 구내식당, 의료서비스 접근과 같은 복지 사안 등을 포함하는 근로조건에 관련되거나, 또는 인간 존엄성을 지키고 공정성 및 사회 정의 구축에 중요한 역할을 하는 고용상 부상이나 질병, 모성, 노령, 실업, 장애, 또는 재정난 등을 위한 정책 및 관행을 의미하는 사회적 보호와 관련되는 세부이슈이다.

③ 사회적 대화

사회적 대화(Social dialogue) 세부이슈는 경제적, 사회적 관심사와 관련 공통 사안에 대해 정부, 사용자, 근로자 대표자 사이에 이루어지는 모든 형태의 협상, 협의 또는 정보 교환에 관한 이슈이다.

④ 직장 보건 및 안전

직장 보건 및 안전(Health and safety at work) 세부이슈는 근로자의 신체적, 정신적, 사회적 안녕의 촉진 및 유지, 근로조건으로 야기된 건강 훼손의 예방 등과 관계가 있는 이슈이다. 조직체는 근로자에게 피해를 주는 우발적이고 만성적인 오염이나 기타 작업장 위험 등이 근로자뿐 아니라 지역사회와 환경에도 영향을 주고 있다는 인식을 가지고, 강력한 안전보건 기준 및 조직성과는 상호 지원하고 보강하는 원칙에 기초한 산업보건안전정책을 개발하고 실행하며, 관련 근로자의 권리를 인정하고 존중해야 된다는 규정 등을 포함하고 있다.

⑤ 인적개발 및 현장훈련

인적개발 및 현장훈련(Human development and training in the workplace) 세부이슈는 인간 역량 및 기능을 확장함으로써 선택권이 확대되는 프로세스를 포함하여 그 결과로 장수 및 건강한 삶을 누리고 양질의 생활수준을 보장하는 것과 관련되는 이슈이다.

3) 환경(The environment)

(1) 환경과 경영의 이해

조직경영에 있어 환경(The environment) 이슈는 조직체가 자신의 고유 목적 달성을 위한 활동과정에서 발생하는 환경훼손 등의 영향을 최소화하면서 환경문제 해결을 위해 노력함으로써 환경적 가치를 향상시키는 데 기여하는 것과 관련되는 이슈이다. 이에는 환경경영시스템 구축, 친환경제품개발, 제품회수 및 재활용 등과 관련한 친환경 경영활동뿐만 아니라, 기후변화에 따른 규제 대응조치 등 전 세계 환경규제나 환경이슈에 대처하는 글로벌 환경이슈 대응 등도 포함하고 있다.

조직체 의사결정 및 활동은 환경에 항상 영향을 미치는데 이는 조직의 자원이용, 조직의 활동장소, 오염 및 폐기물 발생, 자연서식지 등에 대한 조직 활동의 영향과 관련이 있으며, 환경에 대한 영향을 줄이기 위해 조직체는 의사결정 및 활동의 경제적, 사회적, 보건적 및 환경적 영향 등을 모두 다 고려하는 통합적 접근방식(an integrated approach)을 채택할 필요가 있다.

환경 이슈와 관련하여 사회는 자연자원의 고갈, 오염, 기후변화, 서식지 파괴, 종의 손실,

전체 생태계의 붕괴(the collapse of whole ecosystems), 인간 정착지(human settlements) 악화를 포함한 수많은 환경적 도전에 직면하고 있다. 따라서 모든 조직체의 환경적 책임은 인류의 생존 및 번영을 위한 전제조건으로서 사회적 책임의 중요한 한 측면을 이루고 있다.

이러한 환경 이슈는 다른 핵심주제 및 세부이슈들과 밀접하게 연계되어 있으며, 환경 교육 및 역량 구축은 지속가능한 사회 및 생활방식의 발전을 촉진하는 근본적인 요소가 되고 기업 활동의 전반에 걸쳐 환경경영체제를 평가하고 인증을 부여하는 제3자 검증체제인 ISO 14000 국제표준 등 관련 기술적 도구들은 조직체가 체계적인 방식으로 환경이슈를 다루는 것을 지원하는 프레임워크이다.

(2) 환경 핵심주제의 세부이슈

환경 핵심주제의 세부이슈로는 오염방지, 지속가능한 자원 사용, 기후변화 완화 및 적응, 환경보호, 생물다양성 및 자연 서식지 복원 등에 대해 규정하고 있다.

① 오염예방

오염예방(prevention of pollution) 세부이슈는 오염된 대기나 물의 배출이나 방출, 폐기물 관리, 독성 및 유해화학물질 사용 및 폐기, 기타 식별가능한 모든 형태의 오염 등으로 인한 각종 오염을 예방하는 조직체 활동에 관련되는 이슈이다. 이에 대해 기대되는 조직체 활동은 먼저, 주변 환경에 대한 조직의사결정과 활동의 측면 및 영향을 식별하고, 또 조직 활동 관련 오염 및 폐기물의 발생원을 식별한 뒤, 이어서 조직체의 중대오염 발생원, 오염감소, 물 소비, 폐기물 발생 및 에너지 사용 등에 대해 측정과 기록은 물론 보고를 하며, 최종적으로 폐기물 관리체계를 활용한 오염 및 폐기물의 예방, 불가피한 오염 및 폐기물의 적절한 관리 등의 오염예방 활동 등으로 조직체의 환경성과를 개선한다.

② 지속가능한 자원 사용

지속가능한 자원 사용(sustainable resource use) 세부이슈는 미래 자원의 가용성을 보장하기 위하여 현재 소비 및 생산의 방식 및 규모는 지구의 수용능력 내에서 운영되도록 변화가 필요한 상황과 관련되는 이슈이다.

조직체는 전력, 연료, 원재료 및 가공재료, 토지와 물 등을 책임 있게 이용하여 재생 불가능한 자원을 재생 가능한 자원으로 교체하여 지속가능한 자원 이용이 가능하게 할 수 있으며, 이 과정에서 효율향상을 위한 네 가지 핵심영역으로 에너지 효율, 물의 보존과 사용 및 물 접근의 효율, 원자재 이용에서의 효율, 제품의 자원사용 최소화 등을 고려할 수 있다. 이에 기대되는 조직체 활동으로는 에너지와 물과 기타 사용된 자원의 출처를 식별하고, 에너지와 물 및 기타 자원의 중대한 사용에 대해 측정, 기록 및 보고하며, 에너지나 물 및 기타 자원의 사용을 줄이는 자원 효율성 조치를 실행하는 것을 포함한다.

③ 기후변화의 완화 및 적응

기후변화의 완화 및 적응(climate change mitigation and adaptation) 세부이슈는 온실가스 배출이 자연 및 인간 환경에 중대한 영향을 미치는 세계 기후변화의 원인 중 하나일 가능성이 크다는 인식이 확산되고 있고 모든 조직체는 온실가스 배출에 책임이 있으며 어떠한 방식으로든 기후변화의 영향을 받게 되는데 대한 대응에 관련되는 이슈다.

조직체 활동으로 기대되는 사항은 온실가스 배출 최소화(mitigation) 및 변화하는 기후에 대한 기획(adaptation)의 두 측면에서 시사점이 존재하는데, 하나는 조직의 통제 내에서 일어나는 직·간접적인 온실가스 배출을 점진적으로 줄이고 최소화시키는 조치를 실행하는 기후변화의 완화 활동이고, 다른 하나는 기후변화와 관련된 피해를 회피 또는 최소화하는 기회를 식별하고 변화하는 조건에 적응할 수 있는 기회를 활용하는 기후변화의 적응 활동이다.

④ 환경보호, 생물 다양성 및 자연서식지 복원

환경보호, 생물 다양성 및 자연서식지 복원(Protection of the environment, biodiversity and restoration of natural habitats) 세부이슈는 자연자원에 대한 수요가 빠르게 증가하면서 지구상의 서식지 및 생명 다양성에 회복할 수 없는 손실을 초래하므로 조직체가 환경을 보호하고 자연서식지 및 생태계가 제공하는 다양한 기능과 서비스 복원 행동을 하는 것과 관련되는 이슈로서, 생물다양성의 존중 및 보호, 생태계 서비스의 존중과 보호 및 복원, 토지 및 자연자원의 지속적 이용, 환경 친화적인 도시 및 농촌 개발 촉진 등을 포함하여 규정하고 있다.

4) 공정운영관행(Fair operationg practices)

(1) 공정운영관행의 개관

공정운영관행(Fair operating practices) 핵심주제는 조직체가 다른 조직체나 개인과의 상호작

용에서 윤리적으로 행동하는 것과 관련되며, 특정 상황에서 옳거나 좋은 행동원칙으로서 받아들여지는 것을 따르고 또 국제행동규범에 일치하는 행동을 하는 것으로, 조직체가 긍정적인 결과를 촉진하기 위해 다른 조직체와의 관계를 설정하는 방식과 관련을 갖고 있다.

윤리적 행동은 조직체 간의 정당하고 생산적인 관계를 수립하고 유지하는 근본으로서 윤리적 행동기준의 준수와 촉진 및 장려는 공정운영관행 이슈의 기초가 되며, 부패 예방이나 책임 있는 정치참여의 실행은 법치 존중, 윤리적 기준의 준수, 설명 책임 및 투명성 등에 의존하고 있으며, 조직체가 상호 정직하고 공평하며 진실 되게 거래를 하지 않으면 공정 경쟁 및 재산권 존중 이슈는 성립 자체가 불가능해 질 수 있다.

특히 반부패 이슈와 관련하여 2016년 10월에 제정된 국제표준 ISO 37001은 BS 10500을 모델로 하여 부패 방지를 위한 각국 기업의 구체적 실행방안을 담고 있는데, 동 표준은 규모와 형태에 관계없이 모든 조직체에서 반부패경영시스템으로서 적용할 수 있도록 PDCA(Plan-Do-Check-Act) 모형을 활용하여 모든 조직체 내에서 반부패경영시스템이 효과적으로 구축되고 이행될 수 있도록 구성되어 있으며, 동 국제표준의 기대되는 도입효과는 글로벌 기준에 따른 강력한 컴플라이언스 시스템 구비, SR 준수로 대내외 이해관계자들로부터 신뢰 획득, 부패로 인한 경영 리스크의 사전 예방 등이다. 주요내용은 반부패 방침 관련 프로그램의 이행, 모든 관련 직원 및 조직에게 정책 및 프로그램의 공유, 프로그램의 관리, 감독을 위한 준법감시 관리자 임명, 임직원 대상의 부패 및 뇌물방지 관련 정책실시와 교육, 뇌물수수 및 부패 위험성 평가, 임직원 대상의 부패 및 뇌물방지 정책의 준수여부 확인, 선물이나 접대 및 기부 관련 통제 활동, 보고절차 및 내부신고 이행 등이 포함되어 있다.

한편 부패와 관련한 국제활동 및 조치로서 반부패행동계획(Anti-corruption action plan)을 2010년 G20 서울정상회의에서 채택하였는데, 그 세부내용은 참여 국가들의 UN반부패협약, OECD 뇌물방지협약 등 주요 반부패 국제협약 가입 및 비준을 촉구하고, 부패공무원의 금융시스템 이용 방지와 입국 및 피난처 제공 금지, 은닉자산의 회복을 지원하며, 부패신고자 보호규정을 제정 및 이행하며, 부패방지 척결을 위한 부패방지기구의 효과적 기능 강화 및 독립성을 보장하며, 민간부문의 국제 반부패 노력 참여 독려 및 반부패 민관 파트너십 증진 등을 포함하고 있다. 또 이와 관련하여 공공 및 민간 영역의 투명성·포용성 제고를 위해 부패에 대한 무관용, 제도에 대한 무허점, 행동에 대한 무장벽을 이행하는 반부패행동계획 등을 주 내용으로 하는 G20 반부패행동계획을 위한 세부계획 "G20 반부패행동계획

2017~2018"을 2016년 9월 'G20 항저우정상회의'에서 승인하였다.

(2) 공정운영관행 핵심주제의 세부이슈

공정운영관행 SR 가이던스는 부패방지, 책임 있는 정치적 참여, 공정경쟁, 영향권 내 SR 촉진, 재산권 존중 등 5개의 세부이슈로 구성되어 있으며, 이중에서 부패방지와 책임 있는 정치적 참여 등의 세부이슈는 법치주의 존중, 윤리기준 준수, 설명책임, 투명성 등의 원칙과 연계되어 있으며, 공정한 경쟁과 재산권 존중 등의 세부이슈는 정직성, 동등성, 일관성 등과 연계성을 갖는다.

① 반부패

반부패(anti-corruption) 세부이슈는 부패(corruption)에 대해 맡겨진 권력을 사적이득을 위해 사용하는 것과 관련되는 이슈로, 조직체는 반부패를 위해 부패 위험의 확인, 부패방지 정책과 관행의 적용 및 개선, 부패방지 리더십의 발휘, 적절하고 정당한 서비스 보수의 지급, 내부통제시스템의 수립 및 유지, 조직과 관련 당국에 대한 위반보고체계의 유지, 다른 조직체의 부패방지 관행 채택에 대한 영향력 행사 등을 고려하도록 규정하고 있다. 세부사항의 일부 내용은 본 세부이슈가 공정운영 핵심주제에서 차지하고 있는 중대성에 따라 앞선 핵심주제의 개관에서 이미 설명을 한 것으로서 대체한다.

② 책임 있는 정치적 관여

책임 있는 정치적 관여(responsible political involvement)는 인식의 제고, 투명성의 유지, 관련 정책과 지침의 수립 및 유지, 정책입안자 통제 목적 정치헌금의 회피, 잘못된 정보, 오인유도, 위협, 강제 등의 금지에 대한 이슈이다.

조직체는 책임 있는 정치적 참여와 기부 및 이해관계 상충 처리방법에 대해 조직체의 피고용인 및 대표자에 대한 교육 훈련, 로비나 정치적 기부 및 정치적 참여와 관련된 조직의 정책 및 활동에서의 투명성 확보, 조직체를 대신하는 사람들의 활동 관리를 위한 정책 및 가이드라인의 수립 및 실행, 특정 명분을 지지하여 정치가 또는 정책의사결정자를 통제하려는 시도 또는 이들에게 부당한 영향력을 행사하는 것으로 인식되는 정치적 기부의 회피, 허위의 정보와 표시나 위협 또는 강요를 포함하는 활동의 금지 등에 관련되는 활동들이 기대된다.

③ 공정 경쟁

공정 경쟁(fair competition)은 조직체의 관련 법령과의 일치 활동, 예방절차의 수립, 인식의 제고, 반독점 및 반덤핑 관행의 지지, 빈곤 등과 같이 불공정경쟁이 이용될 수 있는 사회적 맥락 등과 관련된 이슈로서, 조직체의 공정하고 광범위한 경쟁의 효과는 혁신 및 효율을 자극하고 제품 및 서비스 비용을 줄이며 모든 조직이 동등한 기회를 갖도록 보장하고 개선된 제품 또는 프로세스를 개발하는 것을 장려하며 장기적으로 경제성장 및 생활수준을 향상시킬 수 있다.

④ 영향권 내 SR 촉진

영향권 내 SR 촉진(promoting social responsibility in the sphere of influence) 세부이슈는 조직체 활동에서 구매, 유통, 계약 정책과 관행 이용, 적절한 조사와 관측, 중소 조직체에 대한 지원, 인식 제고 등에 관한 이슈로서, 조직체는 조달 및 구매 의사결정을 통해 다른 조직에 영향을 미칠 수 있다. 또 가치사슬에 따른 리더십 및 멘토링을 통해 SR 원칙 및 관행의 채택과 지원을 촉진한다.

⑤ 재산권 존중

재산권 존중(respect for property rights) 이슈는 물질적 재산권과 지적 재산권은 물론 토지 및 기타 물적 자산, 저작권, 특허권, 지리적 표시권, 펀드, 저작인격권 및 기타 권리 등에 대한 이해관계를 포함하는 넓은 의미의 재산권까지 포함하고 있는 이슈이다. 조직체는 관련 정책과 관행의 시행, 적합한 조사의 수행, 재산권 위반활동 개입의 금지, 재산권에 대한 공정한 보상, 사회적 기대 등을 고려하도록 하고 있다.

5) 소비자이슈(consumer issues)

(1) 소비자이슈의 개요

소비자이슈(consumer issues)는 개인적으로 최종적인 사용을 목적으로 제품을 구매하는 사람인 소비자에 대해 해당 제품 및 서비스를 제공하는 조직체가 부담하는 소비자 및 고객에 대한 책임 이슈를 다루는 것을 말한다. 여기서 소비자(consumer)란 조직체 의사결정 및 활동의 최종 산출물을 사용하는 개인 및 그룹을 말하며, 이와 관련되는 책임은 설계, 제조, 유통, 정보제공, 지원서비스, 철회 및 리콜절차 등을 통해 제품 및 서비스 이용으로 인한 리스크를 최소화하는 것을 말한다.

이와 관련된 UN소비자보호 가이드라인(UN Guidelines for Consumer Protection)과 경제적, 사회적 및 문화적 권리에 관한 국제규약(the International Covenant on Economic, Social and Cultural Rights)에서는 적절한 식량, 의복, 주택 등을 포함한 적절한 생활수준 및 생활조건의 지속적 개선, 필수제품(서비스)의 이용가능성에 대한 기본니즈(basic needs)의 충족, 소비자의 정당한 니즈에 대해 사회적으로 책임 있는 관행을 권장하는 원칙 등을 표방하고 있을 뿐만 아니라, 공정하고 공평하며 지속가능한 경제와 사회발전 및 환경보호 등을 포함하고 있다.

(2) 소비자이슈 핵심주제의 세부이슈

세부이슈들은 일반적인 소비자거래 과정에서 부당한 광고나 불공정한 약관조항 사용 등으로 인해 주로 발생하는 문제들로서, 이에 직접적으로 관련되는 국내 법령은 소비자기본법을 비롯하여 표시광고법, 약관규제법, 방문판매법, 할부거래법, 전자상거래 소비자보호법 등 다수이며, 세부이슈 사항들의 대부분이 관련 법령에서 법적 규제를 받고 있는 점을 고려한다면 이는 기본적인 사회적 책임에 해당되면서 법적 의무사항이 되고 있다고 볼 수 있다.

SR 국제표준 소비자이슈의 세부이슈로서는, 공정한 마케팅, 사실적이고 편견 없는 정보 및 공정한 계약체결관행, 소비자 건강 및 안전의 보호, 지속가능한 소비, 소비자 서비스와 지원 그리고 불만 및 분쟁해결, 소비자 정보 보호 및 프라이버시, 필수 서비스에 대한 접근, 교육과 인식 등이 있는데 세부내용을 살펴보면 다음과 같다.

① 공정한 마케팅 등 세부이슈

공정한 마케팅, 사실적이고 편견 없는 정보 및 공정한 계약체결관행(Fair marketing, factual and unbiased information and fair contractual) 세부이슈는 소비자들이 이해할 수 있는 방식으로 제품과 서비스에 관한 정보를 제공하는 것과 관련된 이슈로서, 조직체는 소비자가 구매에 대해 충분히 검토한 후 결정하게 해 주거나 서로 다른 제품과 서비스 특징들을 비교할 수 있게 해 준다. 또 계약내용은 분명하고 이해 가능한 언어로 작성되어야 하고, 계약기간 및 취소기한에 대해 투명하도록 규정하고 있다. 이 세부이슈와 관련하여 국내에서는 표시광고법이나 제조물책임법 등 다수의 법령에 의해 허위과장 광고나 부당거래 약관조항 등에 대한 시정 등이 이루어지고 있다.

② 소비자 건강 및 안전 보호

소비자 건강 및 안전의 보호(Protecting consumers'health and safety) 세부이슈는 지시된 대로 소비될 때나 혹은 합리적으로 예견될 수 있는 방법으로 사용될 때 유해성을 가지지 않는 제품(서비스)의 제공에 관련된 이슈로서, 조직체는 제품(서비스)은 법적 안전규정이 없다 하더라도 안전해야 한다. 또 안전은 잠재적 위험의 예상까지 포함하고 있으며 위험요소들을 모두 예상할 수 없고 제거할 수 없기 때문에 제품수거나 리콜을 위한 메커니즘도 포함하도록 구정하고 있다.

이 세부이슈와 관련한 국내제도로는 소비자기본법 제 47조에서 조직체(사업자)는 소비자에게 제공한 물품 등에 소비자의 생명·신체 또는 재산에 위해를 끼치거나 끼칠 우려가 있는 제조·설계 또는 표시 등의 중대한 결함이 있는 사실을 알게 된 때에는 그 결함의 내용을 소관 중앙행정기관의 장에게 보고하도록 하고 있다. 또 제48조에 의거하여 위해물품 등의 수거·파기·수리·교환·환급 또는 제조·수입·판매·제공의 금지 그 밖의 필요한 조치를 취하도록 되어 있다.

③ 지속가능한 소비

지속가능한 소비(Sustainable consumption) 세부이슈는 지속가능한 발전과 높은 생활수준이 가능하기 위해서는 국가가 지속가능하지 않은 생산 및 소비 패턴을 억제하고 배제해야 된다는 뜻을 명시한 리우선언 원칙 8조에 의해 촉진된 이슈로서, 이에는 동물의 신체적 건전성을 존중하고 잔혹한 행위를 피하며 동물 복지에 대한 관심까지를 포함하고 있다.

동 세부이슈와 관련하여 우리 정부는 신재생에너지 및 에너지효율 향상, 기후변화 대응활동이라는 선순환 성장구조를 강조하는 정책을 추진하고, 생물 다양성이나 생태계 보존 그리고 이를 계속 유지하기 위한 계획 및 활동의 수행과정에서 제기되는 지속가능성(sustainability) 개념을 소비의 영역으로 확장하여 녹색기술을 적용한 상품소비의 확대 등과 같은 지속가능한 소비의 개념까지 포괄해 나가야 할 것이다.

④ 소비자 서비스와 지원 그리고 불만 및 분쟁해결

소비자 서비스와 지원 그리고 불만 및 분쟁해결(Consumer service, support, and complaint and dispute resolution) 세부이슈는 제품과 서비스가 판매되거나 제공된 후 소비자 니즈에 부합하기 위해 조직체가 사용하는 메커니즘에 관한 이슈이다.

이 세부이슈와 관련하여 국내에서는 소비자기본법 제16조 제2항에 의거하여 소비자분쟁해결기준이 마련되어 있고 조직체(사업자)는 소비자상담센터 설치 운영을 권장 받고 있으며, 내부적 절차에 의한 해결이 어려울 경우에는 한국소비자원이나 민간소비자단체 등에 설치되어 있는 소비자분쟁조정기구 및 절차를 이용할 수 있도록 되어있다.

⑤ 소비자 정보 보호와 프라이버시

소비자 정보보호 및 프라이버시(Consumer data protection and privacy) 세부이슈는 조직체에서 수집하는 정보의 형태는 물론 그것을 획득하고 사용하고 보호받는 방식을 제한함으로써 소비자 프라이버시권을 보장하기 위한 장치와 관련된 이슈다.

이 세부이슈와 관련하여 국내에서는 소비자기본법이나 전자상거래 관련 법령 등에서는 소비자 거래정보가 안전하게 보호될 수 있는 제도적 장치들을 마련하고 있으며, EU에서는 잊혀 질 권리(Right to be forgotten) 등을 포함하여 온라인 이용자 개인들에게 자신의 개인정보가 언제, 어떤 방식으로, 어떤 목적과 용도로 수집·이용·공유·저장되는지에 대해 명확한 권리와 통제력을 제공하는 강력한 제도인 GDPR(General Data Protection Regulation)을 2018년 5월부터 시행하고 있어 디지털 시대에 걸맞은 강력한 소비자 프라이버시 보호 대책으로 주목받고 있다.

⑥ 필수 서비스에 대한 접근

필수 서비스에 대한 접근(Access to essential services) 세부이슈는 국가조직체의 일차적인 책임을 다른 조직체가 보조적으로 수행해야 할 사회적 책임에 관련된 소비자이슈에 대한 것이다. 필수 서비스를 공급하는 조직체가 고려해야 할 사항은, 전기, 가스, 수도 및 전화 등과 같은 필수서비스 공급자 관리를 위한 적절한 정부체계가 마련되어 있지 않을 경우에 함부로 서비스 중단을 해서는 안 되며, 공동 요금 체납시에 요금지불과 무관하게 모든 소비자에게 불이익을 주는 서비스 집단중단 등의 조치 등에 대해 규정하고 있다.

이 세부이슈는 기존의 소비자권리 측면에서는 덜 주목받았던 부문으로서 특히, 사회적 소수자나 무능력자의 생존 차원의 소비를 위한 필수서비스는 인권이나 노동관행 등과 같이 중요한 사회적 의미를 갖는 차원으로 접근하는 계기가 되고 있다.

⑦ 교육과 인식

교육과 인식(Education and awareness) 세부이슈는 소비자가 권리와 책임에 대해 잘 인식하여 더욱 활발한 역할을 하며, 잘 알고 구매의사결정을 내리도록 하여 책임 있는 소비생활을 하도록 만드는 것에 관련된 이슈다.

조직체에서 소비자교육으로 다루어야 할 사항으로 상품위해를 포함한 건강 및 안전이나 관련 법규, 구제방법 및 소비자 보호기관 및 조직 등에 관한 정보, 제품 및 서비스 표시나 사용설명서나 매뉴얼 형태의 정보 등이 규정되어 있다.

이 세부이슈와 관련해서는 현재까지는 주로 소비자 전문단체기관에서 담당해 왔으나 교육대상이나 범위에 있어 상당한 한계가 있으며, 따라서 관련 조직체는 사회적 책임 이행의 차원에서 소비자 교육과 인식 향상에 대한 기여를 확대할 필요가 있다고 할 수 있다.

6) 공동체 참여 및 개발(Community involvement and development)

(1) 공동체 참여 및 개발 개념의 이해

공동체 참여 및 발전(Community involvement and development)이란 개념은 조직체가 사회에 대해 갖는 기본적인 의무뿐만 아니라 전체 사회에 대한 책임까지 부담하는 것을 의미하며, 이러한 공동체에 대한 책임은 조직체가 자발적으로 수행하는 책임이나 혹은 경영활동과는 직접적인 관련이 없는 문화활동이나 기부 혹은 자원봉사활동 등을 포함하고 있다.

공동체 참여는 조직 활동의 영향에 대해 이해관계자를 식별하고 참여시키는 것 이상의 의미를 가지며, 이는 공동체를 지원하고 관계를 구축하는 것을 비롯하여 특히 공동체 가치를 인정하는 것을 포함한다. 그리고 조직의 공동체 참여는 조직이 그 공동체와 공통의 이해관계를 갖는 공동체 이해관계자라는 인식에서 비롯된다.

(2) 공동체 참여 및 발전 핵심주제의 세부이슈

① 공동체 참여

공동체 참여(Community involvement) 세부이슈는 조직의 커뮤니티에 대한 능동적인 지원 활동으로 문제의 예방 및 해결, 커뮤니티 조직체 및 이해관계자와의 파트너십 육성, 좋은 조직 시민이 되고자 하는 열망 등과 관련된 이슈다.

조직체는 사회투자 및 커뮤니티 발전 활동 등의 우선순위를 결정할 때 대표적인 커뮤니티 그룹과 협의하거나, 공익 및 커뮤니티 발전 목적에 기여하는 목표를 가진 커뮤니티 연합조직에 참여하거나 또는 정책 형성과 발전 프로그램의 수립, 실행, 모니터링 및 평가에 기여하는 활동 등이 기대되는 것으로 규정되어 있다.

② 교육과 문화

교육과 문화(Education and culture) 세부이슈는 사회 및 경제 발전의 토대이며 커뮤니티 정체성의 일부로서 사회 화합 및 발전에 미치는 긍정적인 영향과 관련된 이슈로, 조직체는 모든 수준의 교육을 촉진하거나 지원하고, 교육의 질 및 접근성을 높이며, 토착지식(local knowledge)을 촉진하거나 문맹퇴치 활동 등에 참여하도록 규정하고 있다.

③ 고용창출과 기능개발

고용창출과 기능개발(Employment creation and skills development) 세부이슈는 고용은 세계적으로 경제 및 사회 발전과 관련된 목표로 인식되며, 고용 창출은 빈곤 감소, 경제 및 사회 발전 촉진에 기여하고, 기능개발(skills development)은 고용촉진 및 생산적인 직업을 갖도록 지원하기 위한 필수요소로 경제 및 사회 발전에 중요한 이슈이다.

조직체는 고용창출로 빈곤을 완화하는 직접 투자와 고용기회 극대화 기술의 선택이 요청되며, 고용창출에 대한 아웃소싱 의사결정의 영향, 직접 고용창출의 이점, 지역 및 국가 기능개발 프로그램 참여 등을 고려하도록 규정되어 있다.

④ 기술개발 및 접근

기술개발과 접근(Technology development and access) 세부이슈는 경제 및 사회 발전을 위해 필요한 커뮤니티 및 구성원의 현대 기술, 특히 정보 및 통신기술(Information and communication technologies)에 대한 완전하고 안전한 접근과 관련된 이슈다.

조직체는 지역공동체 사회 및 환경이슈를 해결할 수 있는 혁신적 기술개발, 쉽게 복제할 수 있고 빈곤 및 기아퇴치에 긍정적 영향을 가진 저비용 기술개발, 해당 지식 및 기술에 대한 커뮤니티 권리를 보호하면서 잠재력 있는 향토 및 전통 지식과 기술의 개발 등 고려하도록 규정하고 있다.

⑤ 부와 소득 창출

부와 소득 창출(Wealth and income creation) 세부이슈는 커뮤니티 발전을 위한 부와 소득 창출에 경쟁적이며 이득을 주는 환경 조성 등에 관련된 이슈로서, 조직체가 지역공동체 전입에 미치는 경제적 및 사회적 영향, 창업 등에서의 커뮤니티 구성원을 돕는 프로그램 및 파트너십 등에 대한 기여, 지역고용 창출조직의 지원 활동 등을 고려하도록 규정하고 있다.

⑥ 건강

건강(Health) 세부이슈는 사회에서 삶의 필수 요소이며 인정된 인권으로서 조직체의 수단 내에서 보건증진 및 위협 그리고 질병예방 및 지역사회 피해의 완화, 공공서비스 보강 및 지원으로 보건서비스에 대한 접근성 개선, 지역사회의 보건 등에 기여하는 것과 관련되는 이슈로, 조직체는 조직이 제공하는 생산 프로세스나 제품이 보건에 미치는 부정적 영향을 제거하는 노력과 함께, 질병예방 수단으로서 필수 의료서비스, 깨끗한 물 및 적절한 위생 등에 대한 장기적이고 보편적인 접근의 지원을 고려하도록 규정되어 있다.

⑦ 사회적 투자

사회적 투자(Social investment) 세부이슈는 커뮤니티 삶의 사회적 측면을 개선시킬 목적으로 이니셔티브나 프로그램에 투자할 때나 또는 사회적 투자를 위한 기회 식별이나 프로젝트 설계 및 실행에서의 커뮤니티 참여 등에 관련되는 이슈이며, 이에는 교육, 훈련, 문화, 보건관리, 소득 창출, 기반시설 개발, 정보 접근성 개선, 경제 또는 사회 발전을 촉진하기 쉬운 활동과 관련된 프로젝트를 포함한다.

조직체는 자선활동이나 지원에 대한 커뮤니티 의존 고착화를 피해야 하고, 사회적 투자 프로젝트 기획에서의 지역공동체 발전의 촉진, 다른 조직체와 파트너 관계 의 형성, 그리고 취약 또는 차별받는 집단과 저소득층을 위한 식량 및 기타 필수제품에 대한 접근 프로그램에의 기여 등을 고려하도록 규정되어 있다.

7) 조직지배구조(Organizational governance)

(1) 개관

조직지배구조(Organizational governance)는 조직체가 누구를 위해 운영되어야 하며 또 누구의 관점에서 경영자를 감독해야 하는가 라는 등의 이슈에 관한 것으로, 누구의 지지를 받아야 조직체가 지속적인 존속과 성장이 가능하며 또, 그러한 지지를 받기 위해 조직체는 어떻게 운영되어야 하는가 문제 등과 관련 있는 사회적 책임 국제표준의 핵심주제 중의 하나이다. 즉, 조직지배구조는 조직체가 조직 목표를 추구하는 데 필요한 의사결정을 내리고 그런 결정을 실행하는 시스템으로서 조직 내 의사결정의 프레임워크이기 때문에 모든 조직체에 있어 핵심적 기능이다.

그리고 이러한 조직지배구조는 조직의 규모 및 유형, 조직 운영 환경, 경제적, 정치적, 문화적 및 사회적 맥락 등에 따라 다양한 조직목표를 추구하는 과정에서 권한이나 책임 있는 사람(또는 그룹)에 의해 운영체계가 통제되어진다. 특히 기업조직체의 경우는 이해가 상충되는 상황에서 자본제공자의 투자금에 대해 정당한 수익을 어떻게 해야 보장할 것인가에 대한 문제로, 기업지배구조는 주주가 경영자로부터 정당한 이익을 확보할 수 있는 방법은 무엇이며, 경영자가 주주 이익을 침해하는 의사결정을 할 수 없도록 견제하는 방법과 경영자가 기업관리를 부실하게 할 경우에 압력을 행사하는 방법 등을 강구하기 위한 일종의 조직내부자 간의 갈등 해결방법의 강구책이라 할 수 있다.

조직체 의사결정과정과 구조의 기능과 역할에 있어서는, 먼저, 모든 조직체는 SR에 대한 조직체 의지를 반영하는 전략과 목표 및 세부목표 등을 개발하면서 아울러 조직 상층부의 SR 의지가 제시되어지며 SR 원칙들이 실행되는 환경 및 문화를 조성해야 하며, 또, 조직체의 재정 및 인적자원의 효율적 사용을 보장하면서 SR성과와 관련된 경제적 및 비경제적 인센티브 시스템을 마련할 필요가 있으며, 또한, 대표성이 낮는 집단(Under-represented group)이 고위직을 차지할 수 있는 공정한 기회를 제공하고 조직체와 이해관계자 간의 니즈를 조화시키면서 이들 간의 의견 일치 및 불일치의 영역을 확인하고 발생 가능한 갈등을 해결하기 위한 업무 담당 내부조직과 이해관계자와의 양방향 의사소통 프로세스를 수립해야 한다.

전체 피고용인의 효과적인 SR 활동 참여를 격려해야 하고 조직체를 대리하는 의사결정권자들의 권한과 책임 및 역량 수준 등에 균형을 맞추며, 또, 조직지배구조의 프로세스에 대한 정기 검토 및 평가를 실시하고 그 결과에 따라 해당 프로세스를 조정하면서 조직체 전반에 관련된 변화에 대해 계속 의사소통해야 한다.

조직체가 바람직한 지배구조를 위한 지도원칙(Guiding principle)을 확립하기 위해서는 지배구조의 모든 과정을 확실히 보여주어야 하며, 또, 감사, 경영진, 직원, 주주, 외부 공급자 등 모든 이해관계자들의 역할을 정해주며 높은 투명성을 보여줄 필요가 있으며, 특히, 조직

체 투명성이 높을 경우는 이해관계자들이 조직지배구조의 작동 프로세스와 구조를 명확하게 볼 수 있으며 또, 그런 투명한 조직체는 조직 활동과 목표를 명확하게 전달하고 피드백과 참여를 적극적으로 이끌어낼 수 있다. 그리고 투명성이 잘 확보되어 있는 경우는 일정 수준의 실수가 발생해도 그것이 위기로 발전하기 전에 사전파악이 충분히 가능하기 때문에 조직체는 안전하게 성장할 수 있다.

(2) 조직지배구조 관련 국제규범

효율적인 조직지배구조는, 특히 기업의 경우에 경쟁력의 원천이자 안정적인 장기성장의 핵심 요건이라는 인식들이 확립되면서 그동안 기업지배구조에 관련된 국제적 관심이 선진국을 중심으로 점차 증대되어졌고 그 과정에서 다음과 같은 관련 국제규범들이 탄생되어졌다.

① OECD 기업지배구조원칙

경제협력개발기구(the Organisation for Economic Co-operation and Development : OECD)는 1999년에 기업지배구조 개선에 대한 준거기준으로서 '기업지배구조원칙(OECD Principles for Corporate Governance)'을 제정한 후 2004년 이를 수정하였는데, 그 주요내용을 살펴보면, 첫째, 주주 모델(shareholder model)에 바탕한 영미식 기업지배구조를 중심에 두면서 이해관계자 모델(stakeholder model)에서 도출된 이해관계자의 역할과 권익도 인정하고 있다. 즉, 기본적으로는 주주 이익 중시, 이사회 활성화, 자본시장 역할제고 등 주주 자본주의(shareholder model)에 기초하면서도 이해관계자의 법적 권익 보호와 함께 기업지배 참여기회 및 정보접근의 보장 등을 명시하고 있어 현재의 조직지배구조 수렴현상과 같은 맥락을 제시하고 있다.

둘째, 기업지배구조의 핵심으로서 이사회의 경영감독 기능 및 책임 강화를 제시하고 있어 이사회가 기업전략수립, 성과평가, 경영감독, 경영책임 확보 등 기업지배의 중추적 기능을 담당하도록 규정하고 있으며, 셋째, 기업 관련 정보의 완전공시(full disclosure)를 지향하면서 주요 경영위험(business risk), 개별 이사 및 집행임원 인적정보, 기업지배구조 및 정책, 종업원 및 기타 이해관계자에 관한 주요 사안 등에 관한 정보내용들이 완전 공개토록 권고하고 있으며, 끝으로, 좋은 기업지배구조의 기본 프레임이 갖추어야 할 핵심기능으로서 주주권리 보호, 주주의 동등 대우, 이해관계자 권리 존중, 정확한 정보의 적시 공개, 이사회의 권한 및 책임 강화 등을 명시하고 있다.

〈표 5-6〉 OECD 지배구조원칙의 주요 내용

항 목	주 요 내 용
주주권리보호	· 주주의 기본적 권리 보호 · 기업의 주요사항에 관한 의사결정에 주주 참여 보장 · 특정주주에 유리한 지배권을 인정하는 자본구조 및 협약 체결시 내용 공시 · 공정하고 투명한 M&A 시장 및 경영자의 적대적 M&A 방어수단 사용 억제
주주에 대한 평등 대우	· 동종의 주주(소액주주, 외국인주주 포함)에 대한 동일의결권 보장 · 의결권의 대리행사 허용 · 자기거래 및 내부자거래 금지
이해관계자 권리 존중	· 이해관계자의 법적 권리 보호 · 이해관계자 권리 침해시 효과적인 시정요구 기회 마련 · 이해관계자의 기업지배 참여시 관련 정보 접근의 보장
정확 정보의 적시 공개	· 충실한 경영내용 공시의 의무 · 독립적 감사인에 의한 정기 감사
이사회 권한과 책임	· 선량한 관리자로서 기업이익업무의 최우선 수행 의무 · 기업전략 및 주요목표 설정 등 핵심기능 수행 책임 · 경영자로부터 독립성 보장 · 이해상충 직무에 능력있는 사외이사의 충분한 배정 · 이사의 책임수행에 충분한 시간 할애 및 정확한 정보에의 적시 접근 보장

② ICGN 국제지배구조원칙

ICGN(International Corporate Governance Network)은 기업지배구조 개선, 정보교류, 연구, 정책 제언 등을 목적으로 관심 있는 기관투자자 등이 교류하기 위해 1995년에 설립되어 기업지배구조 등의 글로벌 논의와 기준(Global Governance Principles : GGP)을 주도하고 있는 영국에 본부를 두고 기구로서, 현재 캘퍼스, 헤르메스, TIAA-CREF 등 유명한 글로벌 기관투자가들과 기업, 국제기구, 학계, 신용평가기관, 증권거래소 및 감독기관 등 전세계 45개국 500여 개 이상의 회원들이 참여하고 있으며, 동 기구 회원사들이 운용하고 있는 전세계 자산 총액은 약 34조 달러에 이르며, 매년 연차총회를 개최하는데 2008년도에는 서울에서 총회가 개최된 바 있다.

2017년에 수정된 ICGN 국제지배구조원칙(ICGN STATEMENT ON GLOBAL GOVERNANCE PRINCIPLES) 제5판의 구성내용을 살펴보면, 전문(Preamble)에 이어 8대 원칙에 대해 규정하고

있는데, 이사회 역할과 책임(Board role and responsibilities), 리더십과 독립성(Leadership and independence), 구성과 임명(Composition and appointment), 기업문화(Corporate culture), 리스크 감독(Risk oversight), 보수(Remuneration), 보고와 감사(Reporting and audit), 주주 권리(Shareholder rights) 등으로 되어 있다.

(3) 조직지배구조의 위상적 의미

조직지배구조는 조직체가 의사결정 및 활동 영향에 대한 책임을 지게하며 조직 전반에 걸쳐 SR을 통합하게 만드는 가장 중요한 요인으로, SR 맥락에서 위상적 의미(topological meaning of governance)을 지니고 있다고 할 수 있다. 즉, 조직지배구조는 SR의 핵심주제 중 하나이면서 동시에 나머지 다른 핵심주제와 관련하여 사회적으로 책임 있게 행동하는 조직 능력을 증가시키는 수단(a means of increasing the organization' ability to implement socially responsible behaviour with respect to the other core subjects)으로서의 특성을 가진다. 조직지배구조의 이러한 성격은 조직체가 사회적으로 책임지도록 조직을 감독하고 SR 원칙을 실천하게 만드는 조직지배구조 시스템상의 위상과 조직체의 필요에 바탕하고 있다고 할 수 있다.

효과적인 조직지배구조는 SR 원칙을 조직의사결정 및 실행에 통합시키는 역할을 수행하기 때문에 조직체는 지배구조시스템을 만들고 검토할 때는 SR 원칙뿐만 아니라 SR 관행, 핵심주제 및 이슈 등을 충분히 고려해야 할 필요가 있으며, 또, 효과적인 조직지배구조에 있어 리더십은 중요하며 사회적 책임을 실행하고 사회적 책임을 조직문화 내부로 통합하는 의사결정에서 뿐만 아니라 구성원 동기부여에서도 중요하며, 상당한 주의 의무(due diligence)는 조직체가 사회적 책임 이슈를 다루는 데 있어 유용한 접근방식이 될 수 있다.

따라서 대부분의 조직체들은 효과적인 의사결정과정 및 구조(Decision-making processes and structures)를 가지고 있는데, 이 같은 과정과 구조는 대체로 공식적이고 정교하게 만들어져 있으며 심지어 법규의 대상이 되고 있는 경우도 있지만 일부에서는 비공식적이거나 조직문화 및 가치에 바탕하고 있기도 하는 바, 모든 조직체는 SR 원칙 및 관행의 효과적인 적용을 위해 조직체 의사결정의 과정, 체계, 구조 및 기타 메커니즘 등을 충분히 구비해 놓을 필요가 있으며, 이러한 SR 조직지배구조의 세부이슈로는 의사결정 프로세스 및 구조(Decision-making processes and structures)가 규정되어 있다.

(4) 핵심주제 세부이슈로서 의사결정 프로세스 및 구조

모든 조직체는 SR 원칙 및 관행을 실행할 수 있도록 프로세스, 시스템, 구조 및 기타의 메커니즘을 갖출 필요가 있으며, 이와 관련하여 어떤 조직체는 프로세스와 구조를 공식적이거나 심지어 법규화 되어 있는 반면에 일부에서는 비공식적이고 조직 문화 및 가치에 바탕을 두고 있기도 하다.

따라서 조직체는 사회적 책임에 대한 조직체의 표명된 의지를 반영하는 전략, 목표 및 세부목표를 개발하고, 고위층의 의지 표명 및 설명 책임을 제시하며, SR 성과와 관련된 경제적 및 비경제적 인센티브 시스템을 조성하고, 대표성이 낮은 집단(under-represented : 여성, 인종 및 소수민족 그룹 포함)이 조직 고위직을 차지할 공정한 기회를 촉진하며, 조직체 및 이해관계자 간의 니즈를 조화시키면서 의견 일치 및 불일치 영역을 식별하며 발생 가능한 갈등을 해결하기 위한 협상업무를 담당하는 조직과 이해관계자와의 양방향 의사소통 프로세스를 수립하며, 조직체 지배구조 프로세스를 정기 검토하고 평가 및 조정하며 조직체 전반에 걸쳐 변화에 대해 의사소통하는 등의 기능과 역할을 수행할 수 있는 의사결정 프로세스 및 구조를 갖추도록 요구된다.

사례 SK하이닉스 협력사 ESG 경영도 동반성장

SK하이닉스가 공급망 전반의 ESG(환경•사회•지배구조) 수준 향상을 위해 협력사와 더 다가가고 있다. 고객, 투자자, 소비자 등 다양한 이해관계자들이 기업의 ESG 경영에 대한 관심이 높아지고 있는 가운데, SK하이닉스는 동반성장 프로그램을 통해 지속가능한 반도체 생태계를 구축한다는 계획이다.

SK그룹은 2018년부터 회사가 창출한 사회적 가치(SV)를 측정하고 외부에 공표하고 있다. 이를 통해 기업의 사회적 책임 및 ESG 경영 실천을 강화한다는 전략이다. 이러한 SK그룹의 전략에 한발 더 나아가 공급망 전반의 SV 강화에 나선 기업이 있다. 바로 SK하이닉스다.

SK하이닉스는 지난해 SK그룹 멤버사 최초로 장비, 소재, 물류 협력사 13개 사에 대해 'SV 측정 컨설팅'을 진행했다. 이를 통해 SK하이닉스 SV 전담조직과 외부전문기관과 함께 협력사의 SV 창출과 ESG 활동량을 적량적으로 측정•분석했다. SK하이닉스는 이렇게 분석된 협력사의 SV 성과창출액을 자사 올해 SV 성과발표에 함께 공개했다. 또한 SK하이닉스는 측정 결과를 바탕으로 더 나은 방향으로 개선하기 위한 소통도 추진했다.

예를 들어, 온실가스 저감 등 환경분야에 대한 중장기 목표를 구체적으로 수립하거나, 지역사회 이슈와 사회공헌 활동을 연계해 문제 해결에 실질적인 도움이 이뤄지도록 했다. 용수 및 폐기물 재활용을 통한 환경성과 창출, 장애인 고용 우수사례 등 모범 사례도 공유했다. 이번 SV 측정 컨설팅에 참여한 원익홀딩스의 김효일 과장은 "환경, 안전, 보건, 준법, 고용, 복리후생 등 다양한 비재무적 활동이 지닌 가치를 정량화 하면서 그동안 보지 못했던 강약점을 확인할 수 있었다"며 "경영진은 물론 구성원들이 각자의 업무가 어떻게 SV를 창출하고 있는지 확인하고 그 중요성을 인식하게 된 계기가 됐다"고 평가했다.

박철범 SK하이닉스 부사장(SV추진담당)은 "이번 컨설팅을 통해 13개 회사에서 총 1조 4698억원의 SV 창출 실적을 확인했다"며 "단순한 성과 측정을 넘어 반도체 생태계 차원의 SV 창출 및 ESG 경영 강화에 도움이 될 수 있도록 컨설팅을 더욱 고도화해 나갈 것"이라고 말했다.

한편, SK하이닉스는 지속적으로 협력사와 동반성장할 수 있는 프로그램을 선보이며 상생의 가치를 강화하고 있다. SK하이닉스는 개별기업이 해결하기 힘든 환경문제를 함께 협력해 해결하기 위해 다양한 반도체 기업과 '에코얼라이언스'를 구축했다. 2019년 30개 회원사로 출범한 에코얼라이언스는 현재 44개 회원사로 성장해 친환경 트랜드에 맞춰 사회적 책임, 탄소중립 등의 활동을 펼치고 있다. 또한 SK하이닉스는 협력사의 안전(Safety), 보건(Health), 환경(Environment) 분야의 관리 역량 강화를 위해 'SHE 컨설팅'도 지원하고 있다. SHE 컨설팅은 외부의 전문기관과 함께 협력사의 SHE 분야를 점검하고, 관리자 역량교육, 고위험 사업장에 대한 집중 컨설팅, 산업보건 관리 프로그램 지원 등 맞춤형 솔루션을 제공하고 있다.

SK하이닉스 관계자는 "현재 모든 산업 생태계는 한 회사만 잘한다고 해서 지속가능할 수 없는 상황"이라며 "SK하이닉스는 반도체 산업의 지속가능을 위해 모든 협력사와 동반성장할 수 있도록 다양한 지원을 지속할 것"이라고 밝혔다.

자료 : 그린포스트코리아(www.greenpostkorea.co.kr)

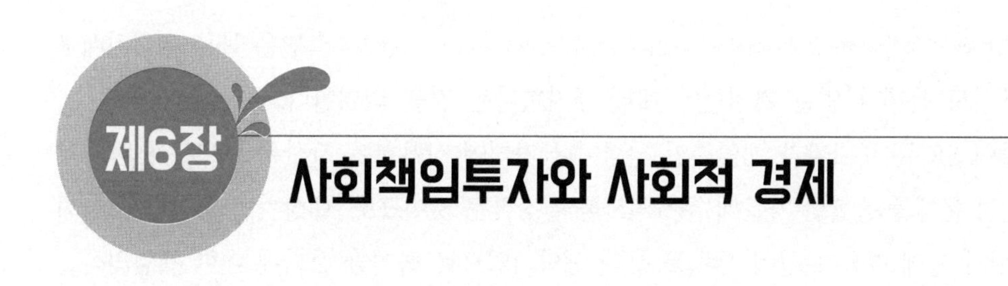

1. 사회책임투자의 개념적 이해

1) 사회책임투자의 의의와 발전단계

사회적 책임(SR) 개념이 모든 사회조직체 활동에 있어 미래 방향 및 비전 설정의 핵심적인 주제어가 되고 있는 현대사회에서 기업 활동을 중심으로 산업 현장 전반에 SR 가치 생태계를 조성하는 일은 사회 및 산업 전반의 발전에 있어 매우 의미 있는 과제가 될 수 있을 것이다.

더구나 이런 SR 가치 생태계가 사회책임투자(Socially Responsible Investment : SRI)라는 막강한 영향력을 가진 수단에 의해 적극 추진되어진다면, 비즈니스계의 사회적 책임 관련 인식이나 실천관행 등에서도 획기적인 전환점이 마련될 것이며, 사회적 책임의 조직적 확산이나 영향력 증대도 매우 신속하고 광범위하게 전개될 수 있을 것이다.

기업의 사회적 책임을 촉진하는 수단으로서의 사회책임투자의 실효성은 1980년대의 남아프리카공화국 적응 사례에서 매우 효과적인 접근방법으로 인정된 바 있으며, 금세기 초반 이후 SRI는 사회적 책임과 관련된 GC이나 PRI 등 다수의 국제규범들이 중요한 SR 추동력으로 부각되어지고 있기 때문에, 사회책임투자가 SR 가치 생태계를 움직이는 중심축(the central axis)의 역할을 할 수 있는 기본 여건들이 조성되고 있다고 할 수 있다.

(1) 사회책임투자의 의의

사회책임투자(SRI)란 지속가능경영의 3대축(Triple Bottom Line)인 환경, 사회, 지배구조 측면에서의 성과가 높은 기업에 투자하는 방법으로, 투자의사결정과정에서 기업의 환경(Environment), 사회(Social), 지배구조(Governance) 등 이른바 ESG 요소를 고려하는 것으로 환경이나 사

회적 요소(인권 및 노동관행, 공정거래관행 및 소비자이슈, 공동체참여 및 개발 등) 측면은 물론 조직지배구조 측면에서도 문제가 없는 기업들에 대해 투자한다는 것을 의미한다.

이와 같이 SRI는 투자자가 개인적인 신념이나 가치에 상응하는 자산운용으로 개인의 가치와 사회적 문제를 통합한 가운데 투자의사를 결정하는 것이므로, 대상기업의 공익성·사회적 성과 평가 등에 따른 보상적 투자를 통해 해당기업으로 하여금 사회에 대한 책임의식을 강화토록 하고 또 사회적으로 보다 책임 있는 기업활동을 유도함으로써 사회 전반의 긍정적 변화에 기여하는 일종의 사회운동 성격도 포함되어 있다고 할 수 있다.

최근 SRI를 사회책임투자(Socially Responsible Investment) 보다는 지속가능책임투자(Sustainable and responsible investment)라는 개념으로도 사용하는 경우가 있는데, 이는 SR 가치 생태계 전반에서 사회적 책임의 최종적 목표인 지속가능성과 수단적 기능인 SRI를 직접 연결하는 진보적 개념으로 볼 수 있으며, SRI가 장기투자의 정석인 ESG(environment, social, governance) 이슈를 투자의사결정의 주요 척도로 삼는다는 면에서 사회책임투자나 지속가능책임투자나 근본적으로는 별다른 차이가 없다고 하겠다.

자본시장의 수요자(투자자)들이 금융상품 구매의사결정과정에서 그간 중요시해 오던 자기자본수익율, 투자대비수익율, 영업수익 등과 같은 재무적 측면뿐만 아니라 이전에는 고려하지 않았던 비재무적 측면의 금융상품 품질관련 정보(ESG 이슈 관련 요소 정보)도 동시에 고려하는 경우가 많아졌는데, 이러한 비재무적 정보는 고객충성도, 제품품질, 혁신성, 이직율 등을 포함하는 개념으로 주로 사용되다가 지속가능발전(Sustainable Development) 개념의 등장 이후부터는 점차 ESG로 개념 전환이 이루어졌으며, 최근 들어서는 비재무적 정보를 고려하는 금융상품투자방식이 아예 ESG 투자라는 개념으로 금융권을 중심으로 광범위하게 사용되고 있다.

투자의사결정에서 고려대상이 되는 비재무정보는 재무정보와는 다르게 상대 비교나 전후 비교가 용이한 계량화나 평가지표의 정교화가 충분히 이루어지지 않은 상태이고, 또 투자자의 개인 신념이나 가치 등에 따라 비교 및 강조 이슈나 구성요소 등에서 차이가 날 수 밖에 없지만, 그럼에도 사회책임투자 방식은 단기적 투자수익보다 장기적 관점에서 재정적 수익은 물론 사회적 수익이나 공익적 성과를 극대화할 수 있는 투자전략으로 받아들여지고 있다.

실물상품시장에서 기업은 소비자요구를 고려한 수준의 품질을 가진 상품을 개발하여 소비자에게 제공하고 그 대가로서 영업이익을 얻게 되어 계속 존속할 수 있는 기반을 만들고 있다. 그런데 이런 소비자요구는 소비자 의사결정과정을 통해 시장에서 발현되어지고 기업은 시장 신호를 바탕으로 소비자 요구사항을 인지하게 되는 프로세스와 동일하게 자본시장에서도 금융상품투자자가 상품구매의사결정과정에서 기업의 사회적 책임(CSR) 등에 대한 개인적 신념이나 특정한 가치나 취향 등이 반영된 상품을 시장에서 요구한다는 시장 신호가 집합되어지게 되면, 공급자인 기업은 계속적 생존을 위해 투자자 요구사항이 최대한 반영된 상품을 자본시장에 출시하여 투자자 선택에 제공하게 될 것이다. 이것이 바로 사회책임투자가 자본시장에서 다수 투자자들의 집중적인 힘을 모아 SR 가치 생태계를 활성화시켜 나갈 수 있는 원동력이 되는 것이다.

(2) SRI의 기원 및 발전단계

① SRI의 기원

SRI의 기원은 17세기로 거슬러 올라가서 미국에 정착한 감리교와 퀘이크교 등 일부 기독교 종파를 중심으로 성서에 바탕을 둔 그들의 종교적 신념에 입각하여 인간적 가치 파괴에 사용되는 생산물에 의해 이윤을 획득하던 기업들, 즉, 무기나 알코올의 생산 및 판매, 도박 및 노예 거래 종사자들과의 거래를 꺼렸던 관행에서 그 유래를 찾고 있는데, 실제로 1920년대 미국 감리교회를 중심으로 담배, 술, 도박, 살상무기 등 종교상의 가치관에 위배되는 업종을 투자대상에서 제외한 바 있으며, 이러한 전통은 지금도 주로 영미나 캐나다, 프랑스 등의 종교계를 중심으로 결성된 ICCR(Interfaith Community on Corporate Responsibility), ECCR(Ecumenical Council for Corporate Responsibility), TCCR(Taskforce on the Churches and Corporate Responsibility), CCFD(Catholic Committee against Hunger and for Development) 등의 단체들에 이어져 거래나 투자자 관계에서 올바른 사회정의 구현 등을 목표로 포르노 및 낙태 관련 산업, 담배산업 등으로 범위를 넓혀 활동하고 있는 것을 볼 수 있다.

② SRI의 발전단계별 특징

사회책임투자(Socially Responsible Investment : SRI)의 발전단계를 크게 3단계로 구분해 살펴본다면, SRI가 태동하여 착근하는 시기인 1960대~80년대는 윤리적 사회책임투자(Ethical SRI)의 단계로서, 종교단체나 시민단체, 대학 등이 윤리적 가치관, 종교적 신념, 사회적 가치 등에 따라 윤리적 투자 성향을 외부로 분명하게 표출한 시기다. 주로 담배, 도박, 무기생산

기업 등을 투자대상에서 배제하는 교회 등 종교단체나 베트남전쟁이나 핵개발 정책 등에 반대하는 반전단체, 그리고 인종차별 관련 기업에 대한 보이콧 캠페인을 전개하던 대학 및 시민단체 등이 주도하는 사회운동적 성격이 강했던 단계라 할 수 있다.

〈표 6-1〉 SRI 발전단계별 특징

단계	특 징	비고
윤리적 사회책임투자 단계 (Ethical SRI)	• 종교단체나 시민단체, 대학 등이 윤리적 가치관, 종교적 신념, 사회적 가치 등에 따라 윤리적 투자 성향의 외부표출 시기	1960년대 ~80년대
책임적 사회책임투자 단계 (Responsible SRI)	• 기업비리, 환경문제, 고용문제에 대한 사회적 관심 증가 • UN WCED 출범과 Rio Earth Summit 개최 등으로 환경문제가 글로벌 이슈로 떠오르면서 지속가능한 성장에 관심이 높아진 단계	1990년대
지속가능 사회책임투자 단계 (Sustainable SRI)	• ESG정보를 요구하는 기관투자자가 증가 및 개인투자자들도 SRI 투자에 적극 참여 • UN PRI 출범 및 UN PRI 원칙이 제정되고 지속가능성장과 SRI를 결합(Socially Responsible Investment에서 Sustainable and Responsible Investment로 확대)	2000년도 이후

1990년대는 책임적 사회책임투자(Responsible SRI)의 단계로서, 주식시장의 성장으로 SRI펀드 규모가 증가하였으며 기업들의 회계부정 등 기업비리, 환경문제, 고용문제에 대한 사회적 관심이 증가하면서 관련 이슈보고서 등에 기초한 네거티브 스크리닝을 했던 시기이다. 특히 사회적 책임을 다하지 못한 기업의 리스크 증가로 투자자의 리스크관리 측면에서 SRI가 조명되기 시작했고, 유엔 세계환경개발위원회(UN WCED) 출범과 리우 지구정상회의(Earth Summit) 개최 등으로 환경문제가 글로벌 이슈로 떠오르면서 지속가능한 성장에 관심이 높아진 단계였다.

그리고 2000년대는 지속가능 사회책임투자(Sustainable SRI)의 단계로서 경영능력에 기초한 장기적 전망을 가진 기업을 발굴하는 포지티브 스크리닝이 주로 이루어지는 시기로 UN PRI가 출범하면서 UN PRI 원칙이 제정되고 투자자들은 지속가능성장과 SRI를 결합하는 등 사회책임투자(Socially Responsible Investment : SRI)를 지속가능한 책임투자(Sustainable and Responsible Investment : SRI)로서 확대하기 시작하였고, 기업과 자산운용사로부터 ESG정보를 요구하는 기관투자자가 늘어나고 개인투자자들도 SRI 투자에 적극 나서는 단계에 이르고 있다.

2) 사회책임투자 실행전략별 투자유형

사회책임투자(Socially Responsible Investment : SRI)의 실행전략별 투자유형은 각각 가치식별(Screening) 투자유형, 주주행동주의(Shareholder Advocacy 혹은 Shareholder Engagemen) 투자유형, 공동체투자(Community Investing 또는 Social Finance) 유형 등의 접근방법을 사용하고 있다.

이런 사회책임투자 접근방식 중에서 가치식별 투자유형(스크리닝, 선별투자 접근방식)은 투자대상기업을 선별하여 투자하는 실행전략이고, 주주행동주의 투자유형(주주권리운동 접근방식)은 주주로서 기업경영에 참여하여 기업정책과 활동에 긍정적 영향을 미치는 실행전략이며, 공동체투자 유형(대안적 투자, 임팩트 투자 등의 접근방식)은 일반은행의 까다로운 조건 때문에 이용이 어려운 저소득층과 무주택자들 그리고 원주민 등 소규모사업을 원하는 가난한 지역 공동체 사람들에게 저리로 장기대출을 해주어 그들이 자립하고 생존을 위한 경제활동을 할 수 있는 기반을 마련하게 지원해주는 실행전략이다.

(1) 가치식별 투자유형

가치식별(Screening) 투자유형은 일반 투자자가 주로 금융투자상품을 집합적으로 투자하는 방식인데, 이런 SRI 펀드 운용은 크게 긍정적 식별과 부정적 식별(Negative Screening과 Positive Screening) 등 두 가지 유형으로 구분할 수 있다.

윤리적 투자 혹은 사회적 선별투자라고도 일컬어지는 가치식별 투자유형은 기존의 전통적인 투자방식과 크게 다르지 않고 투자에 있어 단지 사회적 선별 과정(Social Screening Process)이 추가될 뿐이다. 이런 가치식별 투자의 진행과정은 보통 4단계로 진행되는 데, 먼저, 투자자 본인의 금융적 필요사항을 확인하는 과정에서 안전성을 원하는지 또는 고수익을 원하는지 결정하고, 이어서 투자자 본인의 주요 사회 관심사에 대해 긍정적 혹은 부정적 입장을 확인하며, 다음으로 본인 투자의 금융리스크 관점에서 수용가능 여부를 잠재적인 사회적 이익과 비교하여 결정하며, 끝으로 투자자 본인의 금융적, 사회적 목표에 가장 잘 부합하는 투자를 선택하는 방식으로 의사결정을 내린다.

가치식별 방법은 부정적, 긍정적, 상대적 기준(exclusionary, positive and relative criteria) 등을 포

함하고 있지만 대체적으로는 부정적 스크리닝과 긍정적 스크리닝으로 나누고 있다. 그 중에서 부정적 스크리닝 방법이 상대적으로 긴 역사를 가지고 있는 데, 이는 SRI 초기 주도세력들이 반윤리적이고 비도덕적인 기업에 투자하는 것을 피하는 종교계였던 데서 연유하는 것으로 알코올과 담배제조, 음란비디오 제작, 노동착취나 아동고용, 도박이나 무기제조판매 등 반사회적 가치 산업에 자본 이익이 돌아가는 것을 막기 위하여 투자를 배제하는 것에서 시작했기 때문이다.

〈표 6-2〉 SRI 가치식별 전략 유형의 세부투자방식

투자방식	정 의	비고*
윤리적 배제 (Ethical Exclusion)	다양한 윤리적 기준을 적용하여 특정 기업이나 업종들을 투자에서 배제하는 전략	Core
선택적 선별 (Positive Screening)	일정 기준 이상을 충족하는 기업들을 투자하는 전략	Core
업종 최고 기업 (Best-in-Class)	특정 섹터/산업 내에서 사회, 윤리, 환경적 성과가 우수한 기업들에 투자하는 전략	Core
주제 중심의 스크린 (Pioneer Screen/Thematic Investment Portfolio)	환경, 사회, 지배구조와 관련된 특정 이슈들을 분석하여 투자 대상 기업을 선정하는 전략. 예컨대, 기후변화 이슈 등에 모범적인 성과를 내는 기업 등에 투자하는 방식(배제적 선별 방식도 사용)	Core
규범에 근거한 스크린 (Norms-Based Screen)	OECD, ILO, UN, UNICEF 등의 국제적 기준에 미달하는 기업들을 배제하여 포트폴리오를 구성하는 전략	Broad
단순배제 (Simple Exclusion)	하나의 펀드에서 무기제조, 포르노 발행, 담배, 동물실험 등의 한 섹터를 제외하거나, 인권이나 규범 등의 기준을 적용하여 포트폴리오를 구성하는 전략	Broad

출처 : 글로벌 SRI 현황, Sustainability Issue Papers 제93호 ECO 200812, 문수정, 2008, pp. 3-4.
* 유럽식 분류방식

현재의 SRI 주도 투자자들이 강조하고 있는 방법은 질적 방법이라고도 하는 긍정적 스크리닝 방법인데, 이는 기업들 중에 다른 기업보다 사회공헌 기업, 경제적으로나 환경적으로 좋은 평가를 받은 기업, 고용정책에서 모범이 되는 기업, 소비자와 주주들과의 관계가 양호한 기업 등 사회적 평판도나 사회적 공헌도가 높거나 조직투명성이 좋은 기업에 후한 점수를 주는 기준이 활용된다.

이런 기준에 포함되는 요소들은 해당 기업이 안전하고 유용한 제품이나 서비스(safe and useful products)를 제공하는지, 억압적 제도나 체제와 동조했는지, 이해관계자들의 인권을 존중(respect for human rights around the world)하는지, 계약직 노동자들과 아동노동 여부나 노동착취 여부 그리고 여성고용 대우와 지위상황 등 피고용인과의 관계에서 문제가 없는지 등의 존경받는 고용관계(respectable employee relations) 여부, 지역사회 프로그램의 지원 여부와 어떤 종류의 자선을 얼마만큼 행하고 있는지(strong records of community involvement) 여부, 그리고 훌륭한 환경 영향 정책과 업무관행(excellent environmental impact policies and practices) 등이다.

사회책임투자에서는 기업의 사회적 성과에 대한 평가가 필수적이며 그에 이용되는 평가 방법과 기준 등은 매우 다양하지만 크게 구분하면 3가지 방식으로 나눌 수 있다. 첫째, 매우 엄격한 절대적 사회 스크리닝인 전무 아니면 전부(All-or-Nothing)방식은 특정 기업이나 사업의 사회적 성과가 부정적이면 투자에서 아예 배제하므로 지나치게 배타적으로 평가되어 현실적 적용에 상당한 어려움이 따를 수 있다. 둘째, 모든 행위에는 같거나 그 반대적인 작용이 있다는 물리학적 기본공리에 바탕을 두어 모든 산업생산 활동에서 일정한 비용 지불이 불가피하다는 것을 전제로 하는 비례적 영향(Proportionate impact)방식은 사회적 성과평가에 있어 특정 산업 내 다양한 기업들의 활동을 비교해 해당기업들이 각각 어떤 비용을 치러야 하는지 검토하고 상대적으로 사회적 비용을 적게 치르는 기업이나 사업에 투자하는 방식이다. 셋째, 일정한 사회적 이슈에 대해 가장 좋은 성과를 가진 기업을 선정하는 산업 내 최고(Best of Industry)방식은 일종의 자유시장경제 모델로서 산업별 우량기업의 등급을 다양한 형태로 평가하여 가장 우수한 평가를 받은 기업에 투자하는 방식이다.

한편, 유럽에서는 가치식별 전략을 핵심(Core)와 광의(Broad)로 세분화하고 있는데, Core SRI 전략은 윤리적 배제(Ethical Exclusion), 선택적 선별(Positive Screening), 업종최고기업(Best-in-Class), 주제중심 스크린(Thematic Investment Portfolio) 등이, Broad SRI 전략에는 단순배제(Simple Exclusion), 재무분석과의 통합(Integration), 경영관여(Engagement) 등이 포함되어 있다.

(2) 주주행동주의 투자유형

주주행동주의(Shareholder Advocacy or shareowner activism) 투자유형은 투자자들이 사회와 환경에 대해 긍정적 변화를 줄 수 있도록 투자기업에 영향력을 행사하는 방식으로, 기업에 출자하거나 투자한 주주들이 책임감을 갖고 투자기업의 활동에 영향을 미쳐 기업경영에 변화를

유도하고자 하며 주로 주주권 행사 과정을 통해 진행된다.

이 방식은 앞서 살펴본 가치선별(사회적 선별투자 방법)과 마찬가지로 기업의 사회적 성과에 따라 선별하여 투자의사를 결정하고 해당 회사의 주주가 되어 주권자로서 본인이 투자한 기업이 사회적으로나 환경적으로 책임있는 기업 활동을 하도록 유도하기 위해 투자기업과 계속적 대화를 시도하거나 직접적인 주주제안을 함으로써 기업경영의 방향성에 대해 영향을 미치는 것이다.

또 주주로서 의결권 행사에 적극 참가하여 기업의사결정과정에 영향력을 발휘하기도 하는데, 이런 투자자 활동이 노동, 환경 등 관련 시민사회단체나 종교단체 등과 연계하거나 협조를 통해 추진할 경우는 매우 큰 힘을 발휘할 수 있게 된다. 구체적으로는 SRI 관련 이슈에 대해 기업과의 일대일 토의, 전문적인 대리투표 과정(professional proxy voting processes) 등의 개입전략에 의해 실행되어지는데, 주주제안서나 주주총회 의견개진 등은 기업에 영향력을 행사하는 과정이 된다. 이런 방식은 기업 활동에 영향을 주려고 하는 투자자 노력으로 아파르트헤이트(apartheid) 폐지 이전에 남아프리카공화국에서 비즈니스를 하거나 그런 기업과 거래하는 기업 등에 대한 1970~80년대의 불매운동(the boycotts) 기간 중에 세계적인 주목을 받은 바 있다.

〈표 6-3〉 SRI 주주행동주의 전략유형의 세부투자방식

투자방식	정 의	비고
경영관여 (Engagement)	대화나 메일 교환 등을 통해 기업들에게 더욱 책임 있는 비즈니스를 하도록 유도하거나 투자 수익을 늘리도록 권유하는 전략. 이는 투자자의 영향력이나 오너십 권리에 의존함	Broad
주주행동주의 (Shareholder Advocacy)	주주권행사, 주주제안, 주주총회 등의 개최를 요구하며 적극적으로 경영에 참여하는 전략	Core (호주)

자료 출처 : 글로벌 SRI 현황, 제93호 ECO 200812, 문수정, 2008, pp. 3-4.

주주행동 유형으로는 주총 등에서 사회 및 환경 이슈에 대해 대리투표권행사(voting your proxies), 회사경영관리진과의 대화개시(initiating dialogue), 주주결의지원(sponsoring shareowner resolutions), 투자철회(divestment) 등 4개 수준의 주주행동주의(shareowner activism) 등이 있다. 주주행동 전략은 최근 국내 자본시장에서도 삼성전자를 공격해 많은 관심을 모았던 해지펀드

엘리엇처럼 배당 확대와 자사주 매입, 지배구조와 재무구조 개편, 인수합병(M&A) 등 주주가치 제고를 위한 방안을 적극적으로 요구하는 투자유형으로, 조직지배구조에 취약성을 드러내고 있는 한국 대규모 기업집단을 대상으로 하여 이런 방식에 기반하여 주가상승을 통해 수익을 추구하는 행동주의 헤지펀드가 갈수록 위세를 떨치고 있다. 전 세계적으로 활동 중인 행동주의 헤지펀드는 엘리엇(Elliott Management), 아이칸(Icahn Associates), 서드포인트(Third Point LLC) 등 297개(2015년 기준)가 있으며 이들 헤지펀드가 현재 운용 중인 자산규모는 1,297억 달러(2015년 기준, Activist Insight)에 달하는 것으로 나타났으며, 국내에서는 2017년 3개에 불과했던 행동주의펀드 대상 기업이 2021년에는 27개, 2022년에는 47개로 급증하는 추세에 있다.

(3) 공동체투자 유형

공동체투자(Community Investment)는 돈을 공동체 발전을 위하여 또는 소기업 중에서 어떤 특정한 공동체의 성장과 안정을 위해 공헌하는 곳에 투자하는 것으로 대안적 투자라고도 하는데, 저소득층 공동체를 쇠약하게 하고 자본과 소득이 빠져나가는 것에 대응하려는 투자정책을 가리킨다. 특히 대안적 투자 방식은 대안적 금융기관 등에 직접 투자하는 방법으로서 지역경제권내에서 일자리 창출을 하거나, 소상공기업을 육성하거나, 또는 노동자와 소비자 권익을 옹호하려는 투자의 형태로서, 주로 대안적 경제의 틀을 추구하는 사업 등에 투자를 하는 형태이다.

〈표 6-4〉 SRI 공동체투자 전략유형의 세부 투자방식

투자방식	정 의	비고
지역사회투자 (Community Investing)	전통적인 금융서비스를 제공받지 못하는 지역사회에 직접 투자하는 전략	Core
사회적 벤처 캐피탈 (Social Venture Capital)	사회적 가치와 경제적 가치를 동시에 추구하는 창업자들에게 투자하는 전략	Broad
사회책임 대출 (Social Responsible Lending)	전통적인 금융서비스를 제공받지 못하는 사람들에게 재기할 수 있도록 대출해주는 전략	Core

자료 출처 : 글로벌 SRI 현황, 제93호 ECO 200812, 문수정, 2008, pp. 3-4.

이러한 투자는 트리플 버텀 라인(triple bottom lines) 상황에서 실현되며 투자 시에 환경 등을 고려한 세 가지 기준(financial, social, environmental criteria)에 의한 특정한 공동체 성장과 안정을 위해 공헌하는 곳에 투자하는 것으로, 이러한 원리는 물질 관리에 있어 청지기 역할을 권장하는 기독교 교리를 실천하는 것으로 볼 수 있다. 공동체 투자는 저소득과 궁핍자 공동체(low income and underserved communities)의 재정적 필요를 주로 다루며, 사회적기업이나 협동조합과 같은 사회적 경제형조직체나 공동체형 금융기관, 지역개발기금, 비영리단체 등과 같은 기관을 통해 이루어지며, 대출, 당좌, 저축, CD, MMA 등과 같은 상품 형태를 포함한다.

이런 공동체 투자에는 사회적 취약계층에게 소액대출, 보험, 예·송금 등 다양한 금융서비스를 제공하는 사업인 마이크로 파이낸스(micro-finance)를 포함하고 있는 데, 이런 투자유형의 실행 주체로서 유명한 그라민은행(Gramin Bank)와 같은 마이크로 파이낸스 기관(MFIs : Micro-finance Institutions)의 근본적인 설립취지는 금융기관 접근이 곤란한 취약계층의 경제적 자립을 돕는 데 있으며, 빈곤층에 대한 대출로 자립을 지원하고 빈곤 감소라는 사회적 과제의 해결에 공헌할 수 있는 이런 투자유형은 대의 달성과 함께 사업수익도 추구하여 투자조직체 자체의 지속가능성을 함께 도모하고 있다. 지원대상자들에게 금전 용도와 상환 계획에 대해 개별적 상담을 실시하여 대상자 스스로가 삶의 수준을 높여 상환이 가능하도록 유도하고 있다.

(4) 소셜벤처캐피털 유형

소셜벤처캐피털(Social Venture Capital) 투자방식은 본래 가치식별 또는 공동체투자의 한 유형(a type of screening or community investment)으로 분류될 수 있지만, 특히 전문적 관리형 벤처캐피털 포트폴리오(professionally managed venture capital portfolios)에 공동체 및 환경적 관심을 통합시키는 투자를 지칭하여 별도 유형화한 것으로써, 잠재적 대박기술(potential one billion dollar technologies)에 투자하는 기관투자자 투자방식과 사회나 환경 문제에 대한 혁신적 기법을 창안하여 사업화를 시도하는 스타트업 조직체에 자금과 관리 자원을 제공하는 일반투자자 투자방식의 중간 영역에 위치하고 있는 투자유형으로 볼 수 있다.

이 유형의 투자 방식에는 재무상 관점에서 수익을 창출하면서 동시에 사회나 환경문제들을 해결하는 것을 목적으로 하는 투자방식, 즉, 자본 회수를 넘어 긍정적인 비즈니스 영향 창출을 목적으로 실시되는 투자방식인 임팩트 투자(Impact Investment) 혹은 지속가능개발목표

(Sustainable Development Goals : SDGs) 투자도 포함된다. 임팩트투자 유형과 가치식별(Screening) 유형의 차이는 후자의 경우는 대체로 상장기업을 대상으로 부정적이거나 긍정적인 평가기준으로 평가하여 투자의사결정을 하는 방식인데 비해 전자는 투자대상 기업의 상장 여부나 스타트업 여부 등을 불문하고 사회나 환경문제에 긍정적인 영향을 줄 수 있는 프로젝트나 조직체를 적극 발굴하여 장기 투자한다는 측면에서 큰 차이가 있다.

임팩트투자 유형은 현대 자본주의적 자유경제체제가 야기하는 각종 사회문제를 체제 자체 내에서 해결하고자 하려는 시도로, 이런 투자방식으로 각종사회 이슈를 해결하고 새로운 사업기회를 발견해내는 임팩트 비즈니스(impact business)는 넥스트마켓(next market)으로 불리는 세계인구 약 72%(40억명)에 시장규모 5조달러에 달하는 거대시장인 최빈층(Base of the Pyramid : BoP)을 주목하고 있다. 이와 관련하여 임팩트투자의 두 가지 특징이 주목을 받게 되는데, 하나는 제품과 서비스가 빈곤층의 삶에 직접적이고 검증 가능한 임팩트를 가져와야 한다는 특징이고, 다른 하나는 기업은 위험조정시장수익률을 투자자들에게 제공해야 한다는 특징으로, 이들은 개발도상국을 중심으로 또는 SDGs 달성을 목표로 임팩트투자를 실시할 때 고려되어야 할 요소들이다.

사회성과연계채권(Social Impact Bond : SIB)는 적절한 투자로 사회적 성과를 낼 수 있는 기업에 먼저 투자한 후에 예상한 대로 일정한 성과가 나면 정부로부터 수익금을 받는 채권인데, 미국 등 여러 국가에서 SIB와의 연계를 통해 임팩트투자를 장려하는 방식을 적극 실시하고 있다.

전 세계 임팩트투자의 총 자산규모는 2013년 460억 달러, 2016년 1,140억 달러, 2017년 2,280억 달러, 2018년 5,020억 달러, 2019년 7,150억 달러, 2021년 1조 1640억 달러(Global Impact Investing Network 등의 자료)로 해마다 꾸준한 상승 추세를 나타내고 있으며, 국내의 임팩트투자 규모는 2019년 282억 원, 2020년 2,671억 원으로 추산되고 있으며, 주요 활동조직체로서는 '소풍', '크레비스', 'KAIST청년창업투자지주' 등이 있으며, 이들에 의해 운영되고 있는 활동 영역들은 공정여행, 농산물 직거래, 공동체 회복, 다문화가정 지원, 자연환경 교육, 중고물품 거래, 요양보호사 소개, 공간대여 사업 등 다양한 분야에 걸쳐있다.

소셜벤처캐피털의 투자목표는 사회적 문제의 해결이지만 지속가능한 방식으로 수익을 내면서 사회문제도 해결되는 투자가 되어야 하므로 기업조직체로서 성과를 내는 것이 무엇보다 중요하다. 따라서 소셜벤처도 영리적 기업가의 혁신적 사고 및 운영 경험을 사회문제 해결에 적용하기 위해 이윤추구적이고 효율적인 기업운영 방식을 광범위하게 도입하여 기업목표 달성을 도모해야 할 것이다.

2. SRI의 체계와 현황

1) SRI 구성체계 및 기준

(1) 구성체계 개요

사회책임투자(SRI)는 단일한 과정의 순차적 진행과정이 아니라 여러 구성체계들의 복합적인 기능들이 균형적으로 상호 결합하여 작동되어지는 하나의 생태계라 할 수 있다. 이런 SRI 생태계를 움직이는 원동력으로는 사회적 책임 구성요소에 대한 표준화, 사회적 책임 구성요소에 대한 정량화(rating), 사회적 책임과 자본시장의 연결고리(Indexes), UNPRI 및 UNEPFI 등 SRI 관련 국제규범기구, 장기투자나 연기금의 SRI투자 법제화, 주주행동주의 및 NGOs 등의 SRI 관련 활동 등 다양한 구성체계들이 포함되어 있다.

먼저 사회적 책임 구성요소에 대한 표준화는 사회적 책임과 관련된 트리플 버텀 라인(Triple bottomlines) 측면의 표준정보공개의 틀을 개발 및 확산시키는 것으로, GRI는 이에 대한 성과지표(performance indicator)를 작성하여 만든 가이드라인(G4)에 근거하여 지속가능성보고서 발간을 장려하도록 하고 있다. 또 ISO는 ISO26000 표준을 가이던스 형태로 제정하여 기업을 비롯한 모든 조직체 운영체계에 내재화시키도록 권고하고 있다.

다음으로 사회적 책임 구성요소에 대한 정량화(rating)는 세계적으로 유명한 몇 개의 전문평가기관들이 참여하고 있는데, Innovest는 평가모형 EcoValue21, Intangible Value Assessment 등을, 또, SAM(Sustainable Asset Management)은 DJSI모형을, EIRiS(Ethical Investment Research Service)는 FTSE4Good 지수 모형을 각각 개발하여 실무에 제공하고 있다.

그 다음은 사회적 책임과 자본시장의 연결고리(Indexes)로서, 여기에는 DJSI, FT4 Good Index, Domini400 사회지수 등이 있다

기업에 대한 SR 수준을 평가하는 기준이 신뢰할 수 있는 객관적인 평가지표가 되기 위해 준수해야 할 일반원칙으로, 포괄성, 객관성, 비교가능성, 균형성 등이 제시되고 있으며, 이런 원칙을 충족하는 신뢰할 만한 객관적인 SRI 성과평가 지표체계가 확립되고 또 관련 데이터가 충분히 증가하게 되면 이에 기반하여 정교한 SRI Index가 개발되어지는 것이다.

이하에서는 사회책임투자(Socially Responsible Investment : SRI)의 접근방식 중에서 가장 비중이 크고 범위도 넓으며 사회적 책임에 대한 실질적인 영향력을 발휘하는 가치식별 유형 및

주주행동주의 유형 등과 관련이 있는 사회적 책임 구성요소 정량화(rating) 등 관련 전문기관에 대해 알아보고 이와 함께 사회책임과 자본시장의 연결고리(index)에 대해 세부적으로 알아본다.

(2) 사회책임투자 관련 전문기관 및 규범기구

사회적 책임을 구성하는 제요소들에 대한 정량화는 SRI 생태계를 움직이는 다양한 구성체계들 중에서 사회 전반에 사회적 책임을 촉진시키는 강한 원동력의 하나이다. 이런 사회적 책임 요소들을 정량화하는 방법 중에서 사회적 책임 이행성과를 객관적으로 평가하여 지수화 하는 작업은 매우 전문적이고 정교한 과정을 필요로 하며, 이러한 평가결과(rating)들은 글로벌 금융기관들의 자산 및 여신 관리에 활용된다.

기업의 SR 성과 지수화를 전문으로 수행하는 평가기관은 스위스의 SAM, 미국의 KLD와 INNOVEST, 영국의 EIRIS, 독일의 OeKOM 등이 있다. 또 영국과 미국, 캐나다, 프랑스 등의 종교단체를 중심으로 하는 ICCR, ECCR, TCCR, CCFD 등이 기업 내에서 또는 투자자 관계에서 올바른 사회 정의 창출을 목표로 활동하는 것을 기본원칙으로 삼고 활동하고 있다. 이 중에서 EIRiS, Innovest, KLD SAM(Sustainable Asset Management) 등을 중심으로 SRI 관련 전문기관들의 SR 관련 성과 평가 기준 및 방법을 살펴보면 다음과 같다.

① EIRiS

EIRiS(Ethical Investment Research Service)는 영국에 본부를 둔 세계적인 사회책임투자 리서치 기관으로, FTSE4 Good 지수모형을 개발하여 기업성과를 측정하고 있는데 부정적인 선별과 긍정적인 기준을 모두 적용한다. EIRiS는 Ethical Portfolio Manager라는 소프트웨어를 개발하여 850개 영국회사와 500개 유럽회사에 대한 정보를 온라인상에서 사용자들에게 제공하며 또, SRI정보를 펀드매니저들과 평가회사에 제공하고 있으며 FTSE4 Good family 지수도 그 중 하나다.

② SAM

SAM(Sustainable Asset Management)은 스위스에 소재한 지속가능투자를 전문으로 하는 자산운용회사 및 연구기관으로, DJSI(Dow Jones Sustainability Group Index)에 사용되는 SRI스크린을 관리하고 있다. 지속가능성평가지표를 투자 프로세스에 반영하여 1999년에 다우존스사와

DJSI라는 최초의 지속가능성지수를 개발하였다.

지표산출은 TBL(Triple Bottom Line)로부터 발생할 수 있는 위험과 기회요인을 관리하는 전략적 관리능력을 계량화하고, 세부적으로 브랜드관리, 인적자원관리, 보건안전관리, 탄소위험관리, 기업지배구조, IR 등 지속가능성을 측정할 수 있는 다양한 지표들에 대한 평가를 실시하여 얻어진다.

SAM 지속가능성평가기준은, 크게 경제 환경 사회로 구분되고, 세부기준은 노동실행수준, 인적자원개발, 사회보고, 인력유치 및 보유능력, 기타 산업별 고유기준 등으로 나누어 각각 하위지표와 가중치를 표시할 수 있는데, 세부기준의 하나를 예시적으로 살펴보면, SR 소비자이슈 관련 하위지표 '고객과 제품'에서는 CRM, 고객 위주의 제품 및 서비스에 대한 적절한 투자 등을 통해 고객 충성심을 관리할 수 있는 능력을 계량화하여 평가하고 있다.

③ Innovest

환경적 투자기회를 제공하는 국제적 투자연구기관인 INNOVEST는 1995년에 설립되어 기업의 환경적·사회적 성과에 대해 분석하고 있으며, PwC, WBCSD, Morgan Stanley, UNEP 등과 함께 기업의 환경적·사회적 성과에 대해 두 개의 평가모형, 즉, 환경평가모델 EcoValue21과 사회평가모델 IVA(Intangible Value Assessment)을 개발하여 사용하고 있다. 전세계 기업 1,200개의 기업분석 자료를 갖고 있으며 스크린 기준은 리스크, 전략적 경영능력, 지속적인 수익기회 등 세 개의 영역으로 나눈다.

INNOVEST는 지속가능성평가의 4대 프레임워크로 인적자원, 환경, 이해관계자 자본, 전략적 지배구조 등을 설정하고 있는데, 이들 중에서 중요한 평가지표를 추출하여 주가수익률에 기여하는 영향을 회귀분석하여 각 지표들에 가중치를 부여하는 방식으로 평가모델을 구축하고 있으며, 평가단계에서는 산업, 시장분석, 데이터 수집, 평가 매트릭스 초안 작성, 기업 인터뷰, 업종별 평가 매트릭스 완성, 최종 평가 및 신뢰성 검증 등 6단계로 이루어지고 있다.

④ KLD

KLD(Kinder Lydenberg Domini)는 사회책임투자로 자산을 운용하는 투자신탁회사로 통합적인 사회적 기준을 원하는 기관투자자들을 위해 사회적 성과 연구결과를 제공하면서 사회책임투자 방식으로 자산을 운용하고 있는 투자신탁회사인 KLD(Kinder Lydenberg Domini) & Domini의 전문연구조직이다.

KLD는 사회적으로 선별된 포트폴리오에 대한 성과기준인 Domini 400 Social Index를 1990년에 개발했으며, 또한 1,600여 회사에 대한 정보를 축적한 사회적 투자 데이터베이스인 Socrates도 개발했는데 여기에는 Standard & Poor's 500 지수의 모든 기업을 포함하여 650개의 미국 기업에 대한 정보가 들어있다. 미국의 400개 주요기업에 대한 방대한 DB를 보유하고 있는 KLD에서 개발한 CSR 측정치는 세계에서 가장 널리 통용되고 있다.

기업성과를 평가하는 측정치는 초창기에 지역공동체 관계, 다양성, 노사관계, 자연환경, 제품안정성과 질 등 5개 부문이었으나, 현재는 지역사회, 이사회구성, 다양성, 종업원 관계, 환경, 인권, 제품 등 7개 분야로 확대되었다.

⑤ UN PRI

UN PRI(UN Principles for Resonsible Investment)는 기관투자자들의 투자활동 전반을 포괄하는 투자원칙 이니셔티브로서, 2006년 코피 아난 당시 UN 사무총장이 기업의 SR 유도를 목적으로 SRI 원칙을 역설한 결과로 금융기관들의 협력을 통해 개발된 책임투자에 대한 국제적인 원칙에 UNEPFI와 UN Global Compact 그리고 전 세계 30여개 국제금융기관들이 PRI에 서명하면서 책임투자에 관한 주요 6대 원칙을 실행에 옮기기 위해 협력하는 네트워크로서 출범했다. PRI의 재정 및 법적 업무는 2010년까지는 뉴욕에 있는 GC에서 수행되어 오다가 이후에는 런던에 설립된 책임투자원칙협회(PRI Association)로 이관되었으며, PRI협회의 운영은 PRI 이사회에서 명칭이 변경된 PRI 자문의회(PRI Advisory Council)에서 맡고 있다.

PRI는 기업이 SR을 추진할 인센티브를 제공할 목적으로 하고 있는 SRI 원칙을 운영하고 있는데, PRI 참여 중인 각국 정부 및 금융기관들은 ESG 이슈를 투자대상 결정시에 판단기준에 반영하며 연·기금의 운용 시에 SR 활동에 충실한 기업을 선별하여 투자할 것을 권고받고 있다.

UNPRI에는 2023년 3월 말 현재로 자산운용사, 책임투자리서치기관, 자산소유주 등 전세계적으로 총 5,381개 기관들이 서명하여 참여하고 있으며, PRI 서명자에 의해 관리되고 있는 누적운용자산총액(AUM, Asset under management)은 약 121조 달러에 이르고 있다.

또 PRI에서는 ESG 이슈가 기업의 미래 가치와 투자 수익에 깊은 연관성을 가진다는 인식

하에 6대 수탁자책임 원칙뿐만 아니라 SRI 방침 제정 요구, 투자대상 기업체에 대한 지속적 대화 및 감시적 개입(Engagement), 주주의결권 적극 행사, 투자 프로세스의 개선, SRI 관련정보 공개 등 총 33개 조항으로 구성된 세부실천프로그램을 운영하고 있다.

⑥ UNEPFI

UNEP 주도에 의해 환경에 대한 금융기관의 인식을 제고할 목적으로 1991년 성립된 투자원칙 이니셔티브로서 현재 40여 개 국에서 도이치뱅크, 홍콩상하이은행 등 국제 선도은행 200여 개 금융기관들이 참여하여 환경과 지속가능한 발전을 위한 금융기관들의 역할을 중심으로 활동하고 있다.

UNEPFI(UN Environment Programme Finance Initiative)는 생태, 환경 등을 경제, 금융에 연관 지어 연간 세계환경금융의 개요를 발간하고 그 밖에 많은 보고서들을 수시로 발표하고 있으며, 은행업무, 투자, 보험, 지속가능성, 기후변화, 생물다양성, 물과 금융, 지역별(대륙), IT 산업 등의 섹터로 나누어 리포트를 작성하고 있다.

UNEPFI 투자원칙으로서 지속가능발전에 대한 헌신(Commitment to Sustainable Development) 5개 조항, 지속가능경영(Sustainability Management) 7개 조항, 공중의 인식과 소통(Public Awareness and Communication) 7개 조항 등을 포함하고 있다.

(3) 사회책임투자의 지수화

① 개관

기업의 사회적 책임 이행성과를 자본시장과 연결시키는 중요한 고리 역할을 수행하는 인덱스(index)로서 글로벌 자본시장에서 투자의사결정과정에 중요한 벤치마크 기능을 맡고 있는 것을 SRI 지수라고 하는데, 환경(Environmental)·사회(Social)·지배구조(Governance) 등 사회적 책임 요소들을 비재무적 관점에서 평가하여 산출된 지수를 의미하며, 지속가능책임투자지수(Sustainable & Responsible Investment index)라고도 불린다.

SRI지수는 투자자들이 기업분석에서 전통적으로 사용해오던 정량적인 재무적 지표(PER, ROE, ROA 등) 뿐만 아니라 기업 이미지나 평판, 고객, 공급업자 및 종업원 관계, 환경관계 등 정성적인 비재무적 가치를 동시에 고려하여 가치 판단하는 투자방법과 연관되어 있다.

비재무적 가치판단을 위해 CSR 수준평가가 중요 과제로 대두하여 기준점으로 SEE(Social,

Environmental, Ethics) 프레임워크를 사용해 오다가 최근 조직지배구조 가치에 무게를 둔 ESG 프레임워크로 대체되었다.

사회책임투자에 대한 벤치마크 및 상품화 목적으로 개발된 SRI 지수 중에서 세계적으로 권위 있는 SRI 지수로는 the FTSE KLD 400 Social Index, FTSE4Good, DJSI, Calvert Index 등이 있다.

② the FTSE KLD 400 Social Index

the FTSE KLD 400 Social Index(Domini 400 Social Index)는 다양한 사회적 스크리닝에 의한 SRI 주식 포토폴리오 벤치마크 지수로서 SRI의 정신적 스승인 Amy Domini가 1990년에 사회, 환경의 다양한 기준으로 선별한 400개 대기업으로 구성한 지수로, KLD Research & Analyties사 조사에 기초하여 개발되어 그간 DSI400으로 불리다가 2009년에 the FTSE KLD 400 Social Index로 명칭이 개정되었다.

기업분석에서 이해관계자(Community-Local and National, Community-Global, Customers, Ecosystems, Employees, Investors, Suppliers 등)를 대상으로 하여 각각의 주제를 다루고 있는데, 그 중에서 고객(Customer)의 경우는 담배, 도박, 술 등 해롭고 중독성 있는 상품 그리고 안전, 품질 및 고객

〈표 6-5〉 주요 SRI 벤치마크 지수

지 수 명	특 징
FTSE KLD 400 Social Index (DSI 400)	• 가장 널리 통용되는 CSR 측정치로 가장 최초로 개발된 벤치마크 지수 • 미국 400여개 주요기업 DB로 기업성과를 5개의 서로 다른 측정치로 평가 • 긍정적 심사기준 사용(군사계약, 술담배 제조업, 도박성 제품서비스 수익, 핵발전소 소유 등에 대해 부정적 심사기준 사용)
FTSE4Good Index	• ESG의 일정기준 이상 기업만을 선별하는 Positive Screening 방식만 사용 • 환경과 사회부문에만 집중하여 지속가능성 평가 • 사회, 환경, 인권 문제에 있어 평가기준에 맞는 기업들을 포함(담배, 무기 제조업체, 원자력발전, 우라늄 생산에 관련되는 기업 배제)
DJSI	• 개별산업별로 지속가능성이 높은 기업 중 상위 10% 성과 추적하여 개발 • 지수구성종목 선정을 위해 ESG 평가결과에 따른 점수화 방식과 산업 내 우수기업을 선정하는 Best-In-Class 접근법의 동시 사용 • 평가방법에서 DJSI World는 지배구조부문도 평가 • 구성종목 선정 후에도 지속적으로 모니터링 시스템
Calvert Index	• Products, Environment, Workplace, Integrity 부문에서 사회감사 수행된 결과, Calvert's social criteria 충족 종목들은 the Calvert Social Index 구성

서비스에 대한 헌신, 또 제품에 대한 접근 간격 메꾸기, 혁신과 창의성, 마케팅과 가격 관행 등의 주제를 분석내용으로 하고 있으며, 지역사회(Community) 항목에는 기부, 지역사회 활동 등이 있으며, 종업원(Employees) 관계에서는 노동조합, 이윤배분, 종업원 참여, 퇴직자 보상 등이 있으며, 환경(Ecosystems) 항목에는 환경오염방지, 재활용, 대체연료 등이 포함되어 있다.

③ DJSI

다우존스 지속가능성지수(Dow Jones Sustainability Index : DJSI)는 미국 다우존스와 스위스 SAM(Sustainable Asset Management)이 공동 개발하여 1999년부터 조사, 발표하는 전 세계에서 가장 권위 있는 기업의 지속가능경영 종합 평가지수로, 전 세계 대표 기업들을 재무적 정보 분석 외에 사회적, 윤리적, 환경적 가치들을 종합적으로 판단하는 SRI 지수이다. 다우존스 주가지수에 편입되어 있는 2,500개 기업 중 지속가능성 평가가 양호한 기업(상위 10% 기업)들로 구성되어 매년 9월에 종합 심사에 따라 재구성되고 있는데, 자산관리 또는 펀드 매니저들이 객관적이고 전문적인 benchmarks로 활용하고 있다.

SRI 지수 구성종목에 편입되기 위한 전단계로서 기업의 주요 수익 원천에 따라 58개 산업군에 편입된 DJSI World 투자가능 종목 모집단은 SAM Research 기업지속성평가(Corporate Sustainability Assessment)에 의해 점수화되는 SR성과 평가과정을 거치며, 개별종목 기업의 SR성과 평가결과는 다시 일정기준에 의해 DJSI World 구성 종목을 결정한다. 또 DJSI World 구성 종목으로 결정된 기업이라고 하더라도 기업지속성감시(Corporate Sustainability Monitoring)과정에서 문제가 될 경우는 제외될 수 있다.

④ FTSE4Good Index

FTSE4Good Index는 영국 FTSE International이 SRI 실적 평가 발표한 뒤 투자 촉진 목적으로 2001년 7월에 개발하였는데, 기존 FTSE 지수에 포함된 757개 기업을 대상으로 사회, 환경, 인권의 3가지 항목을 조사해 평가기준에 맞는 상위기업만을 포함시키고 담배, 무기, 원자력발전, 우라늄생산 기업 등은 배제하고 있다.

이 지표에는 여성 경영참여(경영진 10%), 노사관계 등이 반영되어 있으며, 유럽 투자자들은 FTSE 지수를 기준으로 해외투자의 여부를 결정하고 있고, 전 세계를 대상으로 투자하는 대형펀드운용에 있어 주요기준으로 사용되며, 외국투자기관들이 해외 투자시에 각국별 투자

비중 결정기준으로 FTSE 지수에서 특정국가 비중이 높아지면 외국인투자가 확대될 가능성이 커진다.

⑤ Calvert Social Index

Calvert Social Index는 미국 소재의 지속가능하고 사회적으로 책임 있는 대기업의 실적 측정을 위한 광범위하고 엄격한 규칙으로 구축된 벤치마크다. 종목 구성은 Dow Jones TMI(Total Market Index)에 들어있는 미국 내 1,000대 대기업을 택한 후에 각 기업에 대해 부문별로 사회감사를 실시한 결과, Calvert's social criteria를 충족하는 종목들로서 the Calvert Social Index을 구성하게 되는데, 제품(Products) 부문에서는 제품이 안전하고 유용하며 유익한지 여부가 기준이며, 또, 화기, 담배, 술, 포르노, 카지노 게임이나 군사무기 등을 생산하는지 여부도 기준이 된다. Calvert Social Index는 시장자본화 가중 인덱스로서 구성종목들이 갖는 시장가치의 변화를 전체로서 측정한다.

⑥ 기타

책임경쟁력지수(Responsible Competitiveness Index : RCI)는 지속가능발전을 위해 책임 혁신을 주창하는 비영리기관 Accountability에서 개발한 지수로 국가별로 기업의 책임성, 기술수준, 공공제도, 거시경제 등의 네 가지 지수를 평균한 후 국민소득 수준과 비교하여 51개 국가의 책임성을 측정하고 있다.

그리고 기업책임지수(CRI : Corporate Responsibility Index)는 BITC에서 2002년 개발한 기업의 사회적 책임(CSR) 지수로 기업들의 CSR 활동수준 및 진척상황 등을 측정할 수 있는 도구로써 국제적으로 보급되고 있으며, 시장, 직장, 지역사회, 환경의 네 개 분야에 대해 기업이 주는 영향을 측정하고 목표치와의 차이를 파악하여 개선활동을 할 수 있도록 도와준다. 그 밖에도 남아프리카공화국 요하네스버그 증권거래소가 EIRIS에서 자료를 제공받아 2004년 증권거래소 최초로 산출한 SRI 지수로서 JSE SRI Index가 있다.

⑦ 국내

국내의 KRX SRI 지수는 한국거래소(KRX)에서 2009년 9월에 개발한 사회책임투자지수로, 환경(Environmental)·사회(Social)·지배구조(Governance) 등 지속가능성에 영향을 미치는 요소들을 비재무적 관점에서 평가한 후 우수기업 대상으로 산출한 지수인데 활용도가 저조하자

산출을 중단하고, 2015. 12월에 사회책임투자 활성화 및 기업의 지배구조 개선 유도 등을 위해 기존의 SRI지수를 보완한 신사회책임지수(ESG) 시리즈 3종(KRX ESG Leaders150, KRX Governance Leaders100, KRX Eco Leaders100 등)이 개발하였다.

그 이후에 한국거래소(KRX)는 기존의 KRX 시리즈 외에도 KOSPI 시리즈, KOSDAQ 시리즈, 테마지수 등 3개 그룹의 사회책임지수들을 추가로 시장에 제공하였는데, 'KRX ESG 사회책임경영지수(s)' ; 2017년, '코스피200 ESG지수' ; 2018년, '코스닥150거버넌스지수' ; 2019년, 'KRX/S&P 탄소효율그린뉴딜지수' ; 2020년, 'KRX 기후변화지수' 3종('코스피200기후변화지수', 'KRX300기후변화지수', 'KRX기후변화솔루션지수') ; 2021년, 'KRX/S&P ESG고배당지수' ; 2022년 등이 그것이다.

2) 사회책임투자 현황 및 관련 제도

(1) 사회책임투자 시장규모

① 전체시장

사회책임투자(SRI)의 전 세계 시장규모는 SRI 및 SRI펀드에 대한 정의, 시장요인과 문화적 차이, 집계 방식 및 포함범위 등의 차이로 인해 전 세계를 대상으로 한 통계 산정이나 비교가 쉽지 않은 실정이다. 따라서 뮤추얼펀드나 ETF(상장지수펀드) 등 펀드상품, 개별금융투자상품 등에 대한 투자를 모두 포함하는 전세계 SRI의 규모는 Bloomberg Intelligence의 추정치에 따르면 2022년말 기준으로 약 41조 달러에 달하는 것으로 나타났다.

SRI 채권은 발행자금이 친환경 또는 사회적 이득을 창출하는 프로젝트에 사용되는 채권으로서 경계가 명확하고 전후 비교가 용이한 편이며 발행자와 시장관계자 사이에서는 ESG채권, Thematic채권, 사회공헌채권 등의 용어로도 불리워지며, 세부적으로 녹색채권, 사회적채권, 지속가능채권, 지속가능연계채권 등으로 유형화된다.

'23년 1~2분기 중 전세계 SRI채권 신규발행액은 5,318억 달러로 나타났는데 그 중에서 녹색채권이 3,174억달러(59.7%), 지속가능채권이 923억 달러(17.4%)를 차지했으며, 신규발행액을 포함한 전세계 SRI채권의 발행잔액은 총 3조 9,425억 달러를 기록했으며 그 중에서 녹색채권이 2조 2,262억 달러로 전체 발행잔액의 56.5%를 차지하고 있는 것으로 나타났다.

② 국내시장

국내 금융기관의 ESG 금융 총규모는 2020년 말 기준으로 약 492조 원이며, 유형별로는 ESG투자 188조 원, ESG대출 184조 원, ESG금융상품 62조 원, ESG채권발행(2020년 발행액 기준) 59조 원 등이며, ESG 이슈별로는 환경 72조 원, 사회 219조 원, 지배구조 0.2조 원이고, ESG통합 201조 원으로 나타났다.

'23.6월 말 현재 SRI채권시장 상장잔액은 222.9조 원(1,792종목)을 기록하여 발행잔액 기준으로 세계 7위를 차지하고 있으며 세부유형별로는 녹색채권 12위, 사회적채권 3위, 지속가능채권 3위로 나타났으며, 국민연금이 사회책임투자 방식으로 투자하는 규모는 2018년 말 기준으로 약 27조 원으로 나타났다.

3) 사회책임투자 관련 주요 제도

사회책임투자와 관련한 주요 제도 중에서 앞서 살펴본 사회적 책임 구성요소에 대한 정량화(rating) 및 사회책임투자 지수화에 있어 기초자료의 객관성 확보와 밀접한 관계가 있는 SR 이행성과의 자발적 및 의무적 공개 제도와 투자자 수탁자의무(fuduciary duty)에 관련이 깊은 스튜어드십 코드(stuwardship code) 제도에 대해 살펴보기로 한다.

(1) 사회적 책임 이행성과 공개

기업이나 공공기관 등 여러 조직체에서 사회적 책임 이행 성과를 대내외적으로 공개하는 대표적인 형태의 하나로 꼽히는 지속가능성보고서는 ESG(Environment, Social, Governance)에 관련된 비재무적 정보를 보고서 형태로 자발적으로 작성하여 공개하는데, 그 내용은 주로 환경적 측면(Environmental aspect)이나 사회적 측면(Social aspect) 그리고 기업지배구조 측면(Governance aspect) 등에 관련된 내용들로서 관련 자료의 전후나 상호 비교 가능한 구조를 갖고 있지 않은 비정형화된 형태의 보고서이다.

이런 보고서는 기업 활동이 인간과 생태계 그리고 지역사회와 국가 등에 미치는 긍정적·부정적 영향을 포괄적으로 파악하여 제시하는 것으로, 기업 내부정보를 외부에 공개하고 이해관계자와 대화함으로써 궁극적으로는 기업에게는 경쟁우위를 확보하고 가치를 증진시키는 역할을 하고 있으며, 비재무적성과(ESG)는 이미 재무성과 이상으로 중요하게 생각되는 기업의 '얼굴 지표'가 되어 있으며, 매년 지속가능보고서를 작성하는 것은 기본이 되고 있다.

1990년대까지는 주로 환경책임경영을 다루는 '환경보고서'의 명칭으로 발간되었는데, 2000년대부터는 경제, 환경, 사회의 3개 부문을 다루는 '지속가능경영보고서'와 노동, 인권, 지역사회 등의 내용까지 모두 포괄하는 'CSR 보고서'가 발간되어 왔었는데, 최근에는 의무적 보고사항인 재무적 정보를 담는 연간보고서와 자발적 보고형태인 CSR 보고서를 통합하여 기업의 경영활동성과와 SR활동성과를 함께 소개하는 '통합형' 보고서도 발간되고 있다.

① 사회적 책임 이행성과 자발적 공개

사회적 책임 활동성과의 내·외부 보고는 해당 활동내용의 성과를 체계적으로 점검하고 대안 검토 등을 통해 이후의 보다 나은 활동계획을 수립하는 것과 관련이 있다. 이는 경영관리에서 기본적인 업무 진행 프로세스의 일환으로 이루어지는 것으로 SR활동 전반에 대한 점검과 평가 프로세스에 해당된다고 볼 수 있다. 따라서 이 과정은 경영관리에 있어 일종의 자기 확인과 객관화 프로세스이므로 가능한 엄격하고 가치중립적인 활동데이터에 기반해야 하며, 내·외부 보고에 있어서도 공정하고 객관적인 수치화로서 전후나 좌우 비교가 가능할 필요가 있다.

이와 관련하여 사회적 책임 활동의 이행성과를 객관적이고 중립적으로 구성된 보고체계 확립을 위해 국제규범 GRI(Global Reporting Initiatives)에서는 그간 수차의 수정보완 절차를 거쳐 현재는 R4 기준이 활용되고 있으며, 전세계적으로 SR 활동 결과에 대한 보고를 실시하고 있는 250대 대규모 기업체의 93%에서 The GRI Sustainability Reporting Standards (GRI Standards)에 의거하여 SR 이행성과를 보고하고 있다.

일부 기업조직체의 경우에는 SR 관련보고서 발간을 윈도우 드레싱(window dressing) 또는 그린워싱(greenwashing)으로 활용하는 경우도 있지만, 조직체가 SR 활동을 홍보하는 것은 SR 커뮤니케이션 방법의 하나로서 SR 이행성과를 이해관계자에게 알리는 것 자체가 사회적 책임의 일환이다. 뿐만 아니라 기업활동의 일부로서 이행되어지는 사회적 책임 활동은 해당 기업의 이해관계자에게는 중요한 기업정보의 하나로서 작용하는 측면이 있기 때문에 기업정보 전달 측면에서 관련 보고서는 정확히 작성되어 외부에 공개되어질 필요가 있다. SR 관련 기업정보는 소비자가 상품을 구매하거나 투자자가 투자대상 기업을 선택할 때 의사결정기준으로 작용할 수 있을 뿐만 아니라, 구직자가 근무하고 싶은 기업을 선택하거나 협력업체가 파트너를 결정할 경우에도 판단기준의 하나로서 SR 활동성과는 주요한 고려요인의 하나가 되므로, 해당 기업의 CSR 활동 현황은 기업정보의 하나로서 사실 그대로 시장에 전달되어져야 한다.

KPMG 글로벌 전문가들이 49개국 4,900개 기업의 비재무정보 공개 현황을 조사한 결과, 매출 기준 글로벌 250대 기업의 93%가 비재무정보를 공개하고 있는 것으로 나타났으며, 국내에서는 2003년 국내에서 처음으로 지속가능경영보고서가 발간된 이후, 2011년 100개가 넘어섰고, 2016년에는 108개 보고서가 발간되었으며, 2022년도에는 총 222개 보고서가 발간되어 2021년도의 143개 보고서에 비해 55% 증가한 것으로 나타났으며, 코스피와 코스닥 상장사의 보고서 발간비율은 각각 25%, 1%로 나타났다.

한편으로 제3자 검증(verification, third party review)의 객관적인 평가 방식은 SR 관련 보고서 내용에 대해 투명성 및 신뢰성을 부여하는 것으로, SR 관련 보고서의 신뢰성 확보를 위한 장치로서 이러한 제3의 기관 검증이 늘어나는 추세이며, 보고서 발간기업의 93%가 제3자 검증을 받고 있었고, 검증기준으로는 국제회계사연맹(IFAC) 산하 국제감사인증기준위원회(IAASB)가 만든 ISAE3000을 주로 사용하는 해외의 경우와는 달리 어카운터빌리티(AccountAbility)가 제정한 AA1000AS가 많이 사용되며, 회계법인에서 검증을 받은 경우도 낮은 편이다.

② 사회적 책임 이행성과의 의무적 공개

사회적 책임 활동에 대한 조직체의 이행성과를 외부 이해관계자들에게 기업정보로서 제공하는 문제는 새로운 제도의 신설이 아니라 기존의 재무적 정보에 대한 기업정보공시제도(Corporate Disclosure System)를 비재무적 정보까지 확대하는 것으로, 조직체의 주요 이해관계자인 소비자, 채권자, 투자자, 공급자뿐만 아니라 외부 이해관계자들에게는 당연하고 필요한 사항에 속하지만, 실행주체인 조직체로서는 관리 비용과 인력 등의 추가적 부담을 져야 하는 입장에 놓여지게 된다.

기업정보공시제도(Corporate Disclosure System)는 자본시장에서의 신뢰의 안전성과 연속성을 위한 필수적인 제도적 장치로, 자본시장에서 금융투자상품의 가치는 사실상 기업정보의 내용과 질적 수준에 따라 달라진다고 할 수 있기 때문에, 기업정보에 대한 공시는 엄격한 형식과 절차 준수는 물론 의무위반에 따른 엄중한 재제조치도 뒤따르고 있다.

따라서 기업정보공시제도는 기업으로 하여금 기업이 생산한 금융투자상품을 소비자가 구매의사결정을 하는 과정에서 필요로 하는 기업 내용, 즉, 경영실적, 재무상태, 합병, 증자 등 주가에 상당한 영향을 미칠 수 있는 중요한 기업정보를 완전 공시토록 함으로써, 이해관계자들이 기업의 정확한 실체를 파악하여 스스로 자유로운 판단과 책임 하에 합리적인 투자결정을 할 수 있도록 할 뿐만 아니라, 자본시장내의 정보 불균형을 해소하여 금융투자상품 거래의 공정성을 확보하고 소비자를 보호할 수 있는 대표적인 규제기능 중의 하나라 할 수 있다.

기업정보공시제도는 자본시장의 건전성 및 투명성 확보를 통해 효율적인 자본시장을 만들기 위해서는 필수적인 제도에 속하며, 기업의 사회적 기능과 역할 재정립에 따른 ESG 이슈를 비롯한 SR 핵심주제 등에 관련되는 기업정보에 대한 공시의무화는 유럽 국가들을 비롯하여 점차 대세를 이루어가고 있다고 할 수 있다.

기업은 본질적으로 기업정보공시제도의 완화를 통해 기업내용정보공시에 따른 부담을 최대한 줄이고자 노력하는 반면에 대부분의 이해관계자들은 기업의 투명성이나 책임성 등에 관련된 정보들에 대한 공시 확대를 요구하고 있어, 비즈니스 현장에서는 기업정보공시를 둘러싸고 서로간에 이해관계를 달리하는 그룹들이 존재할 수 밖에 없다.

EU는 2013년에 회계지침(Accounting Directive)을 개정하여 2017년 부터 종업원 500인 이상의 기업들은 고용, 인권보호, 반부패·뇌물수수, 이사회 다양성(성별, 나이, 출신지, 학력)등에 관한 정책을 비롯하여 ESG 리스크 관리, ESG 정책시행 결과 등에 대해 역내 기업들이 의무적으로 공시토록 하고 있으며, 미국 증권거래위원회는 'Guidance Regarding Disclosure related to Climate Change'를 발행하여 상장기업들이 기후변화 리스크에 대처하는 방안에 대하여 공시하도록 요구하고 있다. 또한 싱가포르 증권거래소는 상장기업의 지속가능경영보고서 발간을 의무화하는 등 비재무적인 기업정보공개는 다수의 선진 자본시장 국가들에서 대세적 흐름을 형성하고 있다.

이와 관련하여 국내 자본시장에서는 기업측의 정보공시 부담을 고려하여 비즈니스 조직체들이 사회적 책임(SR)의 핵심주제 등에 관한 정보 공시를 이런저런 구실로 미루고 있지만 계속 유보할 수 없는 상황에 처해 있으며, 2016년 말 부터 한국거래소 상장공시시스템과 한국예탁결제원 증권정보포털에서 기업조직체들의 ESG 등급에 대한 공시가 이루어지고 있다. 또한 국회에서는 CSR 정보공시 의무화에 관련되는 다수의 법안들이 발의되어 수차에 걸쳐 입법화가 시도되어지고 있다.

이런 상황 속에서 사회적 책임 이행 성과에 대한 공시 의무화 추세의 새로운 변수로서 SR이행 성과정보의 공시표준 제정 이슈들이 여러 갈래로 다양한 부문에서 등장하였는 바, 이러한 기업의 비재무적 정보공시표준이 제정되었거나 제정이 진행 중인 그룹들을 대별해 보면, 먼저 EU의 내부기구 EFRAG(재무보고자문그룹)에서 추진한 ESRS(European Sustainability Reporting Standards)는 2023년 1월 발효된 CSRD(기업지속가능성 보고지침)의 일환으로 제정되어 2024년 11월 부터 비즈니스 현장에서 적용될 유럽 지속가능성보고표준이다.

다음으로 IFRS(국제회계기준) 재단의 내부기구 ISSB(국제지속가능성표준위원회)에서 제정 추진한 IFRS지속가능성공시표준은 지난해 표준 초안이 공개되었고, 2023년 6월 중순에 확정 발표되고 2025년부터 실시될 공시표준(S1,S2)이며, 그 다음으로 SEC(미국 증권거래위원회, Securities and Exchange Commission)에서 추진한 기후법안은 TCFD(Task Force on Climate-related Financial Disclosures) 권고안을 기초로 하여 미국내 상장기업들에게 표준화된 기후 관련 공시를 의무화하는 법안으로 2022년 3월에 제출되었으며, 기업이 기후변화에 대응하기 위한 거버넌스, 전략, 위험관리에 대한 일반공시, 온실가스 배출량과 재무제표 영향분석, 적용방식 등으로 구성되어 있다.

끝으로 GRI(Global Reporting Initiative)에서 2016년도 개정으로 가이드라인에서 공시표준으로 변경된 GRI 공시표준은 약 1만여 개 이상의 지속가능성보고서에서 공시 표준으로 이용되어 왔으며, 2021년 개정판을 통해 인권과 환경실사를 포함한 지속가능성보고의 핵심개념을 도입한 보편표준(Universal Standards)과 향후 단계별로 출시될 40개 산업의 부문별 표준(Sector Standards) 그리고 31개의 주제별 기준(Topic Standards)으로 재구성되어 사용중에 있다.

물론 이들 SR 이행성과정보에 대한 공시표준(기업의 비재무적 정보 공시표준)들은 향후의 운용과정 등에서 공시표준 상호간의 협의를 통해 통합 내지 조정이 이루어지겠지만, 2024년 부터 실시되는 ESRS이나 2025년 실시를 목표로 각종 후속조치들을 차근차근 진행 중인 IFRS 지속가능성공시표준(ISSR 공시기준)은 눈앞의 현실로 다가오고 있는 바, 국내 관련 기업들은 SR 이행 자체뿐만 아니라 SR성과 공시표준 관련한 글로벌 동향에 대해서도 관심을 갖고 사전대응해 나감으로써 SR 관련 문제로 인해 글로벌 비즈니스 현장에서 거래상의 위기가 발생하지 않도록 슬기롭게 대처해 나가야 할 것이다.

(2) 스튜어드십 코드

① 개관

스튜어드십 코드(stewardship code)는 연기금이나 자산운용사 같은 기관투자가들의 의결권 행사를 적극적으로 유도하기 위한 자율 지침, 즉, 기관투자자들의 투자 활동 업무 지침으로, 기관투자자들도 수탁 받은 고객 재산을 선량하게 관리해야 할 수탁자 의무(fiduciary duty)가 있다는 뜻에서 생겨난 것으로, 사회책임투자 전략유형 중에서 주주 참여 및 기업관여 전략에 의해 주주권 보호를 강화하기 위한 제도이다. 즉, 기관투자가가 주인 재산을 성실히 관리하는 집사(steward)처럼 기업의사결정과정에 적극 참여하여 주주로서의 역할을 충실히 수행하고 위탁받은 자금의 원래 주인인 투자 고객에게 그 활동내역을 투명하게 보고하도록 하는 행동지침을 말한다.

이 제도는 기관투자자가 개인 또는 법인의 자금을 대규모로 유치해 고객을 대신해 운용하면서 고객 이익에 반하지 않도록 기업 의사결정과정에 적극적으로 참여하도록 독려하는 것으로, 기관투자가의 역할을 단순히 주식 보유와 그에 따른 의결권 행사에 한정하지 않고 투자대상 기업과 적극적인 대화를 통한 기업의 지속가능 성장에 기여하고 이를 바탕으로 고객의 이익을 극대화하는 것을 목적으로 하고 있다.

스튜어드십 코드를 도입하면 기관투자자들이 투자한 기업에 특정 상황이 발생하여 투자자 손실이 예상되면 단순히 투자금을 회수하는 것이 아니라 해당기업에 공개서한을 보내거나 해당 기업의 각종 핵심사안 등에 대해 의결권을 행사할 수 있을 뿐만 아니라, 그 같은 주주의 권익보호 활동 등과 관련하여 그 목적, 배경, 과정 등에 대해 투명하게 공개해야 한다.

② 해외

해외에서 스튜어드십 코드의 도입은 2010년 영국에서부터 시작되었으며, 이 제도는 수탁자의무(duty of stewardship)를 부각시키면서 스튜어드십 코드의 도입을 강력히 주장하는 워커 보고서가 이론적 토대가 되었는데, 데이비드 워커 전 모건스탠리 회장은 보고서를 통해 2008년 글로벌 금융위기가 기관투자자들의 무관심, 특히 금융회사 경영진의 잘못된 위험관리를 제대로 견제하지 못한 것이 주요 원인이 되었다는 지적과 함께 기관투자자와 투자대상 기업 경영진과의 대화 등의 투자원칙을 강조하였다.

영국의 최초 도입 이후에 노르웨이 국부펀드(GPFG) 등 주요 글로벌 기관투자자들의 스튜어드십 코드 도입이 이루어졌으며, 일본에서도 국민연금 격인 GPIF에서 2015년 3월에 스튜어드십 코드가 도입된 후 일본 전체 기관투자자의 93%가 스튜어드십 코드를 도입하는 등 자율규범인 영국의 스튜어드십 코드가 도입된 이후 2023년 현재 40여 개 국에서 스튜어드십 코드를 도입하였는데, 스튜어드십 코드는 최초 도입 당시에서부터 정부 또는 정부로부터 권한을 위임받은 기관이 기본원칙만을 제시하고 그것을 따를지 말지는 기관투자자들이 자율적으로 결정하는 방식으로 이루어졌다.

한편, 국제기업지배구조네트워크(International Corporate Governance Network : ICGN)는 2016년 총회에서 '글로벌 스튜어드십 원칙(Global Stewardship Principles : GSP)'을 제정하여 운영 중에 있는데, GSP 7대 원칙으로는 내부 지배구조 : 효과적인 스튜어드십의 토대(Internal governance : foundations of effective stewardship), 스튜어드십 정책의 개발 및 수행(Developing and implementing stewardship policies), 투자대상기업에 대한 모니터링과 평가(Monitoring and assessing investee companies), 기업과 투자자간 협업에의 참여(Engaging companies and investor collaboration), 의결권 행사(Exercising voting rights), 장기가치 창출 및 ESG요소 통합(Promoting long-term value creation and Integration of ESG factors), 투명성과 공시 및 보고의 향상(Enhancing transparency, disclosure and reporting) 등이 제시되고 있다.

③ 국내

국내에서는 기관투자자들이 투자대상 기업과의 대화나 주주 제안 등 주주활동에 대체로 소극적인 가운데 2015년 3월에 한국기업지배구조원에 '스튜어드십코드제정위원회'가 설치되었고, 2016년 12월에는 기관투자자가 자금수탁자로서 고객이나 수익자 이익을 최우선에 두고 책임을 이행하면서 의결권 행사의 절차와 기준을 마련해 공개하고 의결권 행사 내역과 이유를 적절한 방식으로 알리도록 규정하는 등 7개 원칙으로 이루어진 '기관투자자의 수탁자책임에 관한 원칙'이라는 한국판 스튜어드십 코드가 공표되어졌다.

이후 2017년 5월에 '스튜어드십코드제정위원회'를 '스튜어드십코드발전위원회'로 개편하고 6월에는 '한국 스튜어드십 코드 1차 해설서' 발간 및 '스튜어드십 코드 관련 법령해석집' 등이 배포되어 스튜어드십 코드의 세부내용에 대한 이해와 해석이 보충되었다. 2018년에는 세계 3대 연기금인 국민연금을 비롯하여 18곳에서 스튜어드십 코드를 도입하였으며, 2023년 7월 현재까지는 총 212곳의 연기금 및 기관투자자 등이 국내 Stewardship Code에 참여하고 있다.

〈표 6- 9〉 스튜어드십 코드 참여자 유형

합계	연기금	보험	자산 운영	PEF 운용	증권	투자 자문	서비스 기관	은행	기타
212	4	5	58	63	6	3	5	2	66

국민연금의 스튜어드십 코드 도입에 대해 국민연금을 실질적으로 지배하고 있는 정부측의 기업통제 가능성 때문에 일부에서는 정부의 과도한 경영간섭, 연금 사회주의 등의 우려가 있지만, 국민연금도 시장 내에서의 책임을 부담하는 방안의 일환으로 수탁자배상책임(Fiduciary Liability)제도를 도입하는 방법 등을 고려한다면 어느 정도 문제해결을 도모할 수 있을 것이다. 한편 스튜어드십 코드 도입 이후 기관투자자들의 주주권 행사 추세가 강화되고 있는 것으로 나타났는데, 기관투자자들의 주주총회 안건 반대율은 2021년 4.3%로 2016년의 2.2%에 비해 약 2배 가량 증가했으며, 특히 국민연금의 경우는 대기업집단 소속기업에 대해 2021년 주총에서 10.1%의 반대의결권을 행사하여 2020년에 비해 1%포인트 이상 증가하는 등 기관투자자들의 적극적인 주주활동을 이끌고 있는 것으로 나타났다.

3. 사회적경제의 이해

1) 사회적경제와 구성조직체

(1) 사회적경제의 의의와 기원

시장경제와 공공경제에 대응하는 개념으로서 기업이나 국가가 주체가 되는 경제활동 영역이 아니라 제3섹터가 주체가 되는 경제활동영역이라 할 수 있는 사회적경제(social economy)의 개념은, 구성조직체가 포괄하는 경제영역이 국가의 공공경제 영역과 민간의 시장경제영역에 대응하는 뚜렷한 영역을 확보하면서부터 점차 자리 잡아 나가고 있다고 할 수 있다.

이러한 사회적경제는 사회구성원들이 상호협동하여 식량을 마련하고 공유하는 습성을 가졌던 고대의 수렵채취시대나 농경시대의 경제방식을 사회적경제의 일종으로 본다면 역사적으로는 시장경제보다 더 오래된 경제방식이라 할 수 있다.

학문적으로는 1830년 뒤누와이에(C. Dunoyer)에 의해 당시의 기성 경제학에 대한 비판으로 처음 사용된 이래, 지드(Gide), 왈라스(Walras) 등에 의해 계승,발전되어 19세기 말까지는 학문 영역에서 다루어져왔으나, 사회적경제 개념 자체가 그 당시로서는 다양한 여러 사상들의 교차로에 위치한 까닭에 제대로 된 하나의 학파나 이데올로기를 형성하지 못한 채 명맥을 잃고 역사 속으로 잠복되어졌다.

그러나 소유, 이윤, 사회불평등, 경쟁 등과 같은 시장 작동 메커니즘에 대한 비판의식이 고조되고 공공경제 영역의 비효율적 한계성이 누적 표출되어지는 시대적 흐름에 따라 결사체의 이상 및 조직방식 측면 등에서 특징적 고유성을 가진 사회적경제 특성이 새삼 부각되면서 역사 전면에 재등장하게 된 것이다.

① 사회적경제의 개념적 정의

OECD 정의에 따르면 사회적경제(social economy)는 경제 전체 부문이 경제적 가치를 창출하는 동시에 사회적 포용을 증가시키고 불평등을 감소시키려는 실체들로 구성되어있는 경제 즉, 시장부문과 공공부문 중에서 어디서도 만족할 수 없는 사회적 필요를 해결할 수 있는 재화나 서비스를 제공하는 경제활동 영역으로서, 이런 사회적경제를 구성하는 조직체로는 협동조합, 사회적기업, 비영리조직체, 자선기관 등이 있다.

드푸르니에 등(Defourney and Develtere, 1999)은 사회적경제 활동의 개념에 대해 협동조합, 공제회, 협의체들이 수행하는 모든 경제활동으로 파악하고, 구성조직체 회원이나 지역공동체에 이윤보다 서비스를 우선적으로 제공하며 자율적 운영과 민주적 의사결정과정을 거치면서 수익 배분에서 자본보다는 사람과 노동을 우선시하는 활동으로 보았다.

ILO(2011)에서는 경제적 목적과 사회적 목적을 추구하여 연대를 깊게 하면서 특정한 재화나 서비스, 지식 등을 생산하는 기업이나 조직체에 의한 경제활동으로, EU(2012)에서는 자본투자자의 이익이 아니라 사람들의 수요를 충족시키는 것을 주목적으로 하여 운영되는 인적결합체에 의한 경제활동으로 규정하고 있다.

② 사회적경제의 기원과 발전과정

사회적경제는 20세기 전반까지는 역사 속에서 잠복되어 왔으며 1970년대와 1980년대 복지국가의 재정위기가 시작되고 국가 주도성이 약화되면서 정부의 사회복지정책의 보완적 개념으로 재탄생된 것으로 볼 수 있다.

1970년대 이탈리아에서 기존의 전통적 사회적경제 조직체의 경계가 허물어지면서 조합원 중심의 협동조합과는 다르게 이해관계자 전체를 포괄하는 사회적 협동조합이라는 형태의 사회적경제 구성조직체가 생겨나는 등 새로운 영역을 개척하기 시작한 사회적경제가 그 이후 다양한 형태의 진화과정을 밟기 시작하였다.

1990년대 후반에는 OECD에서 사회적기업을 새로이 발전하는 경제조직체로 인정하면서 사회적경제에 대한 정책적 강조가 주어졌으며, 2008년 글로벌 금융위기 이후에는 사회적인 양극화의 심화, 고용없는 성장의 지속 등 시장 자체 노력만으로 해결할 수 없는 각종 사회경제 문제에 대한 적절한 해결책으로써 사회적경제는 더욱 주목받기 시작했다.

국내에서는 인간의 상호성과 공정성을 바탕으로 참여와 연대를 도모하는 성장 동력으로 인식되고 있는 사회적경제 개념이 2008년 이후에 본격 수용되기 시작했지만, 그 이전에도 자활공동체와 자활기업에 기초한 사회적기업육성법이 2006년에 이미 제정되어 있었고 또 협동조합기본법을 제정하면서 정책적 측면에서 포괄적 의미의 사회적경제 개념이 더 적절한 측면도 있었기 때문에, 현재는 마을기업, 자활공동체, 사회적기업, 협동조합 등의 구성조직체의 활동을 포괄하는 개념으로서 사회적경제라는 용어가 널리 받아들여지고 있다.

(2) 사회적경제의 구성요소와 역할

① 사회적경제의 구성요소

사회적경제는 사회적 목적, 사회적 소유, 사회적 자본 등의 요소들로 구성되는데, 먼저, 사회적 목적 요소는 사회적경제의 존재 가치를 형성하며 다양한 영역에서 사회적 자원을 동원할 수 있는 근거로 작용함으로써, 정부 차원의 제도적 지원, 자원 제공, 사회적경제 조직체 생산 재화와 서비스의 구매뿐만 아니라 시민사회 영역에서의 다양한 기부와 자원활동 참여 등을 가능케 만든다.

사회적 소유 요소는 기업의 궁극적 목적의 기본 바탕을 이루는 소유권 형태에 의존하는 요소로서, 사회적경제 구성조직체가 투자자들만이 아닌 다양한 이해당사자들에 의해 관리되며 전체의 이익을 증진시키도록 작용한다.

사회적 자본 요소는 개인 혹은 집단 간의 상호이익 조정 및 협력 촉진을 위한 네트워크에 의해 공유되는 행동규범 및 신뢰 등과 같은 사회조직상의 특징을 포함하는 구성요소를 가리키며, 이는 자금조달과 같은 물질적 자본이나 교육을 통한 인적 자본 등이 생산력을 증가시킬 수 있는 것처럼 사회적 네트워크와 같은 사회적 자본도 경제활동체의 생산력에 영향을 미칠 수 있는 것으로 보고 있는 것이다.

② 사회적경제의 역할

사회적경제의 역할로서는 고용 창출과 노동 통합의 역할, 사회서비스 제공의 역할, 지역사회 개발의 역할, 사회적 배제 대응의 역할 등이 있다. 먼저, 고용 창출과 노동 통합의 역할은 고용없는 성장의 시대적 상황에서 취약계층의 노동통합을 위한 고용 창출, 직업 훈련, 적극적 노동시장 정책 등 고용 창출 영역에서 자발적 고용증대 가능성을 제시해 준다.

사회서비스 제공의 역할은 사회적경제가 지역사회에 기반하고 있어 서비스 제공자와 이용자, 이해관계자들을 여러 영역에서 포괄하면서 다양한 네트워크와 파트너십을 구축하게 되는데, 이런 결속은 사회적경제 구성조직체와 지방정부가 협력할 수 있는 기초가 되기 때문에 지역사회에 지속적이고 민주적인 방식의 사회서비스를 제공하는 새로운 시민문화를 생성할 수 있는 가능성을 제시해 준다.

지역사회 개발의 역할은 자본주의에서 야기되는 지역 불균형은 지역사회마다 상이한 지역사회의 필요한 부문을 생성하기 때문에 지역사회 구성원들이 사회적경제를 통한 집합적 대응 노력을 하나의 전략으로 활용하여 지역사회 개발을 추진할 수 있게 해준다.

끝으로 사회적 배제 대응의 역할은 여러 유형의 불평등이 양산되고 강화되어 피할 수 없는 박탈과 곤궁 상황으로 이끌려지는 사회적 과정(사회적 배제)에 대한 대응으로, 노동시장으로부터의 배제와 경제적 배제, 문화적 배제, 사회관계와 계약으로부터 주변화되는 고립에 의한 배제, 특정 지역적 제한으로 인한 공간적 배제 그리고 복지제도와 공공서비스 접근에서 배제되는 제도적 배제 등의 형태로 나타나는 각종 사회적 배제에 대응하는 사회적경제의 역할은 앞서 제시한 다른 역할들을 모두 포함하는 것으로 볼 수 있지만 특히, 사회적경제를 통한 지역사회의 집합적 대응이라는 방식이 갖는 지역사회 공동체성은 사회적경제가 갖는 가장 중요한 역할이라 할 수 있다.

2) 사회적경제 구성조직체의 유형

시장 실패 및 정부 실패에 대한 대안으로서 사회적 관계를 회복하는 경제활동으로 자본주의 시장경제를 보완하는 장치로서의 사회적경제는 사회정의, 환경보호, 공동체 발전 등 공익을 위한 사회적경제 구성조직체인 사업체 창설을 통해 결성 및 운영되고 있는데, 크게 나누어보면 공동체 비즈니스 유형으로 협동조합(기재부), 마을기업(행안부), 농어촌공동체회사(농축식품부) 등이 있고, 사회적 비즈니스 유형으로 사회적기업(고용노동부), 자활공동체사업(보건복지부) 등이 있다. 그 중에서 대표적인 사회적경제 구성조직체 유형으로는 아래의 표에서 볼 수 있는 바와 같이 자활기업, 마을기업, 사회적기업 및 협동조합 등이 있으며, 여기서는 사회적기업과 협동조합, 소셜벤처 등을 중심으로 세부적으로 살펴보기로 한다.

〈표 6-9〉 사회적 경제 구성조직체 유형별 구분

	사회적기업	협동조합	마을기업	자활기업
법령	사회적기업 육성법	협동조합기본법	도시재생활성화 및 지원에 관한 특별법	국민기초생활 보장법
주관 부처	고용노동부	기획재정부	행정자치부	보건복지부
정의	취약계층에게 사회서비스 또는 일자리를 제공하거나 지역사회에 공헌함으로써 지역주민의 삶의 질을 높이는 등의 사회적 목적을 추구하면서 재화 및 서비스의 생산·판매 등 영업활동을 하는 기업	재화 또는 용역의 구매·생산·판매·제공 등을 협동으로 영위함으로써 조합원의 권익을 향상하고 지역 사회에 공헌하고자 하는 사업조직	지역주민 또는 단체가 해당 지역의 인력, 향토, 문화, 자연자원 등 각종 자원을 활용하여 생활환경을 개선하고 지역공동체를 활성화하며 소득 및 일자리를 창출하기 위하여 운영하는 기업	수급자 및 차상위자가 상호 협력하여 자활기업을 설립·운영
기관	한국사회적기업진흥원	한국사회적기업진흥원	(사)한국마을기업협회	(재)중앙자활

3) 사회적경제 조직체 현황

(1) 사회적기업

① 개관

사회적기업이란 영리기업과 비영리기업의 중간 형태로 사회적 목적을 우선적으로 추구하면서 재화·서비스의 생산·판매 등 비즈니스 활동을 수행하는 기업조직체를 말한다. 「사회적 기업육성법」에서는 사회적기업을 취약계층에게 사회서비스 또는 일자리를 제공하여 지역주민의 삶의 질을 높이는 등의 사회적 목적을 추구하면서 재화 및 서비스의 생산·판매 등의 비즈니스 활동을 수행하는 기업으로서 고용노동부 장관의 인증을 받은 기관으로 정의하고 있으며, 영리기업이 주주나 소유자를 위해 이윤을 추구하는 것과는 달리 사회적기업은 사회서비스를 제공하고 취약계층에게 일자리를 창출하는 등의 사회적 목적을 주로 추구한다.

사회적기업의 주목적은 고용정책의 일환으로 취약계층의 고용창출로 복지적 접근에 의한 사회성 및 사업성이 강조되고 있지만, 법적으로는 취약계층에 사회서비스 또는 일자리를 제공하여 지역주민의 삶의 질을 높이는 등 사회적 목적을 추구하면서 재화 및 서비스의 생산·판매 등의 영업활동을 하는 기업으로 주주나 소유자를 위한 이윤 극대화의 추구보다는 사회적 목적을 우선적으로 추구하면서 이윤을 사업 또는 지역공동체에 다시 투자하는 기업이라 할 수 있다. 이러한 사회적기업의 조직형태는 비영리법인·단체, 조합, 상법상 회사 등 다양하게 인정되고 있으며 유급근로자를 고용하고 영업활동을 통한 수입이 인건비의 30% 이상이 되도록 규정하고 있다.

사회적기업은 고용없는 성장의 구조화, 사회서비스 수요 증가 등에 대한 대안으로 유럽의 사회적기업 제도 도입이 논의되기 시작한 후, 제3섹터를 활용한 안정적인 일자리 창출 및 양질의 사회서비스 제공 모델로서 보다 구체화되어져 2007년 「사회적기업육성법」의 발효와 함께 55개의 사회적기업이 인증되어졌으며, 2023년 7월 현재 활동 중인 사회적기업의 총 숫자는 3,568개(인증기업수 4,397개)에 달한다.

② 사회적기업의 유형

사회적기업의 형태는 일자리제공형, 사회서비스 제공형, 혼합형, 지역사회공헌형, 기타형 등이 있다. 일자리 제공형 사회적기업은 조직의 주된 목적이 취약계층에게 일자리를 제공하는 것이고, 사회서비스 제공형은 조직의 주된 목적이 취약계층에게 사회서비스를 제공하며, 혼합형은 일자리 제공형과 사회서비스 제공형을 혼합한 형태이며, 지역사회공헌형은 지역사회 주민의 삶의 질 향상에 기여하는 형태이며, 기타형은 사회적 목적의 실현여부를 고용비율과 사회서비스 제공 비율 등으로 판단하기 곤란한 형태이다.

2023년 7월 현재로 활동 중인 사회적기업을 사회적목적 실현유형별 비율을 살펴보면, 일자리제공형이 66.2%로 가장 많고, 다음으로 기타(창의혁신)형, 지역사회공헌형, 사회서비스

제공형,혼합형 등의 순이다.

〈표 6-10〉 사회적목적 실현유형별 사회적기업 현황

일자리제공형	사회서비스제공형	지역사회공헌형	혼합형	기타(창의·혁신)형
2,383(66.2%)	285(7.9%)	326(9.1%)	209(5.8%)	394(11.0%)

③ 인증절차

사회적기업의 형식적 요건으로서의 구비조건에 대한 상담은 권역별 지원기관에서 실시하고 있고, 신청서의 접수는 한국사회적기업진흥원에서 담당하며, 실사는 한국사회적기업진흥원 및 권역별 지원기관에서 실시하고 천은 중앙부처 및 지자체에서 하며, 검토와 심의 및 인증 등은 고용노동부 인증심사소위원회의 사전검토를 거쳐 사회적기업 육성전문위원회에서 심의 후 인증하고 있다.

(2) 협동조합

① 개관

협동조합은 특히 지난 2008년 국제 금융위기를 거치면서 세계적으로 시장 자본주의의 한계를 극복할 유력한 경제주체로 주목받고 있으며 협동조합을 통한 사회적경제는 시장경제의 또 다른 한 축을 담당하고 있는데, 전 세계적으로 약 12억 여명의 인구가 협동조합의 조합원으로 가입하여 활동 중이며 약 300만여개 협동조합기업에서 매년 2.2조 달러의 매출을 실현하면서 약 1억 여개의 일자리가 협동조합의 직접 고용에 의해 유지되고 있는데 이는 다국적기업의 125% 수준에 달하며, 이러한 괄목할 만한 협동조합기업의 성과에 대해 UN에서는 '세계협동조합의 해'를 기념하는 등 협동 중심의 사회적경제를 강조하였다.

주요국별 협동조합 현황을 개략적으로 살펴보면, 먼저 이태리는 협동조합의 매출이 GDP의 30% 수준을 차지하여 고용의 유지와 안정에 크게 기여하고 있는데, 1991년 '사회적협동조합법'이 제정되어 시행 중이고, 에밀리아 로마냐 & 볼로냐 주의 경우에 주내 8,000여개 조합이 활동에 참여하고 있으며 특히 볼로냐 지역은 협동조합의 경제적 비중이 약 45%를 차지하고 1인당소득도 약 4만 유로에 이르고 있다.

그리고 스페인의 경우도 이태리와 마찬가지로 협동조합 매출이 GDP의 30% 수준에 이르고 있는데, 1956년 호세 마리아 신부의 주도로 몬드라곤에서 협동조합 활동이 시작된 이래로 현재는 약 260여개 회사에서 약 8만4천명의 고용이 이루어지고 있고 총자산액은 약 53조억 여원에 달하고 있으며, 그리고 1899년 창단된 FC바로셀로나의 경우는 약 17만 여명의 축구클럽 회원과 1,600여개의 팬클럽을 거느린 협동조합으로 성장하고 있다.

또 스위스에서는 1941년 고트리프 두트바일러에 의해 설립된 협동조합 미그로의 경우에 총 매출 약 32조억 여원에 8만 3천 여명이 고용되어 있고 이런 미그로 생협의 가격인하 정책은 스위스의 물가안정에 크게 기여하고 있으며 스위스 인구의 약 28%가 협동조합 조합원으로 가입·활동 중에 있으며, 프랑스는 약 2만 1,000여개의 협동조합이 약 100만 여개의 일자리 창출에 기여하고 있고, 소매금융 60%, 농식품 40%, 소매시장 25%를 협동조합 경제가 차지하고 있다. 특히 소비자 또는 생산자협동조합의 경우에 경제위기에서도 지역경제 안정에 크게 기여하고 있는 것으로 나타났는데, 독일에서는 2008년 경제위기 속에서도 안정되고 좋은 일자리를 창출한 사례로써 중소기업 부문의 협동조합 약 250여개가 이 시기에 창업한 바 있다.

미국에서는 1848년 창설된 최대 언론협동조합 AP통신사의 경우는 약 1,400여개 언론이 조합원으로 가입되어 있는 등 약 3만 여개의 협동조합이 200만 여개의 일자리를 만들어내고 있으며, 캐나다는 10년 이상 존속하는 영리기업은 20%인데 비해 협동조합은 약 40%에 달하는 것으로 나타나 협동조합이 제공하는 일자리의 안정성이 사회적으로 인정받고 있다.

우리나라는 2012년 1월 '협동조합기본법'이 제정된 이후 협동조합 방식의 다양한 사회적 경제 활동 기반이 조성되고 지역주민들의 자발적 참여를 통해 공동체 활동이 강화되는 등 사회경제적 자립을 만들어 나가는 다수의 사례가 확인되고 있어 지역공동체 중심의 지역단위 사회적경제 활동이 현장에서 착근되고 있는 것으로 평가되고 있는 바, 이런 협동방식의 사회적 경제는 시장과 국가의 실패라는 자본주의에 내재된 모순들을 해결해 나갈 유력한 전략이자 실천수단이 되고 있다. 2023년 7월 현재 활동 중인 협동조합의 조직체 숫자는 23,079개(일반협동조합 18,701개 이고, 일반협동조합연합회 93개, 사회적협동조합 4,249개, 사회적협동조합연합회 26개, 이종협동조합연합회 10개)로 나타났다.

② 협동조합의 개념과 운영원리

협동조합(cooperative)의 개념에 대해 세계협동조합연맹(ICA,International Co-operative Alliance)는 '공동으로 소유하고 민주적으로 운영되는 사업체를 통하여 경제적·사회적·문화적 필요와 욕구를 충족시키고자 하는 사람들이 자발적으로 결성한 자율적 결사체'로 규정하고 있으며, 또한, ICA는 '로치데일원칙(1937년)'에 기초하여 협동조합의 운영원칙으로써 협동조합 7대 원칙'을 확립시켰는데 그 세부 내용은 다음과 같다.

먼저, 자발적이고 개방적 조합원의 원칙은 조합원 활동은 자발적이여야 하며 성적·사회적·인종적·정치적·종교적 차별없이 모든 사람들에게 열려있어야 한다는 것이며, 둘째, 조합원에 의한 민주적 관리의 원칙은 조합의 정책 수립이나 의사결정에 조합원들이 활발하게 참여하고 조합원마다 동등한 투표권을 가지는 것이고, 셋째, 경제적 참여의 원칙은 조합 자본은 공정하게 조성되고 민주적으로 통제되며 출자액에 따라 제한된 배당은 받지만 잉여금 일부는 배당않고 유보금으로 적립하며 조합원은 이용실적에 비례한 편익을 제공받는 것이다.

그리고 넷째, 자율성과 독립성의 원칙은 조합이 다른 조직과 약정을 맺거나 외부자본을 조달할 때 조합원에 의한 민주적 관리 보장 및 합의 자율성이 유지되어야 한다는 것이고, 다섯째, 교육 훈련 및 정보 제공의 원칙은 조합의 모든 구성원에게는 적절한 교육과 훈련이 제공되며 협동의 본질과 장점에 대한 정보가 제공되어져야 한다는 것이며, 여섯째, 협동조합간 협동체계의 원칙은 조합이 다른 조합과 공동으로 협력사업을 전개하여 조합의 힘을 강화시켜나가야 한다는 것이며, 끝으로 지역사회에 대한 기여의 원칙은 조합원 동의를 토대로 조합은 소속한 지역사회의 지속가능한 발전을 위해 노력해야 한다는 것이다.

한편, 협동조합 개념과 관련하여 국내의 경우 협동조합기본법 제2조에서 '협동조합이란 재화 또는 용역의 구매, 생산, 판매, 제공 등을 협동으로 영위함으로써 조합의 권익을 향상하고 지역 사회에 공헌하고자 하는 사업조직'으로 규정하고 있다.

③ 협동조합의 역사적 기원과 유형

협동조합의 기원은 로버트 오웬(Robert Owen)으로부터 시작되었는데, 그는 1792년 스코틀랜드 뉴래너크 지역에서 노동자 중시 기업을 운영했고 이것이 새로운 기업 운영모델로 세계적 명성을 얻게되자 영국 각지를 돌면서'협동조합 마을(Villages of Cooperation)'을 만들기도 했지만 결국 성공에는 이르지 못했다.

근대적인 협동조합의 시초는 방직공과 숙련공 8명이 모여 자율적이고 공정한 규율을 정하고 필요한 음식을 사고파는 가게를 직접 경영하는 로치데일 협동조합을 1844년에 설립한 것에서부터 출발하며, 이를 계기로 과거 오웬의 사례를 분석하여 협동조합 운영방식이 부분 보완되었는데 그 중에서 협동조합에 대한 조합원의 책임과 애정을 이끌어내기 위한 조합원 출자, 생필품 위주의 상품 판매, 생활이 곤란한 조합원이나 실직 조합원 지원을 위한 공제 및 상호부조 등은 협동조합의 주요 성공요인으로 작용했다.

그 이후부터 협동조합은 세계 각국에 꽃을 피우게 되었는데, 1840~50년대 독일에서는 신용협동조합이 그리고 프랑스에서는 노동자협동조합이 활기를 띠었다. 1880년대 들어 덴마크에서는 최초의 낙농협동조합이 결성되었고, 1963년 이탈리아에서 만들어진 사회적협동조합은 급속하게 전세계 각국으로 퍼져나갔으며, 1970년대 미국에서는 일부 주식회사 제도를 받아들인 신세대 협동조합이 탄생하기도 했다.

이러한 협동조합은 운영주체와 운영방식 및 형태 등에 따라 다양한 유형으로 분류할 수 있는데, 크게는 소비자협동조합, 신용협동조합, 생산자협동조합, 농업협동조합, 노동자협동조합, 사회적협동조합, 신세대협동조합 등으로 구분할 수 있다.

소비자협동조합은 위에서 언급한 바와 같이 영국 로치데일 지역 노동자들이 1844년에 공장주와 상인들의 독과점 폭리에 맞서 밀가루와 설탕, 버터, 오트밀 등을 파는 협동조합을 결성했던 것이 그 시초이며, 신용협동조합은 19세기 독일 농촌에서 농민의 고리채 문제 해결을 위해 시작한 라이파이젠 협동조합이 그 효시로써 다수의 조합원들이 함께 무한연대책임을 지는 조건으로 저리의 자금을 차입해 조합원에게 대출한다.

그리고 생산자협동조합 및 농업협동조합은 영세 자영업자 또는 가족사업자들이 공동행동으로 영리기업에 맞서기 위해 결성하였으며 농민생산자들이 만든 농업협동조합이 대표적 사례로써 시장에서 교섭력을 강화하여 제값에 상품을 팔고 공동구매로 원재료 단가와 마케팅 비용을 낮추는 행동에 나서기도 한다. 또 노동자협동조합은 1990년대 이후 노동자들이 양질의 일자리를 유지하고자 결성하기 시작했으며 종업원지주회사와 외견상 비슷하나 투자이익 증대가 아니라 노동자 급여 인상과 개선을 목적으로 운영되며, 동일 업종의 노동자들이 모여서 다양한 협동조합을 설립하게 되는데 그 예로는 건축 장인들이 건축협동조합을, 요리사들이 급식협동조합을, 유아교사들이 어린이집협동조합을 만드는 식이다.

또한 사회적협동조합은 사회복지를 정부 지원만으로 해결하는 데에 한계를 느낀 비영리

단체들이 시장에서 영리를 목적으로 하는 경제활동을 병행할 수 있는 협동조합으로 전환하는 사례가 생겨났으며, 맨 먼저 이탈리아에서 1991년 사회적협동조합법을 제정하여 사회서비스 제공이나 취약계층 고용을 목적으로 하는 협동조합을 지원할 수 있는 근거를 마련하였다. 신세대협동조합은 1970년대 이후 미국에서 일어난 새로운 형태의 협동조합 운동으로, 1인 1표 대신에 이용규모에 비례한 의결권 부여나 출자증권의 부분적 거래 허용 등의 변화를 동반하는 운영방식을 통해 자본조달의 어려움을 해소하고 의사결정과정의 왜곡을 해소하고 있다. 또, 전통적인 협동조합으로 생산자 협동조합은 농협, 수협, 엽연초생산협동조합, 산림조합 등이 있고, 개별법에 의한 협동조합은 중소기업협동조합, 신용협동조합(신협), 새마을금고, 생활협동조합(생협) 등이 있다.

협동조합기본법에 의한 협동조합은 일반협동조합과 사회적협동조합으로 나누어지는데, 일반협동조합 유형의 성격 및 운영체계는 재화(용역)의 구매, 생산, 판매, 제공 등을 협동으로 영위함으로써 조합원의 권익을 향상하고 지역사회에 공헌하고자 하는 사업조직으로 조합원의 이기적 동기인 영리의 필요를 충족시키는 조직으로, 사실상의 사업범위 제한은 없으며(보험, 금융 제외) 법정적립금은 잉여금의 10/100 이상으로 이용실적 및 출자액에 따라 배당이 가능하다. 운영형태별 유형으로는 구매대행(구매조합), 서비스 및 자산 공유(이용조합), 일자리 제공(직원조합), 공동업무 대행(사업자조합), 상호제공 및 이용(다중이해관계자협동조합) 등으로 세분된다.

사회적 협동조합 유형의 성격 및 운영체계를 살펴보면, 지역주민의 권익과 복리증진 관련 사업, 취약계층에게 사회서비스 또는 일자리를 제공하는 조합으로 영리를 목적으로 하지 않는 협동조합으로서 조합원의 이타적 동기인 비영리의 사회적 목적을 실현하며 배당이 없으며, 지역사회공헌, 주민권익증진, 취약계층지원, 국가위탁사업, 기타공익사업 등 비영리목적 사업을 40% 이상 수행하며, 총출자금의 범위 내에서 조합원 대상의 소액대출 및 상호부조가 가능하지만, 잉여금의 30/100 이상 적립하며 배당은 금지된다. 운영형태에 따라 지역사업형, 취약계층사회서비스 제공형, 취약계층 고용형, 위탁사업형, 기타 공익사업증진형, 보건의료(의료사회적협동조합) 등의 유형으로 세분된다.

그리고 조합운영 결과로 나타난 잉여금의 사용방법에 있어 수혜자를 누구로 하느냐에 따라 협동조합간의 성격이 구별되기도 하는데, 소비자협동조합은 소비자(판매가격 인하 등)이고 직원협동조합은 직원(임금인상이나 근로조건 개선 등)이 되며 사업자협동조합은 사업자(농산물등구매

가격인상)가 되고 다중이해관계자협동조합은 수혜자가 다양하며 이런 다양한 이해관계자간의 안정적 관계 유지가 가능하며, 사회적협동조합은 취약계층의 고용 및 서비스제공,지역개발 등 공익사업에 의해 수혜자는 주로 취약계층이 된다.

④ 협동조합의 설립 절차

협동조합 설립은 발기인 모집, 정관 작성, 설립동의자 모집, 창립총회, 설립 신고 및 인가, 사무 인수인계, 출자금 납입, 설립등기 등의 과정과 절차를 거쳐 이루어지는데, 그 중에서 협동조합의 조직형태, 운영방법 및 사업 활동 등에 관한 기본적인 사항을 규정한 최고의 자치법규으로서 단체의 기본규범에 해당하는 정관 관련 사항에 대해 살펴보면 다음과 같다.

협동조합 포함한 법인조직체의 설립 과정에서는 반드시 서면에 의한 정관 작성이 이루어지고 등기를 통한 공시 절차를 거쳐야 하는데, 협동조합 정관에서 필수적으로 기재해야 할 사항으로는 목적, 명칭 및 주된 사무소의 소재지, 조합원 및 대리인의 자격,조합원의 가입, 탈퇴 및 제명에 관한 사항, 출자 1좌의 금액과 납입 방법 및 시기, 조합원의 출자좌수 한도, 조합원의 권리와 의무에 관한 사항, 잉여금과 손실금의 처리에 관한 사항,적립금의 적립방법 및 사용에 관한 사항, 사업의 범위 및 회계에 관한 사항, 기관 및 임원에 관한 사항, 공고의 방법에 관한 사항, 해산에 관한 사항, 출자금의 양도에 관한 사항, 그밖에 총회·이사회의 운영 등에 필요한 사항 등 총 14개 항목이 있다.

(3) 소셜벤처

사회적기업과 협동조합은 사회적경제의 대표적인 구성조직체라 할 수 있지만, 그 외에도 마을기업, 자활기업, 소셜벤처 등의 사회적경제 구성조직체가 있는데, 그 중에서도 공동체 투자유형에서 파생된 소셜벤처(social venture))에 대해 좀더 살펴보면 다음과 같다.

① 개관

소셜벤처는 정부지원 네트워크이나 프레임을 벗어나 새로운 공동체형 사회적경제의 가능성을 보여주는 실험적인 사회적경제 구성조직체를 총칭하는 것으로, 창의적인 비즈니스 아이디어로써 시장경제원리에 따라 사회문제를 해결하면서 이에 소요되는 자금은 자체적으로 해결하려는 사회적경제 구성조직체가 바로 소셜벤처인 것이다. 즉, 정부 개입이나 지원이 없어도 민간부문의 창의적 아이디어와 혁신적 투자 및 운영방식 등에 의해 사회문제를 해결

하는 사회적경제 구성조직체를 말한다.

이는 기존의 사회적경제 구성조직체들이 보여주는 정부 예산이나 민간 기부금에 따른 자선적 복지에 의한 복지예산 낭비나 강제적인 자선 수행이 아닌 영리기업 조직체에 의한 이윤추구와 사회적책임의 동시 이행이라는 자발적 사회참여 활동이라 할 수 있다.

② 운영방식

소셜벤처는 영리추구와 공익기여라는 복합적 운영원리와 목표를 가지고 있지만 사회문제 또는 시장실패를 완화하거나 줄이기 위해 사회적 목적, 경제원리, 혁신성 등에 기반한 운영방식에 의해 사회적 가치를 생산해내는 비즈니스 벤처이기 때문에, 사회문제 해결과정에서 사업기회를 발견하며 사회문제에 대해 창의적이고 효과적인 솔루션을 갖고 있는 사회적기업인이 설립한 기업 또는 조직체이므로 기업가의 아이디어, 도전, 열정 등이 가장 중요한 성공요소라 할 수 있다

SRI 유형 중에서 소셜벤처 캐피털 투자유형은 소셜벤처에 의한 사회적경제 실현을 목표로 하는 가치선별 유형이나 공동체투자 유형의 일부로도 볼 수 있지만 투자방식의 혁신성 등으로 인해 별도로 독립 유형으로 분류되고 있으며, 최근에 주목받고 있는 임팩트 투자(Impact Investment)도 이에 속한다.

소셜벤처의 투자방식은 전문적 관리형 벤처캐피털 의한 투자도 있지만 업체, 종교단체나 사회단체, 재단이나 개인 등이 사회적 문제해결을 위해 창의적인 해결책과 조직 혁신성을 갖춘 사회적경제 구성조직체에 직접 투자하는 방식도 많이 있다.

소셜벤처와 사회적기업의 목적과 운영원리는 상당히 유사하지만, 정부의 인증을 받아야 하는 사회적기업에 비해 소셜벤처는 사회적기업 인증제도에 의한 설립기준 등에 구애받지 않고 다양한 방식과 형태를 통해 도전적이며 창의적으로 사업을 전개할 수 있는 장점이 있으며, 최근 국내에서는 정부기관 등에서는 예비사회적기업가 발굴 지원 및 각종 경연대회 개최 등을 통해 청년층의 소셜벤처 창업을 적극 장려하고 있으며, 민간업계에서는 사회적기업가들의 양성 및 격려 등을 위하여 GSVC(Global Socail Venture Competition)를 매년 개최하고 있고, 특히 ASHOKA, Echoing Green, Schwab foundation 등에서는 각자의 고유한 방식에 따라 사회적기업가들을 각각 발굴·양성하고 있다.

소셜벤처를 통해 사회적경제가 단순히 국가복지정책의 보조적 활동영역만이 아닌 시장경

제 영역까지 포괄하는 독자적 경제영역을 확보함으로써, 사회적경제 활동이 사회주의 경제 방식의 아류 내지 변형이 아니라 자유시장경제와 국가계획경제의 장점과 효율성을 모두 활용하는 새로운 경제활동 영역을 개척하는 방향성을 보여주고 있다.

특히 대기업을 비롯한 민간기업들의 진정성있는 사회적책임감이 소셜벤처 활동 등을 통해 사회적경제 영역에서 충분히 발휘되어진다면, 사회적으로 양극화나 실업, 빈곤과 착취 등의 극단적 대립과 갈등이 눈에 띄게 완화될 가능성이 있으며, 이는 균형발전적인 자유시장경제 실현에도 상당한 도움이 될 수 있을 것으로 기대된다.

사례 그들은 왜 행동주의 투자자들의 타깃이 됐나

최근 기업 의사결정에 적극 참여하는 주주 행동주의 바람이 확산되면서 국내 기업들이 행동주의 투자자의 공격 대상이 된 배경에 관심이 쏠리고 있다. 행동주의 투자자의 지분 매입 배경이 단순 경영 참여에 그칠지 경영권을 위협할지 여부에 영향을 줄 수 있는 탓이다.

한 대형 사모펀드 운용사 대표는 16일 "국내 행동주의 투자 시장은 그 동안 해외 사모펀드들이 단기적으로 기업의 경영권을 위협하면서 가치를 올려 차익을 챙기기 위한 게 대부분이었다"고 "하지만 최근 한국형 행동주의 사모펀드가 중장기적으로 오너 일가 중심의 경영권을 견제하면서 지배구조를 합리적으로 바꿔 기업가치를 제고하는 것으로 바뀌고 있다"고 말했다.

실제 토종 행동주의 사모펀드를 표방한 KCGI는 지난해 하반기 국내 행동주의 펀드의 첫 대기업 지분 인수 사례인 한진칼(30,250원 350 -1.1%)에 이어 한진(53,000원 2900 5.8%)에 대해 지배구조 개선으로 주가를 끌어올릴 수 있는 대표적인 기업이라고 보고 투자에 나섰다. 한진그룹 조양호 회장 일가의 잇단 갑질과 비합리적인 경영행태가 도마위에 올랐기 때문이다.

이와 관련, 한진칼과 한진이 현재 각각 비상장 및 상장 주식, 부동산 등 알짜자산을 대거 보유하고 있어 지배구조를 개선해 중장기적으로 자산 재평가를 실시하면 기업가치가 크게 상승해 투자 수익을 극대화 할 수 있다는 관측도 나온다.

한진칼은 현재 비상장 자회사 칼호텔네트워크, 자동레저, 한진관광, 와이키키리조트호텔 등을 보유하고 있다. 한진의 경우도 현재 1000억원 규모로 추정되는 GS홈쇼핑(195,700원 3300 1.7%), 케이엘넷(2,950원 80 -2.6%), 포스코(263,500원 7000 2.7%), 하나금융지주(37,950원 1150 3.1%), 아이에스이커머스(4,000원 100 2.6%) 등 현금화가 쉬운 상장사 지분을 보유 중이다.

앞서 지난해 8월 토종 행동주의 펀드를 운용하는 플랫폼파트너스자산운용이 맥쿼리인프라펀드의 지분을 매입해 운용사인 맥쿼리자산운용 교체를 요구한 것도 주주권 행사를 통한 주주가치 극대화 일환이었다.

반면 1999년 타이거의 SK텔레콤(267,500원 1000 -0.4%) 인수·합병(M&A) 등을 위한 지분 인수를 시작으로 초대형 해외 행동주의 사모펀드는 과도한 경영개입에 초점을 맞춰 단기차익에 매몰돼 있다는 지적이 끊이지 않았다.

지난해 8월 현대자동차(128,500원 1000 0.8%) 지분 3%를 보유한 엘리엇이 현대차그룹 지배구조 개편에 대한 압박을 재개한 게 대표적인 사례다. 당시 엘리엇은 현대차그룹에 서한을 보내 현대모비스의 A/S(애프터서비스) 부품 사업부문을 현대자동차에 매각하는 등 지배구조 개편 방안을 제안했다.

하지만 국내 법 위반 소지 등을 감안할 때 성사 가능성이 떨어져 지배구조 개편 이슈를 만들어 단기적으로 회사 가치를 올리려는 의도가 있다는 평가가 나왔다. 이밖에 2000년과 2005년 각각 SK(264,500원 5000 1.9%), KT&G(100,500원 0 0.0%)를 공격한 소버린, 칼아이칸 등도 9000억원, 1500억원 규모의 차익을 거두고 철수한 한 바 있다.

이에 대해 증권업계 전문가는 "행동주의 펀드를 표방하는 해외 사모펀드들이 과거부터 주주로서의 영향력을 높여 고수익을 달성하려는 행태를 반복해 기업 사냥꾼의 전형이라는 비난도 나온다"고 말했다.

자료 : 머니투데이(https://www.mt.co.kr)

제 3 부
경영의 기능별 윤리

1. 마케팅 윤리의 본질

마케팅 개념의 변화를 살펴봄으로써 마케팅 윤리에 대한 사회적 시각의 변화를 알아볼 수 있다.

1) 마케팅 윤리의 개념

마케팅 개념은 시대적 변화에 따라 지속적으로 변화되는 과정을 거쳐 왔다. 과거 1948년 미국 마케팅협회는 "생산자로부터 소비자까지 상품이나 서비스의 흐름을 관리하는 기업경영 과정의 모든 활동을 포함하는 것"으로 정의하였다. 이후 2004년에는 "고객을 위한 가치를 창출하고 이를 소통하고 전달하기 위해 그리고 조직과 이해관계자들에게 혜택을 주는 방향으로 고객관계를 관리하는데 요구되는 조직의 기능과 일련의 과정들"이라고 정의하였다. 이러한 정의는 과거와 개념이 다소 차이가 있음을 알 수 있다. 과거 단순히 생산자로부터 소비자로의 제품흐름에 초점을 두었다면 최근에는 고객, 조직, 그리고 사회에 가치 있는 것을 창출하고 전달하는 과정과 고객관계 관리를 강조하고 있음을 알 수 있다. 이러한 다양한 마케팅 개념의 변화를 반영하여 마케팅 윤리를 정의하면 기업이 상품, 서비스 및 아이디어 등 고객의 가치를 창출하고 소통함으로써 욕구를 충족시킬 수 있도록 제품, 경로, 가격, 판매촉진, 물적 유통 등을 윤리적으로 수행하는 활동을 말한다.

2) 마케팅 윤리의 필요성

마케팅의 개념은 시간이 지남에 따라 변화과정을 거쳐 왔는데 과거의 생산 지향적 마케팅에서 제품 지향적 마케팅, 판매 지향적 마케팅, 고객 지향적 마케팅으로 변화과정을 거쳐

최근에는 사회 지향적 마케팅으로 변화되어 왔음을 알 수 있다. 이러한 시대변화의 상황에 맞게 기업은 윤리적 마케팅을 통해 제품에 대한 긍정적인 이미지를 창출하여 고객가치를 증가시킬 수 있다. 특히 마케팅 관리자는 제품의 안전을 보장하고 소비자 불만을 해결해야 한다. 아울러 소비자와 지역사회의 환경과 윤리경영에 대한 의식이 높아지면서 회사는 높아진 소비자들의 윤리경영과 사회적 책임 요구에 대응해야 한다. 다시 말해 단순히 품질과 디자인의 우수성을 내세우는 마케팅 전략보다는 기업의 사회적 책임을 다하고자 하는 노력이 필요하게 되었다.

따라서 기업은 조직 내의 모든 구성원들이 따라야 하는 마케팅 윤리 지침을 수립해야 한다. 마케팅의 개념은 크게 제품전략 윤리, 가격결정윤리, 광고 및 홍보 윤리, 그리고 유통경로 윤리 등을 포함해야 된다.

2. 제품관리의 윤리(Product)

기업은 소비자 욕구 충족을 위해 소비자들이 민감하게 반응하는 제품이나 서비스를 활용한다. 따라서 제품과 서비스 관리는 소비자들에게 가장 민감하게 영향을 미칠 수 있는 부문이라는 점에서 중요하다.

1) 제품안전

제품안전과 제품모조는 소비자에게 미치는 영향력이 크기 때문에 강력한 규제대상이 된다. 정부는 소비자의 안전과 건전한 경제 질서를 위해서 안전에 대한 최저기준을 법으로 정하고 있다. 제품모조란 상표권을 침해하거나 혹은 제품 또는 상표를 무단으로 모방하는 행위, 그리고 특허, 상표권, 원산지를 허위 표시하는 등의 행위를 말한다. 중국산이 한국산으로 둔갑하거나 유명브랜드의 모조품을 유통시키는 경우가 많다. 또한 제품의 성분, 내용물, 제품의 원료 등이 포장에 명시되어 있어야 하고 제품이나 서비스 사용에 따른 위험이 소비자들이 구매하기 전에 알 수 있도록 공시되어야 한다.

2) 제품설계

기업은 제품을 설계할 때 내구성과 충격 실험 등 장기적인 제품의 안전성을 철저하게 검증해야 한다. 장기적으로 안전성에 문제가 있다면 단기적으로는 이익을 얻을지 몰라도 장기적으로 큰 피해를 줄 수 있다. 또한 사용설명서와 경고문은 소비자에게 위험이나 주의사항이 충분히 전달될 수 있도록 소비자가 인지하기 쉬운 곳에 부착해야 하며 제품에 하자가 생겼을 경우 무상으로 교환하거나 수리해주거나 보상해줌으로써 소비자에 대한 책임을 다해야 한다.

3) 계획적 진부화

계획적 진부화란 제품의 물리적 수명 자체를 의도적으로 단축시키거나 물리적 수명이 다하기 전에 소비자가 새로운 제품으로 교체하도록 의도적으로 제품수명을 단축시키는 행위를 말한다. 스마트폰, 자동차 및 패션제품 등 계획적 구식화가 대표적인 사례들이다. 이들 제품은 계획적 구식화를 통해 새로운 스타일을 계속하여 소비자들에게 제공한다는 장점도 있지만 과소비 조장, 자원의 낭비, 환경오염 관점에서도 제고되어야 할 부분이 있다.

4) 성분·효능에 대한 허위 표시

상품의 원재료, 성분, 품질, 성능, 효능 등을 사실과 다르게 표시하는 경우, 혹은 금융 상품의 경우 팸플릿에 높은 수익률을 큰 글씨로 표기했지만 아주 작은 글씨로 단서 조항들을 삽입하여 구매자들에게 실제보다 좋게 인식시키는 것은 비윤리적이다. 심한 경우 법적인 제재를 받을 수 있다. 대표적인 예를 들면 "휘발유 1리터로 OOkm 주행"이라고만 하지만 고속도로 기준인지 혼잡한 시내 기준인지 명확하게 밝히지 않은 경우, 그리고 "참기름"이라고 표시하여 광고하지만 실제로는 콩기름이나 들기름 등을 섞어서 판매하는 경우, 혹은 산딸기 성분이 들어있지 않거나 단지 산딸기 맛의 향만 들어있으면서 산딸기 아이스크림으로 표기하는 경우가 해당된다.

〈표 7-1〉 다이어트 관련 허위·과대광고 적발 사례

제품명	주요 위반 내용
HD스컵트 앤클리즈	'특히 허리라인과 복부쪽 체지방 분해에 좋으며 우리 몸의 독소를 제거' 등의 허위과대 광고
달맞이꽃 종자유	'젊은 여성들에게도 생리전증후군(흥분, 우울, 짜증)에 탁월한 효능이 있으며 이외에도 아동들의 아토피염, 천식 등에 뛰어난 효과가 있으며 비만이나 고혈압에도 효과가 뛰어난 것으로 알려져 있다'고 허위 과대광고
마꼬스틱 쿠키	'1개 68㎉ 초저칼로리, 1일 -1.7㎏ 감량, 3일 -5㎏ 이상 감량, 1달 -50㎏ 감량, 3일 만에 5~8㎏ 감량' 등 효과가 있다고 체험사례 등 허위 과대광고
그린티 콤플렉스	'만병통치약으로 알려진 녹차에는 고혈압, 당뇨 등의 성인병 예방에서 다이어트까지 효과가 있다'고 허위 과대광고
고혈압에 좋은 줄풀차 외 2건	'칡을 골다공증, 숙취해소와 체지방감소에 도움을 준다는 내용과 줄풀차를 고혈압에 좋은 차, 박하차를 비염에 좋은 차' 등의 내용으로 마치 질병치료 등에 효과가 있다고 허위 과대광고
지스림	'지스림 프로그램으로 55세 이OO는 15일 섭취 후 4.1㎏ 감량' 등 다이어트 체험사례를 올려 효과가 있다고 허위 과대광고
경희 본 유기농 해독 다이어트	'단기간에 -25㎏ 쏘옥 뺀다. 7일 단기 유기농 해독으로 -5㎏ 감량, 2주 한방 체지방분해로 -13㎏ 감량, 힘들게 운동하지 않아도, 많이 먹어도 살이 찌지 않게 지방분해효소로 체지방을 100% 제거' 등 효과가 있다고 허위 과대광고
마이다케	'당뇨병과 비만을 치료하는 데 탁월한 효과' 등 효과가 있다고 허위 과대광고
미와선	'인체사진, 체험기' 등 다이어트에 효과가 있다고 허위 과대광고
페닐코어, 싸이토린	'체지방제거, 다이어트제품, 체내에너지 활성' 등의 광고, '체지방분해 다이어트캡슐' 등 효과가 있다고 허위 과대광고
VPX Meltdown	'지방 집중공격, 정신과 욕구조절 매트릭스' 등의 허위 과대광고
Animal Cuts	'체험기 및 체중 감량 도달할 때까지' 등으로 허위 과대광고
경희 본 유기농 다이어트	'유기농 수면다이어트는 수면 중에 지방을 연소시켜 하룻밤에 1㎏ 감량 21일에 18㎏ 감량이라는 감량효과가 식사제한 없이 얻어집니다. 다시 체중이 증가하는 경우가 드물고, 살이 찌지 않는 체질로 개선됩니다. 국내 최초 식사량 제한 없이 중년여성의 허리둘레, 체지방 감소효과 입증! 7일 단기유기농해독 프로그램 7㎏ 감량, 2주 한방체지방분해 프로그램 16㎏ 감량' 등 효과가 있다고 허위 과대광고

자료 : 2017 Online Advertising Law System Guide, p. 189 (http://onlinead.or.kr)

5) 환경오염

일회용 기저귀, 경유, 화학약품, 세제 등과 같이 제품을 생산하는 과정에서 혹은 제품을 사용하거나 사용 후 폐기하는 과정에서 환경을 오염시키는 경우가 많다. 또한 포장 재료와 같이 천연자원을 대량으로 소모하는 상품도 윤리적인 문제를 가진 것으로 비난받기도 한다. 경유 차량이 휘발유 차량보다 환경오염 물질인 미세먼지와 질소산화물을 더 많이 배출한다. 따라서 오염을 정화하는데 필요한 비용을 차량가격이나 경유에 포함하지 않는다면 경유 차량의 생산자는 윤리적으로 비난을 받을 수 있다.

6) 제품의 윤리성 평가기준

제품의 윤리성을 평가할 때 다양한 기준이 존재하지만 대표적인 것으로는 의도, 방법, 결과로 구분해 볼 수 있다.

(1) 의도

예를 들면 사용한 적이 있는 제품을 신품으로 판매한다든지, 진품이 아닌데 진품으로 판매하는 경우처럼 소비자에게 속일 의도가 있으면 비윤리적이라고 볼 수 있다. 또한 테스트용 자동차를 신품으로 판매하는 경우도 윤리적인 문제가 된다.

(2) 방법

제품의 표시 방법과 판매 방법을 공개하고 구매자에게 알려야 한다.

(3) 결과

보험약관과 같이 구매제품이 소비자의 생각과 다를 경우 판매방식이 윤리적이지 않을 수 있다.

3. 가격관리의 윤리(Price)

가격은 구매자의 결정에 강한 영향을 미치는 마케팅 요소이므로 다른 마케팅믹스와 달리 불법적으로 수익을 창출하면 강한 법적 규제를 받는다.

1) 가격담합

기업의 입장에서 경쟁이 발생하지 않게 되면 가격을 내릴 이유가 없으므로 담합을 한다는 것은 결국 경쟁을 하지 않기로 서로 합의하는 것과 같다. 담합은 명시적 담합과 암묵적 담합으로 이루어진다. 명시적 담합은 이해당사자들이 직접 만나서 가격을 설정하는 것이고 암묵적 담합은 선도 기업이 가격을 시장에 공시하면 후발 기업들이 그 가격에 맞추어서 가격을 설정하는 것을 말한다. 또한 담합 대상에 따라 경쟁업체와의 수평적 가격담합, 제조업자와 중간상 간의 수직적 가격담합이 있다.

2) 소비자기만

소비자를 기만하는 가격도 비윤리적인 것으로 간주된다. 제품은 서비스, 설치 및 배달 등을 포함한 전체가격으로 공시되어야 한다. 또한 가격은 인상하지 않지만 품질은 낮추거나 용량을 줄여 실질적인 가격이상 효과를 노리는 것도 윤리적 문제가 되는 가격결정법이다.

3) 유인가격

유인가격은 여러 상황에서 발생한다. 예를 들면 기업이 신제품을 도입할 경우 시장에 효과적으로 침투하기 위해서 초기 저가격 전략을 활용한다. 슈퍼마켓이나 백화점의 경우 잘 알려진 제품의 가격을 저렴하게 판매하여 소비자들에게 자기 상점의 가격수준이 다른 상점보다 매우 낮은 인상을 주기 위한 방법으로 사용할 수 있다. 주로 생필품을 취급하는 점포에서 시행된다.

4) 고가강요

기업은 가격을 낮추는 유인가격과는 반대로 가격을 높이는 고가강요 정책을 사용하기도 한다. 예를 들면 천재지변 등의 특수한 상황으로 인해 물자공급이 어려울 때 높은 가격을 요구하는 경우가 발생할 수 있다.

5) 할인가격

할인가격은 다양한 방법으로 사용된다. 현금할인, 수량할인, 기능할인 그리고 계절할인 등의 방법이 있다. 특히 실질적으로는 가격변화가 없는데, 가격할인을 한 것처럼 표시하는 경우 문제가 된다.

4. 유통관리의 윤리(Place)

1) 유통경로 관리의 윤리

생산자 → 도매상 → 소매상 → 소비자로 흐르는 유통과정에서 가장 힘이 크고 지배적인 역할을 하는 기관을 경로주장(Channel captain)이라고 한다. 이러한 유통경로상의 '힘'의 역학 관계 때문에 유통의 윤리 문제가 발생할 수 있다. 경로주장은 품목별로 상이한데 농산품의 경우 중간상인, 할인점의 경우 주로 대규모 소매업자, 공산품의 경우 제조업자, 의류품의 경우 백화점이 주로 경로주장이 된다. 따라서 유통경로 상에서 힘을 가진 경로주장이 유통 경로상의 지배력을 남용하여 횡포가 나타나고 불공정과 비윤리적인 형태가 나타날 수 있다. 경로주장은 힘과 동시에 그에 상응하는 책임도 져야 하므로 힘이 큰 만큼 많은 책임을 부담하여 힘과 책임의 균형을 이룰 수 있도록 만들어야 한다. 만일 책임보다 힘이 크면 책임을 늘려 균형을 맞춰야 한다.

① 체인본부와 가맹소매점 또는 편의점과의 관계에서 윤리적 문제

체인본부와 가맹점 또는 편의점과의 관계에서 윤리적인 문제가 발생할 가능성이 있다. 체인본부와 가맹소매점은 상호간 계약을 맺어 상품을 선정하고 공급한다. 하지만 체인본부는

자본력과 조직력, 경영능력 측면에서 가맹점보다 힘의 우위에 있는 경로주장이다. 또한 체인본부가 공급자와 공급가격을 결정하고 할인상품의 선정을 결정한다. 이러한 힘의 불균형에서 사전 동의 없이 계약 내용을 변경하거나, 거래 기간 중에 상품의 공급을 중단한다든지, 점포설비를 특정업체에서 구입하도록 강요하거나 가입자의 영업활동 범위를 제한하는 등의 강요를 하는 경우 윤리적인 문제를 일으킬 수 있다.

② 제조업체와 소매점과의 관계

대규모 백화점이나 할인점은 최근 영향력이 높아지면서 유통시장에서 경로주장으로 부상하고 있다. 이러한 힘의 증가에 비례해서 비윤리적인 문제를 일으킬 가능성이 높아지게 된다. 예를 들면 백화점과 특정 납품업체와의 관계에서 백화점의 구매담당자가 납품업체에게 조건 없이 제품을 반품 받도록 강요하거나 금전적인 이익을 받고 특정 납품업체에게 대금지불조건을 유리하게 해주는 것과 같은 비윤리적인 행위가 발생할 수 있다. 중소기업입장에서 백화점 입점 자체가 큰 경쟁력이 되기 때문에 유명백화점에 입점하기 위한 경쟁은 치열하다. 따라서 납품업체와 백화점사이에 뇌물수수 등의 비윤리적인 행위가 발생할 수 있다.

2) 구매관리의 윤리

다양한 이유로 구매관리에 있어서의 윤리적인 문제가 발생할 수 있다. 예를 들면 구매 관련 종업원의 많은 비리는 자기개인의 이익을 조직의 이익보다 더 중요시 할 경우 발생하게 된다. 구매회사는 공급업자보다 힘의 우위에 있게 되는데 이러한 힘을 공급회사에게 부당하게 사용하거나 압력을 가하게 되는 경우 윤리적인 문제가 발생한다. 따라서 구매자와 공급자간의 윤리적 문제를 예방하기 위해서는 기업은 뚜렷한 방침을 제정하고 공표하여 구매 관련 방침을 결정하여 관계종업원에게 알려야 한다. 그렇게 해야만 구성원들은 평소에 윤리적 구매의 필요성을 인식하고 윤리적 가치를 갖게 된다. 기업은 구매행위 표준을 채택함으로써 구성원들이 윤리적 딜레마에 직면하게 될 때 윤리적인 행동을 할 수 있도록 유도해야 한다.

3) 유통경로의 윤리관리

유통경로와 관련된 윤리문제에 대해 기업이 의사결정을 내려야 할 때 기업은 여러 가지 관점에서 결정을 하게 된다. 대표적으로 장기적 관점, 이해관계자 관점, 소비자의 입장에서 결정할 수 있다. 우선 기업은 기업의 장기적 이익을 먼저 고려하여 유통경로와 관련된 윤리 문제에 대해 결정 한다는 입장이다. 두 번째는 다양한 이해관계자 중에서 어느 그룹의 이해관계자의 이익을 먼저 고려할 것인가에 중점을 두고 결정할 수 있다. 마지막으로 기업이 소비자 중심의 사고방식을 가지면 소비자들은 신뢰감을 가지게 되므로 장기적으로 고객을 확보하는데 도움이 되므로 소비자 중심의 결정을 해야 한다는 입장이다.

5. 촉진관리의 윤리(Promotion)

1) 판매원의 윤리

(1) 판매원의 윤리성 문제

판매원의 윤리문제는 판매원이라는 특성으로 인해 발생하게 된다. 예를 들면 보통 판매원은 현장에서 혼자 판매활동을 하는 경우가 많고 문제가 생기더라도 상사에게 상의 할 수가 없고 현장에서 즉시 해결해야하는 경우가 많다. 또한 판매 할당량이 주어져 있어서 일정량을 판매해야 한다는 압박감이 있고 공적비용과 사적비용이 혼돈되기 쉬운 경우가 많다.

① 공금의 사적이용

판매원은 회사 밖에서 고객을 찾아다니면서 많은 비용을 쓰게 된다. 이때 판매를 위하여 사용한 공적비용과 판매와는 무관한 개인적으로 사용한 사적비용의 구별이 애매한 경우가 생기게 된다.

② 대고객관계

고객과의 관계에서도 다양한 상황에서 윤리적 문제가 발생 할 수 있다. 예를 들면 거래처 구매담당자에게 뇌물을 주는 경우나 제품의 장점만 과장해서 말하고 결점은 감추는 경우, 납품 날짜를 지킬 수 없음에도 납품약속을 하는 경우가 있을 수 있다. 또한 월말 판매 할당량 달성을 위하여 거래처에게 재고량이 현재 있는 것밖에 없으니 사두라고 권하는 경우나 필요 없는 기능을 가진 고가품을 구매하게 하는 행위도 윤리적 문제를 야기한다.

③ 대경쟁자 관계

경쟁자와의 관계에서 비교를 통해 경쟁 제품을 비방한다든지, 경쟁사 제품에 고의로 흠을 내고 그 제품이 나쁘다고 말하는 경우, 혹은 비윤리적 방법을 통해 경쟁사에 관한 정보를 수집하는 행위가 윤리적으로 문제가 될 수 있다.

④ 동료 및 상사와의 관계

판매활동을 하면서 동료의 고객을 가로 채거나 판매지역을 침범하는 행위도 문제가 된다.

⑤ 상충되는 이해관계

자기회사의 판매활동에서 확보한 인간관계와 정보를 판매원의 개인적 이익이나 보상을 제공하는 다른 사람을 위해서 이용하는 경우가 있다. 따라서 이러한 윤리적 문제 발생을 예방하기 위해서는 판매원 행동강령과 같은 분명한 규정이 필요하다.

(2) 선물과 접대

① 선물

판매원이 선물을 할 때는 먼저 선물과 뇌물의 명확한 구분이 필요하다. 그러나 선물과 뇌물의 구분이 애매할 수 있으므로 영업 사원이 주거나 받을 수 있는 선물의 한계를 회사의 방침으로 분명히 해야 할 필요가 있다.

② 접대

손님으로서 접대를 하는 것은 상관없지만 과도한 접대는 뇌물에 속한다. 따라서 접대에 대한 분명한 행동기준이 명시되어야 한다.

(3) 판매의 윤리성 평가기준

대표적인 판매원의 윤리성 평가기준으로는 판매원의 의도가 비윤리적이거나 실행방법이 비윤리적이면 비윤리적이라고 볼 수 있다. 또한 판매원의 행위의 결과가 비윤리적이면 그 행위는 비윤리적인 행위에 해당된다.

(4) 판매원의 윤리성 향상 방법

판매원의 윤리수준을 높이기 위해서는 구체적이고 상세한 판매원행동 준칙이나 영업사원

행동강령을 제정하여 그것을 준수하도록 해야 한다. 판매량 할당은 정상적인 판매활동을 통해서도 달성 가능한 범위 내에서 정해져야 한다. 또한 영업사원이 현장에서 윤리적 문제에 직면할 경우 즉시 본사에 연락하여 상의를 하고 지시받을 수 있도록 해야 한다. 아울러 영업활동 속에 비윤리적 문제가 조금씩 계속하여 발견되면 더 큰 문제가 생기기 전에 적극적 조치를 적절하게 취하여 예방하여야 한다.

2) 광고관리의 윤리

(1) 광고의 윤리문제

광고가 사회에 미치는 영향력이 증대됨에 따라 광고의 윤리문제도 중요시되고 있다. 광고의 윤리적인 문제는 지나치게 광고를 과장하거나 공격적으로 설득하려는 과정에서 발생할 수 있다. 광고 윤리성 문제는 광고의 영향, 광고내용, 광고주의 문제, 광고매체 등 다양하게 발생하고 있다.

① 광고

기업은 광고를 통해서 고객과 의사소통하는데 이때 전달하고 싶은 메시지와 그 메시지를 전달하는 방법에서 윤리적인 문제가 발생할 수 있다.

가. 허위과장 광고

허위 광고란 사실에 기초하지 않는 자료나 정보를 사용하여 광고하는 경우를 말한다. 예를 들면 아무런 근거도 없이 특정 제품이 어떤 효과가 있다는 광고를 하는 경우도 허위광고에 해당된다. 과장광고란 사실을 과장되게 표현해서 광고하는 것을 말한다. 이러한 허위광고는 소비자들에게 착각을 일으키게 하여 상품에 대한 그들의 올바른 선택을 어렵게 만들기 때문에 윤리적으로 문제가 된다. 이러한 허위과장광고는 윤리적인 문제를 일으킬 뿐만 아니라 장기적 관점에서 기업에게도 도움이 되지 않는다.

나. 비교 광고

비교 광고는 자사와 경합하는 타사의 상품과 비교하여 우위성을 호소하는 광고의 수단으로, 가격이나 성능 등의 수치를 내세우는 광고를 말한다. 비교 광고는 윤리적으로 많은 위험이 알려져 있음에도 불구하고 마케팅 전략에서 많이 사용되고 있다.

다. 아동, 노인 광고

아동이나 노인 등 취약계층을 대상으로 하는 광고는 윤리적인 문제를 일으킬 수 있다. 합리적인 판단능력이 부족한 아동을 대상으로 하는 광고의 경우 윤리성이 문제될 수 있으며 고령화 사회가 되면서 노년층 인구가 증가하고 있고 이들 노년층의 경우 TV를 보는 시간이 상대적으로 많다. 따라서 노년층을 시청자로 하는 광고가 차츰 심각한 윤리 문제를 야기할 가능성이 높아지고 있다.

라. 선정적 광고

선정적인 광고는 특히 청소년들에게 신체적 정신적으로 큰 영향을 주기 때문에 논란이 된다. 어느 항공회사의 경우 승무원이 고객을 보고 성적으로 유인하듯 말하는 문안을 광고로 싣기도 했는데 이처럼 성을 광고에 활용할 경우 신중해야 한다.

② 광고대행사

광고대행사는 광고주의 희망에 따라서 광고주의 마음에 드는 광고를 기획하게 된다. 이 과정에서 광고하고자 하는 내용이 허위, 불법, 인권침해, 성차별, 사회적으로 해로운 상품의 구매권유 등과 같이 비윤리적이거나 광고주가 인권침해단체, 범죄단체, 사기회사와 같은 비윤리적인 경우 광고주의 생각이나 주장에 맞게 광고를 제작해야 하는지에 대한 윤리적문제가 생긴다. 또한 광고대행사는 서로 경쟁하고 있는 경쟁기업의 광고를 동시에 취급할 경우 윤리적인 문제가 발생할 수 있다.

③ 광고매체

윤리적으로 문제가 되는 광고는 거절해야 할 것인지 아니면 어떠한 광고라도 다 전달해줄 것인지도 문제가 된다.

(2) 광고 윤리의 관리

① 광고규제의 의의

제품을 광고할 때는 광고 장소, 시간, 내용 등을 규제하는 광고규제를 따라야 한다. 예를 들면 한국에서는 어린이들의 건강을 이유로 고열량 저영양 식품 광고는 특정시간대 광고를 금지하고 있다. 영국, 그리스, 덴마크, 벨기에 등에서는 어린이에 대한 광고가 제한되며 캐나다의 퀘벡, 스웨덴, 노르웨이에서는 어린이에 대한 광고는 불법이다. 유럽연합은 27개국 회원국의 어린이에 대한 광고규정을 최소한으로 규정해두고 있으며 미국에서는 연방거래위원회가 1970년대에 어린이에 대한 광고 문제를 다루었으나 규제는 하지 않기로 하였다.

② 광고규제 기구

많은 국가에서 광고에 대한 자율규제로 윤리성을 확보하려고 노력하고 있다. 한국의 '한국광고자율심의기구'는 각종 매체 광고의 적정성여부를 자율적으로 심의하여 윤리규정을 지키도록 하고 있다. 광고는 공정성과 윤리성을 가져야 하고 허위, 기만, 오도 광고를 금지하고 선정성 있는 표현이나 청소년을 대상으로 하는 매체에서는 성적 충동을 유발하는 표현도 금지한다. 국제수준에서는 국제상업회의소(International Chamber of Commerce : ICC)가 마케팅 커뮤니케이션 글로벌 표준을 제정하여 국제상업회의소 광고 마케팅 통합기준에 따르도록 하고 있다.

③ 광고 규제와 법적 조치

광고규제는 처벌보다는 예방하려는 목적이 강하다. 따라서 전형적인 규제는 수정 광고를 하게 하거나 불법적인 행동을 심각하게 받아들이도록 하는 것이며 사기피해가 발생하지 않도록 관련 정보를 공개하도록 한다.

미국의 경우 연방거래위원회(FTC)에서 광고를 규제하고 상업거래에서 부당하고 사기적인 행동을 금지하고 있다. 광고의 사기성 판단은 애매한 경우가 많은 데 소비자가 광고를 보았을 때 광고의 주장이 명시적이든 묵시적이든 실현될 수 없는 경우 허위가 된다. 영국은 가격 관련 허위광고는 광고표준국(Advertising Standards Agency)에서 엄격하게 규제하여 항구적 세일, 미끼와 변환광고, 과장된 가격비교 등은 거의 찾아볼 수 없다.

계획적 진부화 사례 "애플, 구형 아이폰 성능 의도적으로 떨어뜨렸다"

아이폰6 이용자 최신 업데이트 후 갑자기 속도 느려져
배터리 교체 후 기기속도 빨라져 …성능점수 2배 차이
더 오래 아이폰 쓰도록 배려? 새제품 교체하란 조치?

애플이 배터리 성능이 저하된 아이폰에 대해 의도적으로 기기의 처리 속도를 낮춘다는 주장이 제기됐다. 11일(현지시간) 애플 전문 IT매체 맥루머스는 IT 블로그 레딧에 게재된 한 아이폰 이용자의 주장을 인용해 이 같이 보도했다. 이 이용자는 아이폰6를 사용 중인데 최근 최신 운영체제(OS)인 iOS11로 업데이트를 하면서 기기 성능이 크게 저하됐다는 것을 체감했다. 이에 그는 스마트폰 성능 테스트 애플리케이션(앱)인 긱벤치를 통해 배터리 잔량과 기기 성능과의 상관관계를 분석했다. 실험 결과 사용한 지 2년이 넘은 오래된 배터리의 잔량이 약 20%일 때 기기 성능 점수는 싱글코어에서 1466점, 멀티코어에서 2512점을 기록했다. 이후 그는 새 배터리로 교체한 뒤 같은 실험을 했을 때 싱글코어에서 2526점, 멀티코어에서 4456점을 확인했다. 같은 제품임에도 배터리 잔량에 따라 성능 점수가 두 배 차이가 나는 셈이다. 이에 대해 두 가지 해석이 나온다. 우선 애플이 구형 아이폰 이용자를 배려해 적은 배터리 용량으로 더 오래 아이폰을 사용할 수 있도록 하는 조치라는 것이다. 반면 구형 아이폰 이용자에게 의도적으로 불편을 끼쳐 새로운 제품으로 교체하는 것을 노린 것일 수도 있다. 아이폰은 배터리 일체형 제품으로 배터리만 교체하는 것이 상대적으로 번거롭다. 맥루머스는 이에 대해 "애플이 어떤 이유로든 구형 아이폰의 성능을 의도적으로 제한한다는 사실은 큰 논쟁거리가 될 것"이라고 말했다. 애플은 맥루머스의 질문에 공식 답변을 내놓지 않았다.

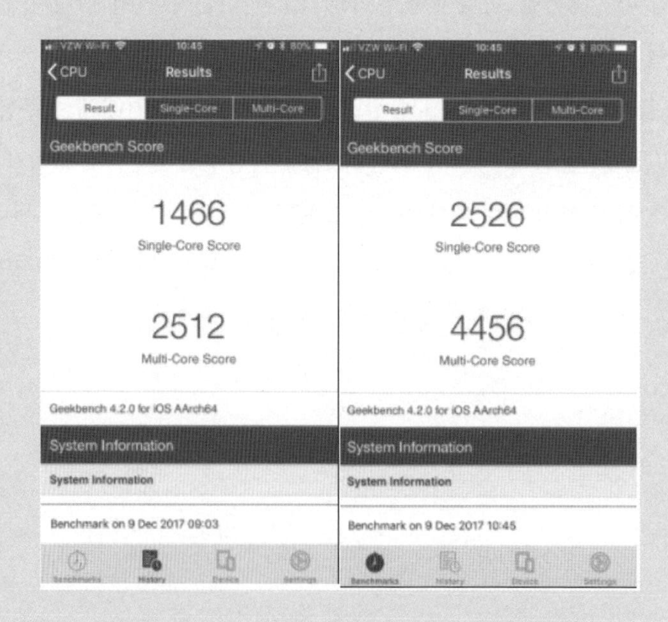

자료 : http://www.asiae.co.kr(아시아경제 2017.12.12)

가격담합 사례 가격 담합 땐 미국선 징역형, EU는 매출액 10%까지 벌금

한국과 미국의 담합 사건 처벌의 차이점

미국		한국
담합 부당이익의 2배 또는 담합 피해액의 2배	과징금(벌금) 한도	담합 관련 매출액 10% (실부과액은 1.5%~2%)
미국 법무부가 판단 관련자 70~80%에 징역형	관련자 형사처벌	공정위가 검찰 고발해야 가능 2007년~2011년 담합 사건 194건 중 검찰 고발 건수는 27건(14%) 불과
소비자 집단소송 제기 가능 징벌적 손해배상제 적용 (피해 금액의 3배 청구 가능)	소비자 보호	소비자 집단소송 불가 개별 민사소송에 의존 (장기간 소요되고 피해금액 산정 어려움)

지난달 30일(현지시각) 미국 법무부는 일본 자동차부품 업체 '야자키'에 가격 짬짜미(담합) 혐의로 벌금 4억 7000만 달러(5300억 원)를 부과했다. 일본 국적의 야자키 임원 4명에겐 길게는 2년 동안 미국 감옥에서 복역하는 징역형이 내려졌다. 2006년 하이닉스와 삼성전자는 디램(DRAM) 가격 담합 혐의로 4억8500만 달러의 벌금을 부과 받고 현지 임원 7명이 징역형을 선고받았다. 미국뿐만 아니라 국외의 많은 나라들이 짬짜미를 중대 범죄로 다루고 있다. 미국은 1890년 셔먼법 제정을 시작으로 독과점 및 기업 간 짬짜미를 제도적으로 엄격히 감시해왔고, 제재수위를 높여가고 있다. 미국은 짬짜미로 얻은 부당이익의 두 배 또는 소비자 피해액의 두 배까지 벌금을 부과한다. 짬짜미 적발 시 수억 달러의 벌금이 부과되는 이유다. 짬짜미 관련자들에 대한 형사 처분도 엄격하다. 최대 10년까지 징역형을 선고받을 수 있다. 실제로는 미국 법부무와 플리바게닝(유죄를 인정하고 형량을 감경 받는 제도)을 통해 보통 1~2년의 형을 선고받는다. 2005년 이후 짬짜미 사건에 대한 미국의 징역형 처분은 70~80%에 이른다. 유럽연합(EU) 역시 해당 기업의 전년도 매출액(전 세계 기준)의 10%까지 벌금이나 과징금을 부과한다. 이러한 제재로 지금까지 국내 기업들이 미국과 유럽연합 등에 짬짜미 위반으로 부과 받은 벌금(과징금)은 2조3000억 원에 이르고, 12명이 1년 안팎의 징역형을 살았다.

미국은 짬짜미의 원인이 되는 시장 독과점에 대해서도 엄격히 감시한다. 기업들이 시장에서 사실상 독점적 지위를 행사하거나 경쟁을 저하시킬 경우, 반독점 관련 법률을 통해 규제한다. 기업결합도 정부의 엄격한 심사를 거쳐야 한다. 1982년 지역전화와 장거리전화를 독점하던 통신사업자인 에이티앤티(AT&T)를 기업분할명령제도를 통해 7개 회사로 분리시킨 것은 상징적인 사례다. 유럽연합 역시 지난달 삼성전자의 반독점 규정 위반 여부에 대한 조사를 착수하는 등 기업의 시장 독점에 대해 눈에 불을 켜고 있다. 소비자들의 권리 보장 면에서도 미국은 우리와 차이가 크다. 미국은 소송에 참여하지 않은 피해자들도 보상을 받을 수 있는 집단소송제와 피해금액의 3배까지 배상을 청구할 수 있는 징벌적 손해배상 제도를 보장해 소비자들의 권리를 보호하는 동시에 짬짜미의 재발을 막는다. 하지만 우리나라는 피해를 받은 소비자가 모여 개별적으로 손해배상 소송을 내야 한다. 장기간의 소송비용과 피해금액 입증 등의 책임을 소비자가 져야 한다. 2001년 교복가격 짬짜미에 대한 손해배상 소송은 7년이 걸려 소비자들의 승소로 끝났다. 독과점과 짬짜미를 막기 위한 국내의 제도적 장치는 미흡한 편이다. 짬짜미 관련 매출액의 10%까지 부과할 수 있는 과징금의 실제 부과율은 1.5~2.0% 안팎으로 추정되고, 검찰에 고발되더라도 벌금형을 받는 경우가 대부분이다. 그동안 재벌의 시장 독점을 규제하는 기업분할명령제나 계열분리청구제 등이 검토됐지만 도입되지는 않았다.

자료 : http://www.hani.co.kr/arti/economy/economy_general/519044.html#csidx0d6f9c6d5acd6f4829e19ed7512dfb4

상품의 윤리적 점수 평가 사례 영국의 대안 소비자 단체인 ethical consumer 기준

영국의 대안 소비자 단체인 ethical consumer 가제품의 '윤리성'을 평가하는 기준입니다. 평가는 5개의 주요 카테고리를 19개의 영역으로 나누고 다시 300가지 주제에 관한 세부 사항을 점검하여 이루어진다.

1. 동물

1) 동물실험

1980년대에 화장품 회사의 동물실험에 대한 논란을 계기로 동물실험에 대한 반대의견이 거세졌다. 그러나 불법이 된 지금까지도 제품과 화학성분에 대한 동물실험은 계속되고 있다. 동물실험을 하는 기업들이나 동물실험에 대해 부적절한 정책을 가진 기업들에 대해서는 부정적인 평가가 내려질 것이다. 동물 실험을 하는 가정용 제품들과 애완동물들을 위한 식품들도 마찬가지이다. 의약품도 예외일 수 없다.

2) 공장식 농장

현대의 농장은 대부분 산업화되었고 집약적으로 운영되고 있다. 대량생산을 추구하기 때문에 '공장식 농장'으로 불려지기도 한다. 이런 유형의 농장에서 많은 동물들이 움직일 수도 없을 정도로 밀집된 공간에서 사육되고 있으며 그 결과 건강하게 살아가지 못하고 있다. 동물 보호론자들은 농장 동물들을 연민과 존중의 마음을 가지고 길러야 한다고 주장한다. 이러한 가치는 공장식 농장의 사육방법에서는 실현될 수 없는 것이다. 공장식 농장에서 나온 육류, 달걀(battery egg)에 대해서는 부정적인 평가가 내려질 것이다. 일반적으로 유기농 농장이 훨씬 바람직하며 유기농 육류와 유기농 농장에서 생산되는 신선식품들에 대해서는 부정적인 평가가 내려지지 않는다.

3) 동물 학대

동물을 학대한 의혹이 있거나 동물 학대 의혹이 드러난 기업에 대해서는 부정적인 평가가 내려질 것이다. 또한 동물에게 고통을 가하는 일체의 행위 - 동물원과 서커스 운영 혹은 광고에 동물을 사용하는 것-에 관련이 있는 기업도 마찬가지이다. 가죽 또는 젤라틴 같은 부산물을 얻기 위해 도살장을 이용하는 행위도 포함된다.

2. 환경

1) 환경 보고서

본 기관은 매년 기업들에게 환경에 대한 회사의 방침과 환경관련 보고서를 요청한다. 초기에 기업들은 '환경 영향을 최소화'시킨 모호한 보고서만을 보내주었다. 오늘날에는 많은 기업들이 환경에 미치는 영향에 관한 세밀한 보고서와 이를 줄이기 위한 구체적인 목표를 정하여 알려주고 있다. 우리는 모든 분야의 기업들이 장기적인 관점에서 환경에 미치는 영향을 줄여야 한다고 생각한다. 우리는 또한 이 기업들이 목표를 정하고 자체적으로 검증된 보고서를 작성해야 한다고 생각한다. 우리가 이를 '면제'해주는 경우는 환경 보호 혹은 사회 개혁을 목표로 하는 중소 규모의 신생 기업들인 경우와 거래액이 5백만 달러 이하인 경우뿐이다.

2) 원자력 발전

녹색 운동 진영 내에서 원자력 발전소에 관한 의견이 양분되고 있지만 우리는 이에 대해 어느 한쪽을 지지하지는 않고 있다. 원자력 발전소가 저-탄소 발전의 대안일 수 있다는 것도 사실이며 반대 운동가들이 주장하듯이 사고의 위험을 내재적으로 안고 있으며 방사능 누출과 수천 년 동안 없어지지 않으며 확실한 처리 방법을 아직도 모르고 있는 폐기물 문제 또한 안고 있기 때문이다.

3) 기후변화

기후변화는 더 이상 가설이 아니며 인류가 직면한 문제가 되었다. 이를 초래한 것은 인류이며 이를 해결해야 하는 것도 인류의 책임이다. 우리 모두는 환경을 위해 작은 것이라도 해야 한다. 항공 산업 그리고 정유 산업을 포함하여 기후 변화에 무거운 책임을 져야 하는 산업분야가 있다. 동일한 분야의 제품보다 기후변화에 더 심한 영향을 줄 수 있는 제품을 만드는 기업(연비가 좋지 않은 자동차 같은 제품들)은 부정적인 평가를 받게 될 것이다. 또한 기후변화에 대해 올바르지 않은 인식을 심어줄 수 있는 기업에 대한 평가도 부정적으로 내려질 것이다.

4) 환경오염과 유해 물질

환경오염이라고 해서 대형 석유 유출 사고 혹은 만 명의 목숨을 앗아간 인도 보팔의 1984년 대형 화학물질 누출사고 같은 것만을 의미하는 것은 아니다. 샴푸에서부터 컴퓨터에 이르기까지 광범위한 범위의 다양한 분야에서 수만 가지의 합성 화학물질이 사용되고 있다. 이러한 물질 중 많은 수가 환경을 오염시키고 건강을 해치는 것이다. 이 중 일부는 수년 동안 우리 몸의 지방층에 축적되는 것으로 알려져 있다. PVC같은 일부 물질은 생산 과정에서 뿐 아니라 사용되는 기간과 폐기된 이후에도 환경에 막대한 피해를 주고 있다. 이러한 물질들 중 대부분은 WWF와 그린피스 같은 환경보호 단체에 의해 특별히 주의해야 할 항목으로 분류되어 왔다. 일부 기업들은 이러한 화학물질의 사용을 단계적으로 중지하고 있지만 변화를 따라 오지 못하는 기업들에 대해서는 압력을 가해야만 한다. 살충제와 제초제도 이러한 물질에 속한다. 우리는 유해한 화학물질을 사용하지 않으며 환경과 아이들에게, 우리의 건강에 보다 좋은 대안이 되는 제품을 추천하고 있다.

5) 서식지와 자원 보호

이 부문은 특정 지역의 환경을 파괴하거나 서식지와 자원을 고갈시키는 행위를 살펴보는 것이다. 팜오일 농장이 오랑우탄을 멸종위기로 몰아넣고 있는지, 오염물질이 바다 환경 혹은 숲을 파괴하고 있는지에 관한 것이다. 현재의 환경을 보호하고 동식물의 멸종을 예방하는 것은 다른 어떤 것보다도 중요한 일이다. 당신의 쇼핑이 환경을 위협하고 있지 않다는 것을 확인하고 싶다면 재활용 종이와 FSC 인증 종이를 사용하고, 가능하다면 팜오일 제품은 사용하지 말아야 한다.

3. 인권

1) 인권

우리는 '독재적인 정권'이라고 판단되는 나라에서 사업을 하거나 자회사를 두고 있는 기업에 대해 부정적인 평가를 내린다. 파이프라인을 건설하기 위해 거주민을 내쫓는다거나 인권유린을 자행해온 기관들을 고용하는 등 인권 유린 행위도 부정적인 평가로 이어질 것이다. 포르노 제작자와 배포자도 이에 포함된다.

2) 노동자의 권리

1911년 뉴욕의 의류공장 화재로 500명의 노동자가 사망했다. 노동자들은 무자비하고 열악한 환경에서 일하며 저임금을 받고 있었다. 100년 동안 상황이 개선되어 왔다고 생각할지 모르지만 전 세계적으로 노동자들은 노동착취 상황에 여전히 취약한 상태이다. 2005년에는 방글라데시 화재로 250명이 사망했다. 공장의 문은 탈출을 방지하기 위해 잠겨 있었다. 우리는 일주일에 60시간 이상의 노동, 저임금, 성희롱 혹은 건강과 안전 규정을 어기는 모든 상황의 노동자 인권 탄압을 평가에 반영할 것이다.

3) 하청공장 관리

우리가 구매하는 제품 중 많은 수는 외국의 공장에서 하청 생산된 것이다. 이런 경우에도 우리는 기업들이 하청 공장의 근로 환경에 대해 책임을 져야 한다고 생각하기 때문에 외국 하청기업에 생산을 맡기고 있는 기업들에게 '하청 생산 정책'을 우리에게 제출하도록 요구하고 있다. 이 정책은 기업들이 하청 공장을 어떻게 관리해야 하는가에 관한 구체적으로 규정하고 있어야 한다. 환경 정책과 마찬가지로, '국법을 준수하는'것에 관한 막연한 문구가 대부분이었으나 오늘날에는 다양한 노동 조건들과 회계 감사 등 보다 구체적이고 상세하게 규정되고 있다. 인증된 공정무역 제품을 제조하는 기업들이 이 부문에서 최고의 평점을 받게 된다. 안타깝게도 좋은 규정을 가지고 있다고 해서 이 규정들이 준수되고 있다는 것을 의미하지는 않으며 규정과 반대로 시행되고 있는 경우도 많이 발견되고 있다. 따라서 최고의 회사 정책을 천명하고 있는 기업이 노동자 인권부문에서 최악의 평점을 받는 경우도 있다.

4) 무책임한 마케팅

이 부문은 건강을 해치고 상해를 유발하는 방식으로 제품을 홍보하는 기업들에 주목하는 것이다. 가장 유명한 기업으로 분유를 홍보하는 방식 때문에 비판을 받아 온 네슬레를 들 수 있다. 무책임한 마케팅의 또 다른 예는 부작용에도 불구하고 제품을 팔고 있는 제약기업을 들 수 있다.

5) 무기와 군대

이 부문은 군대에 무기를 납품하고 있는 기업들 뿐 아니라 기타 다른 품목들을 납품하고 있거나 서비스를 제공하는 기업도 포함합니다. 권총 판매 또한 이 부문에 포함되며 이는 미국의 가장 유명한 슈퍼마켓이 우리에게서 낮은 평점을 받게 된 이유이다.

4. 정치

1) 반-사회적인 재정운영

일부 기업은 막대한 수익을 거두고 있음에도 세금 납부를 회피하려 한다. 또 다른 기업들은 내부 거래 혹은 비자금 관리, 가격 담합 등의 이유로 부정적인 평가를 받는다. 우리는 또한 '과도한 임원들의 임금'(백만 달러 이상의 연봉) 을 지급하는 기업들에게도 낮은 평가 점수를 주고 있다. 임원들에게 지나치게 높은 임금을 지급하는 것은 윤리적이지 않다고 생각하기 때문이다.

2) 불매운동

기업들은 정말 많은 이유로 불매운동의 대상이 되고 있다. 우리가 특정 불매운동을 지지하지는 않지만 등록된 본부가 있는 불매운동에 대해서 알리고 있다. 일부 단체들은 불매운동이 해외 공장 폐쇄로 이어져 노동자들의 일자리를 뺏고 생활을 위협하는 결과를 초래하기 때문에 좋은 방법이 아니라고 말하고 있다. 또 다른 단체들은 매우 효율적으로 불매운동을 벌일 수 있다고 생각하기도 한다. 우리는 소비 품목에 따라 판단이 달라질 수 있다고 생각한다.

3) 유전자 조작

세계적인 유전자 조작 기업 중 일부는 특허권과 같은 국제간 유전자 조작(GM) 식품 거래를 위한 법률에 관련하여 정부에 로비를 하고 있다. 시민단체들은 종자의 재사용에 관한 권리도 기업이 소유하게 되는 특허 작물은 가난한 농부들에게서 미래에 사용할 종자를 지키는 능력을 빼앗고 있다고 주장한다. 이러한 기업들은 GM 식품의 수출을 제한한다는 이유로 유전자 조작식품이 환경에 미치는 잠재적인 영향을 통제하는 '생물학적 연구에 대한 안전성'의 국제 기준에 반대하며 로비를 벌여 왔다.

4) 정치활동

우리는 기업들이 로비 활동과 정치 자금을 통해 정부에 너무 많은 영향력을 가지고 있다고 생각한다. 정당에 돈을 기부하거나 국제적인 로비 기관을 통해, 정부와 기관을 상대로 정책 변경을 위한 로비를 하고 있는 기업들은 부정적인 평가를 받게 된다.

5. 지속가능성

1) 기업 정신

우리는 기업의 전반적인 활동을 통해 지속가능성에 부합하는 정신을 실현하는 기업들에 대해 긍정적인 평가를 내리고 있다. 1990년대에는 윤리적 상품이 주로 윤리적 기업들에 의해 만들어졌으나 오늘날에는 '윤리적' 기업을 정의하는 것이 쉽지 않게 되었다. 다만 제품을 통해 확인할 수 있을 뿐이다. 생활협동조합이나 비영리적 거래, 완전 채식을 지향하는 기업 그리고 유기농과 공정무역제품만을 판매하는 기업들은 윤리적 기업에 포함된다.

2) 제품의 지속가능성

'지속가능성' 분야에서 긍정적인 평가를 받는 제품들은 다음과 같다 :

- 유기농 제품
- 공정무역 제품
- 에너지 효율 제품
- 비건 혹은 채식주의자를 위한 인증된 제품들

자료출처 : Our Ethical Ratings – ethical consumer

1. 재무관리 윤리의 본질

1) 재무관리 윤리의 개요

재무관리는 기업이 자금을 어떻게 조달하고 관리하는가에 대한 것으로 주식발행, 기업공개, 기업공시 등에서 윤리적인 문제들이 발생한다. 기업은 필요한 자금을 조달하기 위해 주식을 발행하거나 채권을 발행하고 이 과정에서 투자자에게 정보를 제공한다. 이러한 정보를 제공하는 기업공시는 윤리적인 문제를 유발한다. 예를 들어 기업을 공개하는 과정에서 그 과정을 알선해 주는 증권회사들이 있고 이들 증권사들은 주간사로 선정되기 위해 경쟁이 과열되기 쉽다. 이 과정에서 주식가치가 과대평가 될 수 있고 상장된 이후 주가가 떨어지면 투자자들은 피해를 보게 되므로 윤리적인 문제가 발생할 여지가 많다.

2) 재무관리 윤리의 과제

기업은 재무 관리 활동을 통해 효과적인 자금 조달과 운용을 하게 된다. 자금 조달은 기업이 필요한 돈을 은행에서 차입하거나 주식을 발행하는 등의 활동을 통해 이루어진다. 따라서 기업은 비용이 가장 적게 드는 방식을 통해 자금을 조달하려고 할 것이다. 은행에서 자금을 조달할 때에는 은행이 정한 이자를 내야하고 기업 어음을 발행해서 자금을 조달할 때에는 어음 시장에서 형성되는 이자를 낸다. 주식을 발행하여 자금을 조달하는 경우 주식 발행에 따르는 비용과 배당 등의 비용을 고려해야 한다. 기업의 부채가 증가하면 상환하지 못할 위험이 증가하기 때문에 그 기업에 대해서는 은행은 높은 이자율을 요구하게 된다. 따라서 기업은 자금을 조달할 수 있는 여러 방법 중에서 기업이 필요로 하는 자금을 가장 낮은 비용으로 조달할 수 있는 방법을 찾아야 한다.

2. 자금조달 관련 주요 윤리이슈

1) 기업공시와 윤리

(1) 공정공시제도의 의의

공정공시제도란 상장기업이 주식 가격에 영향을 미칠만한 정보를 모든 시장 참여자에게 공정하게 제공하여 특정 투자자에게 선별적으로 제공하지 못하도록 하는 제도를 말한다. 모든 시장참여자에게 정보에 대한 동등한 접근성을 보장함으로써 정보불균형(Information Asymmetry) 문제를 완화하여 불공정거래 방지하기 위한 제도이다. 또한 재무분석가 등 증권 분석업무 종사자의 기능을 원활하게 하여 건전하고 선진화된 시장의 기반을 구축하기 위한 목적으로 우리나라는 2002년 11월부터 도입하였다. 공정공시제도는 기업이 증권시장을 통해 공시되지 않은 중요 정보를 기관투자자 등 특정인에게 제공하기 전에 증권시장을 통해 공시하도록 하여 특정 투자자에게 선별적으로 제공하지 못하도록 하는 제도이다.

(2) 공정공시제도의 도입배경과 기능

공시제도는 기업 스스로 재무 및 경영 상황을 공표하게 하여 투자자에게 충분한 투자판단 자료를 제공하면서 동시에 시장참여자간 정보의 비대칭을 방지하여 불공정거래를 방지하기 위한 것이다. 기업은 중요한 경영정보를 일정기한 내에 공개할 의무가 있다. 이를 지키지 않을 경우 형사벌칙, 행정조치 등 엄격한 제재조치를 부과하고 있다. 그럼에도 법에서 정한 공시대상인 중요정보의 범위, 제출시한 등이 애매하고 이를 악용하여 기업이 특정집단에게 선별적으로 정보를 제공하는 경우 규제하는 것이 필요하게 된다.

(3) 제도적 기능

공정공시제도는 내부자거래를 사전적으로 예방할 수 있는 제도적 기능을 가지고 있다. 기업의 내부자가 미공개된 중요한 정보를 이용하여 매매거래를 했을 경우 내부자거래가 성립되지만 공정공시제도는 거래유무와 관계없이 선별적으로 공시하는 것 자체를 금지하고 있다. 시장참여자간 정보제공의 형평성을 높인다는 점에서 내부자거래에 대한 사전적인 예방 기능이 있는 것이다. 두 번째는 수시공시제도를 보완하는 측면이 있다. 기업의 주요 경영사

항과 관련된 정형화된 공시항목을 일률적인 공시시한을 정하여 운영하던 것을 개별적인 정보의 공시시기를 정함으로써 수시공시제도를 보완할 수 있게 되었다. 마지막으로 기업 재무분석자료의 합리화를 유도하는 기능이 있다. 재무분석가는 기업정보 및 사실을 공평하게 제공받아 이러한 자료를 기초로 기업을 분석하여 투자자들에게 보다 객관적인 분석 자료를 제공할 수 있다.

(4) 공정공시제도의 긍정적 측면과 부정적 측면

① 긍정적 효과

공정공시제도의 긍정적 효과는 선별적 정보제공을 막고 시장참여자들에게 공평하게 정보가 제공되고 내부자거래를 비롯한 불공정거래를 예방하는 효과를 얻게 된다. 재무분석가는 정확한 정보에 기초한 분석이 가능하여 자신의 역할을 높일 수 있다. 공정공시정보가 주식시장에서 투자자나 재무분석가 같은 정보 이용자들에게 유용한 정보로 사용되고 재무분석가들의 예측 오차도 감소하는 등 긍정적 효과가 있다.

② 부정적 효과

부정적 효과도 발생한다. 우선 공정공시는 자발적 공시의 성격을 가지고 있지만 기업들은 공정공시의무를 수행하려면 직·간접적으로 공시비용 부담을 안게 된다. 특히 소규모기업에게 비용부담이 크다. 두 번째로 현행 공정공시제도는 공시대상정보를 열거하고 있으나 공시의무 발생기준이 다소 모호하여 기업은 자의적 판단기준에 따라 공시여부를 결정한다는 문제가 있다. 이러한 상황에서 기업은 공시위반에 따른 제재를 피하기 위해 정보량을 축소하거나, 혹은 과시성 정보나 홍보성 정보를 과도하게 공시하게 된다. 세 번째는 선별적 공시가 암묵적으로 이루어지는 경우 이를 밝혀내기가 어렵다. 또한 공시의무를 위반하지 않게 만들 정도의 억제효과가 있는 제재가 이루어지지 않는다는 점에서 한계가 있다. 현재 공정공시의무를 위반하면 불성실공시 법인으로 지정하거나 상장폐지 벌점 부과 등이 있지만 실제로 공정공시의무 위반으로 제재를 받는 경우는 별로 없다. 따라서 불공정공시 발생에 따른 피해는 투자자들에게 전가될 가능성도 있다. 마지막으로 공시대상정보의 내용과 관련된 문제점을 들 수 있다. 공시를 요구받고 있는 공시대상 내용 외에도 시장참여자들의 의사결정에 영향을 미칠 수 있는 정보는 훨씬 더 다양하게 존재한다. 따라서 선별적 정보 제공에 따른 폐해가 예상되는 정보들에 대해서도 제도를 확대해야 본래의 공시제도의 효과를 얻을 수 있다.

(5) 공시제도의 한계

① 정보의 냉각효과(chilling effect)

공정공시제도의 가장 큰 단점은 정보의 질이 떨어지고 정보의 양이 줄어드는 것이다. 공정공시제도는 애널리스트들의 역할에도 변화를 주고 있다. 애널리스트는 기업을 방문하거나 전화상담 등 기업의 임직원들과의 다양한 접촉을 통해 정보를 얻어 시장에 제공하여 기업 가치에 반영하여 시장의 효율성을 높이는 역할을 해왔다. 그러나 공정공시제도 시행으로 기업 임직원으로부터 원하는 정보를 얻기가 어려워졌다. 기업들은 공정공시제도에 따라 3개월, 6개월, 1년마다 회사의 경영실적 관련 보고서를 증권거래소나 금융감독원에 제출한다. 하지만 기업이 정보를 투자자들에게 반드시 제공해야 하는 강행규정은 아니다. 선택적 공시가 허용되었을 때는 기업들은 매월 경영실적을 애널리스트들에게 알려주고 애널리스트는 이러한 자료를 이용하여 분석한 결과를 통해 투자자들에게 회사의 경영실적에 관한 예측을 미리 알려 줄 수 있었다. 그러나 기업들은 공정공시제도 하에 애널리스트들을 통해 시장에 간접적으로 알리고 싶은 정보를 제공할 수 없게 된다. 왜냐하면 공정공시를 위반할 경우, 불성실공시법인 지정, 매매거래정지, 심지어 상장폐지라는 불이익을 받기 때문에 기업들 입장에서는 세부적인 정보를 공개하려 하지 않게 되고 애널리스트들과 접촉 자체를 피하게 된다.

② 주식가격 변동폭의 증가

일반 투자자들은 정보가 부족하다. 따라서 투자상담사들은 애널리스트들이 분석한 기업분석 보고서와 국내외 주식시장 동향 등에 기초하여 고객들에게 투자상담을 해준다. 일반투자자들은 공정공시제도를 믿고 시장에서 돌아다니는 불확실한 정보도 아무런 여과 없이 받아들이게 될 가능성이 있다. 기업은 일반투자자들에게 제공한 동일한 정보를 애널리스트들에게도 제공한다. 애널리스트들은 이 정보를 가지고 시장상황, 경기 동향, 여러 가지 변수 등을 고려하여 분석을 하기 때문에 시간이 많이 걸린다. 하지만 그러는 동안 일반투자자들은 이미 주식시장에서 거래를 하게 되고 애널리스트들이 정확하게 분석한 정보를 시장에

제공해도 이미 거래가 이루어진 이후가 된다. 따라서 공정공시제도는 주식시장의 가격 변동을 심화시켜, 주식시장을 불안하게 하는 요인이 될 수 있다.

③ 재산권으로서 정보 가치 무시

정보를 많이 가진 사람은 그렇지 못한 사람보다 정보의 우월성으로 인해 이익을 얻게 된다. 이러한 특성으로 인해 정보는 매우 중요한 가치를 가진 재화로 간주된다. 정보는 공공재적 특성을 가지고 있어서 공개되지 않았을 때 가치가 높지만 공개되어 버리면 정보 이용에 대한 대가를 지불하지 않고도 쉽게 이용할 수 있게 된다. 따라서 정보는 공개되면 시장에서 더 이상의 가치가 없다. 지적재산권을 인정하는 이유도 정보를 생산하는 사람들에게 인센티브를 제공하여 정보가 유통되게 하기 위해서이다. 기업은 정보를 생산하는데 비용이 발생하지만 정보를 생산하는데 아무런 비용을 지불하지 않은 투자자들에게 정보를 제공해야 한다. 따라서 만약 정보생산자에게 인센티브를 제공하지 않는다면 정보를 생산하려는 기업의 동기부여가 낮아지게 된다. 결국 기업이 생산한 정보도 기업의 주인인 주주들의 것인데 투자자 신뢰회복과 정보의 격차 해소라는 명분으로 시행하는 공정공시제도는 주주들의 재산권을 침해한다고 볼 수 있다.

④ 광범위한 비공개 중요 정보

기업은 투자자들이 투자결정을 하는 데에 영향을 줄 수 있는 중요한 사항에 대한 정보는 공개해야 한다. 공개 대상 정보는 1) 장래사업 또는 경영계획, 2) 매출액, 영업손익, 경상손익, 당기순손익 등 영업실적에 대한 전망 또는 예측, 3) 정기보고서 제출 이전의 매출액, 영업손익, 경상손익 등이 있다. 한국의 경우 정보가 중요하다고 판단하는 기준은 향후 수익 전망, 장래사업 또는 경영계획, IR 관련 자료가 해당된다.

2) 내부자거래

내부자거래란 기업의 경영자나 관리자, 직원 등 기업내부자가 영업비밀이나 영업전략 등과 같은 기업경영에 관련된 내부정보를 활용하여 부당한 거래를 하는 것을 말한다. 이런 정보는 회사의 것이고 내부자는 회사의 이익을 위해 이러한 정보를 이용해야 하는데, 자신의 이익을 위해서 이용해서는 안 된다는 의미다. 내부자거래를 금지하는 이유는 투자자의 이익을 보호하기 위해서이다. 하지만 현실에선 내부자거래 위반시 처벌대상자의 범위가 좁고, 다양한 형태의 불공정거래를 적절하게 처벌하는 것은 어렵다.

3) 지배구조

(1) 기업지배구조와 윤리

지배구조는 자금 조달과 밀접한 관련이 있지만 인사, 조직, 전략 등 거의 대부분의 기업활동의 윤리적 이슈와 연결되어 있다. 그러나 지배구조의 핵심은 소유와 경영 분리의 문제이고 결국 재무적 이슈와 관련이 깊다. 소유와 경영은 주권자(principle)와 대리인(agent) 간의 갈등을 일으키는 문제가 발생한다. 지배구조는 특히 경영진, 이사회, 주주 및 이해관계자간의 관계에 큰 영향을 미치며 기업의 목표 설정이나 목표달성수단을 결정하는 기초가 되므로 외부인의 투자결정에 중요한 요인이 된다.

〈표 8-1〉 미국의 기업지배구조 관련 제도

	NYSE	NASDAQ
이사회구성	• 독립적인 이사가 대다수를 구성	• 독립적인 이사가 대다수를 구성
독립성 요건	• 이사회가 독립성 기준을 채택하고 공시 • 각 이사의 독립성 기준 충족 여부 공시 • 기준을 충족하지 못한 이사에 대한 설명	• 다음은 독립적이지 않음 - 20% 이상 주식소유 - 회사 및 관계회사 경영자의 친척 - 외부감사인의 이전 동업자나 고용인
사외이사만의 회의 개최	• 이사회는 경영자가 아닌 독립적인 이사만이 참여하는 회의를 정기적으로 개최	• 독립적인 이사들은 정기적으로 회의를 개최하여야 함
이사회 내 위원회	• 독립적인 이사로 구성된 지명/기업지배위원회, 보상위원회, 감사위원회 설치 의무화 • 각 위원회는 의무와 책임에 대한 규정을 채택하고 공시	• 감사위원회 설치 의무화 • 보상위원회나 지명위원회 설치할 수 있으며 3명 이상의 이사로 구성되어 있을 경우 한명은 독립적이지 않아도 지명할 수 있음
감사위원회 구성	• 최소한 3명이 독립적인 이사로 구성 • 감사위원회 구성원은 재무적인 지식이 있어야 하며, 최소한 한명은 재무전문가가 이어야 함	• 최소한 3명의 독립적인 이사로 구성 • 감사위원회 구성원은 재무적인 지식이 있어야 하며, 최소한 한명은 재무전문가가 이어야 함
감사위원회 회원에 대한 부수적 보상	• 이사로서의 보수 이외의 다른 서비스에 대한 추가적 보상 금지	• 이사로서의 보수 이외의 다른 서비스에 대한 추가적 보상 금지

	NYSE	NASDAQ
이사 선임금지 기간	• 과거 5년 동안 회사 및 회사의 외부감사인과 고용관계에 있는 자와 그의 가족 또는 최고경영자가 다른 회사의 보상위원회에 속해 있는 회사의 이사는 이사 선임 금지	• 과거 3년 동안 이사 업무로 6만달러 이상을 받은 자, 기획사나 관계회사에 고용되었던 이사와 이사의 가족, 경영자가 보상위원회에 속해 있었던 다른 기업의 이해 • 당해 연도 총수입의 5% 또는 과거 3년 동안 20만달러 이상의 거래가 있었던 기업의 동업자 지배주주, 경영자
주식보상	• 주주총회의 승인	• 주주총회 승인
지배구조 및 윤리 규정	• 기업지배기준과 윤리규정을 채택하고 공시	• 윤리규정 채택과 공시

자료 : LG주간경제 CEO 리포터, 기업지배구조 개선의 바람직한 방향, 2003. 1. 22.

(2) 기업지배구조 개선방향

기업지배구조 개선은 기업에 대한 감시기능과 경쟁력을 높일 수 있는 방향으로 이루어져야 한다. 기업들은 이사회 운영의 효율성을 높이고 투자자들이 요구하는 지배구조를 갖추기 위한 노력이 필요하다. 엔론사 파산의 원인이 회계부정과 경영자에 대한 견제와 관리감독을 제대로 하지 못해 발생했기 때문에 결국 기업지배구조의 부실로 인해 발생했다는 것이 밝혀졌다. 이후 윤리적 관점에서의 기업지배구조에 대한 관심이 높아지게 되었고, 엔론사 파산 이후 미국에서 기업지배구조 개선의 필요성이 제기되었다. 우리나라에서도 기업지배구조의 낙후성으로 인해 기업부실이 초래되었다는 지적이 제기되면서 기업지배구조 개선에 관심을 가지기 시작하였다.

① 이사회 독립성 강화

기업지배구조 개선을 위해서는 이사회의 독립성이 확보되어야 한다. 이사회가 독립적이어야 경영자의 경영활동을 제대로 감시할 수 있어 회계부실이나 경영자의 부정을 막을 수 있기 때문이다. 미국의 경우 독립적인 이사로 이사회를 구성하여 이사회의 독립성을 강화하였고 이사들은 경영자의 참여 없이 정기적으로 회의를 개최한다. 또한 경영자에 대한 과도한 스톡옵션을 제공해 발생할 수 있는 주주와 경영진의 이해상충 문제를 예방하기 위한 조치도 마련하였다.

② 미국식 기업지배구조로의 수렴화 현상 강화

전 세계의 기업들이 점차 미국 증권시장에서 자본을 조달하는 비중이 높아지면서 투자자들은 자연스럽게 선진적인 기업지배구조를 선호하게 되었다. 또한 개도국 정부들이 세계 최고의 경쟁력을 보유하고 있는 미국의 제도를 도입하여 기업지배구조를 개선하고자 하였다. 국제기구 또한 미국식 기업지배구조 모형을 근간으로 각국의 기업지배 구조 개혁을 추진하여 미국식 기업지배구조가 전 세계로 확산되었다.

③ 외환위기 이후 한국의 기업지배구조 제도 변화

우리나라는 외환위기 이후 기업지배구조에 제도개혁이 이루어졌다. 이때 주로 미국식 기업지배구조를 도입하였고 특히 사외이사제도가 도입된 것이 가장 큰 특징이다. 상장법인은 총 이사수의 1/4 이상을 사외이사로 구성해야 하고 자산총액 2조원 이상인 상장법인은 1/2 이상의 사외이사를 두어야 한다.

④ 자발적 기업지배구조 개선 유도

우리나라의 투자자들도 투명경영, 윤리경영에 대한 요구가 높아지고 있다. 따라서 기업지배구조 개선은 기업경영의 투명성과 신뢰감을 높일 수 있는 방향으로 진행되어야 한다. 기업문화에 따라 적합한 기업지배구조도 달라질 수 있다. 따라서 주주의 권리강화, 이사회의 기능과 독립성 강화 등과 핵심적인 원칙은 정하되 세부적인 사항은 자발적으로 기업지배구조를 개선하도록 유도하는 방향이 바람직하다.

⑤ 기업지배구조 우량기업과 주가

투자자들은 기업지배구조가 우량한 기업을 높게 평가할 가능성이 높아 기업의 지배구조가 개선되면 프리미엄을 지급할 가능성 또한 높아진다. 이러한 경향은 엔론 사태 이후 기업지배구조에 대한 중요성이 높아지면서 기업 가치에 미치는 기업지배구조의 영향력은 더 높아지고 있다.

3. 회계 윤리

1) 회계 윤리의 본질

회계란 기업의 재무적 수입과 지출 관계를 기록하고 정리하는 것을 말한다. 따라서 회계 윤리란 재무적 성격을 갖는 거래를 윤리적 방법과 윤리적 기준에 따라 화폐액으로 기록하고 해석하는 것을 말한다. 다시 말해 회계 윤리는 회계책임을 이행하는 것이며 동시에 회계보고서에 윤리적, 도덕적 기준에 따라 기록하는 것이다.

회계기간 동안의 경제적 사건과 그 기간 말의 경제적 상태를 나타내기 위한 일련의 회계보고서를 재무제표라고 한다. 이러한 재무제표는 기업의 경영진뿐만 아니라 종업원, 주주, 증권시장, 대중매체 등 많은 집단의 이해관계자들에게 영향을 준다. 따라서 기업의 회계처리와 재무제표에 부정이 있다거나 비윤리적인 내용이 있다면 이해관계자들의 불신을 초래하여 기업의 영업활동에 지장을 받는다. 이 때문에 이해관계자는 재무제표를 윤리적으로 작성해야 한다. 이러한 윤리적인 재무제표는 사회적 기대치가 높아지고 있는 오늘날의 기업에게 특히 중요하며 장기적으로도 윤리적 수준을 향상시키는 기업의 성장에도 도움이 될 수 있다.

2) 회계사의 윤리 문제

회계사는 직업 특성상 전문직업인으로서의 업무를 수행하는 과정에서 여러 가지 윤리적 문제에 직면하게 된다. 공인회계사들이 직면하는 핵심적인 윤리적 이슈를 정리하면 다음과 같다.

(1) 상충되는 이해관계의 조정

회계사는 고객회사의 이익과 공인회사의 임무 사이에 윤리적 갈등이 발생할 수 있다. 즉 회계사는 회계감사용역을 의뢰하고 보수를 지급하는 고객회사의 이익을 고려해야 함과 동시에 기업의 이해관계자들에게 공정한 회계정보를 제공하고 객관적인 의견을 말해야 하는 의무도 가진다. 공인회계사의 임무 사이에 이해관계가 상충될 때 윤리적 딜레마에 빠질 수 있다. 기업이 회계사의 활동이 만족스럽지 못하면 회계사를 바꿀 것이므로 가장 객관적으로 공정성을 가지고 활동해야 하지만 기업이 감사받을 때 불리하지 않도록 하는 방향으로 일을 하게 되는 경우가 많게 된다. 따라서 회계사의 기본임무가 객관적으로 일을 처리하는 것이지만 실천하기는 어려운 상황이 될 수 있다.

(2) 불법과 비윤리적 행위

여러 가지 이유로 기업은 회계사들에게 변칙으로 처리하도록 요구하기도 한다. 예를 들면 회계항목을 조작하거나, 애매한 비용항목을 손비로 처리하도록 요구하거나 탈세 목적으로 이익을 줄여 기록하도록 요구하는 경우가 발생할 수 있다. 이러한 요구는 개념적으로 쉽게 이해할 수 있어 불법적이거나 비윤리적이라는 것을 알지만 원칙대로 처리하겠다는 의지가 있어도 이해가 상충되기 때문에 원칙대로 처리하기가 어려운 게 현실이다. 결국 회계사는 전문직으로서의 회계업무의 공신력을 유지하고 회계직의 장래를 중요하게 여기는 판단으로 이러한 문제에 대처해야 한다.

(3) 특정목적을 위한 재무제표의 조정

기업은 다양한 목적으로 재무제표의 조정을 원하는 경우가 있다. 예를 들면, 은행의 신용평가를 잘 받아 융자를 받기 위해서, 혹은 상장기업의 경우 유리한 주가형성을 위해서 혹은 세금을 감면 받을 수 있도록 회계사가 회계기록을 조정해 주기를 원하는 경우가 있다. 회계사들은 다양한 방법을 통해 조정할 수 있다. 감가상각비 처리기간과 감가상각비를 조정하거나, 준비금과 적립금을 증가시켜서 이익을 감소시킬 수도 있다. 또한 평준화 또는 유연화(smoothing) 방법을 통해 이익잉여금의 처분방법을 조정하여 이익이 한기에 집중되지 않도록 할 수도 있다. 재무제표상의 보고기간에 따라서 이익이 너무 차이가 나지 않게 조정하는 기법을 이익유연화라고 한다. 특히 기업들은 연도별로 회사의 이익에 큰 차이가 날 경우 많이 사용할 수 있다.

이익유연화 방법은 여러 가지 있다. 기업은 기업회계기준을 준수하면서 회계처리방법만 달리하는 방법이 있고 실제로 비용을 일찍 지출하거나 다음 회기로 연기하여 이익을 조정하는 등의 방법이 있다. 따라서 이익유연화는 기업회계기준을 준수하면서 기간이익을 조정하는 방법이라는 점에서 분식회계와 다르다. 분식회계는 위법행위이지만 이익유연화는 위법행위는 아니지만 노동조합을 의식해 이익을 축소하는 등의 행위는 비윤리적인 행위로 구분될 수도 있다. 우리나라의 기업회계기준에서는 이익조작과 이익유연화를 개념적으로 구별

하고 있다. 하지만 회계사들이 이익유연화를 이익축소와 이익조작의 방편으로 이용한다면 중대한 윤리적 문제가 발생할 수 있다.

4. 회계사의 윤리성 제고 방안

1) 회계사의 독립성 강화

우리나라의 경우 외관상 요건만 충족하면 이사회의 독립성이 잘 유지됐다고 판단하는 경향이 있다. 하지만 이러한 판단은 다소 편협한 기준이라는 점에서 한계라고 볼 수 있다. 우리나라의 경우 회계사는 감사를 맡은 회사의 주식을 거래한다던지 감사와 외부 컨설팅이 동시에 진행하면 안 된다고 공인회계사법과 공인회계사 윤리강령에 명시하고 있다. 그러나 우리나라의 경우 친인척에게 감사를 맡기는 것도 독립성을 위반하는 행위이며 이런 외관상의 독립성만 유지되면 회계사와 기업 간의 독립성이 잘 지켜졌다고 기계적으로 판단하게 된다. 하지만 미국의 경우 독립성의 범위가 다르고 친한 친구가 감사를 맡아도 독립성을 위반한 것으로 볼 수 있다. 이러한 정서적 독립성을 윤리강령이나 제도에 명시하지는 않지만 감사인이 정서적 독립성을 위반할 경우 소송을 당하는 사례가 많다. 따라서 친인척 관계가 아닐지라도 감사보고서에 영향을 받을 수 있는 관계라면 독립성에 위반되는 경우가 많다. 미국의 경우 감사인의 독립성이 잘 유지되는 것은 독립성을 위반한 감사인은 명성이 추락하고 무엇보다 업계에서 살아남기 어렵다는 풍토가 조성되어 있다는 점이 크게 작용한다.

2) 독립성의 제도적 지원(자유수임제에서 지정수임제로 변화)

자유수임제의 구조적 모순을 보완하기 위해 자유수임제에서 지정수임제로의 변화도 필요하다. 감사 지정제를 통해 공정한 감사를 통해 투자자를 보호하고 기업에 대한 독립적이고 공정한 외부감사가 이루어지도록 외부감사인을 지정해 당사자간 계약하도록 하는 제도다. 그동안 자유수임제도에 따라 회계감사제도를 시행하고 있지만 회계부정이 끊이지 않고 이러한 낮은 회계 투명성은 국가신인도에도 부정적인 영향을 준다. 지정수임제는 기업에 대한 회계법인의 부실 회계 감사를 대신해 다수의 피해자를 미연에 방지할 수 있는 기능을 할 수 있다.

5. 회계제도의 개선과 투명성 제고

1) 결합재무제표의 도입

대기업들은 결합재무제표제도를 도입하여 계열사간 거래를 중복 계산하여 부풀리거나 축소하는 문제를 해결할 수 있다. 이를 통해 기업집단 전체의 실질적인 재무상태를 파악해볼 수 있다. 대기업의 경우 우량계열사가 부실계열사를 지원하여 우량계열사 주주의 피해가 발생한다. 결합재무제표는 이러한 피해를 막을 수 있고, 부실계열사는 시장에서 퇴출하게 유도할 수 있다.

2) 기업회계기준의 개선

기업회계개혁및투자보호법(Sarbanes-Oxley Act)과 같은 기업회계기준의 개선이 필요하다. 2001년 말 엔론사 사태의 원인이 분식회계에 있다는 사실이 드러나면서 기업은 물론이고 관련 회계법인들의 회계투명성을 높여야 한다는 여론이 생겨나게 되었다. 이러한 배경에서 기업회계 기준을 개선하기 위한 노력으로 2002년 1월 '사베인스-옥슬리법(Sarbanes-Oxley Act)을 제정하게 되었다. 이러한 법률제정으로 재무관행과 기업지배구조 규제에 커다란 변화를 가져왔다.

3) 감리제도의 개선

최근까지 대규모 회계부정 사건들이 발생하면서 회계개혁이 성공하려면 제도의 도입도 필요하지만 감리·제재 등 집행의 개선도 필요함을 인식하게 되었다. 최근 환경 변화는 회계감리에 보다 높은 공신력을 요구하게 되었고 과징금 상한이 폐지되어 회계부정에 대한 제재가 더욱 강화되었다.

4) 주주집단소송제 도입

주주집단소송제도란 잘못 작성된 재무제표를 근거로 투자한 주주들의 손해를 재무제표 작성책임자와 이 재무제표를 감사한 공인회계사가 변상하도록 하는 제도를 말한다. 1명 또는 수명의 주주들이 기업을 대상으로 손해배상을 청구해 승소하면 다른 주주들도 별도의 재판 없이 똑같이 배상을 받을 수 있어 집단피해 구제제도의 가장 효과적인 제도라고 볼 수 있다.

기업공개 사례 세계에서 가장 윤리적인 기업 공개… ABB, 3년 연속 선정

오늘날 글로벌 기업들은 여러 법률과 규제의 제약 아래서 사업을 하는 올바른 방법에 대해 끊임없이 연구한다. 비즈니스를 성공으로 이끄는 여러 조건 중에서, 윤리적인 리더십 운영이 그 어느 것보다 중요하다는 것에 경영자와 투자자는 물론 근로자와 고객에 이르기까지 기업의 모든 이해당사자들이 동의하고 있다. 윤리성이 기업의 청렴도, 투명성, 근로자 행동에까지 영향을 미치기 때문이다. 실제 세계적인 윤리 기업들은 업계 리더십을 더 정교하게 하는 수단으로 윤리를 사용했고, 일상적인 업무에 기업 가치를 내재하고 근로자에 이를 주입하는 것은 물론 네트워크 안에 있는 모든 협력업체들에게까지 전달했다. 이로써 투명성, 규제 준수 등 면에서 우수한 성과를 달성하고 증명하고 있다.

'ABB' 역시 비즈니스와 조직에서 윤리와 투명성 문화를 육성하고 이를 발전시키는 데 노력을 다하는 것으로 유명한 글로벌 기업이다. ABB는 전력 및 자동화 기술 선도 기업으로, 유틸리티/산업/운송 및 인프라 고객의 생산성을 향상시키는 반면 환경으로의 영향을 최소화 하는 것을 목표로 한다. 100여 개국에서 14만여 명이 근무하고 있으며, ABB그룹의 한국법인인 ABB코리아에는 850여명의 임직원이 활동하고 있다. ABB는 최근 기업윤리와 지배구조에 대해 모범사례를 발굴하는 '에티스피어'로부터 객관적이고 표준화된 방식의 윤리지수에 의한 심사를 받았으며, 에티스피어가 발표한 '2015 세계에서 가장 윤리적인 기업'에 이름을 올렸다. 이는 지난 2013년, 2014년에 이은 3년 연속 선정이다.

'2015 세계 최고 윤리기업' 리스트 선정은 수년간의 연구 끝에 개발된 에티스피어의 윤리지수(EQ, Ethics Quotient)에 기초한다. 이론가들로 구성된 에티스피어 네트워크와 세계 최고의 윤리기업 방법론 자문 패널로부터 얻은 자문을 토대로 하였으며, 객관적이고 일관되고 표준화된 방식으로 조직의 성과를 평가하는 수단이라 할 수 있다. '2015 세계 최고 윤리기업' 선정에 대해 울리히 스피스호퍼 ABB 최고경영자(CEO)는 "윤리문화를 창출하고 세계 최고의 윤리기업으로 인정받는 것은 단순히 대외적인 메세지 또는 몇몇 소수의 경영진이 말하는 것을 넘어 관여하고 있다는 것이다"라며 "ABB는 기업윤리와 안전을 중요하게 생각하고 이를 탄탄히 하기 위해 많은 노력을 해왔는데, 금번 선정을 모든 ABB 직원의 공으로 돌린다"고 말했다. 최민규 ABB코리아 대표는 "ABB는 기업윤리와 안전에 대한 모든 위험신호를 간과하지 않기 위해 지난해부터 전 세계 임직원을 대상으로 '모른척하지 않기' 캠페인을 진행하고 있다. 또 ABB코리아에서는 매년 온/오프라인으로 기업윤리에 대한 필수 교육을 실시 중이며, 직무 수행 평가에도 기업윤리 항목을 추가하고 있다"고 설명했다. 한편 에티스피어는 기업 캐릭터, 시장 신뢰 및 사업 성공을 가속화하는 윤리적 거래 관행 기준 정의 및 선진화 부문의 글로벌 선도기업이다. 세계 최고 윤리 기업 식별 프로그램을 통해 윤리 경영에 대한 우수한 업적을 기리고 있으며, 산업 전문가 커뮤니티를 위한 '기업윤리 리더십 동맹(Business Ethics Leadership Alliance, BELA)'을 제공한다. '에티스피어 매거진(Ethisphere Magazine)'과 '세계 최고 윤리기업 행정 브리핑(the World's Most Ethical Companies Executive Briefing)'을 발간하며 기업 윤리 동향과 모범 사례를 소개하고 있다. ABB 외 '2015 세계 최고 윤리기업' 전체 리스트는 에티스피어 홈페이지(http://ethisphere.com/worlds-most-ethical/wme-honorees)에서 확인할 수 있다.

자료 : 비즈조선(http://biz.chosun.com)

내부자거래 사례

내부자거래란 기업과 특별한 관계에 있는 사람이 그 입장을 이용, 입수한 미공개중요정보를 기반으로 주식을 매매하는 불공정거래를 의미한다. 미공개중요정보란 투자자의 투자판단에 중대한 영향을 미칠 수 있는 정보로 전자공시시스템, 방송 및 신문 등을 통해 공개된 후 일정시간이 경과하기 이전의 정보이다.

보통 내부자거래에서 내부자는 상장법인의 대주주, 임직원 등 회사의 내부에서 직무와 관련해 회사관련 미공개중요정보를 알게 된 자만을 뜻한다고 생각하기 쉽다. 그러나 상장법인에 대한 감독 권한을 가진 자, 상장법인과 계약을 체결, 교섭하고 있는 자 등으로서 권한 행사, 계약의 체결, 교섭, 이행 과정에서 회사관련 미공개중요정보를 알게 된 준내부자(변호사, 회계사, 증권사 직원 포함)나, 내부자 및 준내부자로부터 직접 미공개중요정보를 받은 1차 정보수령자도 상장회사의 미공개중요정보를 이용하여 주식매매를 할 경우 10년 이하의 징역 또는 부당이득의 5배(동 금액이 5억 원 이하인 경우에는 5억 원) 이하의 벌금에 처해질 수 있다. 뿐만 아니라 2015년 자본시장법 개정 이후, 간접적으로 미공개중요정보를 전달받은 2차 이상 다차 정보수령자도 시장질서 교란행위로 부당이득의 1.5배(동 금액이 5억 원 이하인 경우에는 5억 원)이하의 과징금에 처해질 수 있다. 이토록 내부자거래를 규제하는 목적은 증권시장 투자자들을 보호하고 공정하고 효율적 시장을 확립해 투자자의 신뢰감을 확보하여 건전한 시장질서를 유지하는 데 있다. 금융감독원은 2012년부터 2016년까지 5년 동안 미공개 중요정보 이용행위로 처벌을 받은 사람이 총 566명이며 준내부자 적발건수가 늘어나고 있다고 밝혔다.

내부자거래 실제 처벌 사례를 살펴보면, 2015년 신약기술 수출로 주가가 폭등한 한미약품 소속 연구원과 그 지인이 호재성 정보를 미리 활용해 부당이득을 올린 사실이 적발되어 구속 기소되었다. 그러나 증권사 애널리스트였던 지인으로부터 정보를 제공받아 261억 원 상당의 부당이득을 취한 자산운용사 소속 펀드매니저들은 당시 2차 정보수령자를 처벌할 법률적 근거가 없어 처벌받지 않았다. 자본시장법 개정 이후인 2016년, 한미약품의 계약해지관련 악재성 미공개정보를 이용해 부당이득을 취한 한미약품 직원 및 개인투자자 수십 명에게 형사처벌 및 과징금이 내려졌다. 특히 5차 정보수령자이지만 손실회피액이 큰 전업투자자에게는 13억 원이 넘는 과징금이 부과되었다. 2015년 삼일회계법인 등 대형 회계법인 소속 20, 30대 회계사들이 회계감사업무 수행과정에서 취득한 영업실적정보 등 미공개정보를 공유하며 주식 등에 투자하다 적발되어 억대 이득을 챙긴 이들이 구속되는 사건도 있었다.

미국의 경우 내부자거래 관련 감시와 처벌이 더욱 엄격하다. 미국 증권거래위원회는 기업의 실적 발표 등 주요 경영 발표 전후의 시장 상황을 예의 주시하고 있으며, 2010년 시정질서교란 분석감시센터를 설립해 지난 15년간의 주식거래 데이터를 꼼꼼히 살펴 기업관련 큰 뉴스 앞뒤로 돈 버는 투자를 한 거래를 훑고 있다. 보통 집행유예로 풀려나는 우리나라와는 달리, 내부자거래 형량도 매우 높은 편이다. 2013년 SAC 캐피탈은 내부자거래 관련 벌금 18억 달러를, SAC의 포트폴리오 매니저인 매튜 마토마는 알츠하이머 치료제 관련 정보를 미리 입수해 2억7천만 달러의 부당이득을 챙긴 혐의로 9년형을 선고받았다.

2011년 억만장자 헤지펀드 매니저 라지 라자라트남은 인적 네트워크를 이용 투자대상회사의 미공개정보를 적극적으로 수집 활용해 9000만 달러의 부당이득을 챙긴 혐의로 9280만 달러의 과징금과 11년형을 선고받았다. 한국거래소가 상장사의 내부자가 미공개 중요정보를 이용해 불공정 거래를 하는 지 집중적으로 지켜보겠다는 경고 공문을 2천여 개 상장사에게 보냈다고 한다. 상장법인 임직원 뿐 아니라 내부자나 준내부자로부터 미공개정보를 미리 전달받아 이용하거나 타인에게 전달하여 이용하게 하는 경우 일반투자자도 처벌받는 다는 점을 특히 주의하여야 할 것이다.

자료 : 항공대신문(http://www.kaupress.com)

기업지배구조 사례 선진 지배구조 구축 네 가지만 실천하라

'최순실 게이트' 사태로 온 나라가 시끄럽지만, 이와 관련 국민이나 언론으로부터 아직 큰 관심을 받지 못하고 있는 부분이 있다. 바로 기업의 지배구조다. 외신 기자들이 한국 기업을 얘기할 때 으레 건드리는 주제가 한국 기업의 취약한 지배구조다. 한국 기업들이 지배구조 개선에 많은 노력을 기울였던 게 사실이다. 그런데 정실자본주의(crony capi talism)라는 낙인을 떼지 못한다면 매우 억울하고 불행한 일이 아닐 수 없다. 필자도 한국 기업 대부분은 서양 기업과 같은 기업 지배구조 구축에서 상당한 진전을 이룩했다고 생각한다. 그러나 탁월한 기업 지배구조에 이르기에는 아직 멀었다. 이를 위해서는 불법이나 비리에 대해 무관용의 원칙을 철저히 적용한다는 것을 보여줘야 한다. 흥미롭게도 한국만큼 기업의 최고경영자에게 엄격한 잣대를 요구하는 나라는 많지 않다. 엄격한 CEO 기준에도 불구하고 기업 지배구조가 취약하다는 평을 듣는 것은 아이러니가 아닐 수 없다. 대표적으로 한국은 배임죄가 세계에서 가장 엄격한 나라 중 한 곳이다. 경영상 중요한 결정을 내릴 때마다 손실을 보면 배임죄에 걸릴지도 모른다는 생각 때문에 CEO는 자신의 재량에 한계를 느낀다. 또한 금융기관의 수장이나 경영진이 되려면 일반 기업에 비해 매우 엄격한 기준을 충족해야 한다. 선진적인 기업 지배구조는 골프에 비유하면 80타를 치는 주말골퍼가 아닌 싱글 플레이어가 될 것을 요구한다. 싱글골퍼가 되려면 게임 준비나 훈련 과정이 달라야 한다.

한국이 기업 지배구조에서 좋은 평가를 듣기 위해서는 기본적으로 4가지 핵심 요소를 갖춰야 한다. 첫째, 집단소송제도 도입이다. 기업이 잘못해 손해를 야기했다면 소액주주들이 기업을 상대로 소송을 제기할 수 있는 제도다. 한국에서 집단소송은 아직까지 낯설다. 집단소송이 도입되면 기업 이사회가 경계심을 갖고 책임 있는 결정을 내리게 할 수 있다. 집단소송에는 부작용도 많지만 이사회가 자신의 결정에 의무와 책임을 갖게 한다는 점에는 이의가 없다. 둘째, 이사회 성과에 대한 외부 평가다. 선진국에서는 비정부기구나 주식 애널리스트들이 기업 이사회 성과를 평가해 공표하는 일이 드물지 않다. 이런 평가는 애널리스트가 특정 주식을 추천할 때 분석 보고서에 일부분으로 포함될 수 있다. 이제는 한국 투자자들도 이런 정보를 이용할 수 있어야 한다. 이사회 평가 내용을 타 기업과 비교하는 것은 해당 기업의 상대적 장점을 평가하는 좋은 방법이다. 셋째, CEO를 포함한 경영진과 이사회의 자격 기준을 더욱 엄격하게 만드는 일이다. 금융업계에서는 이미 엄격한 제약을 두고 있지만 일반 기업은 감옥에 갔다 온 CEO라도 형기를 마친 경우라면 업무 복귀가 어렵지 않은 게 우리 현실이다. 이사회 업무 핵심은 분명한 윤리적 잣대를 통해 회사 브랜드와 명성을 관리하고, 이를 어긴 경우 심각한 결과에 직면할 수 있음을 알리는 것이다. 이는 의료, 법률 등 정부의 면허가 필요한 다른 전문 직종과 크게 다르지 않다. 이런 분야에서 비윤리적 행위는 면허 취소로 이어질 수 있다. 넷째, 자회사의 이사회 구성과 관리에 관한 것으로 한국 기업들의 즉각적인 관심이 필요하다. 예를 들어 그룹 이익을 위한다는 명목으로 모기업이 모든 결정을 주도한다. 해당 자회사 주주에게는 아무런 혜택이 돌아가지 않는 경우가 수두룩하다. 자회사가 자체적으로 결정할 수 있는 게 없다는 점은 심각하다. 이에 대해 즉각적인 개선이 없다면 외국 투자자는 지속적으로 문제를 제기할 것이다.

자료 : 베인코리아(http://www.bain.com/offices/seoul/ko)

1. 인사조직 윤리의 본질

기업의 다양한 경영활동 중에서 윤리의 문제가 제기될 가능성이 가장 높은 분야중 하나가 바로 인사관리 즉, 인적자원분야이다. 왜냐하면 인간이 인간다운 삶의 보장하는 것이 사회의 궁극적인 목적이지만 역설적이게도 인사관리에서 인간은 기업의 목적을 달성하기 위한 수단으로 활용하고 있기 때문이다. 인사관리와 관련된 다양한 영역은 기업의 의사결정과정에서 윤리적인 문제와 관련이 많다. 임금수준, 남녀차별 등의 영역은 윤리적 문제가 항상 제기될 가능성이 있다. 환경변화 역시 인사관리 분야의 윤리경영의 필요성을 증대시키고 있다. 세계화가 진전됨에 따라 글로벌 경쟁격화, 자본의 국가 간 이동증가와 탈규제화 현상, 이러한 경쟁에 살아남기 위해 기업들은 임금과 근로조건 및 고용안정성 저하, 근로자에 대한 통제와 노동 강도의 증가와 같은 현상이 나타나고 있다. 이러한 환경변화에 대응해 기업도 살아남기 위해 경쟁상의 우위를 확보하기 위한 수단으로 효율적인 인적자원의 관리가 중요해졌지만 동시에 인적자원관리가 윤리적 문제를 일으킬 가능성도 높아졌다고 볼 수 있다.

2. 인사관리의 윤리적 기준

인사관리 분야에 적용될 수 있는 다양한 윤리적 기준과 이 기준의 내용과 특징을 살펴보기로 한다. 인사관리의 윤리적 기준에 대한 규범적 접근법은 옳고 그름에 대한 당위론적 주장을 포함한다. 그렇지만 문제는 무엇이 옳고 그른가를 판단하는 기준이 매우 다양하다는 점이다. 결국 인사관리에서 발생할 수 있는 다양한 윤리적 기준을 살펴보는 것이 중요하다.

1) 공리주의(Utilitarianism)

공리주의는 무엇보다도 행동이나 행위가 야기한 결과를 옳고 그름의 가장 중요한 기준으로 본다. 따라서 공리주의는 행동의 결과를 통해 그 행동이 윤리적인지, 혹은 비윤리적인지를 결정하며, 우리 사회 전체의 행복을 극대화하는 것을 가장 중요한 목표로 설정하는 윤리 철학적 관점이다. 특정 행동이나 행위의 도덕성은 그 행위 자체 보다는 그러한 행위로 인해 초래되는 결과로써 판단되어야 한다는 것이 공리주의 관점이다. 따라서 공리주의 기준을 목적론적 윤리론이라고 한다. 목적론적 윤리론은 18세기 밴덤이 주장한 "최대 다수의 최대 행복"에 기초하여 특정 행동과 정책의 옳고 그름은 결과로 나타나는 사회적 비용과 이익을 기준으로 평가해야 한다는 주장이다. 즉, 인사관리와 관련된 윤리적인 문제가 발생하거나 다양한 인사관리 제도가 존재한다면 그 중 가장 이익이 크거나 혹은 가장 비용이 적은 행동이나 제도가 가장 윤리적인 것이라는 주장이다. 결과적으로, 공리주의는 최대다수의 최대행복이라는 최고의 목표를 달성하는데 도움이 되는 행동은 선하다고 판단한다. 공리주의는 윤리철학적 관점에서 중요하고 유의미한 이론이지만, 공리주의 역시 명확한 한계점을 가지고 있다. 공리주의를 지지하는 사람들마저 인정하는 공리주의의 한계점은 공리주의가 최고의 목표로 삼는 행복을 과연 우리가 어떻게 측정할 수 있느냐 하는 문제뿐 아니라 행복이나 개인의 자유에 대해서 사람들이 합의된 견해를 가지는 것이 아니라 사람에 따라 다양한 견해를 가질 수 있다는 점이다.

2) 칸트의 의무론(Kantian Deontology)

의무론은 윤리적인 기준이 외부에서 주어지는 법률이나 규범보다 개인의 내적 성찰에서 비롯된 도덕적 결단에 의해 형성된다고 전제하며, 그 행위가 야기한 결과가 아닌 그 행위 자체가 인간 본연의 양심에 따라 옳다고 여겨지는 결정일 때 그 행위를 도덕적으로 올바르다고 주장한다. 의무론은 권리, 의무 및 원칙을 기본으로 하는 철학적 관점이다. 의무론은 권리와 의무를 가장 중요하게 여기며, 행위에 인한 결과와는 관계없이 보편타당성과 원칙, 그리고 인간이 마땅히 가져야 할 의무에 따라 어떤 일이 옳은지, 그른지를 판단한다. 따라서 의무론적 윤리론은 목적론적 윤리론과 대비되는 기준이다. 의무론적 윤리론은 결과를 도출하는 과정 자체에 초점을 두는 반면 목적론적 윤리론이 행위의 결과에 초점을 두는 차이가

있다. 이러한 의무론적 윤리론의 대표적 이론이 칸트의 의무론이다. 칸트는 도덕원칙을 특정 개인의 직관이나 결단이 아닌, 인간이 가진 자율성과 이성적 능력을 모든 사람들에게 보편타당하게 적용될 수 있는 합리적이고 이성적인 추론을 통해 확립하고자 하였다. 결국 윤리적 행위란 다른 사람의 권리를 존중하고, 이러한 권리들을 존중하기 위해 지켜야 할 의무를 지키는 행위를 말한다. 따라서 인간은 사회의 궁극적인 목적이므로 인간을 목적 달성을 위한 수단으로만 다루어서는 안 된다고 주장하고 있다. 요컨대, 의무론은 동기와 이유를 중시하는데 비해 공리주의는 의무론과는 달리 결과를 중요시하기 때문에 의무론은 공리주의와 가장 정반대의 철학적 관점으로 간주되는 것이다.

3) 기업의 사회적 책임(Corporate Social Responsibility)

기업은 우리 사회의 일원으로서 사회로부터 생산에 필요한 자원과 인력 등을 공급받고 생산된 제품이나 서비스를 사회의 구성원인 소비자에게 판매함으로써 이익을 얻는다. 따라서 기업은 사회로부터 동떨어져 존재하는 주체가 아니며 기업의 다양한 의사결정은 사회에 많은 영향을 미친다. 기업의 의사결정이 윤리적이라면 우리 사회에 미치는 영향은 긍정적일 것이나 만약 기업의 의사결정이 비윤리적이라면 우리 사회에 미치는 영향은 부정적일 수밖에 없다. 이것이 기업에게 윤리적으로 사업을 수행하라고 요구할 수 있는 이유이고 기업의 사회적 책임을 이야기하는 논리이다. 이러한 논리와 근거를 바탕으로 기업이 생산을 담당하는 사회의 구성원으로서 가지는 의무를 기업의 사회적 책임(Corporate Social Responsibility)이라고 한다. 기업은 기업의 활동으로 인해 발생하는 사회적, 경제적 문제를 기업 자신이 해결하도록 요구받고 있다. 그렇게 함으로써 기업의 주요 이해관계자 및 사회 구성원의 요구와 기대를 만족시켜줄 수 있다. 단순하게 사회적 책임을 이행하는 것을 소극적인 사회적 책임이라고 한다. 최근에 이러한 소극적 개념에서 사회적 책임을 예방적이고 적극적으로 수행하는 높은 차원의 사회적 반응(Corporate Social Responsiveness)을 요구받고 있다. 다시 말해 사회적 반응 개념은 사회적 압력에 대해 기업이 수동적으로 대응하는 범위를 넘어 장기적인 관점에서 적극적으로 사회에 대한 긍정적인 기여를 하기 위해서는 어떠한 역할을 수행하여야 하는가에 초점을 맞춘 개념이다.

4) 이해관계자 이론(Stakeholder Theory)

최근 윤리경영에서 활발히 논의되고 있는 이해관계자 이론(Stakeholder Theory)은 윤리적 기준을 특정 사안에 관련된 이해관계자들 간의 최종적 합의에 정당성의 근간을 둔다. 여기에는 특정 강자의 지배나 강요가 없는 상태에서 관련 이해관계자 모두가 자유롭게 합의하는 것을 전제한다. 이해관계자 이론에서 말하고 있는 이해관계자란 기업에 영향을 주거나 기업의 목표, 정책, 제도, 의사결정에 의해서 영향을 받는 모든 개인이나 집단을 말한다. 이 이론의 주장은 기업은 그들을 둘러싸고 있는 주위의 모든 이해관계자들을 공정하게 대해야 하며, 그렇게 함으로써 보다 좋은 성과창출이 가능하다는 논리에 근거하고 있다. 이 이론은 특히 관계의 중요성을 강조하고 있는데 기업이 효율적으로 목표달성을 위해서는 기업이 영향을 주거나 목표달성에 영향을 주는 관계자나 관계에 집중할 수 있어야 한다고 주장하고 있다. 여기서 이해관계자를 1차적 이해관계자와 2차적 이해관계자로 구분해 볼 수 있다. 기업의 소유주, 고객, 근로자, 공급자, 주주, 이사회의 구성원들은 기업의 주요 1차적 이해관계자에 해당된다. 반면 미디어, 고객, 로비스트, 법원, 정부, 경쟁자, 대중, 사회 등은 2차적 이해관계자에 속한다. 기업은 이해관계자들과 직간접적인 상호작용을 유지하며 경영활동을 하고 있다. 따라서 이해관계자이론은 기업의 윤리경영 결정을 할 때 가능한 모든 이해관계자를 만족시킬 수 있는 방향으로 결정하는 것이 가장 윤리적이라는 점을 강조하고 있다.

5) 공정성 이론(Justice Theory)

기업의 의사결정은 구성원들 간의 이익은 물론 비용도 공평하게 배분되도록 이루어져야 한다는 것이 공정성 이론이다. 따라서 성과도 공평하게 공유하지만 구성원의 잘못에 대한 불이익도 잘못한 구성원에게 돌아가야 한다는 점을 강조하는 이론이다. 공정성이론은 인사관리의 여러 이슈들이 윤리적인가를 판단할 때 상당히 논리적인 근거를 제시해줄 수 있다. 특히 조직행동론 분야에서의 구체화된 개념들인 분배적 공정성, 절차적 공정성, 상호적 공정성 개념은 공정성을 구성하는 하위요인들로서 이러한 윤리적 판단을 위한 논리적 근거를 제시하는데 적극적으로 사용된다.

〈표 9-1〉 윤리적 기준별 적용상 조건과 문제점

	공리주의	의무론	CSR	이해관계자 이론	공정성이론
적용조건	관련자들의 비용-효용 관계에 따를 것	합리적인 성찰에 의한 의사결정자일 것	기업은사회의 구성원으로서의 의무를 따를 것	관련 이해관계자 간의 의견교환과 협의에 의할 것	이익과 비용의 공정한 배분에 따를 것
성과지향적 인센티브제 도입의 정당성	최대 다수에게 유익을 제공하는 보상제도가 되어야 함	성과지향적인 사회에서 인정됨	사회적 눈높이에 맞는다면 수용가능 함	관련 이해관계자 모두 합의할 수 있는 것이라면 도입이 가능함	성과와 결과에 따른 보상의 제공이 되어야 함
조직설계/직무설계 정당성	노동의 효율성과 기업의 생산성을 향상시킬 수 있는 범위내에서 조직설계가 이루어져야 함	누구나 인간적인 작업조건을 가질 권리가 있음	장기적으로 사회에 대한 긍정적 기여를 위해 요구됨	작업집단들이 스스로 작업방식의 변화를 결정할 수 있어야 함	성과창출을 위한 공정한 조건을 모두에게 제공할 수 있어야 함
적용상 문제점	효용성을 계산하는 범위를 정하는데 어려움	의사결정자 본인의 합리성에 의존함	사회적 기대치와 요구수준을 파악하기 어려움	의사결정의 자율성을 확보하는 것이 어려움	공정성에 대한 판단과 공감대 형성의 어려움

자료원: 김성국 (2009.9). "윤리적 인적자원관리의 본질과 과제" 노사저널, p.46 수정보완인용

지금까지 다양한 윤리이론을 살펴보았는데 이러한 이론을 기초로 인사관리에 적용할 수 있는 윤리적 기준은 다음과 같다. 첫째, 인사관리의 윤리적 기준은 근로자를 이익추구의 수단으로만 다루어서는 안 된다는 원칙이 기본이다. 이는 의무론적 윤리론의 핵심주장이다. 이를 보다 구체화 시키면 기업은 근로자들의 안전에 대한 권리, 자유에 대한 권리, 복지에 대한 권리, 평등에 대한 권리 등 인간으로서 가지는 다양한 권리를 존중해야 한다. 또한 공정성이론을 바탕으로 한다면 기업은 근로자들에게 분배적 공정성, 절차적 공정성, 상호적 공정성을 보장하여야 한다. 마지막으로, 공리주의 이론에 기초하여 기업은 전체 근로자의 이익을 극대화하기 위해 노력하여야 한다.

3. 인사관리 윤리의 주요 이슈

인사관리 분야는 특히 윤리적인 문제가 발생할 가능성이 높은 영역이다. 따라서 인사관리의 다양한 분야에서 제기될 수 있는 윤리적 이슈들을 살펴본다. 특히 이슈가 되고 있는 고용안정성, 성과관리, 보상관리, 직장내 성희롱, 직장내 차별문제 등을 중심으로 정리하였다.

1) 고용안정성

고용안정성은 인사관리 측면 중에서도 가장 중요하게 대두되고 있는 윤리적 이슈이다. 1990년대 말의 경제위기, 경제성장률의 저하 등 최근의 급속한 환경변화로 인해 종신고용제는 급속히 약화되었고 불안정한 고용안정성과 비정규직 근로자의 증가 현상이 대두되었다. 이러한 새로운 환경변화는 기업과 근로자들에게 중요한 윤리적 이슈가 되었다. 정규직의 고용안정성 저하와 비정규직 근로자의 증가는 사용자의 책임 범위에 관련한 윤리적인 문제를 야기하였다. 기업이 비정규직을 고용하는 것이 경제적으로 유리하기 때문에 윤리적으로 문제가 없다고 해야 하는 것인지 아니면 기업이 근로자의 경제적인 안녕을 추구해주는 것이 고용주로써 합리적이므로 비정규직의 증가가 윤리적인 면에서 문제가 있다고 볼 것인지가 문제가 된다.

성과 측면에서 정규직의 고용안정성 저하와 비정규직 노동자 증가는 단기성과와 장기성과로 구분해서 살펴볼 수 있다. 단기적으로는 비용을 절감시키고 기업의 유연성을 증가시켜 수익의 증가에 도움이 되지만 장기적으로 볼 때 기업에 대한 충성심이 낮아지고 이직률이 높아 기업의 성과에 부정적인 영향을 준다.

윤리적 관점에서도 정규직의 고용안정성 저하와 비정규직 노동자의 증가는 인간을 기업이익을 달성하기 위한 수단으로만 취급한다는 점에서 비윤리적이라고 할 수 있다. 또한 기업은 근로자들의 안전과 복지 증진에 노력하여야 한다는 윤리적 기준에도 어긋나는 것이다. 특히 비정규직 노동자들은 가난하고 충분한 교육을 받지 못한 경우가 많다. 따라서 정규직에 비해 저임금, 열악한 복지후생, 경력개발 기회의 부족 등으로 인해 가난을 대물림할 가능성이 크다는 점에서 사회적인 관점에서 윤리적인 문제도 검토해볼 수 있는 주제이다.

원청기업이 자신이 수행하여야 할 업무 중의 일부를 하청기업에게 위탁하는 하도급 계약

의 경우 원청기업이 하청기업의 근로자들의 임금 등과 같은 근로조건에 대해 얼마나 책임을 져야하는지가 윤리적인 논쟁의 중심이 된다. 크게 두 가지 주장으로 나눠지는데 우선 하청기업 근로자들은 하청기업과 근로계약을 맺기 때문에 원청기업은 법적 책임이 없다는 주장이고 반면 하청기업의 경영 전반이 원청기업과의 계약에 의해 결정되므로 원청기업은 하청기업의 근로조건에 대한 윤리적인 책임을 회피하기 어렵다는 주장이다. 더구나 원청기업이 하청기업에 대해 교섭력이 압도적으로 우위에 있는 것이 현실적인 상황이므로 원청기업이 하청기업 근로자들에게 자신이 부담하여야 할 비용이나 위험을 전가할 가능성이 크다는 점은 분배적 공정성의 측면에서도 윤리적인 문제가 될 수 있다.

2) 성과관리

성과관리 단계는 목표설정, 목표를 달성하기 위한 성과관리, 목표 달성 여부에 대한 평가와 보상의 단계로 되어 있다. 하지만 이러한 과정으로 진행되는 성과관리체계는 여러 측면에서 비판을 받고 있는데, 설계상의 문제와 운영상의 문제로 비판받고 있다. 설계상의 문제란 성과관리 설계상의 오류와 결과의 예측 불가능성으로 인한 한계를 말하고 운영상의 문제는 실질적인 목표 설정의 어려움과 성과관리 체계의 주관성 등의 한계를 말한다. 한편 현재의 성과관리제도는 근로자들을 동기부여 하지 못하고 통제의 수단으로 인지되어 성과관리 체계 자체가 권력과 통제로 대변되는 새로운 테일러리즘의 하나라는 비판을 받고 있다.

윤리적 관점에서 기업의 성과측정과 성과관리는 다음과 같은 윤리적 요소가 포함되어야 한다. 1) 개인에 대한 존중, 2) 상호 존중, 3) 절차적 공정성, 그리고 4) 의사결정의 투명성 요소가 포함되어야 한다. 조직의 성과를 증대시키기 위한 노력은 근로자에 대한 감시와 통제를 강화시키게 되고 근로자의 프라이버시 침해로 이어질 수 있다. 또한 성과를 높이기 위해 장시간 근무를 요구하거나 빈번한 초과근무가 발생해 근로자들의 스트레스는 증가하고 건강도 악화될 수 있다. 기업이 감시와 통제를 대신하기 위해 사용할 수 있는 권한위임(Empowerment)의 경우 근로자의 결정권을 높인다는 면에서 긍정적으로도 볼 수 있지만 근로자들의 성과를 증대시키기 위한 도구로 권한이임을 사용한다는 부정적인 측면도 있다.

3) 보상관리

기업의 보상체계는 기업의 윤리 상황을 잘 보여주는 결과물이다. 보상체계란 근로자들이 일한 만큼 임금을 받는 것이고 경영자의 역할은 근로자들이 제공한 경제적 가치에 맞게 대가를 지불하는 것이라는 경제학점 관점이 자리 잡고 있다. 근로자들은 보상을 받는 행위는 증가시키고, 보상을 받지 않는 행위를 줄이게 되므로 기업의 보상체계는 근로자들이 행동에 큰 영향을 미친다. 이처럼 기업의 보상체계가 어떤 행위에 큰 영향을 미치기 때문에서 조직의 보상체계가 근로자에게 비윤리적인 행위를 강요하는 요소가 될 수도 있다. 조직의 구성원이 윤리적으로 올바른 행동과 올바르지 못한 행동 사이에 갈등하는 윤리적 딜레마에 직면할 때 보상체계가 사회적으로 바람직한 규범을 따르는 행동이 아니라 사회적으로 바람직하지 않은 반규범을 따르는 행위를 보상할 경우 비윤리적 행동이 증가하게 된다.

최근 성과급 비중의 증가는 윤리적 논쟁을 일으키고 있다. 기업은 성과를 높이기 위해 근로자들의 업무를 일방적으로 규정하고, 성과 기준의 설정이나 그 성과 측정에 대해 근로자들의 참여가 충분이 이루어지지 않은 채 경영자나 일선 관리자들에 의해 실행된다. 또한 그룹차원의 집단적 보상을 실행할 경우 근로자는 자신이 가지고 있는 보상체계에 대한 생각들을 표현할 수 있는 기회가 줄어들게 된다. 이러한 일방적인 성과급제도의 도입은 절차적 불공정성을 일으킬 수 있다는 점에서 윤리적인 비판에 직면할 수 있다. 고정급제하에서 기업이 위험을 부담하지만 성과급제가 되면 기업과 근로자들이 분담하기 때문에 성과급 비중의 증가로 근로자들의 임금 안정성이 낮아지게 된다. 대부분의 근로자들은 위험회피적인 성향을 가지고 있고 성과급을 도입할 경우, 근로자들이 새롭게 부담하는 위험에 대한 추가적인 보상을 필요로 한다. 따라서 기업은 근로자들에게 지급되는 임금 총액을 늘려야만 하고, 증액이 이루어지지 않는다면 이는 분배적 공정성이 낮아진다고 볼 수 있다.

남녀 간 임금격차도 보상과 관련된 중요한 윤리적 논쟁이 될 수 있는 주제이다. 특히 남녀 간의 임금격차는 보상의 공정성 차원에서 이슈가 된다. 보상의 공정성이란 구성원들의 조직에 대한 기여에 맞게 보상이 주어지는가 하는 문제이다. 즉 남녀 간의 임금격차는 남녀 간의 조직에 대한 기여의 차이를 반영하고 있는가라는 문제이다. 남녀 간 임금격차의 절반은 남녀 간 생산성의 차이로 설명되고 나머지 절반은 차별적 요인으로 인한 임금격차로 추정되며 우리나라의 노동시장에 성별에 따른 차이가 존재한다고 볼 수 있다. 또 다른 이슈는 임금격

차가 차별적인 것이므로 임금격차가 해소된다면 공정한 보상이 이루어지는 것으로 봐야하는가 하는 문제이다. 생산성에 상응하는 임금을 받아야 하므로 여성이 남성에 비해 생산성이 낮으므로 보상의 공정성이 조직의 구성원들의 기여에 비례하는 보상을 받는 것만을 의미한다면 남녀 간의 임금격차는 공정한 것이라고 볼 수 있다. 이러한 공정성 기준은 윤리적인 문제를 일으킨다. 즉 조직에 대한 근로자의 기여만을 고려하는 것은 인간을 조직 목적을 달성하기 위한 수단으로만 생각한다는 점에서 칸트의 의무론적 윤리론과 배치된다. 따라서 공정성 기준은 조직에 대한 기여라는 기능적 가치 이외에도 근로자가 직무를 수행하는 과정에서의 노력이나 열악한 작업환경 등과 같이 근로자에 초점을 둔 근로자의 가치가 함께 고려되어야 한다.

4) 직장내 성희롱과 윤리

(1) 성희롱 개념과 의의

① 성희롱 개념

성희롱이라는 개념은 미국의 1964년 민권법의 제정과 함께 발전해왔다. 1960년대 인종폭동이후 인종차별반대 운동과 함께 남녀차별을 철폐하려는 움직임도 있었다. 성희롱은 젠슨 사건에 관한 재판이 그 시발점이 되었다. 미국의 고용기회평등위원회(EEOC)가 성희롱 가이드라인을 규정하고 성희롱을 다음과 같이 정의하였다. "성희롱이란 여성이 원하지 않는 성적 접근·애무행위에 대한 요구·성적인 특징을 갖는 언어·신체적 행위를 지칭한다"고 하였다. 유럽공동체 위원회(EU)에서는 "성희롱이란 원하지 않는 성적 행위, 혹은 직장 내 남녀의 존엄성에 영향을 미치는 성차별적 행위"로 규정하고 있다.

② 성희롱 유사개념

성희롱의 개념은 '강간'과 '강제추행', 또는 성폭력'등의 용어와 구별되지 않고 있으며, 최근에 등장한 스토킹의 개념과도 혼용되고 있다. 국가인권위원회법상의 '성희롱'과 관련지어 불법행위성의 강도에 따라 다음과 같이 구분된다.

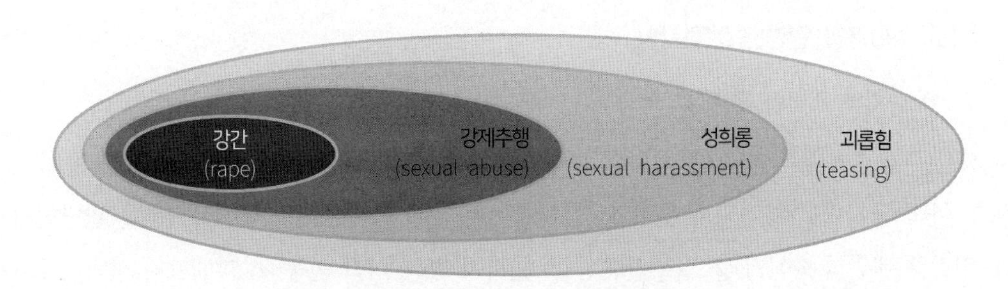

[그림 9-1] 성폭력의 불법행위성

성폭력의 개념 범주를 성희롱을 포함하는 광의의 개념으로 파악하게 되면 불법행위성이 높아갈수록 형법상의 범죄를 구성하게 된다. 따라서 성폭행(강간)과 강제추행은 형법상의 불법행위 개념이며, 일반적인 성희롱은 행정적, 민사적 불법행위의 책임을 지는 개념으로 볼 수 있다.

(2) 성희롱의 불법행위 책임

성희롱은 일반적으로 행정상의 징계책임과 민사상의 불법행위 책임을 지게 되지만 특별법 상에서 예외적으로 규정되어 있는 경우에는 형사책임까지 지게 되는 경우도 있다.

〈표 9-2〉 성희롱의 불법행위 책임

심리단계별	심리 및 행위구분	불법 행위 책임
제1단계	친밀·우호적임(intimancy)	도덕적·윤리적 비난을 받음
제2단계	괴롭힘(teasing)	도덕적·윤리적 비난을 받음
제3단계	성희롱(sexual harassment)	행정책임 + 민사책임 또는 경우에 따라 형사책임
제4단계	강제추행(sexual abuse)	행정책임 + 형사책임 + 형사적 책임
제5단계	강간(rape)	행정책임 + 형사책임 + 형사적 책임

(3) 성희롱과 관련된 쟁점사항

① 성희롱 개념의 모호성

성희롱 개념의 등장 이후에 성희롱 관련법규와 정책집행의 과정에서 많은 시행착오가 있었고 아직 국가별로 통일되지 못하고 있다. 우리나라는 5가지 기준에서 성희롱을 판단한다. ① 성희롱 행위의 당사자 ② 업무관련성 ③ 원하지 않는 성적 언동 ④ 피해자의 성적인 굴욕감 또는 혐오감 ⑤ 성적인 접근에 대한 거절에 기인한 고용상의 불이익 등이다. 그러나 이런 규정은 성희롱과 형법상 성범죄와의 구분도 어렵고 일상생활에서 부단한 남녀접촉에서 당사자의 주관적 심리상태로 불법행위의 구성요건을 인정한다는 것은 타당성은 물론이고 법적인 안정성 측면에서도 바람직하지 못하다.

② 성희롱 예방과 구제제도의 이원적 운영

성희롱 예방 및 구제업무는 대륙법과 영미법계 사이에 혼란이 존재한다. 대륙법계 국가인 우리나라에서 영미법계인 미국 법제를 무리하게 이식하다보니 우리나라에서 예방 및 구제제도를 이원화하여 적용하는 혼선이 발생하고 있다.

③ 성희롱 정책 관련 기관

성희롱 관련 정책 기관이 다양하여 일관성 있는 정책 추진이 어렵다. 동일한 성희롱 사건의 경우 공공기관에서 발생한 경우와 사기업체에서 발생한 경우 동일한 사건임에도 서로 다른 제도와 시스템이 작동되어 부작용이 발생할 수 있다.

④ 성희롱 구제제도의 형식적 운영

성희롱 사건은 발생하고 나서 구제제도에 의존할 경우 구제제도가 아무리 완비되어 있다고 하더라도 성희롱의 피해당사자는 평생의 상처로 남을 수 있다. 가해자나 심지어 해당기관 또한 대내외적 책임에서 자유로울 수 없다. 금전적 보상으로 회복할 수 없는 피해는 사전에 예방되도록 시스템이 개발되어 있어야 한다.

⑤ 성희롱 사건의 2차적 피해

성희롱 사건의 경우 조사과정에서 성희롱 피해자에게 발생할 수 있는 2차적인 피해가 큰 문제점으로 지적되고 있다. 성희롱 사건의 상당부분이 2차 피해에 대한 우려 때문에 그냥 넘어가는 경우도 많다. 따라서 동일한 환경 하에서 성희롱 사건이 계속 발생할 수 있는 개연성이 높아진다.

5) 직장내 차별문제

유엔(UN)과 국제노동기구(ILO)는 직장에서의 모든 불합리한 차별을 철폐하여 모든 사람이 공정하고 동등한 고용기회와 대우를 가질 수 있도록 인권을 보장하는 것을 핵심적 내용으로 하고 있다. 국제노동기구는 1998년에 근로자기본권선언을 하면서 고용과 직업생활의 차별을 금지하며 모든 회원국에게 관련 협약의 성실한 이행을 의무화하였다. 외국의 경우를 살펴보면, 캐나다와 호주, 뉴질랜드의 인권법에서 고용차별을 금지하고 있으며 호주와 영국의 성차별금지법, 인종차별금지법 등 고용차별을 금지하고 있다.

(1) 여성의 차별

우리나라는 1948년 7월 민주법치국가 헌법을 제정하면서 평등과 차별금지를 기본원리로 하고 1953년에 제정된 노동조합법과 근로기준법에서도 차별을 금지하고 있다. 그 후 1988년 남녀고용평등법의 시행으로 성차별 극복을 위한 노력이 꾸준하게 진행되어 왔다. 그럼에도 불구하고 현실적으로 직장에서의 성차별은 여전히 계속되고 있는 실정이며 여성들의 고용과 직업생활에 큰 장애가 되고 있고 피해자가 권리를 구제 받기는 쉽지 않다.

(2) 노령화 직원

연령을 이유로 불합리한 차별을 한다면 인적자원의 효율적 활용을 저해하게 된다. 따라서 이러한 차별은 노동시장의 효율성을 떨어뜨리므로 연령차별금지법이 필요하게 되었다. 특히 노령화 직원에 대한 차별은 수명 연장과 출생률 저하로 사회가 급속하게 고령화됨에 따라 중요한 이슈가 되고 있다. 연령을 이유로 차별하는 것은 다른 종류의 고용차별과 비교하여 차별의 판단이 어렵고 차별의 증거를 찾기 어렵기 때문에 차별이 행하여질 가능성이 있다.

(3) 노동력 양극화 : 비정규직

비정규직 근로자에게 임금 및 그 밖의 근로조건 등에 있어서 합리적인 이유 없이 불리하게 처우하는 것을 비정규직에 대한 차별이라고 본다. 세계인권선언은 차별 없는 동일노동

동일임금의 원칙을 규정하여 동일한 가치를 지닌 노동이 동일한 임금내지 대우를 받지 못하는 것은 차별이라고 규정하고 있다.

① 비정규직 차별의 원인

비정규직에 대한 차별이 발생하는 주요한 몇 가지만 요약하면 다음과 같다.

첫째, 편익과 비용에서의 관점이다. 기업의 입장에서 비정규직을 고용하는 이유는 기업의 조직 유연화, 인건비 절약 등에 있다. 따라서 기업은 비정규직을 정규직으로 전환하게 되면 비정규직이 가져다주는 긍정적인 측면인 조직 유연화 및 인건비 절감 같은 효과를 기대할 수 없게 된다. 이러한 기업의 이해관계가 차별의 원인 제공 내지 차별 환경 개선을 방해하는 요인이 되고 있다.

둘째, 비정규직 차별은 본질적으로 인식의 차이에서 발생한다. 특히 인사담당자와 비정규직 간의 인식 차이가 존재한다. 즉 인사담당자와 비정규직 근로자간에는 임금, 근로시간 등 인사관리상의 대우가 비정규적과 정규직간에 차이가 별로 없다고 여기는 반면 비정규직 근로자는 차별이 존재한다는 인식의 차이가 있다. 대부분의 비정규직이 차별받고 있다고 생각함에도 인사담당자의 경우 이에 공감하거나 처우 개선의 필요성에 대한 인식이 상대적으로 낮은 편이다.

셋째, 비정규직 근로자에게는 고용불안이 가장 큰 고통이 된다. 비정규직은 정해진 기간 후에 계약기간이 만료되고 재계약을 해야 한다. 이때 재계약의 권한은 기업이 가지고 있어 비정규직 근로자는 지속적인 고용을 위해서라도 차별을 감수할 수밖에 없으며 기업의 입장에서는 비정규직 근로자의 권익을 굳이 손해 보면서까지 챙겨주지 않아도 된다는 잘못된 인식을 갖게 하는 경우가 있다.

4. 조직관리 윤리의 주요 이슈

조직관리 분야도 윤리적인 문제가 발생할 수 있는 가능성이 높은 영역이다. 따라서 조직관리의 다양한 세부 영역에서 제기될 수 있는 윤리적 이슈들을 파악하여 정리하는 것은 관리적 시사점이나 함의를 도출하기 위한 유의미한 과정이라 할 것이다. 특히 이슈가 되고 있는 조직문화, 조직설계와 직무설계, 조직개발 및 조직관리 윤리이슈 등의 세부 영역을 중심으로 구체적인 문제점과 이슈별 내용을 살펴보았다.

1) 조직문화

White & Mcrtgoery(1980)는 조직에서의 비윤리적 행동을 결정하는 요인은 개별구성원의 도덕성보다는 조직풍토 혹은 기업시스템에 대한 기대라고 주장하였다. 우리나라에서 기업들의 기업윤리 수준을 높이는데 있어 조직분위기 요인으로서 가장 중요한 사안은 기업의 바람직한 경영체계의 구축과 함께, 적합한 기업문화의 유형에 대한 탐색일 것이다. 지금껏 경영진에 의해 주도되어진 일방적인 기업문화를 형성하여 왔기 때문이다. 공유가 필요한 기업문화의 핵심은 폐쇄적인 '우리' 의식에서 벗어나 사회적으로 확대된 소통과 협력의 정신을 갖추는 것이다. 이를 통해 '우리' 라는 생활공동체의식이 곧 권위주의 혹은 폐쇄적 집단주의로 비춰지는 오명으로부터 벗어날 수 있을 것이다.

조직설계 차원에서 조직구성원들 간의 공유가치는 조직구조, 의사결정과정, 보상체계 등의 설계요인을 제약하거나 혹은 촉진시키는 역할을 한다. 그러므로 기업구성원들의 공유가치 혹은 기업의 비전체계에 윤리적 가치가 명확하고 적극적으로 반영되어 있지 않으면 규정이나 시스템을 통해 윤리적 수준을 제고하는 데는 한계가 있을 수밖에 없다. 따라서 기업의 조직문화를 이해하고 확립하는 과정에서 윤리수준에 대한 평가를 통해 관련성과지표를 활용하여 이를 강화시킬 수 있는 방안을 마련해 나갈 필요가 있다.

2) 조직설계와 직무설계

기업은 조직구성원들과의 관계에 있어서 이들 구성원의 성장과 발전에 매우 직접적인 영향을 미칠 수 있고, 이러한 영향은 상당부분 업무배정과 조직설계를 통해 이루어진다. 말하자면, 기업은 내부의 부문조직과 기능들의 통합뿐만 아니라 급속한 환경변화에 적절히 대응할 수 있는 조직구조를 구축하는 조직설계의 과정에서 조직구성원들의 성장이나 발전을 제한시킬 수도 있고 제고시킬 수도 있기 때문에 조직구성원들의 성장과 발전뿐만 아니라 이들의 인간적 성숙에 대한 윤리적 혹은 사회적 책임을 인식해야 한다.

또한 기업은 조직구성원의 성장과 발전을 중심으로 직무를 어떻게 설계할 것인지, 그리고 이들의 사회적 혹은 인간적 욕구를 어떻게 직무설계에 반영할 것인지에 대해 책임감을 가지고 고민해야 한다. 지금껏 기업에서 수행된 직무설계는 조직구성원들의 인간적 성장과 발전을 포함한 사회적 책임이나 윤리적 관점보다는 직무환경을 개선하고 직무내용을 고도화하며 자율성을 부여하는 등 기업의 성과를 끌어올리기 위한 수단으로 추진되어온 것이 사실이다. 그러므로 기업은 직접적인 성과창출뿐만 아니라 보다 본질적인 윤리적 차원에서 직무충실화를 지향하는 직무설계를 실천해야하며, 이를 통해 직무효율성과 함께 조직구성원들의 직업윤리를 확대해 나가는 방향으로 직무를 설계해 나가야할 것이다.

3) 조직개발

조직개발에서의 윤리 이슈는 조직개발 실행자가 구성원들과의 '조력관계'를 어떻게 형성해 가는가에 관한 것이다. 모든 '조력관계'에는 직원남용과 고객을 소홀히 다룰 잠재력이 내재되어 있다. 따라서 조직개발 시행자들은 자신들의 전문적 역할 속에 내재되어 있는 권한을 올바르게 사용할 수 있도록 직업윤리와 가치관을 정립할 필요가 있다. 직업인으로서 조직개발은 항상 윤리적 규약에 관심을 가져왔고 ODI(Organization Development Institute)와 같은 다양한 전문 협회들에 의해 윤리 규약이 개발되어 왔다. 이러한 윤리 규정이나 윤리강령이 윤리적 문제의 발생을 방지하는데 도움이 되기는 하지만, 조직개발 실행자들은 여전히 윤리적 딜레마에 부딪히곤 한다.

조직개발 과정에서 윤리적 딜레마는 조직개발 실행자와 고객 조직사이의 역할 분할 문제 속에서 대개는 역할 갈등과 역할의 모호성을 가져오게 된다. 고객이나 조직개발실행자 모두 각자의 책임에 대해 명확히 알지 못하는 것이다. 그들은 서로 다른 목표를 추구하고 그 목표를 달성하기 위해 서로 상이한 스킬과 가치관을 사용하게 된다. 역할 갈등과 역할 모호성은 조직개발실행자가 변화프로그램이나 상황에 부적합한 결과를 초래할 개입기법을 주장할 때 나타나는 '그릇된 설명'이나 조직개발 과정에서 수집된 정보가 처벌적인 방식으로 활용될 때 발생하는 '데이터의 오용', 조직구성원이 조직개발과정에 참여하도록 강제될 때 발생하는 '강압', 변화노력의 목표가 명확하지 않거나 고객과 조직개발실행자가 목표성취 방법에 대해 합의하지 못하여 발생하는 '가치와 목표 갈등', 조직개발실행자가 숙련되지 않은 기법을 실행하거나 고객조직이 준비되지 않은 변화를 시도하고자할 때 발생하는 '기술적 무능' 등으로 나타나게 된다.

4) 조직관리 윤리이슈

조직관리와 관련된 세부 영역들은 기업의 의사결정과정에서 윤리적인 문제와 상대적으로 관련성이 많다는 점에서 관리적 의미와 가치를 갖는다. 본 장을 통해 조명된 조직문화, 조직설계와 직무설계, 조직개발 등 관련 세부 영역들은 윤리적 문제로부터 항상 자유로울 수 없는 민감한 영역으로 받아들여진다.

기업을 둘러싼 환경변화 역시 조직관리 분야에서의 윤리경영의 필요성을 증대시키고 있다. 세계화의 진전에 따른 글로벌 경쟁의 심화, 자본의 국가 간 이동증가 및 탈규제화 현상 등에 대응하기 위해 기업들은 글로벌한 경쟁력을 갖춘 조직문화의 구축, 조직설계를 통한 업무 효율적 조직개편, 핵심역량중심의 조직개발 및 직장 내 일과 삶의 균형 등과 같은 조직관리 차원의 다양한 변화관리를 시행하고 있다. 이처럼 급속한 환경변화에 대한 대응과정에서 기업도 생존하기 위해 경쟁상의 우위를 확보하기 위한 방편으로 효율적인 조직관리가 중요해졌지만 동시에 조직을 관리하기 위한 의사결정과정에서 윤리적 문제가 결부되거나 직접적으로 발생할 가능성도 그만큼 커졌다고 볼 수 있다.

조직관리의 윤리적 기준에 대한 규범적 접근은 옳고 그름에 대한 당위론적 주장을 포함한다. 그렇지만 문제는 무엇이 옳고 그른가를 판단하는 기준이 매우 다양하다는 점이다. 결국 조직을 관리하는 과정에서 요구되는 다양한 윤리적 기준을 살펴보는 것이 필요한 이유이다. 이러한 맥락에서 본 장은 조직관리 분야에 적용될 수 있는 다양한 윤리적 기준으로서 공리주의, 의무론, 기업의 사회적 책임(CSR), 이해관계자이론 및 공정성이론의 내용과 특징을 각 윤리적 기준별로 적용조건, 직무와 조직설계의 정당성 및 적용상의 문제점 등을 중심으로 살펴보았다. 또한 윤리적 문제가 발생할 가능성이 높은 분야인 조직관리의 특성을 고려하여 조직문화, 조직설계와 직무설계, 조직개발 등 다양한 세부 영역에서 제기될 수 있는 윤리적 이슈들을 고찰하고 이에 따른 관리적 함의를 제시하였다.

5. 내부자 신고

미국의 닉슨 대통령은 '워터게이트 사건'으로 인해 미국 역사상 처음으로 임기 도중 사임한 대통령이 되었다. 이 사건은 내부고발자로부터 시작되었다. 익명의 제보자가 「워싱턴 포스트」의 기자에게 닉슨 대통령이 도청을 지시했다는 사실을 제보했다. 내부고발(whistle blowing)은 조직의 구성원인 내부자가 조직 내부에서 자행되는 부정부패, 비리, 불법행위를 발견하고 이를 알리는 행위를 말한다.

1) 효과적인 내부고발

효과적인 내부고발에 영향을 주는 다섯 가지 주요 요건들을 살펴보면 다음과 같다.

(1) 내부고발자의 특성

내부고발자의 특성 중에서 내부고발자의 신뢰, 권력, 그리고 제보자의 비익명성이 효과적인 내부자 고발에 영향을 준다. 조직의 구성원들이 내부고발자를 신뢰하고 있다면, 내부고발의 영향력이 높고 부정행위가 근절될 가능성은 높아진다. 반대로 제보자에 대한 구성원들의 신뢰가 낮다면 제보자의 주장을 믿지 않게 되어 결국 내부고발의 효과성은 감소하게 된다. 내부고발자의 조직 내 권력은 내부고발의 효과에 영향을 미친다. 고발자가 높은 지위에 있거나 해당 분야의 전문가로 인정을 받는다면 고발의 효과는 더 클 것이다. 반면 고발자의 지위가 낮거나 전문성이 낮을 경우 고발의 효과는 낮을 수밖에 없다. 제보자의 익명성 또한 고발의 효과에 영향을 준다. 내부고발자들은 보복행위를 피하기 위해 익명으로 제보를 하는 경우가 많다. 하지만 익명으로 제보를 할 경우 조직의 구성원들은 제보내용을 고려할 가치가 없다고 생각하여 묵살할 가능성이 높다. 또한 제보를 받아도 충분한 증거확보가 어렵고 제보자에 대한 신뢰도도 떨어져 효과가 떨어지게 된다.

(2) 내부고발 담당기관이나 담당자의 특성

내부고발이 있을 경우 결국 담당 기관이나 사람이 내부고발 사건을 조사하게 된다. 따라서 실제로 부정 또는 불법행위가 있었는지를 조사하고, 조치를 취하는 담당기관 담당자가 내부고발의 효과에 큰 영향을 주게 된다. 강력한 권한과 신뢰도가 높은 기관이나 담당자가 내부고발자를 지지하고 조사하게 되면 제보의 효과성 역시 증가한다.

(3) 부정행위를 한 자의 특성

부정행위를 한 사람이 가지고 있는 권력은 조직이 그 자를 보호할지 아니면 처벌할지에 대한 결정에 영향을 줄 수 있다. 조직 내에서 강한 권력과 신뢰를 받고 있는 사람이라면 그렇지 않은 사람의 경우보다 문제가 발생했을 때 그 부정행위가 근절될 가능성은 낮아지게 된다. 또한 재정적 의존도, 전문지식, 위원회의 장 또는 최고 경영팀의 지지 등이 조직이 부정행위자에 대한 의존도가 높을 경우 부정을 저지른 자는 내부고발자를 지배하게 되어 내부고발의 효과가 감소할 것이다.

(4) 부정이나 부패의 특성

조직이 부정행위에 대해 얼마나 의존하고 있는지도 내부고발의 효과에 영향을 준다. 조직이 제보된 부정행위에 높은 의존도를 가지고 있다면 내부고발을 통해 그 부정행위를 근절한다는 것은 매우 어렵게 된다. 그 부정행위가 조직의 존립에 영향을 미치는 것이라면 더더욱 어려울 것이다. 이런 경우 외부채널을 이용해야 내부고발이 효과적일 수 있다.

(5) 조직의 특성

내부고발의 적합성은 내부고발의 효과에 영향을 준다. 내부고발자들이 고발하는 행위가 당연한 의무로 여긴다면 그 제보는 그렇지 않은 경우 보다 훨씬 효과적일 수 있다.

2) 내부고발의 어려움

(1) 공익침해행위 제한의 문제

우리나라엔 내부고발만을 규정하는 법은 없지만 공익침해행위를 신고하는 자와 그 협조자를 보호함으로써 공익신고의 활성화를 도모한다는 취지로 제정된 공익신고자보호법(공신법)이 있다. 또한 공익신고를 규정하고 있는 '부패방지 및 국민권익위원회의 설치와 운영에 관한 법률'(부패방지법)이 있다. 공신법이 민간까지 범위를 넓혀 공익신고자를 보호하는 성격

이 강하지만 부패방지법은 주로 공공기관의 부패 행위를 다룬다는 점에서 차이가 있다. 이러한 법제정과 기구에도 불구하고 막상 내부고발을 할 때 직면하게 되는 어려움이 여러 가지 있다. 공신법은 공익침해행위를 '국민의 건강과 안전, 환경, 소비자의 이익 및 공정한 경쟁을 침해하는 분야'로 한정하고 있다. 공익침해행위가 나열되어 있고 법에 규정되지 않는 것은 공익침해로 인정받기 어려운 문제가 있어 법에 없는 공익위반행위는 신고해도 보호를 받을 수 없다. 예를 들면 급식 비리를 제보한 교사는 최초 신고 당시 신고의 내용이 공익신고에 해당하지 않아 보호를 받지 못하다가 개정법에 학교급식에 관한 조항이 추가된 후에야 보호받을 수 있었다.

(2) 신고기관 제한의 한계

내부고발을 할 수 있는 신고 기관이 제한되어 있다는 점도 한계가 있다. 현재 공익침해행위에 대한 조사 등의 권한을 가진 행정기관이나 권익위, 경찰과 같은 수사기관에 공익신고를 할 수 있다. 시민단체나 언론에 제보하는 경우도 있지만 이 경우 공익신고로 인정받지 못해 신고자 보호가 어렵다. 따라서 시민들에게 접근성이 떨어지는 수사기관에 신고하기 어렵고 쉽게 접근할 수 있는 시민단체나 언론 같은 곳에 신고를 하게 되지만 처리하는데 한계가 발생하게 된다.

(3) 내부고발자 신분 노출의 위험

내부고발의 가장 심각한 문제가 바로 내부고발자의 신분노출에 따른 피해가 발생할 수 있다는 점이다. 공신법과 부패방지법엔 신고자의 비밀보장의무, 불이익조치 금지 등의 조항을 두고 있지만 제대로 적용되지 않는 경우가 많다. 신고자 보호를 소관하는 권익위의 경우 사건을 다른 기관에 이첩하는 경우가 많아 사건 해결까지 오래 걸릴 때도 있다. 이 경우 신고자가 그사이 불이익을 당할 가능성이 크다. 내부고발자를 제대로 보호하지 못할 경우 신고자의 고통으로 이어지게 된다. 현행법상 자신의 주민등록번호, 주소 등을 문서로 작성해 신고해야 보호를 받을 수 있다. 하지만 신분이 드러난다고 생각해 사실상 신고를 잘하지 않게 된다.

(4) 내부고발 후 겪는 현실적 어려움

내부고발자의 신분 노출은 같은 조직에서 근무하기 어렵게 되는 경우가 많다. 따라서 사실상 내부고발은 다시는 자신이 속했던 조직에 발을 못 붙일 각오를 하는 일이나 마찬가지이다. 내부고발자는 고발 이후 해고, 감봉 등의 처우를 겪으며 경제적 어려움에 노출되므로 신분이 노출되어 조직에서 퇴출당하더라도 생계만 유지할 수 있다면 내부고발자가 겪는 어려움은 줄어들 것이다. 공신법과 부패방지법에선 보상금 및 포상금의 조항을 두어 공익 신고자에 대한 금전적 보상을 규정하고 있지만 금액에 한도가 있는 비율제로 운영되고 있어 불이익에 대한 보호가 완전하지 못한 한계가 있다.

3) 신고자 보호를 위한 내부신고 방침

다음과 같은 이유로 공개적인 내부신고 절차를 마련해두는 것이 중요하다. 우선 문제가 심각해지기 전에 시정할 수 있는 기회를 가질 수 있다는 점이다. 문제가 외부기관인 언론이나 감독기관에 노출되어 심각한 상황이 되기 전에 처리하여 외부에서 가지게 되는 부정적인 이미지를 막을 수 있다. 이러한 외부의 부정적인 이미지는 조직의 성과에 부정적인 영향을 주게 된다. 둘째, 개방적인 문화를 유지하여 의사결정에 필요한 충분한 정보를 획득할 수 있는 기능을 한다. 셋째, 직원, 고객 그리고 일반 시민과 같은 다양한 이해관계자를 보호하는 기능을 할 수 있다. 예를 들면 위생기준 미달 제품에 대한 내부 신고는 그 제품을 사용함으로써 발생할 수 있는 위험으로부터 고객과 시민을 보호해주는 역할을 한다. 넷째 내부직원이 저지를 수 있는 기업의 피해를 최소화할 수 있다. 기업내부에서 발생하는 중대한 사기의 많은 부분이 내부 직원에 의해서 자행되는 경우가 많다. 따라서 내부신고 절차를 통해 피해를 최소화할 수 있는 수단이 된다. 문제가 발생해도 형벌을 줄일 수 있는 효과도 있다. 미국의 연방판결지침(US Federal Sentencing Guidelines)은 부정행위가 적발되더라도 내부신고제도를 시행하고 있는 조직의 경우 그렇지 않은 조직보다 형벌을 감경할 수 있도록 규정하고 있다. 마지막으로 투자자의 신뢰도가 높아지는 효과가 있다. 투자자의 입장에서 조직이 내부신고 제도를 가지고 있다는 것은 효과적인 경영관리를 하고 있고 위험을 사전에 예방할 수 있는 수단을 가지고 있는 것으로 파악하게 된다. 따라서 그들은 이러한 시스템을 가진 기업을 더욱 신뢰하게 된다.

비정규직 차별사례 "비정규직은 차 대지 마라" 주차장마저 독차지한 노조

노조가 하청업체 납품단가 인상을 요구한 적은 한 번도 없습니다. 솔직히 임금 인상이나 복지 개선 만도 사측에게 온전히 관철시키기 어려운데 거기까지 신경 써줄 여력이 있겠습니까." (대기업 노조 임원 출신 B씨)

비정규직의 정규직화, 노동시간 단축을 통한 일자리 나누기, 대기업과 중소기업의 임금격차 축소, 동일노동 동일임금 실현을 위한 비정규직 차별금지 특별법…. 문재인 대통령이 대선 후보 시절 노동시장 양극화를 해결하기 위해 내놓은 공약들에 하나 둘 시동이 걸리고 있다. 이를 실현하기 위해서는 기업과 경영자들의 전향적 자세가 가장 먼저 요구되지만, 동시에 넘어야 할 '내부의 벽'이 있다. 노동자들 권리 신장의 선봉에 서왔지만 이제는 주로 정규직 노동자들만을 위한 특권 계층이 돼버린 '노동조합'이다. 30년 전인 1987년 6·10 민주항쟁의 바람을 타고 현재의 기틀을 잡은 노조운동이 이제는 시대 변화에 맞게 바뀌어야 한다는 목소리가 높다.

정규직 노조에 대해 가장 벽을 느끼는 것은 더 이상 사측이 아니라, 그들보다 하위계층으로 굳어진 비정규직이다. 지방의 한 대기업 공장 사내하청 근로자 C씨는 공장 밖 주차장에 차를 대고 회사로 걸어서 출근한다. 공장 내 주차장은 오직 정규직에게만 허용되기 때문이다. C씨는 "차 댈 곳이 부족해 공장 인근에 차를 대다가 주차 위반 딱지를 떼는 동료들이 허다하다"며 "하청업체에서 해결할 수 없는 처우 개선 문제들은 정규직 노조와 함께 제기하고 싶지만 노조 측은 하청은 법적으로 독립된 회사라고 선을 그어 적극적으로 나서길 꺼린다"라고 말했다. 이 회사는 2013년부터 정규직과 비정규직 노조가 매달 모여 사측에 건의할 사항 등을 논의했지만 지금은 유명무실화됐다. 기아차노조가 지난 4월 비정규직 노조를 분리하는 총투표를 강행하고 분리를 확정했을 때 이를 반대했던 하상수 기아차노조 전 위원장은 "정규직이든 비정규직이든 노조 주체로서 둘 다 같은 노동자"라며 "특히 비정규직은 사측의 탄압을 저지하고 권리를 높이기 위해 정규직과 힘을 합치는 게 중요한데 이를 지키지 못해 안타깝다"라고 말했다.

자료 : 한국일보(http://www.hankookilbo.com)

내부고발 엔론 사태도 내부고발이 단초

가장 대표적인 내부고발 사례는 2001년 엔론 사태다.

세계 최대 에너지 기업인 미국 엔론사는 이중장부 작성을 통해 4년간 15억 달러 상당의 분식회계를 해온 사실이 드러나 결국 파산하고 말았다. 당시 이 회사의 재무담당이사 파스토우는 징역 160년형을 구형받았다. 그러나 엔론사 최고경영자 제프리 스킬링의 혐의는 밝혀내지 못해 수사는 답보 상태를 면치 못했다. 그러자 검찰은 파스토우에게 160년 형을 10년으로 감경해줄 테니 대신 제프리 스킬링과 기업 총수 케네스 레이의 범죄 공모 사실을 증언해달라고 요구했고, 파스토우는 이에 동의했다. 마침내 2년여의 수사 끝에 검찰은 다른 두 사람도 기소할 수 있었다.

미국은 엔론 사태 이후 연방 법무부 최초로 기업범죄 전담팀을 구성하고, 기업범죄 처벌을 강화하는 사베인-옥슬리법을 제정했다. 2002년 통신 기업인 월드컴은 지출을 설비투자로 과대 계상해서 38억 달러의 순이익을 부풀린 사실이 드러났다. 미 연방검찰은 월드컴 최고경영자인 버너드 에버스의 회계부정을 2년 가까이 조사했지만 결정적인 단서를 잡지 못했다. 회계장부 조작이 워낙 정교했기 때문이다. 그러나 이 회사의 최고재무책임자인 설리번의 진술로 버너드는 꼼짝없이 분식회계 혐의로 조사받게 됐다. 1998년 2460억 달러(약 260조원)에 달하는 배상금을 이끌어낸 미국 담배 소송도 내부고발이 단초가 됐다. 미 연방수사국(FBI)이 9·11 테러를 묵살한 사건도 내부고발로 알려졌다.

자료 : 매경이코노미(http://news.mk.co.kr)

직장내 차별 사례 네덜란드, 의도치 않게 일어난 차별도 법에 따라 처벌

☐ 네덜란드법이 규정하는 직장 내 차별

차별이란 어떤 개인의 특성을 이유로 불평등한 대우를 하거나 소외시키는 것, 또는 불이익을 주는 것을 말하며 차별의 형태에는 두 가지 종류가 있다. 직접차별의 경우 명백한 대우의 차이를 말하며 직접차별은 법이 예외를 인정하지 않는 한 금지된다. 간접차별의 경우 직접차별에 비해 정황 상 덜 명확하며 중립적인 요구조건인 것처럼 보이나 결국에는 위에 언급된 사항들 중 하나를 이유로 하는 대우의 차이를 나타내는 경우로 직무와 관련이 없는 조건을 내세우며 간접적으로 특정 그룹/사람을 배제하는 행위를 간접적 차별이라고 볼 수 있다. 예를 들면, 초보자를 채용한다고 구인광고에 명시할 경우 나이가 많은 구직자를 간접적으로 배제하는 의도로 볼 수 있다.

☐ 직장 내 차별이 발생할 경우에는?

네덜란드의 노동법은 복지라는 단어 대신 '사회심리적 업무부담 해소'라는 개념을 도입하여 차별, 성희롱, 폭력, 직무 스트레스 등 직장에서 받는 스트레스의 모든 요인을 사회심리적 업무 부담에 포함시킨다. 고용주는 직장 내에서 차별이 발생할 경우 문제 파악에 적극적으로 나서야 하며 사전에 예방할 수 있는 대책을 마련해야 한다. 노동부 감사단(SZW)은 고용주에게 대책 마련을 요구할 수 있고 이를 따르지 않는 고용주에게 벌금을 부과할 수 있다. 직장 내 차별이 발생할 경우 고용주는 차별이 직장에서 금지되어 있음을 확실히 공지하고 차별 금지 방안과 함께 그에 따른 제재 조치를 정해야 한다. 직장내 차별이 발생할 경우 근로자는 먼저 고용주와 접촉하여 시정을 요구해야하고 이를 고용주가 받아들이지 않을 경우 충분한 근거를 준비하여 인권위원회에 조사를 요청할 수 있다.

☐ 직장 내 차별을 방지하려는 노력

각 기업의 특성이나 상황이 있을 수 있기에 모든 기업에 적용할 수 있는 차별 방지 대책을 세우기는 힘들다. 차별 방지를 위한 좋은 출발점은 문제를 효과적으로 가늠하고 인식하는 올바른 체제를 확립하는 것으로 근로자의 근로만족도 조사와 같은 설문에 차별과 관련된 문항을 포함시키는 것이 좋은 방법이 될 수 있다. 예를 들면, 노동자 다양성, 내부 협력 관계, 근로자 간의 험담 정도, 부적절한 농담 발생 빈도, 장애인의 직장/회사 시스템/편의 시설 접근성과 같은 요소를 평가한다. 고용인은 근로자의 권리, 차별의 정의와 부정적인 효과에 대해 제대로 인지하고 해결하려는 의지를 가져야 하며 평등법 상 사내의 차별과 관련된 문제의 효과적인 배분을 책임지도록 규정되어 있음. 또한 관리자들에 대한 법적 책임도 수반한다.

☐ 시사점

네덜란드에서는 직장에서 일어나는 차별 문제를 개인 간의 문제로 치부하는 것이 아니라 일종의 사회문제로 받아들이고 고용주가 개입되지 않은 차별이라 할지라도 직장 내에서 발생할 경우 고용주는 책임을 전가할 수 없다. 차별을 한 사람의 의도 여부와 상관없이 차별을 당한 사람의 편에서 처벌을 고려하는 방식은 한국의 경우와 사뭇 다르므로 주의해야 할 필요가 있다. 기업 차원에서 차별을 금지하는 방안을 마련하고 그에 따른 관리를 하는 것은 법적으로 명시된 고용주의 책임이므로 각자의 사내 문화 또는 분위기에 맞춘 적절한 체계를 만들어 적용하는 것이 중요하며 네덜란드 인권위원회와 같은 관련 기관이나 단체에서 제공하는 교육이나 상담을 받는 것도 고려해 볼 만한 방법이다.

자료 : www.mensenrechten.nl, www.mensenrechten.nl, www.nationaleonderwijsgids.nl 및 KOTRA 암스테르담 무역관 종합

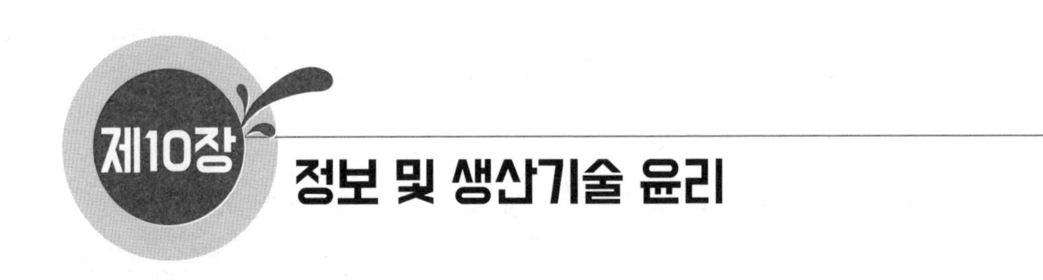

1. 정보화 사회의 윤리문제

1) 정보사회와 윤리

인터넷은 시간과 공간을 초월하는 신속성과 편리성으로 인해 인간의 삶의 질을 향상시켜 주고 있다. 또한 최근에는 어린이와 청소년들의 사고와 행동에 가장 많은 영향을 미치고 있는 문화적 환경이 되었다. 인터넷에 비해 등장 역사가 일천한 SNS(Social Network Service) 역시 현대인들에게 새로운 소통의 환경을 제공하고 있다. 이러한 새롭게 창출된 문화는 고유한 장점에도 불구하고 정보유출, 허위 정보 범람과 사생활 침해 등 많은 사회적 문제를 발생시키고 있다. 특히 호기심 많은 청소년들은 인터넷 상에 범람하는 음란한 영상과 같은 음란물, 흉기와 총기 등으로 사람을 해치는 폭력 게임, 게임으로 인한 인터넷 중독, 타인의 지적재산권 침해와 개인정보 도용, 그리고 악의적인 댓글을 통해 타인의 인격 모독과 거짓 소문 유포 등 심각한 사회적 문제가 발생하고 있다.

2) 인터넷 윤리와 사이버 문화

인터넷 윤리는 정보 기술(IT)을 다루는 순기능은 물론 역기능에 대해 바른 윤리적인 개념들을 학습하여 윤리적인 것과 비윤리적인 것을 판단하고 행동하도록 하는 것을 말한다. 인터넷 윤리란 용어는 사이버 윤리, 정보통신 윤리, 그리고 온라인 윤리 등과 혼용해 사용된다. 기존 윤리와 가치관으로 해결할 수 없는 특성으로 인해 인터넷 윤리가 필요하게 되었다. 인터넷 인구가 증가하면서 인터넷은 정치, 경제, 사회, 문화 등 우리 생활 전반에 걸쳐 막대한 영향력을 미치게 되었다. 따라서 이러한 영향력과 비례해서 인터넷의 역기능도 심각하게 되었다. 인터넷은 개방적으로 자신을 표현하는 탈 억제 효과(disinhibition effect)가 있어 사람들은 현실에서는 행동하지 않는 것을 사이버 공간에서는 서슴지 않고 말하거나 행동하는 경향이 강하기 때문에 더 많은 문제에 노출되어 있다.

2. 정보화 관련 범죄와 윤리

1) 인터넷 역기능의 유형

인터넷 역기능은 크게 범죄형 역기능과 비 범죄형 역기능으로 구분되고 범죄형 역기능은 다시 사이버 테러형 역기능과 일반 사이버 역기능으로 구분된다. 게임사기, 통신사기, 명예훼손 및 성폭력, 개인 정보 침해, 저작권 침해, 인터넷 도박 등이 일반적인 사이버 역기능의 대표적인 유형에 속한다. 비 범죄형 사이버 역기능에는 불건전 유해 정보 유통과 인터넷 중독, 언어 파괴 등이 대표적이다.

① 저작권 침해

저작물이란 인간의 사상 또는 감정을 표현한 창작물을 말한다. 이는 저작권법상 보호 대상이 된다. 따라서 저작물을 창작한 저작자의 허락 없이 무단으로 사용하거나 게재할 경우 저작권 침해에 해당한다. 예를 들면 신문 기사 무단 복사, 무단으로 이미지 사용하기 등이 대표적인 저작권 침해에 해당된다.

② 사이버 폭력

사이버 공간에서 글이나 말, 영상 등을 이용해 다른 사람의 사생활에 피해를 입히고 정신적 물질적 고통을 주거나 다른 사람의 명예를 훼손시키는 행위를 사이버 폭력이라고 한다. 대표적인 사이버 폭력의 형태로는 사이버 명예훼손, 사이버 모욕, 사이버 성폭력 등이 있다. 특히 10대 청소년의 경우 인터넷에서의 즉각적이고 재미와 호기심으로 허위 사실을 유포하거나 신상 털기에 적극 가담하는 경우가 있다.

③ 개인 정보 침해

개인 정보란 주민등록번호, 주소, 이름, 전화 번호, 성별등과 같이 개인을 식별할 수 있는

정보를 말한다. 이러한 개인정보들은 동의 없이 무단으로 유출되거나 사용되면 심각한 정신적 물질적 피해가 발생할 수 있다. 특히 개인의 경우 명의 도용으로 인한 피해가 발생할 수 있고 보이스 피싱에 의한 금전적 손해뿐만 아니라 유괴와 같은 범죄에 무방비로 노출될 수도 있다. 국가차원에서 정보관리에 문제가 생기면 IT분야의 수출에 애로가 생길 수 있고 전자정부의 신뢰성이 떨어지고 국가브랜드 가치가 하락하는 등의 문제가 생길 수 있다. 기업차원에서는 기업의 이미지가 실추되고 소비자 단체 등의 불매운동이 일어날 수 있다. 또한 다수의 피해자가 발생할 경우 피해자에 대한 손해 배상 등으로 기업이 경영상의 손해를 입을 수 있다.

2) 사이버 범죄의 유형

컴퓨터 네트워크를 통해 접할 수 있는 공간을 사이버공간이라고 하며 시간적·공간적 제약이 없기 때문에 접속의 기회가 무한하다는 특징을 가지고 있다. 경계도 없이 어떠한 정보에 접근할 수 있는 이 자유로운 공간을 가상공간이라고 한다. 사이버 공간은 현실과는 구별이 되는 상상의 공간이며 공간에 접속해 있는 상황에서 불법적인 정보획득과 같이 사이버공간에서 발생하는 범죄를 사이버 범죄라고 한다. 사이버 범죄는 홈페이지, 카페, 도메인 해킹과 같은 단순해킹과 금융범죄와 자료 및 정보 관련범죄가 있다. 또한 컴퓨터 바이러스 및 악성프로그램 유포와 스토킹, 음란물 유포, 명예훼손 등 기타 비윤리적인 행위가 포함된다.

사이버 공간은 범죄에 취약할 수밖에 없다. 왜냐하면 사이버공간은 허구의 공간이며 정보의 흐름을 통제하기 어려운 네트워크로 구성되어 있고 익명성을 가지고 있기 때문이다. 한 개인이 인터넷을 통해 도달할 수 있는 공간의 범위가 전 세계적인데다 사이버 공간은 비대면성이고 전파성이 강하기 때문에 범죄가 쉽게 확산된다. 또한 범죄의 발생이 사이버공간에서 일어나기 때문에 즉각적인 피해의 구제가 어렵게 된다.

〈표 10-1〉 사이버 범죄 유형

유 형		내 용
단순해킹		• 개인 컴퓨터 해킹 • 홈페이지, 카페, 도메인, 서버 해킹
해킹과 결합된 범죄	금융범죄	• 개인정보 또는 개인계좌 유출 • 계좌해킹을 통한 금융범죄 • 신용카드 및 계좌 도용 • 주식 매도(조작)를 통한 범죄 • 인터넷 대출 사기 • 사이버 머니 도용
	자료 및 정보관련 범죄	• 개인정보나 신분증의 유출 및 도용 • 각종 프로그램의도용 및 유포 • 각종 자료 및 문서의 도용 및 유포 • 각종 정보의 변조, 삭제
컴퓨터 바이러스 및 악성프로그램 유포		• 컴퓨터 바이러스 및 악성프로그램 제작 및 유포 • 해킹 프로그램 제작 및 유포
기타 비윤리적 행위		• 명예훼손 • 스토킹 • 음란물 유포 및 관련 범죄 • 사기/도박 • 범죄유도사이트개설 • 이메일 불법 확인

자료 : 정태석·설동훈, 2004.

(1) 해킹

웹 해킹이 대표적인데 홈페이지는 모든 사람에게 개방되어 있어 해킹에 취약할 수밖에 없다. 이러한 약점을 활용하여 홈페이지를 변조하거나 악성코드를 유포하는 등의 피해가 발생할 수 있다. 또한 홈페이지를 해킹하여 해당 사이트에 가입되어 있는 회원들의 주민등록번호를 포함한 개인정보를 빼내어 판매하는 경우도 있다. 따라서 홈페이지를 구축할 때 보안에 각별한 주의를 기울여야 한다.

(2) 웜·바이러스 등 악성코드

정보유출을 목적으로 제작된 트로이목마나 스파이웨어와 같은 악성코드와 대량메일 발송을 통해 유포되는 웜이 증가하고 있다. 컴퓨터 내 문서파일을 무단으로 암호화시킨 뒤 해독

을 조건으로 금전을 요구하는 랜섬웨어(Ransum-ware)와 같은 새로운 유형의 악성코드가 나타나기도 했다.

(3) 사회공학적 기법(Social Engineering)

사회공학적 기법은 공격대상자를 속여 해킹하는 수법을 말한다. 예를 들면 스팸메일 유포 및 피싱(Phishing) 공격이 대표적이다. 이러한 범죄는 사이버 공간의 범죄와 현실세계의 범죄가 연계되어 금전적 피해를 야기한다는 점에서 심각한 문제로 다루어져야 한다. 사회공학적 기법은 사회·문화적 인식의 부족 때문에 발생한 사고라는 점에서 기술적인 사고에 해당되는 해킹과 웜, 바이러스 문제와 다르다. 또한 최근에는 불특정 다수에서 특정 소수로 범죄대상이 변했으며 그 추세가 가속화되고 있으며 금전적인 이익을 노린 범죄형 해킹이 증가하는 추세이고 국가공공기관의 사이버 침해도 발생하고 있다. 그러나 실제 사고는 보고되고 있는 것보다 많을 것으로 추정되며 사이버 침해사고를 신고하지 않는 이유는 자체적인 해결이 가능하다고 판단하거나 보고 및 신고절차의 미비, '문책 등 신분상의 불이익', '공개 시 기관의 이미지 훼손' 등이 있다.

3) 사이버 범죄의 피해에 대한 방안

사이버 범죄는 갈수록 기술적으로 교묘해지고 고도화되며, 그 수법이 다양해지고 은밀해지고 있다. 피해 양상도 단순히 전산망 장애에 국한되지 않고, 기관, 기업의 중요 자료 및 개인정보 유출 등으로 확대되고 있다. 따라서 사이버 범죄에 대한 대응 방안은 크게 제도적(법률적), 기술적, 인식적 부분으로 구분된다.

(1) 제도적·법률적

사이버 안전을 위해 국가차원의 대응이 필요하다고 보고 사이버 공간에서 발생 가능한 위기를 전쟁, 재해·재난 등과 함께 국가위기관리차원에서 다루어야 한다는 데 공감대가 형성되고 있다. 정부는 사이버 공격에 대한 체계적인 대응을 위해 사이버위협 단계별 발령경보 시스템을 구축하였다. 발령경보 단계는 사이버공격의 위험도, 피해규모 등을 고려하여 관심(Blue), 주의(Yellow), 경계(Orange), 심각(Red) 등으로 구분된다.

〈표 10-2〉 사이버위협 단계별 발령경보

구분	판단기준	비고
관심(Blue)	• 위험도가 높은 웜바이러스 등 악성코드 및 해킹기법 출현으로 피해 발생 가능성 증대 • 해외 피해확산 등 사이버위협의 국내 유입 가능성 증대	징후 활동 감시
주의(Yellow)	• 위험도가 높은 웜바이러스 등 악성코드 및 해킹기법 출현으로 피해 발생 가능성 증대 • 국가 정보시스템 전반에 보안태세 강호 필요	협조 체계 가동
경계(Orange)	• 복수 ISP망 또는 기간망에 피해 발생 • 위험도가 높은 웜바이러스 등 악성코드 및 해킹기법 출현으로 피해 발생 가능성 증대	대비 계획 점검
심각(Red)	• 핵심기반시설, 시스템 대상 피해 발생 • 지역적, 부분적 피해 발생, 전국적 확산 가능성 증대 • 국가적 차원에서 공동 대처 필요	즉각 대응 태세 돌입

자료 : 2005 국가정보보호백서

(2) 기술적

기술변화는 사회변화를 일으키고 영향을 주는 중요한 변수이다. 사이버 공간의 발전도 기술 발전에 따라 이루어져 왔다. 따라서 정보사회에서 발생하는 다양한 문제도 기술로 해결하려는 노력이 이루어지고 있다. 예를 들면 해킹기술과 컴퓨터 바이러스 기술이 발전하면서 이를 막기 위한 기술 또한 발전하고 있다.

(3) 인식적 대응

명의도용이 개인정보 피해사례 중 가장 빈번하게 일어나는 사고이다. 명의도용을 대수롭지 않게 넘길 수도 있지만 주민등록번호는 개인 정보를 모두 알아낼 수 있는 기초정보가 될 수 있어 심각한 문제를 야기할 수 있다. 따라서 명의도용등 사고가 발생할 수 있는 문제를 대수롭지 않게 여기는 태도와 사이버 범죄에 대한 인식이 문제가 된다.

3. 생산관리 윤리의 본질

1) 생산관리 윤리의 정의

생산관리란 투입에서 산출까지 이루어지는 일련의 과정으로 생산관리의 목표를 달성하기 위한 과정을 말한다. 이러한 생산관리를 통해 기업은 생산력을 높일 수 있다. 따라서 생산관리 윤리란 생산관리 활동을 통해 생산력을 최대한 높이기 위한 계획적, 체계적 윤리 관리활동을 말한다. 생산관리 윤리에는 공정 및 자재, 품질, 재고, 원가관리윤리 등의 다양한 활동들을 포함한다.

2) 생산관리의 윤리적 기능

(1) 물리적 측면의 윤리

물리적 측면에서 생산기술과 직결되는 것으로 도용, 모방, 개량, 라이센싱, 창조 등이 있다. 예를 들면 너무 강한 화학비료를 많이 사용해서 생산은 증가하지만 소비자들에게 건강상의 문제를 일으킬 수 있다면 생산기술과 관련된 물리적 측면의 윤리 문제가 발생하게 된다. 구체적으로 이중도용, 모방문제, 또는 유해상품, 불량품 등의 윤리문제가 발생할 수 있다.

(2) 인간적 측면의 윤리

인간적 측면의 윤리는 크게 경영자와 관리적 측면, 근로자 측면 그리고 경제적 측면으로 구분해 볼 수 있다. 우선 경영자 관리자 측면은 생산과정에서 이루어지는 모든 일들이 법에 저촉되지는 않는지 그리고 지역사회에 어떤 영향을 주는지를 검토할 의무가 있다. 즉 기업의 생산 활동이 외부환경에 미치는 영향에 대해 파악하고 있어야 한다. 근로자는 생산성을 높이고 품질을 확보하는 노력을 해야 하는 장인정신을 가져야 한다. 이러한 생산을 담당하고 있는 근로자들의 정신은 생산관리에 영향을 미칠 수 있으므로 근로자 모두가 윤리성을 가질 필요가 있다. 경제적 측면에서는 생산 활동에 필요한 원료비, 인건비, 관리비 등의 요소 비용을 최소로 투입하여 생산함으로서 투입 자원을 최소화해야 한다는 것이다.

4. 생산관리 윤리의 내용과 역할

1) 자재관리 윤리

기업이 제품을 생산하기 위해서는 생산에 필요한 자재, 즉 원료 및 부품을 계획하고 조달해야 하는데 이러한 자재관리 과정에 부정이 개입되어서는 안 된다. 따라서 자재관리 윤리란 자재의 자재관리 활동을 윤리적으로 계획하고 통제하는 것을 말한다. 윤리적인 자재관리를 통해 일정한 자재를 생산계획에 맞게 구입하고 자재의 생산성을 높일 수 있다. 자재관리 윤리가 실천되기 위해서는 자재 구입의 검사기준, 표준의 설정, 공정속도의 유지향상, 불량품의 감소, 공동부품, 표준품의 활용, 규격품의 사용, 자재보관의 적정화, 즉 감모, 파손의 방지, 생산, 출하, 판매와 관련된 적정재고관리가 필요하다.

2) 공정관리 윤리

공정관리 윤리란 일련의 작업이 계획대로 진행되도록 통제하는 윤리적 관리활동을 말한다. 이를 공정통제라고도 한다. 구체적으로 공정은 시장의 요구에 부합하는 품질을 만들고 적정한 시기에 적정한 수량을 생산하고, 시장이 요구하는 가격 또는 서비스로 생산하는 활동이 포함된다. 기계설비, 원재료, 자재, 부품, 노동력 등의 생산요소의 배치 및 관리는 생산물의 품질 및 수량, 원가 등에 큰 영향을 준다. 이러한 공정관리 윤리의 역할은 적절한 생산계획 하에 공정의 생산능력을 향상시키고, 공정의 가동률을 높여 납기를 맞추게 하며 시장이나 고객이 요구하는 수량을 적시에 공급하며 공정의 생산성을 높이기 위해 공정상의 여러 가지 개선을 행하는 데 있다.

3) 품질관리 윤리

품질관리 윤리란 윤리적 품질검사를 지칭하는 것으로 소비자를 만족시킬 수 있는 제품을 경제적으로 생산하기 위해 수행되는 모든 윤리적 활동의 전체 시스템을 말한다. 품질관리 윤리의 좁은 의미로는 품질표준의 설정, 제품의 검사, 품질의 유지 및 향상 등이 포함된다. 윤리적 품질관리(Ethics quality control : EQC)란 기업으로 하여금 품질향상 의식을 고취시켜 신

제품 개발, 품질보증과 불량품 제조방지, 품질의 개선과 고급화와 원가절감 대책을 강구하게 만드는 역할을 한다.

5. 생산기술 관련 윤리

1) 지적재산권과 윤리

세계지적재산권기구(WIPO)에서는 지적재산권을 "문학·예술 및 과학 작품, 연출, 예술가의 공연·음반 및 방송, 발명, 과학적 발견, 공업의장·등록상표·상호 등에 대한 보호 권리와 공업·과학·문학 또는 예술분야의 지적 활동에서 발생하는 기타 모든 권리를 포함 한다"고 정의하고 있다. 지적소유권이라고도 표현하며 저작권에는 저작권, 저작인접권이 산업재산권에는 특허권, 실용신안권, 의장권, 상표권 등이 있다. 이외에도 신 지적재산권으로 영업권, 반도체칩, 상품화권, 컴퓨터프로그램, 프랜차이징 등이 있다. 지적재산권의 범위에 해당하는 것들은 시간이 지남에 따라 계속 생겨나고 있다. 지적재산권과 관련된 주요 용어를 살펴보면 다음과 같다.

① 특허권

발명을 독점적으로 이용할 수 있는 권리

② 실용신안권

공업소유권의 일종으로 실용신안법에 의하여 실용신안을 등록한 자가 독점적·배타적으로 그 실용신안 상에 지배권을 가진다.

③ 상표

기호, 문자, 도형 등 식별 가능한 표지

④ 의장(디자인)권

공업 소유권의 일종으로서 의장을 등록한 자가 그 등록의장에 대하여 향유하는 독점적·배타적 권리

⑤ 저작권

문학·학술 또는 예술의 범위에 속하는 창작물인 저작물에 대한 배타적·독점적 권리

⑥ 프랜차이즈

상호·특허상품 및 노하우 등을 가진 자가 다른 이에게 상호 사용권 및 제품 판매권·노하우를 전수하고 공동으로 모든 걸 사용하게 하여 그에 따른 가맹비·로열티·보증금 등을 받는 시스템

(1) 지적창작물 보호의 필요성

새로운 발명, 고안, 의장 등은 최초로 만들어내는 것은 매우 힘이 들지만 그것을 모방하는 것은 너무나 쉽다. 따라서 모방하는 것을 허용하면 힘들게 창작하기보다 모방하려고 할 것이고 힘들게 창작하려하지 않을 것이다. 이러한 상태에서는 경제의 발전을 기대할 수 없으므로 일정기간 동안 독점적 이익을 부여하는 대가로 공개를 장려하는 특허제도 등과 같은 산업재산권제도는 꼭 필요한 것이다.

(2) 상표 보호의 필요성

기업은 자사의 상품을 타사의 상품과 구별하기 위한 마크, 자타영업을 구별하기 위한 마크, 원산지를 식별하기 위한 마크 등이 필요하다. 따라서 상표 보호는 상표 사용 기업의 신용을 보호하고 이러한 표지에 의거하여 상품을 선택하는 일반 소비자의 신뢰를 얻기 위해 필요한 것이다. 기업이 장기간 상표를 사용하게 되면 상표를 통해 신용을 축적하고, 소비자는 그 상표만을 보고 상품을 구입한다. 이러한 상황에서 타인이 영업표지를 모방하게 되면 영업자가 장기간의 노력으로 만든 신용이 훼손되고 소비자도 의도하지 않은 제품을 구매하게 된다. 결국 상표와 같은 영업표지의 독점적 사용을 허용하는 것은 영업자는 물론 소비자에게도 이익이 된다.

2) 지적재산권과 비윤리적 행위

(1) 특허권 침해

특허법 제1조에서 발명을 보호·장려하고 그 이용을 도모함으로써 기술의 발전을 촉진하여 산업발전에 이바지함을 목적으로 특허법이 재정되었다. 특허권이 보호되어야 한다는 이론에는 자연권과 국가에 의해 창설된 권리가 있다. 자연권은 창작자의 정신적 노동에 대한 보상으로 당연히 인정되어야 할 권리(존 로크 및 헤겔)를 말하며 국가에 의해 창설된 권리는 국가 전체의 문예 및 과학기술의 발전을 도모하기 위해 창작자에게 특별히 부여하는 일종의 동기부여 및 특권을 말한다. 특허권은 두 가지 관점에서 보호받아야 한다는 주장이 있다. 물권적 보호원칙(Property rule)으로 특허권은 재산권으로서의 속성이 있으므로 물권적 보호를 받아야 한다. 또한 손해배상원칙(Liability rule)은 소프트웨어 산업과 같이 일부 산업분야에서는 특허권의 남용을 경계하면서 혁신을 촉진하도록 특허침해금지 청구권을 허용하는 것보다 손해배상으로 보호하여야 한다는 주장이다.

(2) 실용신안권 침해

실용신안권이란 새로운 것을 발명한 것이 아니라 기존의 발명을 개선하거나 보완했을 때 주어지는 권리를 말한다. 따라서 특허보다 한 단계 낮은 산업재산권 중의 하나이다. 특허는 기술적으로 수준이 높은 발명을, 실용신안은 실용성이 있는 개량기술 즉 고안을 말한다. 물품의 구조, 형상, 또는 조합에 관한 고안이 보호대상이 된다. 따라서 방법은 보호대상에 포함되지 않는다. 실용신안이 없는 국가의 경우 특허의 범위에 실용신안을 포함하여 보호한다. 실용신안권은 출원일로부터 10년간 보호된다.

(3) 의장권 침해

의장이란 물품의 형상, 모양, 색채 등 디자인을 말하는 것이고, 상표권이란 동종의 타인상품과 구별하기 위하여 특정상품에 문자, 도형, 기호, 색채 등에 의하여 표상하는 상표의 전용권을 말한다. 디자인은 시각디자인, 생활공간이나 환경에 관한 환경디자인, 제품에 관한 제품디자인, 건축디자인, 도시디자인, 디지털디자인 등을 포괄하는 광의의 개념이지만 의장은 디자인 개념 중 제품디자인 분야를 주된 대상으로 한다. 예를 들면 리바이스라는 제품명은 상표권에 해당되고 리바이스 청바지 바느질선 무늬 등은 의장권에 해당된다. 의장권의 존속기간은 의장의 설정등록일로부터 15년이다.

(4) 상표권 침해

상표권이란 어떤 상표를 독점 사용할 수 있는 권리를 말한다. 이러한 권리는 상표를 특허청에 등록하면 발생한다. 그러나 최근 위조기술의 발전으로 상표뿐만 아니라 정교한 외관까지 모방하여 위조 상품의 유통 및 판매는 전 세계적으로 증가하고 있는 추세이다. 이러한 위조 상품 유형도 핵심기술부품과 의약품류 등 국가산업전반으로 확대되는 양상을 보이고 있어 문제가 심각해지고 있다. 국내에서는 유명상표를 도용한 위조 상품을 '짝퉁'으로 표현하는 신조어까지 등장하게 되었다. 상표권 침해를 방지하기 위한 법은 상표법과 부정경쟁방지법이 있다. 상표의 무단 사용을 막기 위해 등록상표의 사용을 보호하는 상표법과 불법 상품이라는 관점에서 건전한 거래질서를 유지하는 부정경쟁방지법이 있다.

상표권자는 등록된 상품이나 서비스에 대한 권리를 10년간 독점하고 있으므로 등록상표와 동일한 지정상품 또는 유사한 상품에 등록상표를 사용하거나, 등록상표와 유사한 상표를 지정상품에 사용하는 행위는 상표권 침해가 된다.

(5) 저작권 침해

저작권이란 창작물을 만든 사람이 자기 저작물에 대해 가지는 배타적인 법적 권리를 말한다. 이러한 권리는 만든 이의 권리를 보호하여 문화를 발전시키는 것을 목적으로 국가에서 인정되는 권리이다. 저작권자의 허락 없이 저작물을 이용하거나 저작자의 인격을 침해하는 방법으로 저작물을 이용하는 것을 저작권 침해라고 한다.

3) 산업기밀과 관련된 윤리

(1) 산업기술 유출

기술유출이란 영업비밀로서 보유하고 있는 기업의 특정기술이 경쟁기업에게 공개되어 기술 개발 기업이 독점적으로 이용할 수 없는 경우를 말한다. 기술상 영업 비밀에는 물건의 생산제조방법, 물질의 배합방법, 시설 및 제품의 설계도, 연구개발 보고서 및 데이터 등이

포함된다. 최근에 전자, 통신, 제약 등 첨단기술 분야의 국가·기업 간 경쟁이 치열해지면서 막대한 연구개발비를 투입하여 만들어낸 기술을 도용하거나 무단 사용하는 사례가 크게 증가하고 있다. 기술유출은 다양한 형태로 이루어지고 있다. 합법적인 방법으로 이루어지는 기술유출에는 ① 첨단기술제품의 수출, ② 첨단기술보유 기업에 대한 투자 등이 있고 불법적인 방법은 ③ 스파이를 활용한 부정취득 및 사용 등이 있다.

산업기술의 유출은 주로 전직직원, 현직직원, 협력직원 등 직원으로부터 발생하는 경우가 많다. 따라서 기업 스파이, 전문 인력 스카우트에 의한 기술유출 방지뿐만 아니라, 내부 기밀 등 기업정보의 관리 소홀에 따른 기술유출이 발생하게 된다. 산업기술과 관련된 법령에는 직접적으로는 「산업기술유출방지법」, 「영업비밀보호법」, 관련 「민법」, 「형법」이 있으며, 간접적으로는 「개인정보보호법」, 국가 R&D사업 보안 법령 등 대략 20개 법령이 존재한다.

(2) 기술유출 발생 유형

기술 라이센스 혹은 기술원조의 경우 사전 조사가 부족하거나 계약내용 불충분으로 인한 기술유출이 발생 할 수 있다. 또한 해외생산에 따른 기술유출이 발생한다. 기술지도 과정에서 기술유출이 발생하거나 사후관리 및 감독소홀로 발생할 수도 있다. 계약과 다른 근거를 이유로 조속한 기술의 제공을 강요받을 수도 있다. 결국 기술유출에 대한 관리대책이 충분히 갖춰지지 않은 상황에서 현지생산을 허용하여 기술유출이 발생할 수 있게 된다. 제조용 부품 및 재료 유출에 따른 기술유출도 가능하다. 재료관리를 부실하게 하여 기술연수생이 사용 중인 재료의 제조업체 이름과 품명을 메모하여 해당 업체에게서 같은 재료를 구입하여 제품을 생산하다가 핵심부품을 지적재산권 보호가 취약한 국가에 수출하여 모방품 생산을 할 수도 있다. 제조용 기계 또는 설비 공여에 따른 기술유출이 발생하기도 하고 제조에 필요한 도면, 노하우 유출에 다른 기술유출이 가능하다. 국내 기술자 등을 통한 기술유출이 가능한데 진출 대상국내 자사 직원 등을 통하거나 진출 대상국 거래기업 직원에 의한 기술유출도 발생한다.

(3) 매수에 의한 기술유출

매수에 의한 기술유출은 산업스파이, 퇴직자, 현직원, 산업연수생 등에 의해 이루어진다. 산업스파이의 경우 위장취업 후 기술을 빼돌리거나 납품업체 직원으로 위장 취업 후 생산시설을 염탐하는 방식으로 기술을 가져간다. 예를 들면 외국인이 국내 스피커 업체에 업무상 파견으로 왔다가 정식 직원으로 채용되었으나 이후 기술유출 제의를 받고 취업중임을 이용하여 기밀을 유출, 동종 경쟁업체에 넘기는 조건으로 이중 취업하는 경우도 있다. 퇴직자는 퇴직 후 산업기술을 경쟁사나 외국기업에 불법 판매하거나 전 직장동료를 포섭하여 전 직장에서 가져온 기술로 경쟁사를 설립하는 경우가 있다. 현직원과 산업연수생에 의해서도 기술유출이 이루어진다. 현직원이 기술을 외국기업에게 불법으로 판매하거나 경쟁사에 취업하기 위해 산업기술을 유출할 수 있다.

(4) 공동연구와 위장합작에 의한 기술유출

공동연구개발 시 개발된 연구결과에만 관심 있어 무산되기도 하고 기술양도계약 시 기술을 빼낸 후 제품을 생산하거나 합병계약(M&A 등) 후 기술만 갈취하는 경우도 생긴다. 또한 합작투자 계약 시 직원을 매수하여 기술만 빼내려 하거나 라이센스 계약 후 해당 기술을 불법으로 사용하는 경우도 발생한다.

(5) 해킹에 의한 기술유출

내부직원이 고객정보를 사채업자에게 팔아넘기거나 경쟁업체 홈페이지 해킹 후 고객정보를 빼내는 경우에 해당된다.

(6) 테스트제품 방치에 의한 기술유출

이 경우는 버려진 테스트 제품을 외부로 유출하여 기술을 빼내려는 의도에서 이루어지는 경우에 해당된다.

4) 기술유출에 대한 대응

(1) 기술유출에 대한 정부의 대응

기술유출 방지 및 보호에 범정부적으로 대응하고 있는 미국의 경우 다양한 방법이 있지만 크게 수출통제, 외국인투자제한, 불법 경제스파이 처벌 등을 중심으로 정리하였다. 수출관리법 등을 통한 수출통제는 국가안보·외교정책 및 공급 부족시, "미국의 관할권에 속하는

모든 상품과 기술 또는 미국의 관할권에 속한 사람에 의해 수출되는 모든 품목의 수출을 금지하거나 제한"한다고 명시하고 있다. 외국인투자제한(Exon-Florio 법 등)을 통해서 안보에 위협이 된다고 판단되는 경우 외국인의 미국기업 획득·합병·인수를 정지시키거나 금지시킬 수 있는 권한을 대통령에게 부여하고 있다. 불법 경제스파이 처벌을 위한 경제스파이법에서는 미국인 또는 미국기업 소유기술에 대한 경제·산업 스파이 활동을 통해 불법적인 해외유출에 대해 형사 및 민사상 처벌 할 수 있다. 미국은 ① 특정국가 및 특정제품에 대한 수출통제, ② 미국내 특정기업의 외국인투자 제한, ③ 불법적 기술유출 금지 등 3가지 정책을 활용하여 산업기술 유출을 방지하고 있다.

〈표 10-3〉 미국의 기술유출 방지 정책 개요

정책 및 제한 종류		제한 사유	관련 법령
수출통제	특정제품	• 국가안보에 대한 영향 • 이중용도(Dual-use)의 기술 • 군사적 목적으로 설계된 민감품목	• 수출관리규정(EAR) • 국제무기거래규정 • 원자력에너지법
	특정국가	• 경제제제 조치 대상 국가 및 적성국가	• 국제긴급경제조치법 • 적성국가교역법
외국인투자 제한		• 국가안보에 대한 영향	• Exon-Florio법
불법 기술유출 방지		• 미국기업 소유의 영업비밀 및 지적재산권 침해	• 경제스파이법 • 통일영업비밀보호법

자료 : 국가핵심기술의 법적 보호와 주요 쟁점, 정보통신산업진흥원, 2018-제7호

(2) 기업의 대응

기업은 기술유출 방지를 위하여 조직에 맞는 지침을 작성해야 한다. 또한 기술거래나 직원 채용 등에 대해 명확한 규정을 만들어 놓아야 한다. 첫째, 직원교육 및 홍보가 이루어져야 한다. 둘째, 기술유출 방지를 위한 지침을 작성한 후 이 지침에 대해 임직원을 대상으로 교육과 홍보를 통해 기업이 기술유출에 대한 정책과 지침이 있다는 것을 구성원들이 알고 있어야 한다. 기술유출 방지 관련 교육은 모든 사원을 대상으로 해야 한다. 즉 신입사원, 임직원, 협력업체 직원 중 자사에 파견된 임직원, 위탁 연구원 등 모두가 해당된다. 특히 임직원은 기술거래 등 계약관계에 밀접하게 관련을 맺고 있기 때문에 이들에 대한 교육이 철저하게 이루어져야 한다. 기술유출 방지를 위한 감사는 다른 부서에 영향을 받지 않을 만

큼 독립성이 유지되어야 효과적이다. 정기 감사의 일정을 공표하고 감사를 준비할 수 있도록 하여 기술유출 문제에 관심을 갖게 할 수 있다. 불시감사를 통하여 경각심을 일깨워줄 수 있으며 정확한 감사를 위해서는 감사의 방법은 공개하지 않는 것이 바람직하다.

5) 의료 및 생명공학 기술과 관련된 윤리

생명공학은 인류의 실생활과 가장 밀접한 기술이며 기아와 질병의 극복을 위한 방안으로 발전해왔다. 특히 1997년 복제양 돌리 탄생과 2001년 인간유전체지도가 완성되면서 농업·산업·정보 혁명을 이은 제4의 혁명으로 인정받고 있다. 생명공학의 발전은 보건·의료, 농업, 환경, 에너지 등의 분야에서 많은 변화를 가져왔으며 인간줄기세포 연구는 인간의 난치병 치료에 획기적인 진전을 가져다 줄 것으로 기대하고 있다. 그러나 과학기술의 발전은 인류의 삶의 질을 향상시키는 역할과 동시에 많은 윤리적인 문제를 파생시키고 있다.

(1) 생명공학 윤리의 판단기준

생명공학 기술 개발에 대한 윤리적 관점에서 찬성과 반대의 주장은 서로 첨예하게 대립하고 있다. 그중 하나가 윤리의 가치판단 기준인 목적론과 의무론에서 비롯된다. 생명공학기술에 대한 찬반의 두 가지 윤리관은 가치판단의 대상, 생존권의 범위, 가치판단의 시기와 책임의 범위, 가치판단에 대한 결정 시스템, 가치결정 기본 단위, 인지적 필요조건을 기준으로 구분할 수 있다.

일반적으로 과학계, 기업계, 유전질환자와 난치병환자들은 생명공학 기술에 찬성하는 입장이다. 이들의 가치판단 기준은 목적론적 윤리관을 가지고 있다. 반면 종교계, 철학자, 윤리학자, 환경운동가 및 시민단체들은 주로 생명공학기술에 반대하는 입장이다. 다시 말해 목적론적 윤리관을 지지하는 사람들은 현실적인 행복과 실리를 추구하는 공리주의 입장의 전통적 윤리관에 기초하고 있다. 반면 의무론적 윤리관을 지지하는 사람들은 내재적 가치를 가진 모든 생명체는 윤리적 가치판단의 대상이 되며 결정의 기본 단위를 확장시킨 윤리적 확대주의라고 할 수 있다.

〈표 10-4〉 생명공학기술에 대한 윤리적 판단기준

구 분	찬성론	반대론
기본윤리관	목적론적 윤리관	의무론적 윤리관
가치판단의 대상	인격/비인격 이원론으로 한정	인격과 자연물을 포함한 생태계
생존권의 범위	주체에 한정	주체뿐만 아니라 객체까지 확장
가치판단의 시기와 책임의 범위	현재 동세대간의 합의	미래 미래세대에의 의무
가치판단 결정 시스템	공시적(共時的)	통시적(通時的)
가치판단 결정 기본단위	개인의 자기결정권(개인주의)	지구 전체주의(전체주의)
가치판단의 인지적 필요조건	최소한의 필요 : 사적 개인들인 보통 사람들에게 알맞은 정도로 필요함	최대한의 필요 : 반성적 숙고, 공적 의지 형성의 집합적 투입을 요할 정도로 필요함

(2) 윤리적 논쟁

첫 번째 논쟁은 과학의 객관성과 가치중립성에 대한 믿음이다. 그동안 과학은 객관성과 보편성, 가치중립성을 내세워 과학의 권위를 유지해온 경향이 있었다. 즉 과학의 주체와 상관없이 과학은 사물현상을 가치중립적으로 서술한다고 믿어왔다. 과학의 객관성에 대한 입장은 1960년대 초까지만 해도 논리실증주의에 의해 철학적 뒷받침을 받아왔다. 1962년 토마스 쿤은 과학이 객관적일 수 없음을 주장하였다. 과학 기술이 구체적인 사회적 맥락 속에서 어떻게 행위자들에 의해 구성되는지를 밝혀내었다. 다시 말해 어떤 과학 기술도 사회적 과정을 초월해서 구성될 수 없다는 것이다. 결국 자연현상을 해석할 때 과학자들은 자신의 이익에 의존하게 되므로 과학의 객관성과 중립성에 대한 의문이 제기된다.

두 번째 윤리논쟁은 과학자들은 독립성과 자율성을 가지고 있다는 믿음이다. 과학자의 독립성과 자율성은 양날의 칼과 같다. 과학자의 독립성과 자율성이 과학 발전에 큰 공헌을 하였다. 하지만 생명공학 기술의 과학자들이 독립적이고 자율성을 가지고 있는지는 의문이 제기될 수 있다. 예를 들면 생명공학자는 스폰서인 대규모 제약회사와 생명공학회사와 무관하게 연구 주제를 자유롭게 결정할 수 있는가 하는 문제이다. 1980년대 이후 이윤을 우선시하는 거대 생명공학 기업에 의존하는 과학자들은 자율성과 독립성을 남용하여 자신의 이익을 확대하면서 윤리적인 문제가 나타나기 시작하였다. 이러한 윤리적인 문제는 과학자들의 연구가 정부나 기업의 지원 없이는 수행하기 힘들 정도로 그 규모가 커지면서 발생하게 되는 측면이 있다. 예를 들면 생명과학 기술의 대표적인 인간게놈 프로젝트와 같이 거대한 사업의 경우 개별 과학자는 자신이 맡은 부분이 전체 프로젝트에 어떤 식으로 연결되어 어떤 결과를 도출하게 되는지 모르는 경우도 많다. 이러한 환경변화는 과학자들이 자율성과 독립성의 확보가 중요해지는 배경이 되었다.

세 번째 논쟁은 생명공학회사가 세계 기아를 책임진다는 믿음이다. 과학 기술 발전은 식량, 의료, 위생, 주택, 보건, 복지, 여가 부분에서 인류의 삶에 많은 도움을 주었다. 상습적인 굶주림에서 벗어났고 기본 적인 의료 혜택이 높아졌고 평균 수명이 증가되는 다양한 혜택을 얻었다. 그러나 이러한 과학기술발전은 어두운 면을 드리웠는데 자동차 매연과 전자파, 무분별한 제초제와 살충제, 비료의 사용에 따른 유해환경, 과잉 공급되는 음식으로 인한 습관성 비만과 성인병 등의 문제를 야기하였다. 그러나 풍요가 넘쳐나는 동시대 지구의 반대편에서는 기아나 영양실조로 인한 질병으로 죽어가고 있다. 몬산토나 훼하스트(Hoechst) 같은 생명공학회사들이 유전자 조작 농작물로 기아문제를 해결할 수 있다고 주장하였다. 하지만 기아 문제는 여전히 해결되지 않고 있어 그들의 주장은 사실과 다른 신화에 불과하다. 반대로 종자 비용과 기술 사용료, 농약 사용이 증가하였고, 내성이 강한 슈퍼 잡초, 슈퍼 해충, 슈퍼 바이러스 변종을 만들어 내는 결과가 되었다. 또한 단일작물화로 생물 다양성을 파괴되었고 종자 특허권을 확보하여 농민들은 종자를 비싸게 구입하게 되었고 세계 농민들의 수입 감소와 파산, 심지어 자살하는 농민이 속출하였다.

개인정보 유출 사례 2015년 개인 정보 유출 사고 Top 10

2015년은 무수히 많은 기업과 정부 데이터베이스에 허가받지 않은 접속권한을 획득한 사이버범죄자들에게 있어 아주 넉넉한 한 해였다. 2015년 수백만의 개인정보를 유출한 온라인 유출 사고 TOP 10을 모았다.

• 10위 미국 국세청(U.S. Internal Revenue Service) – 유출된 개인 정보 수 : 약 33만 4,000

IRS(Internal Revenue Service) 사이트에서 10만 명의 세금 정보를 도난당한 이 사고는 기술적으로 해킹이 아니다. 이는 취약한 보안의 대표적인 사례로, 범죄자들은 IRS 세무 기록 사본 얻기(Get Transcript) 서비스에 보안 질문에 정확히 대답함으로써 침투했다. 사이버범죄자들이 사용한 보안 질문의 답은 어디서나 획득할 수 있거나 간단히 추정할 수 있는 피해자들의 개인 정보들이었다. 미국 국세청 개인 정보 유출 사고는 2015년 2월부터 5월 중순까지 발생했는데, 5얼 26일 IRS에 의해 공공리에 공개됐다. 러시아에 주거하는 것으로 추정되는 이 범죄자의 목적은 아마도 훔친 개인 데이터(개인 생년월일, 사회보장번호, 집주소)를 사용해 세금 환급 사기(refund fraud)를 저지르려는 것이었다. 조사가 좀 더 진행된 8월 17일, IRS는 피해자의 수를 10만에서 33만 4,000명으로 변경했다.

• 9위 패트레온(Patreon) – 유출된 개인 정보 수 : 230만

크라우드펀딩 사이트인 패트레온은 일반인들이 예술가들의 창작 프로젝트를 지원하게 해 예술가들의 창작 활동 자금을 마련할 수 있도록 하는 틈새시장이었다. 2015년 10월 1일, 패트레온 사용자 정보가 모두가 볼 수 있는 인터넷에 게재됐는데, 이 데이터에는 15GB에 달하는 패트레온 사이트 소스코드 데이터가 포함되어 있었다. 이 사건으로 예술가들과 기부자들의 이메일 주소, 비밀번호, 이 사이트를 통해 사용자 간 메시지 교환 기록까지 모든 정보가 드러났다. 온라인 보안 감시 사이트인 HIBP(Have I Been Pwned)의 운영자는 230만 이메일 주소 속에서 자신의 이메일도 발견했다.

• 8위 어덜트 프렌드 파인더(Adult Friend Finder) – 유출된 개인 정보 수 : 390만

어덜트 프렌드 파인더 회원들의 개인 상세 정보가 다크넷 포럼(darknet forum)에 폭로됐다. 상세 정보에는 회원들의 나이, 이메일 주소, IP 주소, 사용자명, 우편번호, 그리고 혼외정사를 구하는 관심도, 성적 취향 등도 포함되어 있었다. 5월 21일 영국의 채널 4 뉴스(Channel 4 News)는 이 소식을 보도하면서 이 사이트에서 유출된 개인정보를 통해 사이트의 한 회원을 추적했다. 해당 회원은 자신의 계정은 해킹을 당하기 이전에 삭제했다고 주장했다. 이 주장이 사실이라면 이 사이트는 계정을 삭제한 회원들의 정보를 삭제하지 않은 셈이다. 기즈모도(Gizmodo)는 온라인 포럼에서 어덜트 프랜드파인더 업체에 10만 달러를 주지 않으면 회원 정보를 밝히겠다고 협박 메일을 시도한 범인이라 할 수 있는 자와 연관이 있는 한 게시물을 발견했다.

• 7위 라스트패스(LastPass) – 유출된 개인 정보 수 : 440만
(크롬과 파이어폭스 확장 프로그램 사용자의 총수로 추정)

좋은 비밀번호 관리자는 아주 훌륭하다. 비밀번호 관리자는 웹사이트에서의 사용자 로그인 정보를 사용자 레지스트에 저장해뒀다가 나중에 사용자가 해당 사이트에 방문할 때마다 사용자 이름과 비밀번호를 일일리 기입하지 않아도 자동적으로 들어갈 수 있다. 그러나 누군가가 비밀번호 관리자에 사용한 사용자 개인 정보를 접속할

권한을 획득했다면 이 비밀번호 관리자가 아주 나쁜 경우를 맞이한다. 2015년 6월 15일, 라스트패스에서 이런 일이 발생했다. 사용자 이메일과 비밀번호 확인, 다른 중요한 상세 정보들이 담긴 라스트패스 서버에 침입한 흔적이 탐지됐다. 그러나 다행스럽게도 라스트패스 서비스에 있는 사용자 개인 비밀번호나 웹사이트 라스트패스 사용자가 라스트패스 계정에 저장한 비밀번호는 포함되지 않았다.

• 6위 스콧트레이드(Scottrade) – 유출된 개인 정보 수 : 460만

이 온라인 중개업체에서 유출된 고객 이름과 그들의 집주소는 해커들에게 아주 좋은 정보였다. FBI에 의해 발견된 스콧트레이드 유출 사건은 2013년 말부터 2014년 초에 발생한 것으로 추정되지만 2015년 10월 1일까지 공개되지 않았다. 이 사건에서 유출된 정보는 이메일 주소, 사회보장번호뿐만 아니라 고객 자금 규모와 그들의 비밀번호 등 다른 민감한 고객 정보도 포함되어 있어 스콧트레이드의 거래 플랫폼이 해킹당한 것으로 추정된다. 사이버범죄자들은 투자사기 저지를 목적으로 이 회사의 고객 상세 연락처를 원했던 것으로 보인다.

• 5위 V테크(VTech) – 유출된 개인 정보 수 : 총 1,120만 이상
(485만 4,209명의 부모와 636만 8,509명의 어린이)

어린이들을 위한 장난감 제조업체 V테크 앱 스토어에서 발생한 유출 사고는 유출된 개인정보보다 더 나쁜 방향으로 흘러갔다. V테크의 자체 보안은 11월 14일 화이트햇 해커들이 이 회사의 고객 데이터베이스 접속권한을 획득할 정도로 나빴다. 화이트햇 해커는 V테크 제품을 구매한 약 500만에 가까운 사람들의 이름과 이메일 주소, 비밀번호, 집 주소 등을 파일에서 추출했다. 그러나 이보다 더 나쁜 것은 이 데이터에는 V테크 고객들과 연관된 630만 명 어린이의 첫 번째 이름과 생년월일, 성별 등이 있었으며, V테크 기기를 갖고 아이들과 그들의 부모가 나눈 수만의 채팅 메시지가 포함되어 있었다. 12월 15일, 이 해킹 사건과 관련해 영국 버크셔주에 거주한 21세 남성을 체포했다.

• 4위 T모바일(T-Mobile)과 익스피리언(Experian) – 유출된 개인 정보 수 : 1,500만

2013년 9월 1일부터 2015년 9월 16일 사이에 T모바일에서 신규 계약을 하거나 폰을 장만한 사용자의 개인 정보는 허가받지 않은 접속권한을 가진 누군가에 의해 유출됐을지 모른다. 2015년 9월 15일까지 알려지지 않았던 이 사건으로 유출된 정보는 신청자 이름, 주소, 생년월일, 식별번호(운전면허번호 또는 여권번호), 그리고 사회보장번호 등이다. 이 모든 데이터는 신용정보업체인 익스피리언에 의해 유출됐다. 그래서 T모바일은 익스피리언을 맹렬히 비난했다. T모바일 CEO 존 레제레는 자사의 고객들에게 보낸 메시지에서 "엄청나게 화가 나있다"며, "익스피리언과의 관계를 전면 재검토할 것이다"고 밝혔다.

• 3위 미국 인사관리처(U.S. Office of Personnel Management) – 유출된 개인 정보 수 : 2,570만
(별도 2건의 유출 사건 종합)

2015년 6월 5일 미국 인사관리처(Office of Personnel Management, OPM)는 자체 시스템들과 데이터베이스로부터 400만의 전 현직 미국 연방정부 종사자의 개인 데이터가 도난당했다고 발표했다. 한 달이 지난 후 OPM은 "자체 인사 배경 조사 데이터베이스에서 별건의 침입 흔적이 발견됐다"며, 사회보장번호와 지문이미지를 포함한 2,150만 명의 개인정보가 유출된 것으로 밝혔다. 인사관리처가 최초 발표할 때에는 지문 이미지 유출 숫자는 약 110만이었는데, 9월 23일에 5배로 증가한 560만 개로 변경했다. 이 사이버 범죄자들은 중국을

기반으로 한 해커로 추정하고 있다.

• 2위 애슐리 매디슨(Ashley Madison) - 유출된 개인 정보 수 : 3,200만

2015년 7월 19일, 이 부도덕한 연애 사이트의 회원 개인정보가 누군가에 의해 도난당했다. 이를 훔친 이들은 애슐리 매디슨과 자매 사이트인 에스테블리시드 맨(Established Men) 사이트를 폐쇄하지 않으면 정보를 모두 공개하겠다고 협박했다. 이들은 이 요구가 받아들여지지 않자 8월 18일 9.7GB의 데이터를 다크웹(dark web)에 올렸다. 공개된 데이터에는 애슐리 매디슨 회원들의 이름, 주소, 암호화된 비밀번호, 전화번호, 그리고 지불 내역들이 고스란히 드러나 있었다. 특히 2008년부터 이름, 이메일 주소, 집주소 등을 모아두고 있었는데, 이는 불법적인 요소가 있다. 이 사건의 여파로 지난 여름, 애슐리 매디슨 회원으로 노출된 유명인사, 암호화된 회원 비밀번호를 성공적으로 풀어버린 사건, 수많은 회원 계정들이 실제 여성인가 하는 좀 더 깊은 고객 분석, 이 해킹 사건의 배후에는 누가 있는가 등의 수많은 이슈들이 터져 나왔다.

• 1위 미국 건강보험업체들 - 유출된 개인 정보 수 : 1억 1,570만(5개 회사에서 유출된 합계)

2015년, 미국 내 수많은 건강보험업체들이 자사의 고객 데이터베이스를 공격당해 고객 정보들을 잃었다. 각 사건들로 인해 전체 미국인의 절반에 가까운 이들의 개인 정보가 유출됐다. 다음은 해킹당한 건강보험업체들과 유출된 개인 정보 수다.

자료 : IT월드(http://www.itworld.co.kr)

품질관리 윤리의 사례 역사적인 대규모 자동차 리콜 사례

도요타자동차는 2010년 북미시장을 시작으로 역대 최대 수준의 리콜을 실시했다. 이로 인해 브랜드 이미지 하락은 물론 2조원 이상의 보상액을 써야 했다. 급기야는 도요다 아키오 도요타 사장이 미 의회 청문회까지 불려 나가야 했다. 도요타 사태처럼 자동차 리콜은 2000년대에 들어서면서부터 관심이 높아지고 그 수도 줄 곧 많았었다. 특히 대규모 리콜은 소비자뿐 아니라 자동차산업에 대한 제작사들의 관심과 인식이 변화하는 계기가 된다. 실례로 2000년 포드 스포츠유틸리티차량(SUV) 익스플로러 대규모 리콜 사태가 그렇다. 익스플로러에 장착된 파이어스톤 타이어가 주행 중 파열되고 이로 인해 차량이 전복되는 사고가 발생했다. 이에 파이어스톤은 공식 성명을 통해 타이어 결함을 부인했다. 하지만 이미 동일한 결함이 해외에서 있었고 베네수엘라에서만 리콜을 실시한 사실이 알려지면서 파이어스톤은 여론의 뭇매를 맞고 리콜을 결정했다. 또한 포드는 10년 동안 익스플로러 엔진의 결함을 알고도 은폐했다는 의혹이 제기되면서 양사의 주가는 크게 하락했다. 일본에서도 이와 비슷한 사건이 있었다. 미쓰비시중공업은 수년간이나 차량 결함을 20년간 은폐한 것으로 드러나 경찰이 본사건물과 중역들의 가택을 수사하는 일이 벌어지기도 했다.

자료 : 매일경제

실용신안권 사례 이태리타월

우리나라 사람들이 목욕 시 자주 사용하는 '이태리타올'. 이 이태리타올은 1960년대 김해에서 살고 있던 김필곤이라는 사람이 직물회사를 운영하는 친척이 만든 천을 샘플로 받아서 목욕 시 사용하다가 때가 잘 밀리자 손에 끼기 좋게 재봉질을 하여 자신도 쓰고 주위 친지들에게도 나누어 주었는데, 반응이 좋아서 실용신안 등록을 받고 사업화를 시작하였다. 그러자 유사 제품들이 쏟아져 나왔고, 그는 시장을 감시하는데 총력을 기울이고 이러한 제품들이 나올 때마다 자신의 실용신안 권리를 활용하여 민·형사적인 규제를 하여 손해배상을 받으면서 시장 독점적인 지위를 누렸다. 이러한 특허감시 활동을 통하여 그는 이태리타월로 수백억의 재산을 모으고, 호텔을 인수할 만큼 상당한 수익을 냈다.

자료 : 해외출원온라인 포털(http://www.newip.biz)

상표권 침해 사례 같은 듯 다른, '상표권침해' 문제

최근 명품 패션 브랜드를 본떠서 가게 이름을 지었던 한 치킨집에 1천 4백만 원이 넘는 배상금을 물리는 판결이 나왔다. 사건의 발단은 한 치킨집이 '루이비통닭'이라는 상호를 쓰면서 시작되었다. 언뜻 봐도 특정 프랑스 명품 브랜드가 떠오른다. 실제 브랜드와 비교해보면 영어 철자에서 'T'가 하나 빠져 있고, 로고의 모양이 조금 다르지만 글씨체나 분위기는 흡사합니다. 루이비통사는 치킨집이 이 상호를 쓰지 못하게 해 달라며 법원에 가처분 신청을 했고, 법원은 이를 받아들였다. 그러자 이 치킨집은 상호와 간판을 살짝 바꿔 상호 앞에 'Cha'를 붙여 '차루이비 통닭'으로 상호를 변경하였고 '루이비'와 '통닭' 단어 사이를 띄어서, 간판의 띄어쓰기도 다르게 하고 대문자였던 글씨체도 소문자로 바꾼 뒤 계속 장사를 했다. 그러자 루이비통사에서 또다시 문제 제기를 했고, 결국 법원이 "치킨집은 루이비통사에 1,450만 원을 배상하라"고 판결을 내렸다. 하나는 패션 명품 브랜드이고, 하나는 동네 통닭집 상호인데, 업종이 이렇게 서로 달라도 "상표권 침해"와 "부정경쟁방지법"을 위한했다고 본 것이다. '루이비통닭' 치킨집의 경우에는 상호만 비슷하게 쓴 게 아니라, 이렇게 치킨 포장 상자나 음료수 컵에도 루이비통을 연상하게 하는 컬러와 로고를 본떠서 사용했고 법원은 치킨집이 상호와 상표를 따라 해서 '부정경쟁방지법'을 침해했다고 판단했다.

자료 : MBC뉴스(http://imnews.imbc.com)

기술유출 사례

분　류	내용		
유 출 자	현직 임직원(현직 직원)		
유출대상	최종 연구결과(특허기술)		
유출방법	휴대용 저장장치(USB)		
유출 후 대응방법	수사기관에 수사 의뢰(신고)		
법인형태	내·외부 공모	유출동기	인사불만

중소기업 A사는 1994년에 창립하였고 연간 매출액이 약 200억에 달하는 건실한 회사이다. A사는 반도체에 사용할 수 있는 배선재료, 유전채재료, 확산방지막 및 접착막 증착용 Precusor 등의 국산화 개발에 성공함은 물론 다수의 국내외 특허권을 획득하여 독자적인 기술을 가지고 있는 회사이다.

얼마 전 A사의 과장 김 모씨는 거래처 담당직원의 제품에 대한 불만을 응대하던 중 거래처 담당직원의 태도에 화가나 거래처 담당직원과 말다툼을 하고 말았다. 이 건에 대해 거래처에서는 A사에 고객 등에 대한 불만을 이야기 했다. 양측 모두 잘못이 있었지만 A사에서 거래처에게 사과를 하였고 A사 내부에서는 과장 김 모씨에게 3개월 감봉이라는 처분을 내렸다. 본인의 잘못이 크게 없다고 생각한 과장 김 모씨는 회사의 처분에 불만을 가지게 되었다. 또한 진급에 어려움이 있을지도 모른다는 인사팀 직원의 말에 김 모 씨의 불안은 더욱 커졌다. 그러던 중 안면이 있던 경쟁기업인 B사의 이 모씨가 A사의 반도체 화합 재료 기술을 가져오면 B사에서 중용함은 물론이고 부장의 자리를 주겠다고 제의해왔다. 회사에 불만이 많던 김 모 씨는 회사의 반도체 화합재료 기술을 가지고 경쟁사로 이직을 결심했다. 김 모씨는 자신이 예전에 사용 후 반납하지 않고 보관하고 있던 보안 USB에 반도체 화합 재료 기술을 저장하여 B사의 이 모씨에게 전달하였고 얼마 후 김 모씨는 회사를 퇴사하였다. B사에 입사한 김 모씨는 A사 후배와의 술자리에서 이와 같은 사실을 이야기 하고 후배에게도 B사로 이직할 것을 권유하였다. 이직을 권유받은 후배는 다음날 A 사의 인사부서에 김 모씨를 고발하였고, A사의 자체 감사결과 김 모씨가 분실되었던 보안 USB를 가지고 기술을 유출했다는 사실을 알게 되었다. 사건 직후 A사는 보안 전문 컨설턴트에 기업의 전반적인 보안 역량에 대해 검사한 결과 장비관리대장을 작성하지 않고 있었으며, 노트북, USB 등의 장비도 시건장치가 없는 곳에 보관하는 등 장비관리에 대한 보안이 취약한 것으로 나타났다.

자료 : 산업보안정보도서관(www.is-portal.net)

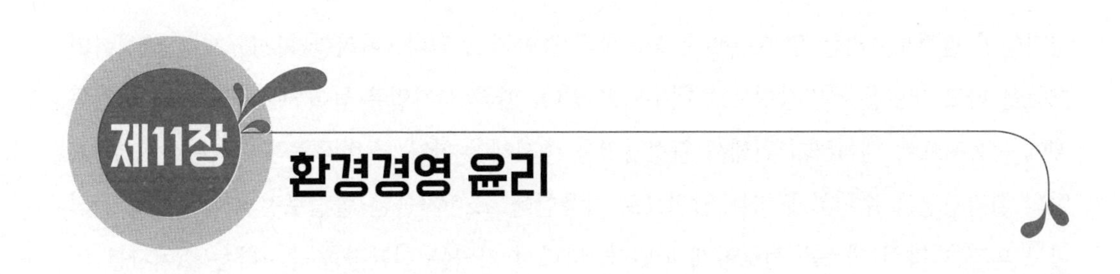

1. 친환경경영의 개념과 필요성

1) 친환경경영의 개념

환경경영이란 기업이 환경문제에 적절히 대응하여 환경성과와 경제적 성과를 균형 있게 달성하는 전략적 경영을 말한다. 1970년대 각국 정부와 유엔은 환경문제의 심각성을 인식하면서 기업 활동을 규제하기 시작하였다. 이에 따라 1980년대 들어서 기업들도 환경문제를 심각한 경영상의 문제로 받아들이기 시작했으며 지속가능한 개발의 개념이 공식화되었다. 이후 1992년 세계 각국은 지속가능성을 정책의 최우선 순위에 두고 경제, 환경과 사회적 가치의 상호관련성을 강조하였다. 각국 정부의 규제와 규제기구의 협약이 이루어졌지만 이러한 노력에도 불구하고 기업들은 여전히 소극적인 대응으로 환경경영을 다루는 단계에 머물러 있었다.

2) 친환경경영의 필요성

미국의 신용평가 기관인 무디스(Moody's)와 스탠더드앤푸어스(S&P)에서는 기업의 신용도에 환경성과, 환경위험의 영향이 있다고 판단될 경우 이에 대한 분석을 평가과정에 포함시키고 있다. 따라서 기업은 기업의 가치를 높이기 위해서 환경경영을 수행해야 한다. 환경 친화적 사업이 비용을 상승시킬 수 있지만 기업 가치를 제고시킬 수 있다는 인식의 전환이 필요하다. 미국 환경청 조사 결과 환경경영 활동을 개선시킨 기업의 체계적 위험도와 자본비용이 줄어들고 기업 가치는 증가된 것으로 나타났다.

기업의 경영환경 변화를 봐도 기업의 환경경영이 필요함을 알 수 있다. 예를 들면 많은

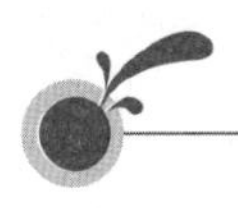

국가들이 환경보호라는 명분으로 환경규제를 강화하고 있다. 이러한 환경규제는 세계화의 흐름을 타고 새로운 무역장벽으로 대두되고 있다. 따라서 기업은 높아지는 국제적인 환경규제에 능동적으로 대처하기 위해서 환경경영을 중시해야 한다. 소비자들의 인식변화 또한 기업의 환경경영을 수행하게 하는 압력으로 작용한다. 소비자들은 환경보전의 중요성을 인식하고 환경 친화적 제품을 선호하게 되었다. 따라서 기업은 친환경을 중시하는 소비자를 의식하고 또 기업의 수익을 내기 위해서 환경경영 시스템을 개발하고 체계적으로 운영하는 것이 필요하게 되었다.

3) 환경경영의 동인

기업 경영자들은 환경규제를 준수하면 기업의 비용이 증가하게 되므로 규제를 위반하지 않는 수준에서 환경지출을 최소화하는 것이 기업 가치를 극대화할 수 있는 길이라 믿었다. 따라서 초기 기업들은 규제에 대한 효율적 대응을 위해 환경경영을 해야 한다는 인식을 가지고 있었다. 그러나 1980년대에 환경경영은 선진국의 대기업을 중심으로 본격화되었다. 왜냐하면 규제가 심화되면 이에 따라 기업의 규제대응 비용도 증가하게 된다. 따라서 이러한 소극적인 대응은 기업가치 극대화를 위해 최적의 전략이 아니라는 것을 경영자들이 깨닫기 시작하면서 적극적인 대응에 나서게 되었다. 따라서 환경경영의 초기단계에서 기업들은 환경규제는 원가부담을 가져온다고 보고 환경 규제를 준수해야 한다는 수준에서 환경경영을 위한 노력을 최소화하였다. 하지만 이 단계를 지나면 환경경영이 경쟁우위를 확보할 수 있는 기회가 될 수도 있다는 것을 인식하였다.

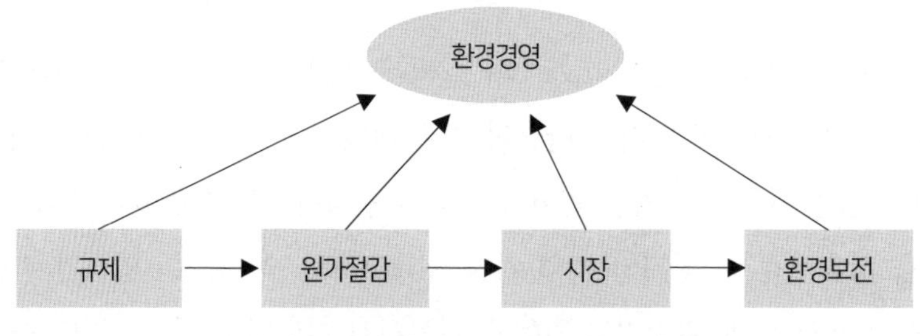

[그림 11-1] 기업들의 환경경영 촉진요인

환경경영은 두 가지 경로를 통해 기업의 경쟁우위 확보의 수단이 된다. 첫째, 원가절감을 통한 경쟁우위 확보이다. 기업은 환경규제를 준수하면서 발생하는 원가를 최소화하려고 할 것이다. 또한 원가절감활동에서 부수적으로 원가절감효과를 가져올 수 있다. 예를 들면, 3M의 경우 환경경영에서 나온 제안활동이 막대한 원가절감을 가져왔다. 1975년 3P(Pollution Prevention Pays) 프로젝트를 시작하여 한 해 동안 10억 불에 달하는 절감효과를 얻게 되었다. 결국 환경경영은 현재의 원가를 절감하는 데서 그치는 것이 아니라 미래에 발생할 비용까지 감소시켜줄 수 있다. 따라서 기업들은 환경경영을 수행함으로써 원가경쟁력과 추가적인 사업성과 개선을 기대할 수 있다. 둘째, 새로운 시장기회를 적극 활용하므로 매출이 높아지고 결국 경쟁우위로 연결된다. 다시 말해 환경경영을 통하여 원가절감을 하고난 기업은 경쟁우위확보의 수단으로 시장에 관심을 가지게 된다. 환경의식이 높아 환경 친화적인 기업과 제품을 선호하는 시장 영역이 있음을 인식하고 적극적인 마케팅활동을 펼친다. 기업의 적극적인 환경경영과 환경친화적 이미지 구축 및 환경친화 제품의 개발 등을 통하여 경쟁우위를 확보하게 된다.

2. 경영활동과 환경문제

기업의 경영활동은 에너지를 소비하고 자원을 고갈시켜 자연환경을 오염시키는 비용 및 희생이 따르게 되었다. 즉 편의성만을 추구하기 위한 자연의 개척과 활용에 초점을 두면서 공기, 물, 토양오염과 생물학적 다양성의 위협, 재생 가능한 자연자원 복원 등의 환경 이슈가 새롭게 부상하게 되었다. 특히 기업이 재화와 서비스를 생산하는 기업 활동 과정에서 발생한 환경문제가 발생하면서 기업의 사회적 역할과 윤리적 경영이 필요하게 되었다. 기업의 활동이 확대되고 산업화가 진전되면서 공기, 수질, 토양, 에너지 고갈, 유전자 변형과 같은 다양한 분야에서 문제가 발생하게 되었다.

1) 공기

공기와 관련된 문제는 크게 기후변화, 오존층파괴, 공기오염, 산성비 소음공해 등과 관련이 있다. 기후변화는 초대형 태풍, 북극곰의 생존위기 문제와 같이 지구온난화 문제가 거론

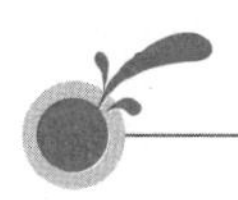

되고 있다. 온실효과에 의해 지구권의 대기 온난화 문제가 발생하는데 주원인은 이산화탄소이다. 휘발유, 석탄의 소비가 증가하면서 온실가스의 배출 또한 급증하게 되면서 오존층 파괴도 문제가 되고 있다. 이는 주로 냉장고나 냉방시설에서 나오는 가스에 의해 발생한다. 1987년 유엔 몬트리올 의정서에서 이 가스의 사용을 엄격히 통제하고 있다. 공기오염도 인간 생존을 위협하고 있다. 주로 제조공장, 원자력 발전소, 자동차와 비행기 배출 가스에 의해 발생한다. 오존, 미세먼지, 인산화탄소, 이산화황 등이 오염의 원천이 되고 산성비, 지구온난화, 스모그, 오존층 파괴 등을 초래하여 인체에 해를 끼친다. 공기 중에 정상보다 높은 질소산화물과 유황산화물의 퇴적물들이 혼합되어 내리는 산성비는 여러 국가에서 심각하고 부정적인 영향을 주는 것으로 보고된다.

2) 수질

수질 문제는 주로 수질오염과 물 부족 문제이다. 전 세계에서 사막화가 진행되는 지역이 확대되고 강, 호수, 만, 지표수 등의 오염이 대규모로 진행되고 있다. 이러한 환경변화는 심각한 물 부족현상을 초래하고 있다. 1990년 이후 전 세계의 물 사용량이 6배나 증가하였고 세계 인구의 20%가 안전한 식수를 확보하지 못하고 있다. 이러한 물 부족 외에 수질오염도 심각하다. 생활용수나 공장에서 나오는 화학물질이 하천과 바다로 유입되고 기름 유출이나 산업폐기물이 땅속에 묻히는 경우 지하수와 바다가 오염된다. 석유 및 플라스틱 제품들이 해안 생태계를 오염시키면서 어족자원이 줄고 수산물 관련 질병이 높아지고 있다.

3) 토양

토양오염과 토양황폐화 문제도 심각한 환경오염 문제들이다. 토양오염은 중금속 유해 폐기물이나 일반폐기물이 토양 표면이나 지하에 버려져 주로 발생한다. 토양오염은 야생동물의 서식처가 훼손되고 지하수가 오염되어 결국 인간의 삶도 악영향을 받게 된다. 산림파괴, 산성비, 오존감소, 과잉방목 등으로 지표의 흙이 파괴되어 수확량이 감소하고 기근과 질병에 의한 사망자가 증가하게 된다. 산성비는 식물에 직간접적으로 피해를 주어 산성비에 의한 토양의 산성화가 전 세계적으로 문제가 되고 있다. 또한 영양이 풍부한 토양 표면은 빗물이나 바람에 쓸려나가면서 토양은 황폐해진다.

4) 에너지 고갈

인간의 생존에 필수적인 에너지의 고갈문제는 두 가지로 구분된다. 하나는 에너지 활용의 비효율성을 극복하기 위한 합리적인 에너지 절약정책이 필요하고 다른 하나는 제한된 화석에너지 의존을 벗어나기 위한 재생에너지의 개발이다. 에너지원은 제한되어있기 때문에 효율적으로 에너지를 이용해야 한다. 미국 가정의 경우 난방과 냉방에 에너지를 가장 많이 소비하고 있고, 그 다음이 온수 사용에 쓴다. 따라서 냉난방 실내온도를 낮추는 방식과 같은 생활습관의 변화로 에너지를 절약할 수 있다. 많은 국가들이 일정비율 이상 재생 가능한 에너지 사용을 요구하는 규제를 하려하고 있다. 기업에게 에너지 문제는 기회이자 도전인데 재생 가능한 에너지에 대한 수요 증가는 새로운 기회를 제공한다. 존슨앤존슨, 페덱스, 스타벅스 같은 기업들은 일정량 이상을 재생 가능한 에너지를 구매하는 제도를 시행하고 있다.

5) 유전자 변형에 의한 생태계 영향

동식물의 유전자 변형은 새로운 환경이슈를 야기하였다. 유전자 변형(genetic modification : GM)이란 한 유기체의 유전자를 추출하여 다른 유기체에 투입하여 변종시키는 것을 말한다. 유전자 변형 동식물은 곤충과 바이러스에 대한 면역이 강하고 화학비료도 적게 들고 생산량도 높다. 하지만 아직 장기적인 관점에서 유전자 변형 식품의 영향을 명확하게 판단하기는 힘들다. 병충해에 강하고 생산량을 늘린다는 장점과 유전자 변형 사례가 많아지면 생물의 종 사이의 균형이 무너지고 병충해에 대한 저항이 약해질 수 있다고 보고 있다.

3. 친환경경영 실천

환경보호를 위해서는 국제기구 협약이 꼭 필요하다. 이러한 필요성은 하딘의 '공유지의 비극'(Tragedy of the Commons)이란 개념으로 설명된다. 초원 가까이 살던 목동들은 소를 끌고와 풀을 먹인다. 처음엔 땅은 넓은데 소는 적어 마음껏 풀을 뜯어 먹여도 문제가 되지 않는다. 하지만 초원에 점점 더 많은 소가 들어오면 좋은 풀은 줄어들고 대지는 오물로 가득 찬다. 그래서 초원은 결국 소를 키울 수 없는 황무지로 변한다. 자연환경은 이와 같이 너무

많이 사용하여 황폐화되고 다른 사람들은 사용할 여지가 없어지게 된다. 개인·공공 이익이 충돌할 때 개인의 이기심만 좇다보면 모두가 파국을 맞게 되므로 이기적인 행동을 제약하는 글로벌협약 또는 정부의 규제가 필요하다.

1) 환경보호 국제기구 협약

환경에 대한 문제가 심각해지면서 다양한 환경보호 국제협약이 있지만 대표적인 몇 가지만 소개하기로 한다.

(1) 유엔 환경 프로그램

유엔 환경 프로그램 약칭은 유네프(UNEP : United Nations Environment Program)이며 유엔의 환경에 관한 활동을 조정하는 기구를 말한다. 이 프로그램은 1972년 스웨덴의 스톡홀름에서 열린 《유엔인간환경회의》의 결정에 따라 1973년에 설립되었다. 이 프로그램은 환경 분야 각 영역의 최일선에서 노력하고 있다. 본부는 케냐의 나이로비에 위치하고 있으며, 이 프로그램의 목적은 환경과 관련된 다른 국제기구나 국가에 경제적 지원과 기술 인력을 지원해 환경보전 활동에 도움을 주는 것이다. 물을 지속가능하게 사용할 수 있도록 정보를 교환하고 연구와 지원을 위한 기금도 축적해가며 미래의 세계 물 조건에 대한 시나리오를 검토하고 여러 가지 대안을 분석한다.

(2) 글로벌콤팩트

유엔 글로벌콤팩트(UNGC : United Nations Global Compact)는 2000년 7월에 발족하였으며 인권, 노동규칙, 환경 및 반부패 등 네 가지 이슈에 관한 원칙을 만들었다. 기업들이 인권, 노동, 환경, 반부패에 걸친 UNGC의 10대 원칙을 회사의 전략과 운영활동에 내재화하도록 돕는 것을 미션으로 정하고 있다. 이러한 미션을 달성하기 위해 10대 원칙을 정하고 있는데 UNGC 회원사라면 이 4개 영역의 10가지 원칙을 준수해야 한다. 10가지 원칙 중에서 환경과 관련이 있는 원칙은 ① 기업은 환경문제에 대한 예방적 접근을 지지하고, ② 환경적 책임을 증진하는 조치를 수행하며, ③ 환경친화적 기술의 개발과 확산을 촉진한다는 것이다.

(3) 글로벌 리포팅 이니셔티브

글로벌 리포팅 이니셔티브(GRI : Global Reporting Initiative)는 기업 또는 단체의 경제적 성과, 환경적 성과, 사회적 성과 등의 분야에서 전 세계적으로 적용 가능한 지속가능성 보고 가이드라인을 발전시키고 보급시키는 목적으로 한다. 기업의 사회적 책임에 관한 국제적인 규약 제정에서 가장 두드러진 활동을 보이고 있고 유엔환경계획(UNEP), 미국 환경책임경제연합, 영국공인회계사협회, 호주 윤리적 투자, 일본 환경감사연구회 등이 이사회에 참여하고 있다. 최근 기업들이 지속가능보고서 혹은 사회책임보고서를 낼 때 대부분 글로벌 리포팅 이니셔티브 작성 가이드라인을 따르고 있다. GRI는 기업이 발간한 지속가능보고서를 데이터베이스로 만들어서 인터넷을 통해 일반인들에게 공개하고 있다. 지속가능성을 중요시하는 투자자들은 GRI 사이트를 통해서 사회적으로 책임감 있는 경영을 하는 기업들의 현황을 파악할 수 있다. GRI의 가이드라인은 모든 유형(기업, 공조직, 비영리조직)과 규모(소규모에서 대규모까지) 조직에 의해서 활용될 수 있도록 고안되었다. GRI는 경제적 성과, 환경적 성과, 사회적 성과로 사회적 책임으로 분류하고 다시 세부적인 지표로 구분되어 있다.

(4) 교토의정서

교토의정서는 지구온난화의 규제 및 방지를 위한 국제 협약인 기후변화협약의 수정안이다. 1997년 일본 교토시 국립교토국제회관서 개최된 지구 온난화 방지 교토 회의에서 채택되었으며 2005년 2월 16일 발효되었다. 정식 명칭은 기후 변화에 관한 국제 연합 규약의 교토 의정서(Kyoto Protocol to the United Nations Framework Convention on Climate Change)이다. 교토의정서는 선진국들에 대해 강제성 있는 감축목표를 설정하였다는 점과 온실가스를 상품으로서 거래할 수 있다는 점이 특징이다. 이에 따라 향후 에너지절약과 이용의 효율성을 높이고, 신재생 에너지 개발 등 온실가스배출량을 줄일 수 있는 새로운 기술 분야에 대한 투자를 촉진하였다.

(5) 신기후 체제

2015년 프랑스 파리에서 열린 제21차 유엔 기후변화협약 당사국총회에서 신기후 체제 합의문인 '파리 협정'(Paris Agreement)을 채택되었다. 기존의 교토의정서는 선진국에만 의무를 부여하였지만 파리협정은 모든 국가의 참여 장치를 마련하였다는 점이 특징이다. 파리 협정

은 2020년 만료 예정인 기존 교토의정서 체제를 대체하게 되고 협정이 발효되면 선진국과 개발도상국의 구분 없이 모든 국가가 기후변화 대응에 동참하게 된다. 세계 온실가스 배출량의 90% 이상을 차지하는 195개 국가가 신기후체제에 참여하였다. 기후체제는 온실가스 배출감소, 기후변화 대응 재원 조성 등을 통해 환경과 경제·사회 발전의 조화를 이루는 '지속가능 발전'을 추구하고 있다. 파리 협정은 1) 장기목표 2) 감축 3) 시장 메커니즘 도입 4) 적응 5) 이행점검 6) 재원 7) 기술 등을 중심으로 각국이 온실가스 감축목표를 스스로 정하고 이를 검증하는 체제로 운영된다. 국제사회의 장기목표는 산업화 이전 대비 지구 평균기온 상승을 '2℃보다 상당히 낮은 수준으로 유지'하기로 하고 '1.5℃ 이하로 제한하기 위한 노력을 추구'하기로 했다. 온실가스 감축은 국가별 목표를 스스로 정하기로 했고 기여방안 제출은 의무지만 국제법적 구속력은 없다.

(6) 국제표준화기구

국제표준화기구(International Organization for Standardization : ISO)란 여러 국가의 표준 제정 단체들의 대표들로 이루어진 국제적인 표준화 기구를 말한다. 1947년에 출범하여 국가마다 다른 산업, 통상 표준의 문제점을 해결하고 국제적으로 통용되는 표준을 개발하고 보급하는 것을 목적으로 한다. 1997년부터 각 국가의 환경 관련 법률과 규제가 상이한 문제를 해결하고 국제적으로 통용되는 국제적 표준을 제시하여 기업의 환경이슈문제를 해결하는데 도움이 되고자 국제환경규격(ISO 14000) 인증제도를 실시하고 있다. 국가마다 환경 관련 법률과 규제가 상이하면 기업이 글로벌 환경에서 일관성 있는 환경정책을 수립하고 실행하기가 어렵게 된다. 따라서 국제환경규격은 환경경영에 대한 표준을 통해 환경개선 성과 정도를 측정하고 보고하도록 하여 환경경영을 원활하게 수행하도록 도와줄 수 있다.

2) 환경보호정책

(1) 친환경 상품 보급 정책 : 환경마크제도

인간은 물질적으로 풍요롭고 쾌적한 환경에서 살 수 있는 환경을 꿈꾼다. 이러한 환경은 현세대와 미래세대의 욕구를 모두 충족할 수 있는 지속가능한 발전 위에서 가능하다. 따라서 유럽공동체(EU)를 포함한 여러 선진국들은 지속가능한 발전을 위해 지속가능한 소비생산

(SCP)이라는 정책을 제시하였다.

UN은 지속가능한 소비·생산을 제품의 생산·소비·폐기 전 과정에서 천연자원의 사용을 줄이고 독성물질, 오염물질, 폐기물의 발생을 최소화하는 동시에 인간의 기본적인 욕구와 풍요로운 삶의 질을 유지하는 범위 내에서 제품과 서비스를 사용하는 것으로 정의하고 있다. 지속가능한 소비를 하기 위해서는 제품 구매 시 가격, 성능, 디자인 등 기존의 선택요소 외에 제품의 친환경성여부를 고려하는 소비가 필요하다. 지속가능한 생산은 설계 단계에서 생산·유통·소비·폐기 등의 전 과정의 평가를 거쳐 가장 환경친화적인 제품을 생산하는 것을 말한다. 지속가능한 사회를 만들기 위해서는 환경마크제품 구매와 같은 지속가능한 소비가 사회 전체로 확대되는 것이 필요하다.

환경마크 법적근거는 「환경기술 및 환경산업 지원법」 제17조(환경표지의 인증)에 따라 같은 용도의 다른 제품에 비하여 제품의 환경성을 개선한 제품에 환경부장관이 환경마크를 부여한다. 환경성이란 재료와 제품을 제조·소비·폐기하는 전 과정에서 오염 물질이나 온실가스 등을 배출하는 정도, 자원과 에너지를 소비하는 정도와 같이 환경에 미치는 영향력을 말한다.

(2) 외국의 환경마크제도

국제환경라벨링네트워크(Global Ecolabelling Network : GEN)를 구축하여 전 세계 47개국에서 27개 환경라벨링 제도를 시행하고 있다. EU와 북유럽 5개국은 환경라벨링을 공동으로 운영하고 있다. 국제표준화기구(ISO)에서는 환경정보의 전달방식에 따라 환경라벨 유형을 세 가지로 구분하고 각 유형별로 환경라벨이 갖추어야 할 최소요건을 ISO 14024 시리즈로 규정하고 있다.

[그림 11-2] 주요 국가의 환경마크 제도

3) 기업의 친환경경영 실천

(1) 녹색경영체제 인증제도

한국정부는 산업의 녹색화와 녹색산업육성을 위한 녹색경영체제 인증을 시행하고 있다. 환경친화적 산업구조로의 전환촉진에 관한 법률 일부를 개정하여 녹색 경영체제 인증을 실시하고 있다. 녹색경영이란 기업이 경영활동에서 자원과 에너지를 절약하고 효율적으로 이용하며 온실가스 배출 및 환경오염의 발생을 최소화하면서 사회적, 윤리적 책임을 다하는 경영을 말한다.

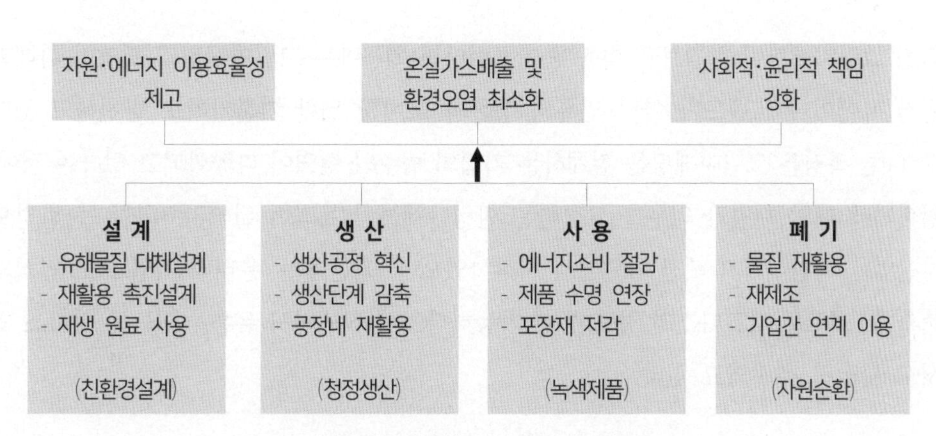

[그림 11-3] 녹색경영시스템의 역할과 기능

(2) 환경경영전략

① 그린마케팅

그린마케팅이란 자연환경보전에 노력하면서 자사 제품의 친환경적 우월성을 가지고 소비자들을 설득하고 구매하도록 하는 마케팅을 말한다. 환경에 해롭지 않은 제품을 개발하고 판매 촉진하는 것을 말한다. 그린마케팅이 확산되고 있는 것은 전 세계 모든 분야에 걸쳐 환경에 대한 관심도가 높아졌기 때문이다. 기후변화협약 등 국제 환경협약 상의 의무기간 도래와 그에 따른 탄소배출권 등 산업계의 이해관계가 높아졌고, 환경단체 및 기타 NGO를 중심으로 친환경 제품 소비운동 확산되어 친환경 제품 시장이 대중화되었다. 환경이슈의 확산은 기업들의 마케팅에서도 새로운 압박으로 등장하게 되었고 환경에 대한 소비자들의 인식제고로 친환경시장이 급속하게 확대되었다. 이러한 환경변화로 기업은 환경보전 노력을 알리고 환경친화적 이미지를 구축하기 위해 '그린 마케팅'을 대대적으로 시행하고 있다. 특히 최근 기업의 사회적 책임(CSR)이 강조되면서 기업의 환경보호 활동이 대표적인 사회공헌 활동으로 평가받고 있다.

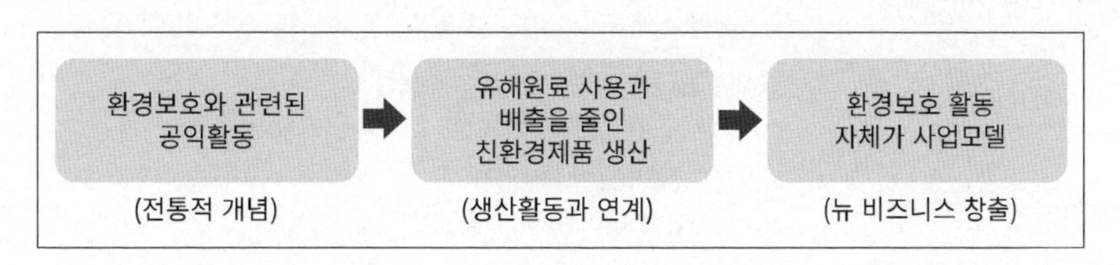

[그림 11-4] 그린마케팅 전개 추이

과거 그린마케팅이 환경보호 활동에 머물렀다면 최근에는 그린마케팅의 영역이 확대되어 한순간 유행이나 트렌드가 아닌 인류의 생존과 소비를 위한 기본가치로 발전하고 있다.

또 다른 특징은 그린마케팅을 전개하는 기업의 범주와 영역이 다양화되고 있다는 점이다. 환경파괴에 대한 책임과 의무를 요구하는 환경단체들의 표적이 된 정유·화학 등 환경오염 유발산업은 기업이미지 쇄신 차원에서 시작하였으나, 최근에는 '윤리적 기업'으로 인식되어 매출확대, 새로운 비즈니스의 창출 등이 가능하다고 인식되면서 유통, 금융 등 서비스 업종에서도 활발히 추진되고 있다.

〈표 11-1〉 세계 유명기업의 그린마케팅 사례

기업명	내 용
Total·석유화학(佛)	• 유독가스 배출감축 시스템 및 대형 폐수처리장 건설 • 오염가스 분출 낮추는 친환경 연료 개발 • 공장주변 토양 오염도 관리 및 복원 프로그램 시행
Bayer(獨)	• 환경과 인체에 위험한 요소를 줄이는 기술 개발 및 적용 • 에코빌딩, 청소년 대상 환경 프로그램 제공 등
PG & E(美)·전기/가스 공급	• 에너지 효율제품 구매 시 리베이트 제공 • 절전형 전구 나눠주기 프로그램
NIKE(美)	• 중고운동화 수거 → 건축자재(Nike Grind)로 재활용 • 지역사회 및 비영리단체에 지원
Kohler(美)·건축자재/욕실용품	• 물 절약 캠페인(물 절약 퀴즈 풀기) • 자사 제품 Habitat(집 짓기 프로그램)에 기부
Dell(美)	• 환경지킴이 나무심기 프로젝트(기부) • 웹 블로그를 활용한 소비자들의 관심 및 충성도 유도
Nokia(인도법인)	• 휴대폰 및 배터리 폐기물 수거 • 휴대폰 배터리가 토양/수질오염 유발원이라는 이미지 개선
Lenovo(中)	• 전자 폐기물 수거 및 활용도 제고 • 개도국 기업이라는 이미지 탈피
Orange(佛)·이동통신	• 자사 판매제품에 '에코 에티켓' 부착 • 친환경 상품 구매 유도 및 녹색운동 주도적 전개 이미지
삼성(韓)	• 베이징올림픽 기간 중 그린 홍보관 • 스포츠의 페어플레이+기업의 진정성 이미지 구축
Aveda(美)·화장품 제조	• 화장품 용기 뚜껑 재활용 • 자연친화적 이미지 더욱 공고화
Enterprise(美)·렌터카	• 공기오염 공제비용 징수, 최고 연료효율 차량 제공, 청정에너지 사용 등

자료 : 세계 유명기업의 그린마케팅, KOTR, 2009.

많은 기업들이 기업이미지를 개선하기 위해 그린마케팅을 활용하여, 환경 파괴자에서 환경 보호자로 이미지 전환을 시도하고 있다. 환경유해물질 배출(수질/대기오염, 전자폐기물 등) 등으로 악화된 기업 이미지를 개선하기 위해 정유, 화학, 자동차, 전자 등 환경오염 유발 산업은 그린마케팅을 전개하고 있고 기존 굴뚝산업 이미지를 벗고 친환경 기업으로 탈바꿈하고 있다. Total, Bayer, PG&E 등은 친환경 공정, 환경오염물질 감축 캠페인, 리베이트 제공 등 경영전반에 걸친 강도 높은 환경정책을 도입하여 환경보호, 기업의 사회적 책임 수행 등을 위한 체계적인 그린 마케팅으로 기업이미지를 개선하고 있다. Nike, Kohler 등은 폐자원 재활용과 자원절약 캠페인을 통한 사회기부 활동을 전개하고 있다. Nike는 기존 개도국 노동력 착취 대표기업의 이미지를 사회공헌에 이바지하는 기업으로 이미지 전환하였고, Kohler는 자원절약 캠페인과 자사 제품의 기능을 연계하는 마케팅전략을 구사하고 있다.

4. 친환경경영의 평가

1) 환경성과 평가의 의의

환경성과 평가란 현재 및 시차적 환경성과를 평가하기 위해 필요한 자료와 정보를 수집하고 분석하는 지속적인 절차를 말한다. 환경성과 평가는 가장 필요하면서 가장 어려운 문제이다. 다시 말해 조직의 과거 및 현재의 환경성과를 조직이 설정한 기준과 비교한 정보를 제공하기 위해 평가지표들을 사용하는 지속적인 절차라고 할 수 있다. 조직의 환경성과가 경영자에 의하여 정해진 기준을 만족시키고 있는지를 판단하기 위하여 신뢰할 수 있고 검증 가능한 정보를 계속적으로 경영자에게 제공해야 한다. 환경이란 기업에게 긍정적인 효과와 더불어 부정적인 영향을 줄 수 있다. 긍정적인 효과는 더 나은 이익과 윤택한 환경을 기업에게 제공할 수 있고 반면 부정적인 효과는 기업에게 손실과 훼손된 환경을 제공할 수 있다.

2) 환경성과 평가의 목적

환경성과 평가의 목적은 환경성과 평가를 통해 환경성과를 개선할 수 있는 기회를 찾아내고, 전략적 의사결정에 필요한 정보로 제공하여 경영활동의 효율성을 제고하고, 새로운 사업 기회

를 발굴하는 것이다. 구체적으로 열거하면 다음과 같은 내외부의 효과를 기대할 수 있다.

① 환경에 대한 관리 능력을 높일 수 있다. 생산 공정상의 투입(제공)물질의 양, 제품의 환경영향을 정확히 파악할 수 있어 환경문제가 기업에게 미치는 영향을 파악하고 환경문제에 대한 대응방식 및 역량을 높일 수 있다.

② 경영전략상의 장점으로 에너지, 폐기물 및 혐오물의 관리비용, 원료의 대체 등 비용 절감 효과가 크다.

③ 이해관계자에게 투명한 성과보고가 가능하다. 기업은 환경경영체제 구축과 환경설비에 대한 투자로 초기에 많은 비용이 소요되지만 장기적으로는 환경개선을 통하여 기업에게 경제적 이윤을 가져다준다. 또한 고객은 기존 제품의 환경성 개선과 신제품개발을 통해 높은 만족을 가질 수 있다. 자연생태계는 지구 환경문제에 대한 제반 조치를 취함으로서, 환경성과 평가를 통한 지속적인 환경개선을 도모한다는 장점이 있고 재무적 이해관계자에게는 수익성 확보에 큰 위험요인이 아니라는 것을 보여줄 수 있다. 비재무적 관계자인 정부기관, 환경단체, 지역사회 등의 기대에 부응하여 기업의 신뢰도를 높일 수 있다.

3) 환경성과 평가의 국제적 동향

(1) 환경성 동향 평가방법

UN의 지속개발위원회(UNCSD : United Nations Commission on Sustainable Development)는 환경 지속가능한 개발을 위한 환경지표를 사회지표, 경제지표, 환경지표 및 제조지표로 구분하고 있다.

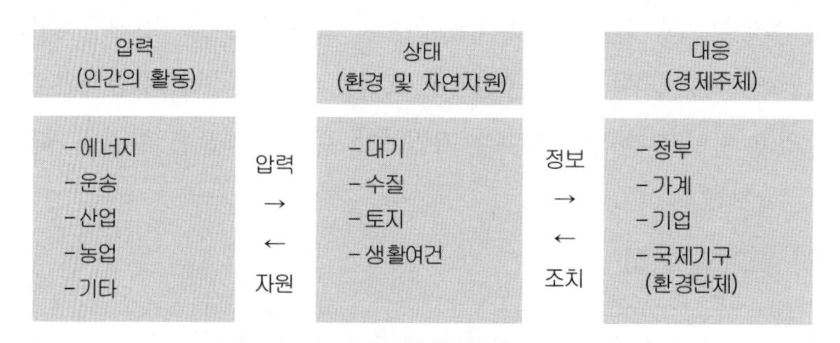

[그림 11-5] 환경성 동향 평가방법

(2) 환경성과평가에 관련된 국제규격 제정활동

국제표준화기구(ISO)의 국제규격은 환경성과평가가이드라인(ISO 14031), 환경성과평가사례(ISO TR 14032)가 있다. 이러한 규격에서 규정한 환경성평가지표에서 MPI(경영성과지표)는 환경방침과 추진계획의 이행, 적합성, 재무적 성과, 지역사회와의 관계를 평가한다. OPI(운영성과지표)는 재료, 에너지, 조직 운영부분에 제공되는 서비스, 물적 시설 및 장비, 공급 및 유통, 제품, 조직의 제공서비스, 폐기물, 배출 물을 평가하고 ECI(환경여건지표)는 지역, 국가 혹은 범지구적 지표, 지방 혹은 지역지표(대기, 수질, 토지, 식물, 동물, 인간, 아름다운 풍경, 유산 및 문화)를 평가한다.

[부록] 환경관련 국제기구 현황

기구명 및 설립연도 (소 재 지)	설립목적	조직	우리나라와의 관계
UNEP(유엔환경계획) (United Nations Environment Programme) '72.12.15 제27차 UN총회결의(케냐 나이로비)	• 지구환경문제에 대한 조정 및 촉매역할 수행 • 환경관계 유엔활동의 방향설정, 조정 및 관련정책지침 제공 • 환경보호에 관해 각국 정부에 조언 및 정보의 제공	• 집행이사회 : 58개국 • 사무국 : 환경사업 프로그램의 집행	• '87~'89, '94~'97, '98~2001 기간 중 집행 이사국으로 활동
UNDP(유엔개발계획) (United Nations Development Programme) '65.11.12 제20차 UN 총회에서 UN-SF와 UNEPTA 통합 (미국 뉴욕)	• 개발도상국의 경제적, 사회적 개발을 촉진하기 위한 기술 (전문가파견, 연수생 훈련, 기자재 공여 등) 제공 • UN의 기술협력활동을 수행하는 중심적 기관	• 집행이사국회 : 36개국 • 기관간 자문위원회 • 사무국 : 사업관리 및 사업집행	• '92~'94 기간 중 집행이사국으로 피선
CSD(유엔지속개발위원회) (Commission on Sustainable Development) '93.2.16 UNECOSOC 산하기구로 발족 (미국 뉴욕)	• 대기·해양·토양·담수 등 39개 분야로 구성된 의제 21에 대한 각국의 이행상황 감독 평가 • 리우유엔환경개발회의에서 채택된 『리우선언』과 『산림원칙선언』 실천방안강구	• 이사회 : 53개국으로 구성	• '93~'95년간 이사국 역임 • '99. 5월부터 3년간 이사국 업무 수행
WHO(세계보건기구) (World Health Orgnization) '47.11.15 유엔전문기구 (스위스 제네바)	• 국제보건사업 지도조정 • 회원국 정부의 보건부문 발전을 위한 원조제공 • 전염병, 풍토병 및 기타 질병퇴치 활동, 보건관계 단체간의 협력관계 증진	• 총회 : 최고의사 결정기관 • 이사회 : 31개국 • 사무국	• '49.6.30 가입 • '90. 7 제41차 총회에서 부의장국으로 피선
IUCN(국제자연 및 자연자원보존연맹) (International Union for Conservation of Nature and Natural Resources) '48.10.5 국제자연보호연맹창설, '56.6 현 명칭으로 개칭(스위스 그랜드)	• 자원과 자연의 관리, 모든 종류의 동·식물멸종방지를 위한 국제간 협력증진 • 멸종위기에 있는 종자, 특별한 보존대상 등의 물품명세서 유지 • 자연자원 보호에 관한 이해 증진	• 총회 : 3년마다 개최 • 집행위원회 : 매년 개최 • 기타 위원회 : 희귀종의 보존 등 6개 위원회	• '82내무부 가입 • '86 환경부 가입 • 한국자연보존협회 등 5개 단체 가입 중
ESCAP(아·태경제사회 이사회) (Economic and Social Commission for Asia and the Pacific) '47.3.28 아시아 극동 경제위원회로 발족	• 아시아·태평양지역내 각국의 경제재건·발전을 위한 협력 촉진 • 경제적·기술적 문제의 조사, 연구사업의 실시 및 원조	• 총회 : 최고의사결정기관(매년 개최) • 위원회 : 기능별 9개 상설위 • 사무국	• '54.10.20 정회원국으로 가입 • '90.6.4 제1전체위원회 위원장국에 피선

기구명 및 설립연도 (소 재 지)	설립목적	조직	우리나라와의 관계
'74.3 제30차 총회에서 ESCAP으로 개칭 (태국 방콕)	• 아시아·태평양 지역내 경제 문제에 관하여 UN 경제사회 이사회를 보좌		
APEC(아·태경제협력체) (Asia Pacific Economic Cooperation) '89.11월 제1차 각료회의에서 출범(호주 캔버라)	• 아·태공동체의 점진적 목표달성 • 역내 무역 자유화 • 지속가능한 개발	• 매년 정상회의 개최 • 10개 실무그룹 회의 • TILF, ECOTECH	• '89.11월 정회원국으로 가입
UNIDO(유엔공업개발기구) (United Nations Industrial Development Organization) '76.1.1 제21차 UN총회에서 설립 '86.1.1 UN 전문기구로 발족 (오스트리아 빈)	• 개발도상국의 공업화에 필요한 조사 및 계획 수립 • 공업화를 촉진하기 위한 기술원조 제공 • 공업개발과 관련한 남남 및 남북협력 촉진과 UN 체재 내 제반활동 조정	• 총회 : 2년마다 개최 • 공업개대발이사회 : 53개국 • 기획예산이사회 : 27개국 • 사무국	• '67.1.1 UNIDO 설립과 동시에 참여 • '91.11.21 이사국 피선 (임기 4년) • '92.6.25~27 국제워크샵 개최
ISO(국제표준화기구) (International Organization for Standardization) 26 국가표준협회 국제연맹으로 발족 '47.10 현 명칭으로 개칭 (스위스 제네바)	• 물품 및 용역에 관한 국제 규격을 개발, 국제무역의 확대를 도모 • 과학, 기술, 경제분야에서 국제협력 촉진	• 총회 : 3년마다 개최 • 이사회 : 18개국 • 이사회자문위원회 : 6개 위원회	• '63.6 상공부 정회원 가입
IMO(국제해사기구) (International Maritime Organization) '48 UN해사회의에서 IMCO 협약채택 '59.1 유엔전문기구 '82.5 현 명칭으로 개칭 (영국런던)	• 해운에 영향을 미치는 기술 사항에 관한 규칙을 제정, 회원국에 권고 • 선박의 구조설비 등의 안전성에 관한 조약 채택 • 해양오염방지 도모 • 개발도상국에 대한 기술 원조	• 총회 : 2년마다 개최 • 이사회 : 32개국 • 해사안전위원회 • 사무국	• '62.4.10 가입 • '92.11 이사국으로 피선 (임기 2년)
WMO(세계기상기구) (World Meteorological Organization) '50.3.23 헌장 발효로 발족 '51.12.30 유엔전문기구 (스위스 제네바)	• 세계기상사업의 조정 및 표준화 도모 • 국가간 기상정보의 효과적인 교환을 장려 • 각국에 대한 기상조사 및 훈련 촉진	• 총회 : 최고의결 기구 • 진행위원회 : 36개국 • 전문위원회 : 8개 위원회 • 사무국	• '56.3.16 가입

기구명 및 설립연도 (소 재 지)	설립목적	조직	우리나라와의 관계
OECD(경제개발협력기구) (Organization for Economic Cooperation and Development) '48.4.16 서구 16개국이 구주경제협력기구설립 '61.9.30 창설 (프랑스 파리)	• 자유경제 체제와 민주정치 발전을 설립이념으로 회원국의 경제성장 도모, 개발도상국 원조, 자유무역의 확대	• 이사회 : 최고의사 결정기관 • 집행위원회 : 4개국 • 특별집행위원회 : 이사회 보좌 • 사무국	• '93.7 OECD 환경위원회 옵저버 가입 승인 • '96.12 정회원국 가입 • '97.4 한국의 환경성과 평가
아시아·유럽환경기술센터 (AEETC) '99.3.29 발족 (태국, 방콕)	• 아시아·유럽 양 지역간 지식·기술의 교환을 촉진함으로써, ASEM 회원국들 외 지속가능한 개발 도모	• 소장, 부소장, 특별부소장 각 1명, 핵심요원 • PPGG(AEETC 선도그룹회의) : 아시아·유럽 각 5개국으로 구성 되어 AEETC의 사업계획 수립 담당	• '98.11. 환경부 전국제협력관이 부소장으로 피선

미국기업의 친환경사례 스타벅스(Starbucks)

스타벅스는 세계 최대의 커피 판매 기업으로 친환경 프로젝트인 'Shared Planet'을 통한 친환경 운동을 전개하고 있다. 재활용, 에너지, 물, 그린 빌딩, 기후 변화 등 다섯 분야로 구분하여 친환경 사업에 적극적으로 나서고 있다.

분야	주요내용
재활용	• 커피 찌꺼기와 퇴비 재활용을 통한 쓰레기 배출 감축 및 분리수거 홍보 - 1995년부터 소비자들에게 퇴비용으로 커피 찌꺼기를 무상 제공 - 매장 내 분리수거 장비를 설치하여 소비자들의 사용을 권장 - 미국 및 캐나다 지역 내 매장에서는 소비자들이 머그컵이나 텀블러를 가져와 주문할 경우 10센트를 할인해 주고, 매장 안에서 음료를 마실 경우 도자기 머그잔 사용
에너지	• 에너지 소비량 감축과 신재생에너지 활용 증대 - 2010년 말까지 신설되는 모든 매장의 에너지 소비량을 25% 낮추고, 현재 운영되고 있는 매장들은 신재생에너지 사용량을 50% 늘리기로 결정 - 미국 및 캐나다 매장에 필요한 전력의 20%를 신재생에너지로 대체하기 위한 관련 장비를 도입키로 결정 - 신재생에너지를 활용한 조명, 난방, 환기, 공기조절 시스템 도입을 위해 적극적인 투자
물	• 식기 세척용 절수형 장비 도입 - 매장 내 물 사용량을 절감하고 지속적인 특별 설비와 기술 도입 - 믹서나 피처를 닦을 때 고압 스프레이로 한 번에 세척하고 압력 스프레이를 장착한 식기 세척기 및 에스프레소 잔을 헹궈주는 물 절약형 기계 도입
그린빌딩	• 신설 매장에 친환경 그린빌딩 콘셉트 도입 - 신설되는 매장에 미국 그린빌딩위원회가 자연친화적 건축물에 부여하는 친환경인증서를 획득 목표
기후변화	• 기후변화를 방지 및 대비하기 위한 연구 투자 - 다른 기업 및 기관들과 함께 환경 피해를 최소화하는 기후변화 정책 연구에 적극 투자 - 전 세계 커피 재배 지역의 부식 및 해충으로 인한 환경 피해를 막기 위한 강우량 및 수확 패턴 연구를 지속적으로 진행

자료 : 미국 기업의 친환경 경영 사례와 시사점, 한국무역협회. 2010.

그린마케팅 사례

유한킴벌리의 '우리강산 푸르게 푸르게' 자연보호 캠페인 – 유한킴벌리는 자연보호보다는 경제성장이 우선시되던 '84년부터 자발적이고 능동적인 자연보호 활동 전개

- 단순 기업홍보에 그치지 않고, 나무심기 및 생태계 보존활동 등의 실천을 통해 '유한킴벌리=환경보호'라는 이미지 각인
- 산림을 훼손하여 제품을 만드는 기업이 자연보호의 대표기업으로 자리매김하여 국민들로부터 존경받는 기업으로 성장

제 4 부

기업윤리의 실행 관리

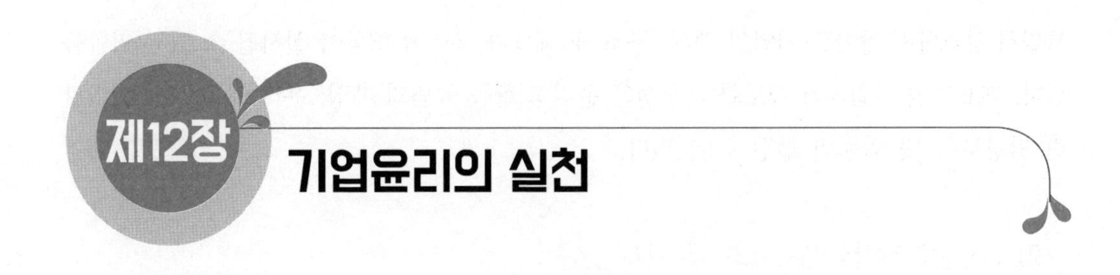

1. 기업윤리 실천의 제도화

1) 기업윤리 실천의 제도화 필요성

일반적으로 기업윤리는 어떤 것이 옳고 그른지에 대해 초점을 두고 있다. 그러나 현실에서는 기업의 윤리적 이슈는 무엇이 옳은지를 판단하는 것보다는 이러한 판단에 따라 기업이 실행에 옮길 수 있는지가 중요하다. 따라서 기업이 효율적으로 기업윤리를 실천할 수 있는 제도화 방안이 요구된다. 즉 기업윤리를 실천할 수 있도록 기업윤리 교육이나 업무수행에 필요한 지침을 만들어 윤리행위의 가이드라인을 제공하여 기업윤리 실천을 제도화 해 나가는 것이 중요하다.

미국에서는 1970년대에 이미 기업윤리에 대한 사회적 관심이 높아졌고 1980년대에 학문적 연구대상으로 학자들의 연구주제가 되었다. 이러한 상황에 맞춰 대학에서도 기업윤리와 관련된 과목을 개설하기 시작하였다. 이와 동시에 사회와 기업에서는 구체적으로 윤리실천 방안과 제도적 시스템, 법률 시스템을 구축하게 되었다. 더구나 환경문제, 불공정거래, 분식회계 등 대형사건과 사고가 발생하면서 법률적 규제의 필요성이 강조되고 윤리적 실천이 사회적으로 강조되는 분위기가 확산되었다.

그러나 기업은 규모가 확대되고 사회의 활동영역이 넓어지고 기업의 경영은 최고경영자의 경영철학에 많은 영향을 받게 되므로 기업윤리가 전반적인 기업의 영역에까지 원활하게 실천하는 게 쉽지는 않다. 따라서 원활한 기업윤리 실천을 위한 기업윤리의 제도화가 필요하게 되었다. 기업윤리의 제도화란 기업이 윤리적 행동규범을 효과적으로 실행하기 위해 만들어 놓은 체제로 의사결정과 기업행동의 원칙이 된다. 이러한 제도를 통해 최고경영자가

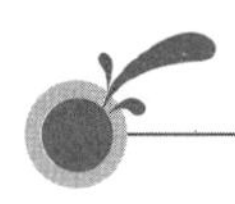

특별히 강조하지 않아도 기업의 행위, 구조 및 제도가 윤리적 행동이 실시될 수 있는 역할을 한다. 대표적인 기업윤리 제도화의 구성은 윤리적 행동 규범의 제정, 윤리 교육훈련, 윤리관련 담당부서 및 임원의 선정 등이 있다.

2) 기업윤리 실천 제도화의 두 가지 접근

기업윤리를 실천하기 위한 제도화의 두 가지 관점은 기존의 관행을 벗어나 윤리경영을 실천해야하는 상황에서 실천 가능한 방식을 나타낸다. 하나는 법 준수형으로 윤리경영에 대해 정부가 입법화해 놓은 것을 지키기 위한 방식으로 윤리경영을 실천하는 것을 말한다. 따라서 외부에서 강제하고 있는 기준에 따라 행동하고 불법행위를 방지하기 위한 목적으로 실행된다. 주로 변호사 주도로 이루어지게 되며 교육, 훈련, 학습, 개인 재량범위가 축소되고, 감사와 통제, 벌칙의 방식으로 실천하게 된다. 반면 가치 공유형은 책임 있는 행위를 실행하기 위해 기업 자체 스스로 정한 기준에 따라 실행하게 된다. 경영자가 주도하게 되고 주로 교육, 훈련, 습득, 리더십, 명확한 책임에 근거한 권한 이임의 형태로 운영이 되고 바람직한 인간상은 물질적인 자기 이익뿐만 아니라 가치관, 이상, 동료에 이끌린 사회적 존재로 인간을 바라보고 있다.

〈표 12-1〉 기업윤리 실천 제도화의 두 가지 접근

구분	법 준수형	가치 공유형
정신적 기반	외부에서 강제된 기준에 적합	스스로 선정한 기준에 따른 자기규제
목 적	비합법적 행위 방지	책임 있는 행위 실행
리더십	변호사 주도	경영자 주도
방 법	교육, 훈련, 학습, 개인 재량범위의 축소, 감사와 통제, 벌칙	교육, 훈련, 습득, 리더십, 명확한 책임에 근거한 권한 이임
인간상	물질적 자기이익에 이끌린 자립적 존재	물질적 자기이익뿐만 아니라 가치관, 이상, 동료에 이끌린 사회적 존재

자료 : 서인덕·배성현·안성익, 「기업윤리」, 경문사, 2016 재인용.

2. 기업윤리 실천 관리

기업이 윤리경영을 실천하기 위해서는 윤리의식 공유, 강한 기업 경쟁력, 윤리경영프로그램 구축과 같은 기업 윤리 실천의 상황적 요건이 우선 갖추어져야 한다. 그런 연후에 기업윤리를 실천하기 위한 제도화과정을 통해 실천이 가능하다. 기업윤리의 실천을 위한 제도화과정은 우선 기업윤리에 대한 CEO의 실천의지가 있어야 하고 기업이념 및 기업 사명에 윤리경영가치가 공표되어야 하며 윤리적 행동 지침을 마련해 두어야 한다. 이후 윤리교육의 실시와 홍보가 필요하고 전담부서를 설치하고 역할을 부여한다. 다음 단계에서는 모든 구성원의 참여를 촉진해야하고 이후 기업의 윤리실천이 제대로 되고 있는지에 대한 실천과정의 점검과 결과에 대한 평가가 이루어져야 한다.

1) 상황적 요건

(1) 윤리의식 공유

윤리경영을 실천하기 위해서는 우선 최고경영자 뿐만 아니라 조직의 모든 구성원들이 윤리의식을 공유하고 있어야 한다. 이러한 공유를 통해 기업내 윤리경영 문화가 정립되고 윤리경영이 필요한 상황이 되었을 때 자연스럽게 윤리경영 실천이 이루어지게 된다. 기업의

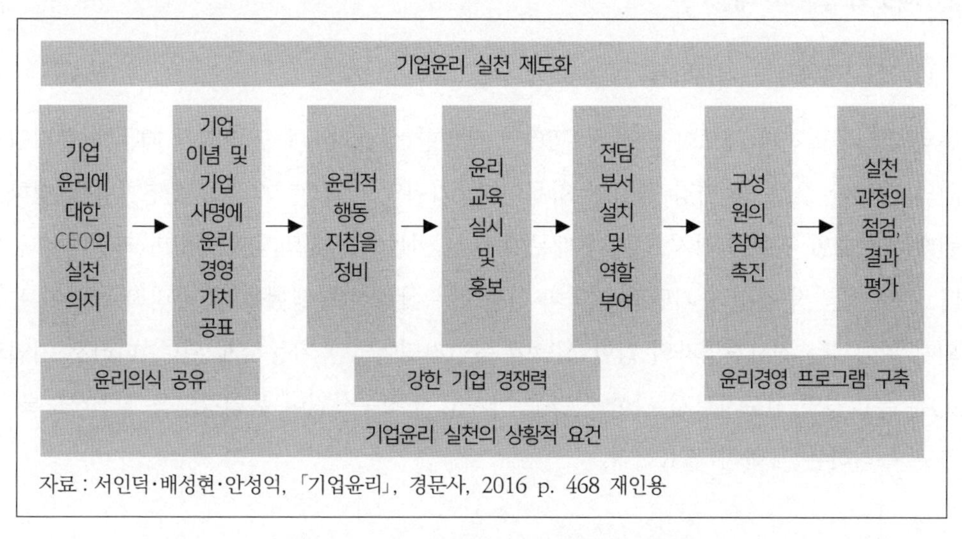

자료 : 서인덕·배성현·안성익, 「기업윤리」, 경문사, 2016 p. 468 재인용

[그림 12-1] 기업윤리 실천 제도화 과정

신념, 구성원의 참여와 공조, 리더의 역할이 중요하기 때문에 이러한 윤리의식 공유를 통한 윤리경영을 기업문화로 만들어야 한다.

(2) 강한 기업 경쟁력

기업이 윤리경영을 도입하고 실천하기 위해서는 좋은 성과를 내고 이를 통해 경쟁기업보다 경쟁력이 높은 업계의 리더 역할을 수행할 수 있어야 한다. 그렇지 않으면 치열한 경쟁 속에서 윤리문제까지 고려하면서 윤리경영을 기업으로 도입해 실천할 여유를 가지기 어렵기 때문이다. 강력한 경쟁력을 가지고 있을 때 투명한 경영을 할 수 있고 정당한 기업의 운영을 통한 윤리경영이 가능하다. 높은 경영성과를 얻을 때 기업은 자원운영에도 여유가 있고 또한 윤리경영이 기업의 성과에도 영향을 줄 것이라는 확신과 자신감을 가질 수 있어 윤리경영 실천이 훨씬 수월해진다.

(3) 윤리경영 프로그램 구축

윤리의식을 공유하고 강한 경쟁력을 가지는 것과 더불어 윤리경영을 관리해나갈 윤리경영 프로그램이 구축되어 있어야 한다. 윤리수준을 지속적으로 향상시키고 기업문화로 정착시키기 위해서 윤리경영 실천을 위한 프로그램을 가지고 있어야 한다.

2) 제도화과정과 내용

(1) 최고경영자의 실천의지

윤리경영의 실천과 제도화 과정은 CEO의 강력한 실천의지에 달려있기 때문에 윤리경영 실천의 다양한 요소 중 가장 중요한 항목이다. 기업의 CEO는 기업의 운영방향을 정하고 자원배분에 대한 권한을 가지고 있기 때문에 특히 이들의 실천의지가 제도화 과정에서 중요하다. 특히 윤리적 결정과 기업의 이익이 상충하는 상황이 발생했을 때 윤리적 선택이 우선시되기 위해서는 최고경영자의 강한 신념이 뒷받침되어야만 가능하게 된다. 따라서 기업의 CEO는 윤리경영 전도자로서 강한 신념을 가지고 조직구성원이 윤리경영을 실천하도록 지원하고 독려하는 노력이 필요하다.

〈표 12-2〉 최고경영자의 실천의지

구분	CEO의지	임직원의 의지
도입	• 윤리경영 시행 대내외에 선포 - 선포식, 간담회 등 - 홈페이지 개설 및 메시지 게재 - 윤리경영 전담부서 설치 및 마스터플랜 작성 강조 • 기업 이해관계자에 윤리경영 의지 표명 - 고객, 주주, 내부 임직원, 협력업체, 정보, 시민사회 등 • 윤리경영을 경영철학의 주요 요소로 포함 • 윤리경영 관련 CEO 의사사통 시스템 구축	• 윤리경영의 근본취지 및 필요성 인식 - 윤리적 의사결정 마인드 제고 • 윤리경영 신천 서약서 작성 • 윤리현장/강령/실천지침 숙지
전개	• 윤리경영 동기부여 - 임직원에게 윤리경영에 대한 비전 제시 - 윤리경영 적극 실천시 예상되는 긍정적 효과 제시(기업이미지, 성과배분, 임직원 처우개선, 자부심 등) - 인사에 윤리경영 요소 포함	• 윤리경영 교육 프로그램 적극적 참가 • 윤리경영 관련 프로그램 및 시스템 적극 활용 - 내부자고발, 제도개선 요구, 제안 등 윤리경영 프로그램 활용도 제고 • 윤리적 업무수행 - 이해관계자의 비윤리적 요구 및 관행 타파 - 선택의 상황에서 지침서 활용 및 전담부서와의 상담 • 사회봉사활동 관심 제고 - 사내 동호회 및 봉사활동 참가
정착	• 주요 정책결정 과정에 윤리경영 우선 고려 - 어떠한 선택상황에서도 윤리경영을 실천할 것을 강조 - 솔선수범(경영판단시 윤리적 기준 적용) - 지속적 메시지 전달(사보, 신년사 등) - 윤리적 선택을 할 수 있도록 독려 및 지원	• 어떠한 상황에서도 윤리적 의사결정 - 이해상충 회피 - 이해사충 발생시 윤리적 선택 • 업무별, 직책별 윤리경영 실천 프로그램 개발 및 실천 - 부서별 최고 임원 및 부서장의 윤리경영 의지 표명 및 실천 프로그램 개발 • 사회공헌활동 적극 참여

자료 : 윤리경영의 구축과 실천방안, 한국공공자치연구원 부설 한국윤리센터, 2006.

(2) 기업이념과 사명

기업이념과 사명에서 윤리경영에 대한 내용이 포함되어 있다면 조직차원에서 윤리적 경영을 수행하는 기초가 마련되는 것이다. 왜냐하면 기업이념과 사명은 기업이 추구하는 궁극적 가치를 함유하고 있어 기업의 존재이유를 나타내고 있기 때문이다. 따라서 기업의 사명에 윤리경영에 관한 내용을 담아둔다면 구성원의 행동 방향을 뚜렷하게 제시해줄 수 있다.

〈표 12-3〉 윤리헌장·강령 및 실천지침

<table>
<tr><th>구분</th><th>윤리헌장/강령</th><th>실천지침</th></tr>
<tr><td rowspan="2">도입</td><td>• 윤리헌장/강령 제정·공표</td><td>• 실천지침 제정</td></tr>
<tr><td colspan="2">• 윤리경영의 성과에 대한 비전제시
- 윤리경영 적극 실천시 예상되는 긍정적 효과 제시
• 임직원 윤리경영 실천 서약서 작성
• 헌장/강령/실천지침 사내 홍보·교육 및 숙지정도 점검</td></tr>
<tr><td rowspan="2">전개</td><td>• 윤리헌장/강령 보완</td><td>• 실천지침 개정 및 보완
• 유형별 실천지침 재정 및 사례집 작성</td></tr>
<tr><td colspan="2">• 헌장/강령/실천지침 준수 정도 점검</td></tr>
<tr><td>정착</td><td colspan="2">• 포괄적인 헌장·강령에 구체적 실천지침 흡수
• 강령·실천지침의 기업문화화 ·경영정책화</td></tr>
</table>

자료 : 윤리경영의 구축과 실천방안, 한국공공자치연구원 부설 한국윤리센터, 2006.

(3) 윤리교육

윤리규범과 행동규범이 정해지면 조직의 구성원들이 실천할 수 있도록 교육이 필요하다. 이러한 교육을 통해 윤리적 경영이 조직 전체로 확산될 수 있고 조직구성원들의 행동이 이루어지도록 뿌리내릴 수 있게 된다.

〈표 12-4〉 윤리교육

구분	교　육
도입	• 헌장/강령/실천지침 교육 • 윤리담당자에 대한 교육 실시 • 윤리교육 프로그램 수립함 - 윤리헌장/강령/실천지침의 임직원 배포 및 홍보
전개	• 정기교육 및 수시교육 실시 • 분야별 전담강사 확보 및 교재 구비함 • 신규 입사자 승격/승진자에 대한 윤리교육 실시 • 업무영역별 특성화된 교육내용 구비 • 임원 윤리교육 및 워크샵 실시 • 실천사례집,Q&A, FAQ집 비치 • 다양한 교육기법 개발(만화, 사이버 교육, 사례연구) • 사보·사내방송 등 매체활용을 통한 교육
정착	• 임직원 윤리수준에 맞는 맞춤형 교육개발 및 실시

자료 : 윤리경영의 구축과 실천방안, 한국공공자치연구원 부설 한국윤리센터, 2006.

일반적인 교육내용은 기업윤리의 필요성과 기업의 성과에 미치는 영향, 업무와 관련해서 윤리성의 판단 기준, 윤리적인 딜레마에 직면 했을 때 행동요령 등이 포함된다. 그러나 기업은 각 기업의 상황에 맞게 교육 프로그램을 개발해야 하고 교육대상자에 따라 교육의 목적과 내용이 달라져야 한다.

(4) 전담부서

윤리경영을 담당할 전담부서는 윤리경영 실천을 계획하고 실천을 독려하고 지원하여 결과를 평가하는 과정까지 전 과정을 체계적으로 관리해야 한다. 따라서 윤리경영을 실천하고 평가하는 책임을 지는 임원급을 배치하는 것이 바람직하며, 높은 도덕적 자질을 갖춘 자를 선정해야 한다. 또한 전담부서는 내부고발의 사전 흡수장치를 마련하여 문제가 발생하는 즉시 효과적으로 대응하여 문제가 심각해지기 전에 예방과 조치를 취할 수 있도록 해야 한다.

〈표 12-5〉 전담 부서

구분	전담부서
도입	• 최소 1인 이상의 윤리업무 전담자 지정 • 윤리경영 도입을 위한 T/F팀 구성 - 윤리담당 임원 선임 - 윤리경영 추진 마스터플랜 작성 - 윤리헌장/강령/실천지침 제작 - 도입목적, 액션플랜 기획
전개	• 전담부서 구축 • 각 사업부문 윤리 담당자 지정 • 윤리담당자에 대한 지속적 워크샵 실시 • 윤리경영 관련 사내 의사소통 채널 구축 - 윤리위원회와 협의체 등 구성과 운영 • 상담·자문 등에 관한 피드백 역량 구비함 - 상담실 운영, 신고함 설치 등
정착	• 전사적 윤리경영 기획·조정 역할 • 윤리경영 실행 프로그램은 해당부서 이관

자료 : 윤리경영의 구축과 실천방안, 한국공공자치연구원 부설 한국윤리센터, 2006.

(5) 구성원의 참여

윤리경영이 효과적으로 실천되기 위해서는 구성원의 참여가 중요하며 이를 위해서는 윤리경영확산을 위한 다양한 아이디어를 수집하기 위한 행사를 진행하거나 제도를 활성화 하는 것이 필요하다. 윤리경영 웹사이트에 글 올리기 대회, 윤리경영실천 사례발표대회 개최, 윤리경영 실천 관련 표어 공모 등 다양한 방법을 통해 구성원의 참여를 유도할 수 있다.

(6) 실천과정의 점검과 평가

윤리경영의 지속적인 실천을 위해서는 윤리경영이 잘 실행되고 있는지를 수시로 또는 정기적인 실천 과정의 점검과 평가가 필요하다. 이러한 평가의 객관성을 높이기 위해서는 사내의 독립적인 사외이사나 사외의 독립기관의 평가를 받도록 하고 점검 위반 사항에 대한 엄격한 대응 조치를 취해야 한다.

3. 기업윤리의 국제적 실행

기업윤리에 관한 국제적 실행과 관련해서는 사회적 책임투자, 부패라운드, 유엔 글로벌콤팩트, OECD 다국적기업 가이드라인을 중심으로 살펴봄으로써 기업윤리의 인식이 국제적으로 어떻게 확산되고 있는지를 알아본다.

1) SRI (UNPRI, UNEPFI)

사회책임투자(SRI : Socially Responsible Investment)란 기본적으로 중시되어온 재무적인 측면뿐만 아니라 환경적(Environment), 사회적(Social), 지배구조(Governance) 문제 등 기업의 지속가능성에 영향을 미치는 요소인 비재무적인 측면까지 고려하여 장기적인 관점에서 투자를 하는 방식을 말한다. SRI라는 용어는 윤리투자, 환경투자, 책임투자, 지속가능투자 등 다양한 형태의 이름으로 사용되고 있다. 투자자들이 사회적 책임(CSR : Corporate Social Responsibility)을 다하여 지속가능성이 높은 기업에 투자하게 되므로 장기적으로는 사회적 책임을 다하는 기업의 수익률이 높을 것이다. 기업은 사회가 복잡해지고 기업의 사회적 영향력이 증대됨에 따라서 주주, 종업원, 투자자, 고객, 협력업체, 지역사회, 환경, 정부 등과 같은 다양한 이해관계자들의 압력에 대응해야 한다. 따라서 단순히 재무적인 성과가 높아도 환경을 오염시켰다는 이유로 위기에 직면할 수 있는 상황이 도래할 수 있다. 따라서 어느 하나라도 소홀히 할 경우 기업의 경쟁력 저하와 위기로 이어지고 지속가능성에 심각한 타격을 받을 수 있다.

(1) UNPRI

2006년 4월 27일, 뉴욕 증권거래소는 사회책임투자(SRI)와 관련해 금융기관들이 투자를 할 때 투자대상 기업의 환경적(Environment), 사회적(Social), 지배구조(Governance)적인 요소, 즉 ESG 이슈를 고려한다는 원칙을 발표하는데 이를 책임투자원칙(PRI : Principles for Responsible Investment)이라고 한다. 이러한 원칙은 UN의 주도로 만들어졌기 때문에 UN PRI라고 한다. 이러한 투자는 환경적(Environment), 사회적(Social), 지배구조(Governance)를 고려하는 것이 장기적 관점에서는 ESG에 충실한 투자이며, 사회의 공익도 증대시키는 효과가 발생한다는 점이 UN PRI의 주요한 특징이다. UN PRI는 6개 분야 33개의 주요한 실천 프로그램으로 구성되어 있고 6개 원칙은 다음과 같다.

① 우리는 ESG 이슈들을 투자의사 결정시 적극적으로 반영한다.
② 우리는 투자 철학 및 운용원칙에 ESG 이슈를 통합하는 적극적인 투자가가 된다.
③ 우리는 투자대상에게 ESG 이슈들의 정보공개를 요구한다.
④ 우리는 금융산업의 PRI 준수와 이행을 위해 노력한다.
⑤ 우리는 금융산업의 PRI 이행에 있어서 그 효과를 증진시킬 수 있도록 상호협력한다.
⑥ 우리는 PRI 이행에 대한 세부 활동과 진행상황을 외부에 보고한다.

(2) UNEPFI

UN 산하기구인 유엔환경계획 금융이니셔티브(UNEP/FI : United Nations Environmental Programme Finance Initiative)는 지구온난화와 같은 환경 문제는 물론 사회, 지배구조 이슈 등 금융기관 운영의 모든 수준에서 발생 가능한 환경 및 지속가능성 프랙티스를 개발하고 이를 촉진시키는 걸 목적으로 설립된 전 세계 금융기관들의 자발적 모임이다. 우리나라도 2006년 7월초 UNEP/FI Korea Group을 설립하여 UNEP/FI 회원으로서 지속가능금융에 관한 선

언을 실현하기 위한 구체적이고 발전적인 해법을 모색하고 있으며 지속가능금융에 대한 정보를 공유하고 국내 금융시장 여건에 부합하는 실천 방안을 도출하기 위해 교육 및 훈련 프로그램을 자체적으로 수행하고 있다.

(3) SRI 시사점

SRI는 기본적으로 장기 가치투자를 전제로 하기 때문에 주가의 움직임에 수동적으로 반응하기보다 지배구조를 개선하고 경영 전략을 효율적으로 수행하도록 경영진에게 제시하여 기업 가치를 제고시키려는 적극적인 자세를 필요로 한다. 지배구조뿐만 아니라 환경적(Environment), 사회적(Social), 지배구조(Governance)적인 요소, 즉 ESG 와 같은 비재무적 요소에 제대로 대응하지 못해 위태로운 상황까지 간 기업들의 사례들이 많이 있다. 예를 들면 90년대 후반의 나이키 소비자 불매운동, 1991년 두산전자의 낙동강 페놀 사태, 2002년 엔론 사태 등이 해당된다. SRI는 재무적인 요소에 추가하여 ESG 요소를 리스크 관리차원에서 다루어야 하며 기업 가치와 성장잠재력에 영향을 준다는 믿음을 기초로 한다. 하지만 투자는 수익을 얻을 수 있다고 판단될 때 발생하는 것이며 SRI 또한 투자의 일종이라는 점에서 수익 면에서 투자자들의 믿음을 받을 수 있어야 한다. 그래야만 투자자, 기업, 사회 간의 지속가능한 선순환 관계가 형성될 수 있다.

2) 부패라운드 추진

부패를 막아 국가 간에 공정한 무역질서가 확립될 수 있도록 다자간에 이루어지는 노력을 부패라운드라고 한다. 부패를 막기 위한 국제 사회의 분위기는 높아지고 있고 선진국이나 개도국들은 저마다 부패를 규제하는 규범들을 제정하고 있다. 부패라운드는 주로 선진국이 주도하고 있는데 그중에서도 미국이 가장 중요한 역할을 한다. 예를 들면 미국기업은 국제적 부패사건이 터지면서 이에 대응해 미국이 주도하는 해외부패방지법을 제정하였다. 또한 경제협력개발기구(OECD) 회원국들에게 '국제 상거래에서 뇌물에 관한 OECD 이사회 권고'를 채택하게 하여 부패 규제에 대한 의지를 보였다.

3) 유엔 글로벌콤팩트

유엔 글로벌콤팩트는 기업이 인권, 노동, 환경과 반부패 분야와 관련해서 유엔 글로벌콤팩트 10대 원칙에 따라 실행할 수 있는 기본적인 틀을 제공하여 기업과 세계시장의 사회적 합리성을 제시하고 발전시키는데 목적을 두고 있다. 유엔 글로벌콤팩트에 가입한 기업은 보편적 원칙에 부합하는 기업전략 및 사회신념을 실행함으로써 세계 경제와 사회가 안정되고 번영하는데 기여할 수 있다는 신념을 가지고 있다. 기업이 무역과 투자를 통해 세계의 번영과 평화에 중요한 역할을 수행하고 있지만 동시에 착취적 관행, 부패, 소득 불평등 등 부정적인 면도 존재하고 있어 딜레마에 빠져있다. 이러한 이유로 기업은 신뢰와 사회적 자본을 쌓아 시장이 지속적으로 발전할 수 있도록 기여해야 한다.

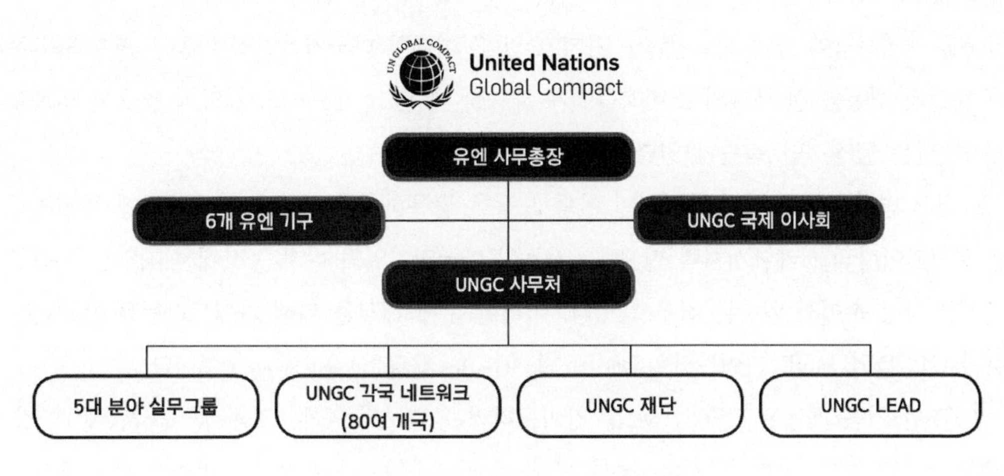

[그림 12-2] 유엔 글로벌콤팩트 구조

〈표 12-6〉 글로벌콤팩트 내용

글로벌콤팩트의 해당사항	글로벌콤팩트에 해당되지 않는 사항
지속가능발전과 모범적 기업시민성의 활성화를 촉진시키는 자발적 이니셔티브이다.	법적 강제력이 있다.
세계적으로 인정된 원칙을 기반으로 둔 규칙 체계이다.	기업 관행을 감시하며 비자발적 순응을 강요하기 위한 수단이다.
기업 및 투자자들 간의 네트워크이다.	하나의 기준, 경영 관리 시스템 또는 행동 수칙이다.
배움과 경험, 또는 지식의 상호 공유를 위한 포럼이다.	규제 조직 또는 홍보망이다.

이러한 차원에서 유엔 글로벌콤팩트는 두 개의 목표를 가지고 있다. 첫째, 세계 경영관행 10대 원칙을 일반화하는 것과 둘째, 지속가능발전목표(Sustainable Development Goals : SDG)의 유엔 아젠다의 이행을 촉진시키는 것이다. 글로벌콤팩트는 이러한 목표를 달성하기 위해 정책적인 교류, 교육, 지역적 네트워크와 파트너쉽 프로젝트 등 다양한 방법으로 회원사간 상호 지식공유와 학습의 기호를 제공하고 있다.

4) OECD 다국적기업 가이드라인

세계 각국은 외국인투자를 유치하기 위해 많은 노력을 기울이고 있고, 특히 다국적기업(multinational enterprise, MNE)의 직접투자는 현지국가에 큰 영향을 미친다. 다국적기업은 글로벌경쟁력을 확보하기 위해 인건비가 저렴한 국가에 공장을 설립하고 이 공장에서 생산한 상품을 세계시장에 판매하는 전략을 가지고 있다. 이러한 다국적기업의 활동은 저가격의 좋은 품질의 제품을 전 세계의 소비자들에게 제공할 수 있고 개도국의 개발에 필요한 외화를 제공한다는 긍정적인 측면이 있다.

그러나 면화수확을 위해 강제적인 아동 노동을 활용하거나 국민을 강제노동에 동원하였던 우크라이나의 사례에서처럼 현지노동자들이 다국적기업의 현지 공장에서 저임금을 받고 열악한 환경 속에서 일하는 경우도 있다. 이러한 문제 해결을 위해 가이드라인을 제시하는 것이 OECD의 MNE 가이드라인(OECD Guidelines for Multinational Enterprises)이다.

1976년 처음 채택된 OECD MNE 가이드라인은 정보의 공개, 고용 및 노사관계, 환경, 뇌물, 소비자 보호, 과학 및 기술, 경쟁, 조세 등이 포함되었다가 최근에 인권에 관한 내용이 추가되었다. 다국적기업들은 MNE 가이드라인에서 제안된 사항을 지켜야할 법적인 의무는 없지만 MNE 가이드라인을 따름으로써 다국적기업이 현지국내에서 책임 있는 기업 활동을 하고 있다는 근거로 활용할 수 있다. 또한 다국적기업이 MNE 가이드라인을 따르지 않을 경우 인권단체 혹은 환경관련 비정부기구 등이 이의를 제기하는 것이 가능하다. 따라서 이의제기가 발생하면 다국적기업은 이에 대응해야 하기 때문에 시간적 경제적 피해가 발생할 수 있으므로 예방차원에서라도 MNE 가이드라인을 준수하는 것이 필요하다.

다국적기업의 인권침해 경우를 예로 들어보자. 다국적기업은 비용절감을 위해 해외로 공장을 이전하는 경우가 많아 비용절감을 위해 인권침해가 발생하기도 하고 우크라이나 사례와 같이 투자유치국 정부에 의해 발생하거나 다국적기업이 속한 공급망의 다른 기업이 인권 침해를 하기도 한다.

따라서 인권침해 실태를 파악하는데 도움을 주기 위해 MNE 가이드라인 4장에서 인권실사를 제시하고 있고 다음과 같은 네 단계를 거쳐 이루어진다.

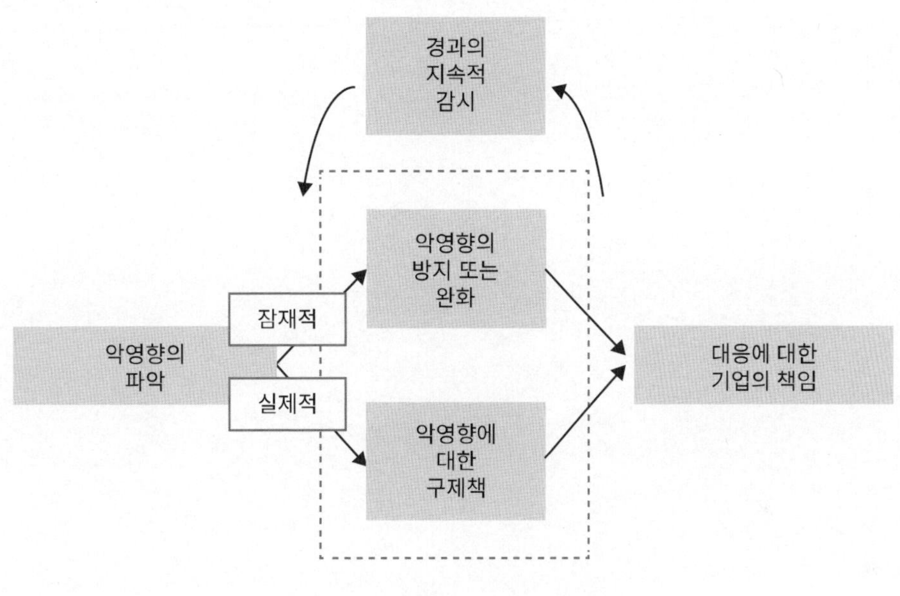

[그림 12-3] 인권 실사의 절차

첫 번째 단계에서는 다국적기업이 경영활동 과정에서 인권 침해가 발생했는지를 조사하여 인권에 대한 악영향을 파악하는 것으로부터 시작된다. 이러한 조사는 외부전문가를 활용하여 신뢰성을 높여야 하고 지속적으로 실행되어야 한다.

두 번째 단계에서는 다국적기업의 인권 침해가 파악이 되면 그것을 방지하거나 완화할 방법에 대한 구체적인 대책이 마련되어야 한다. 인권침해의 부정적인 영향이 잠재적인 것일 수도 있고 실제로 발생하는 것일 수도 있어 각각의 경우에 맞는 대응책을 수립해야 한다.

세 번째 단계에서는 다국적기업의 인권 침해에 대한 지속적인 감시가 이루어져야 한다. 이러한 감시가 필요한 것은 기업의 인권침해에 대한 대응이 적절한지를 판단하고 아울러 인권 침해가 재발되지 않도록 방지하기 위한 것이다.

마지막 단계는 기업의 인권침해에 대한 대응의 책임이다. 여기서 책임이란 법적 책임과

같은 좁은 의미의 책임이 아니라 사회적 책임까지도 포함하는 넓은 의미의 책임을 말한다. 이 단계는 기업의 사회적 책임을 실현하는 방법에 초점이 있다. 우선 인권 실태를 파악하고 이를 대외적으로 공표해야 한다. 심각한 경우 정기적으로 보고해야 하고 기업이 외부와의 소통을 위해서 이해관계자와의 협의도 필요하다.

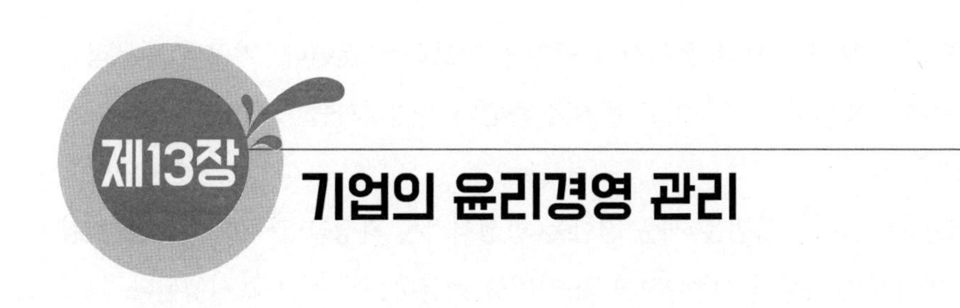

1. 기업의 사회적 책임 평가

1) 기업의 새로운 경영가치와 사회적 비전

기업이 새로운 경영가치를 추구해야 하는 시대가 도래하였다. 과거 대량생산과 대량소비로 인한 과도한 에너지 소비와 이로 인한 지구환1경의 심각한 피해가 발생하게 되면서 이에 대한 반성이 일어났고 기업의 사회적 책임에 대한 요구가 높아지게 되었다. 기업은 보통 경제적 가치 이외에 사회적 가치와 문화적 가치 같은 비경제적 가치를 창출하는데 과거 경제적 가치에 초점을 두었다면 최근에는 비경제적 가치를 중시하는 경향이 강해지게 되었다. 미국의 경우 1980년대 기업이 사회에 미치는 영향력이 확대되면서 기업은 사회와 공존해야 하는 새로운 가치를 추구하게 되면서 기업의 사회적 비전이라는 개념이 나타나기 시작하였다. 즉 기업이 사회에 대한 새로운 가치를 창출하기 위해 이념, 비전 및 경영방침을 정하고 이를 실천하는 것을 말한다.

따라서 기업은 경제적 측면의 사업에 대한 비전을 수립하고 목표를 세워 사업을 추진하듯이 사회적 비전을 추가하여 지역사회와 환경부문에 어떻게 공헌할지 계획과 목표를 세워 추진하는 것을 말한다. 따라서 재무적 성과를 높이는 것과 더불어 사회적 성과와 같은 비재무적 성과를 높일 수 있는 경영방식의 전환을 가져오게 되었다.

2) 비재무적 성과 중시 경영

기업은 기업리스크를 줄여 경제적 성과를 얻는 것과 동시에 기업의 사회적 책임을 수행하여 기업의 완전성(wholeness)과 건전성(soundness)을 확보하기 위하여 비재무적 성과를 측정한

다. 이를 통해 기업의 재무적 성과와 윤리성의 균형을 확보하는 것이다. 기업이 재무적인 측면이나 회계적 측면을 벗어나 구조적이고 행위적 측면의 사업성과를 측정하는 여러 가지 방법이 있다.

예를 들면 '6시그마(six sigma)' 기법은 제품 결함을 발생시키는 과정을 관리하여 제품 결함을 없애고 결국 소비자에게 최상의 성능, 신뢰 및 가치를 전달하는 목적으로 시행된다. '3차원 성과 모형'은 기업이 다수의 목표를 추구하는 실체를 파악하여 이윤만 추구하는 것을 넘어 사회적, 환경적 측면도 중요한 기업의 성과로 보는 것을 말한다. 환경적 성과란 자연환경의 보전과 보호에 대한 공헌, 사회적 성과란 인간의 삶의 질, 지역사회 공헌, 인간에 대한 공정성 등을 말한다. '균형성과 측정'은 재무, 고객, 내부 프로세스, 조직학습 등을 포함하여 단순한 재무적 관점의 평가에서 벗어나 다양한 관점의 평가를 통해 균형을 이루어 기업의 종합적인 활동성과를 판단하는 방법을 말한다. 이렇게 기업들이 비재무적 성과를 중시하고 이를 측정하여 사회적 책임을 실행에 옮기는 것은 지속가능성장을 통해 장기적으로 지속적인 이익을 창출하기 위한 것이다.

2. 평가체계화 GRI(글로벌 리포팅 이니셔티브)

1) 윤리경영 성과평가 제도의 체계

기업의 지속가능성 보고에서 중요한 역할을 수행해온 독립적인 국제기구가 GRI이다. GRI는 1997년 미국 보스턴에서 설립되어 비즈니스가 기후변화, 인권, 부패 등 지속가능성 등의 중요한 이슈에 미치는 영향력을 기업, 정부 및 다른 단체들이 이해할 수 있도록 소통할 수 있게 도와주는 역할을 한다. GRI는 지속가능성 보도에 대한 신뢰할 수 있고 광범위하게 사용되는 기준을 제공한다. 이러한 기준을 제공함으로써 여러 이해관계자와 단체들은 중요한 정보를 기초로 보다 나은 결정을 할 수 있게 만드는 역할을 한다. GRI는 다양한 이해관계자들의 전문지식과 참여를 보장하고 이를 통해 기준을 개발하고 있어 '다중 이해관계자 원칙'을 기초로 삼고 있다. 또한 GRI는 자기들이 제시한 기준과 다양한 이해관계자의 네트워크를 통해 전 세계의 의사결정자들이 지속가능한 경제 및 세계를 만들기 위한 조치를 취할 수 있도록 권한을 부여하는 것을 미션으로 하고 있다.

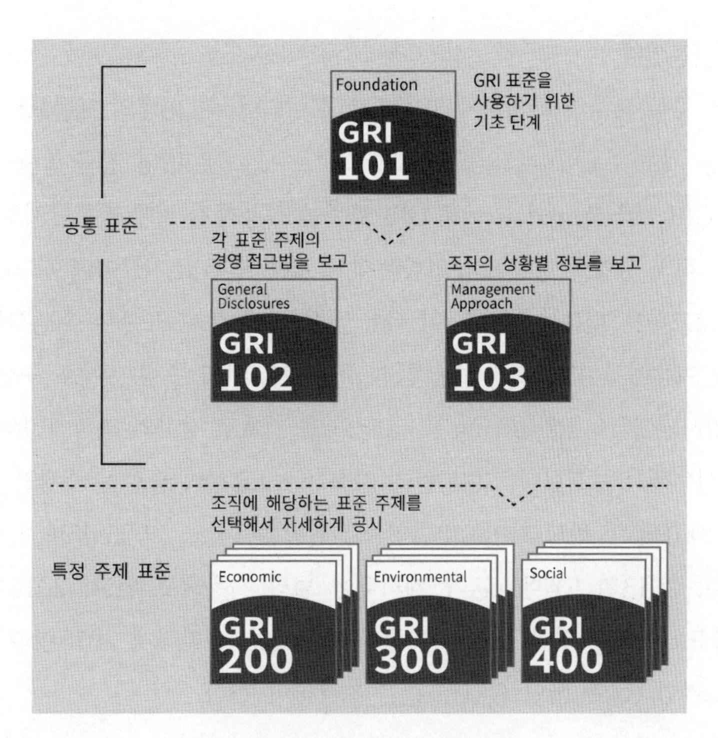

[그림 13-1] GRI 모듈 구조

GRI는 지속가능성보고 가이드라인을 통해 보고원칙, 표준공개, 이행매뉴얼을 제공하여 조직의 규모, 산업, 장소에 관계없이 지속가능성 보고서를 작성할 수 있도록 돕고 있다. 또한 참고할 만한 문헌도 제공하여 보고서 작성에 도움을 주고 있어 문서를 작성해서 공개하는데 도움이 되는 가이드라인으로 유용하게 사용할 수 있다. 가이드라인은 크게 보고원칙 및 표준공개, 그리고 이행매뉴얼 두 부분으로 구성되어 있다. 제1부에 해당되는 지속가능보고서 작성에 필요한 보고원칙 및 표준공개는 보고원칙, 표준공개 그리고 기준으로 구성되어 있고 핵심 용어에 대한 정의도 포함한다. 제2부는 이행매뉴얼로 보고원칙 적용방법, 공개정보 준비방법 그리고 가이드라인에서 사용되는 다양한 개념의 해석방법이 포함된다. 이와 더불어 참고자료, 용어집 그리고 보고서에 관한 일반사항을 포함한다.

한국의 경우 지속가능 보고서를 발간하는 기업 및 공공기관의 수가 지속적으로 증가하고 있고 대부분 GRI 가이드라인을 활용하고 있다. 지속가능경영 보고의 첫 국제 표준인 GRI 표준은 환경의 급속한 변화에 기업이 혁신의 주기를 빨리 할 수 있도록 각 콘텐츠를 연결시켰다. 이렇게 만들어진 GRI 표준은 보고서 전체를 바꾸지 않고도 새로운 정보를 업데이트

하기 쉽도록 만들었다.

GRI 표준은 공통 표준과 특정주제 표준으로 구성되며 총 36개의 표준으로 구성되어 있다. 공통표준은 기초(Foundation), 일반 공시(General disclosures), 경영 접근(Management approach)을 포함한다. GRI 101 Foundation은 GRI 표준을 사용하기 위한 기초단계로 다른 표준의 시작점이다. 조직의 상황별 정보를 보고하는데 필요한 게 GRI 102이며 각 표준 주제의 경영 접근법을 보고하는 데는 GRI 103이 활용된다. 특정 주제 표준은 총 33개의 표준으로 이루어져 있고 이중에서 경제 주제 6개, 환경 주제 8개, 사회 주제 19개로 구성된다. 조직은 GRI 101에 명시되어있는 Reporting Principles을 기초로 각자의 조직에 맞게 경제, 환경, 사회 주제를 선택해서 보고한다. 2000년에 지속가능보고서의 글로벌 체제인 가이드라인이 만들어진 후 2001년 두 번째 가이드라인인 G2가 만들어졌고, 2006년 세 번째 버전인 G3가 제시되었다. 2013년 5월에 G4가 제시되어 널리 사용되고 있고, 2016년 GRI 표준(Standard)이 발표되어 강제성이 높아진 기준이 제시되었다. 따라서 2018년 7월 1일부터는 기존의 가이드라인 G4가 아닌 GRI 표준을 적용해야 한다.

윤리경영 성과평가 제도의 체계 사례 1 국민은행[13)]

⊙ 국민은행

국민은행은 투명하고 정직한 업무 추진으로 시장 및 고객에게 신뢰받는 은행 구현"을 목적으로 윤리경영 성과평가 제도를 실시하고 있다. 국민은행 윤리경영 성과평가 제도의 기본방향은 업적평가 시 윤리경영 요소를 반영하여 가점, 감점하는 제도이다.

⊙ 고의, 중과실에 의한 윤리경영 위반

과거 업무관행 또는 단기적인 실적증대 등을 목적으로 비윤리적인 방법으로 업무를 추진하여 금융질서 문란행위가 발생하는 경우, 업적평가 총 배점의 10%를 차감하며 KPI 종합평가 결과 중간등급을 초과할 수 없도록 하였다.

⊙ 착오, 경과실에 의한 윤리경영 위반

위반행위가 업무상 착오, 경미한 과실에 의한 경우에는 10% 이내에서 차등 차감되며, 위반행위를 자진 신고한 경우 평가시 감경하도록 하고 있다. 업적 평가결과 종료 후 윤리경영 위반사항이 발견된 경우에는 해당 부서의 업적평가를 소급하여 조정하고 당시에 재직한 직원들에게 적용된 성과급, 포상 등을 환수하도록 한다.

13) 2009년 제5호 기업윤리 브리프스 윤리경영 사례, 「윤리경영 성과 평가제도」.

윤리경영 성과평가 제도의 체계 사례 2 대한무역투자진흥공사

대한투자무역진흥공사는 윤리경영 실천체계 정착을 위한 시스템 구축과 윤리경영의 체계적 실행을 위한 전사 단위 실천프로그램 정교화를 윤리경영 성과평가 제도의 추진 배경으로 삼고 있다. 윤리경영 성과평가 추진 내용과 목표는 다음과 같다.

⊙ 윤리과제 로드맵 수립에 따른 조직별 체계적 과제배분

과제 배분
• Theme pooling 및 과제도출 프로세스를 거쳐 비전 달성을 위한 15대 추진과제 및 80대 실천과제 도출 • 로드맵 수립에 따른 부서별 역할 정립 • KPI 목표치 부여로 과제 명확화 • 80대 실천과제의 과제 간 선후관계를 반영하여 체계적 과제 배분

조직별 배분 과제 단계적 실천으로 전사적 윤리 비전 달성 유도

〈과제배분 예시〉

전략 Agenda	전략과제	과제 No.	세부추진내용	담당 조직	KPI	추진 일정
제도 구축 및 인프라 개선	4. 윤리규범 구체화 및 윤리실천프로그램 강화	6	해외 KBC 회계청렴서약서 징구	재무팀	징구율 100%	6월
교육 및 실천 강화	8. 협력사 존중경영 실천	36	협력업체 대상 윤리경영 설명회 개최	총무팀	2회	반기
	7. 윤리경영 실천 및 대내외 홍보		고객사 윤리경영 우수사례 발굴 및 윤리경영 커뮤니티 게재	해외 마케팅 본부사업팀	4회	연간
	6. 윤리경영 자율실천 풍토 확산	27	투자유치 복무 관련 윤리강령 수립, 시행	Invest KPREA	1회	연간

2) 윤리경영 평가제도 운영

윤리경영 성과평가 제도의 체계 사례 3 국민은행

국민은행은 윤리경영 성과평가 대상 행위에 대해 정해진 방법과 절차를 통해 평가를 실시하고 있다. 또한 비윤리적인 업무추진 행위의 구체적인 유형을 제시하여 부정행위를 예방하도록 하고 있다.

1) 윤리경영 성과평가 대상 행위

개인의 업적증대를 목적으로 비윤리적인 방법으로 업무를 수행한 경우, 윤리강령 및 임직원 법규준수 행동기준 등에 반하는 비윤리적인 방법으로 업무를 수행한 경우, 금융관련 법규, 내규 등에 반하는 불법적· 비정상적인 방법으로 업무를 수행한 경우

2) 평가 방법

평가담당 부서에서 각 부점에 대한 조사·검사·모니터링시 비윤리적인 업무추진 행위가 발견된 경우 사안별로 윤리경영 위반 여부를 심의 및 평가

평가담당 부서장은 검사·점검시 발견된 윤리경영 위반사례를 준법지원부에서 수립한 세부 평가기준에 근거하여 심의·평가하고 그 결과를 은행장 및 상근감사위원에 보고

윤리경영 위반사항에 대한 심사의 공정성 및 객관성을 제고하기 위하여 부서별로 자체 심의위원회 구성

평가담당 부서는 윤리경영 위반사항에 대한 조사·평가결과 등을 지체없이 준법지원부에 통지

3) 평가 프로세스

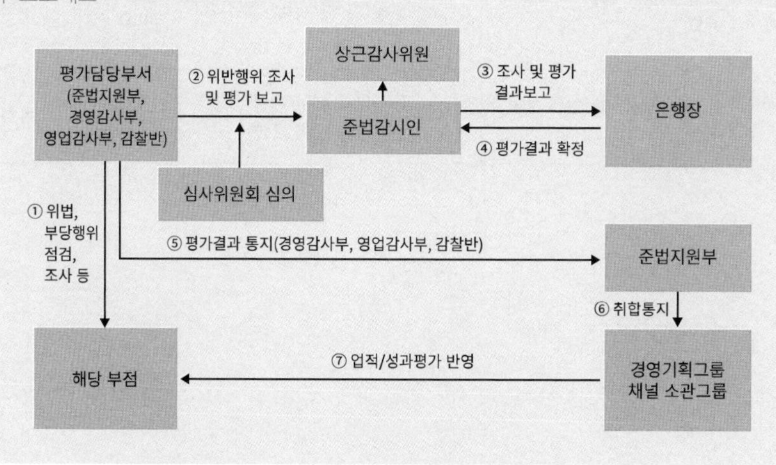

4) 비윤리적인 업무추진 행위의 유형

- 점포 상호간 비정상적인 실적, 금품제공, 금리보상 등을 통한 변칙적인 예금유치, 비정상적인 방법으로 타 점포의 예금 유치
- 신상품 신규 및 거래자수 등 증대를 목적으로 동일인 명의로 다수계좌 분할 신규 또는 친인척 등 명의 차용
- 자금세탁으로 의심됨에도 거액자금을 유치하기 위한 변칙적인 업무처리, 실적증대를 위한 허위, 가공, 분식의 거래행위실적, 거래처와 유착에 의한 편법, 부당 대출, 경영실적 등과 관련된 정보 및 자료의 왜곡, 조작, 점포의 비정상적인 업무추진을 묵인 또는 조장하는 행위, 관련 제도를 시정 또는 개선하도록 지적받았음에도 정당한 사유 없이 지연 또는 누락하는 행위

3. 기업윤리 평가와 검증

1) 해외평가 기관과 평가도구

(1) WEF(World Economic Forum)의 부패지수

WEF(World Economic Forum)은 1971년 설립되어 정치, 경제, 사회에 관한 주요 문제에 대해 기업, 정부, 학계, 언론계의 대표들이 논의하는 비영리 기구이다. WEF는 『국가경쟁력보고서(Global Competitiveness Report)』를 매년 발간하여 국가의 종합적 경쟁력지수를 작성하며 이때 경쟁력 지수를 파악하기 위한 설문문항에 부패관련 질문이 있다. 이 질문에 대한 응답을 기초로 높은 점수일수록 부패하지 않은 것으로 파악한다. 부패관련 설문의 구체적 내용은 〈표 13-1〉에 제시되어 있다.

〈표 13-1〉 WEF의 경쟁력지수에서 사용된 부패관련 문항

분야	호	지표	설문내용
제도분야	8.02	정부의 정실	정부와 친밀한 기업과 정부 사이의 긴밀한 거래가 보편적이지 않다.
	8.03	비정상적 금품제공	수출·수입허가, 사업면허, 외환관리, 과세, 경찰보호, 대출신청 등과 관련하여 비정상적이고 추가적인 금품제공이 보편적이지 않다.

분야	호	지표	설문내용
제도분야	8.04	추가적 금품제공	지난 5년 동안 규제를 피하기 위한 추가적 금품제공이 감소하였다.
	8.09	사법부패	판사와 법원 인사 혹은 사법의 집행과 관련된 다른 공무원들에게 비정상적 금품제공을 하는 것은 보편적이지 않다. 또한 법적 절차에 전혀 영향을 미치지 못한다.
	8.20	뇌물과 리베이트	고위 경찰관에 대한 개인적 뇌물과 리베이트 공적 논의나 소문으로도 전혀 거론되지 않는다.
참고자료	s.01	정보의 입수	사업과 관련된 정보는 폭 넓고도 쉽게 얻을 수 있다.
	s.02	회계 정보	회계정보 공개는 광범위하고 상세하게 이루어진다.

자료 : World Economic Forum(1999)

(2) IMD국가경쟁력보고서

IMD(Institute for Management Development)는 1987년부터 발간해오는 『세계경쟁력연감』에서 각 국가의 경쟁력 점수와 순위를 발표하고 있다. 구체적인 윤리와 관련된 질문은 8개 항목으로 구성되어 있고 내용을 보면 주주의 권리와 의무가 잘 정의되었는가. 금융기관의 활동에 대한 정보가 적절히 제공되는가. 내부자거래가 증권시장에서 잘 이루어지지 않는지, 기업들 내에서 윤리실천을 잘하고 있는지, 사회에 대한 책임을 소홀히 하지 않는지, 환경보호를 위한 법의 존재가 기업 활동에 방해가 되지 않는지 등이 있다.

(3) World Bank, Base University의 부패지수

세계은행은 설문조사를 통해 정부의 행동이 기업 활동에 방해가 되지 않도록 정책변화를 유도하고 기업의 성장을 위한 지원체계를 강화하기 위해 스위스의 바젤대학(Basel University)과 공동으로 수행하였다. 이중 제도적 틀이 얼마나 믿을만한지에 대해 기업들이 느끼고 있는 정도를 측정하였다. 신뢰지수는 다섯 개 하위지수를 가지는데 예측가능성지수, 정치적 안정성지수, 정부의 재산권침해지수, 사법권 행사의 예측가능성지수, 부패지수 등을 포함한다.

〈표 13-2〉 World Bank, Base University의 부패지수

분야	호	설문내용
일반적인 정부의 사업 방해 항목	12-n	다음의 각 정책 영역들이 사업을 하는데 얼마나 문제가 되는지 6점 척도로 평가해주십시오. n. 부패
관료의 Red Tape 항목	14	내 사업 분야의 기업들에게 사업 성사를 위해 비정상적이거나 추가적인 금품 제공을 하는 것이 일반적이다.
	15	내 사업 분야의 기업들은 추가적 금품제공이 얼마인지 사전에 알고 있다.
	16	기업들이 추가적 금품제공을 한 경우라고 할지라도(예컨대 다른 공무원들로부터) 또 다른 요구가 있을까봐 항상 걱정이다.
	17	만일 기업이 추가적 금품제공을 요구받고 행한다면, 합의된 대로 일이 이루어진다.

자료 : World Bank(1997)

(4) Political Risk Services의 부패지수

1980년 설립된 PRS(Political Risk Service Group)는 정치적 위험을 평가하는 기관으로 전 세계 국가의 정치, 경제 및 금융 위험을 분석하고 결과를 제공하고 있다. PRS 지수에서 금품제공의 요구, 수출입허가나 외환관리, 정치적 보호 등과 관련된 뇌물 요구 등이 포함된다. 특히 대중의 불만을 야기하거나 정부의 통제기능을 약화시키고 지하경제를 형성하는 특혜, 정실, 정경유착 등의 부패는 외국인 투자가들에게 위험 요인으로 작용한다고 판단하고 초점을 두고 분석하고 있다. 이러한 부패가 정치적 스캔들로 이어질 경우 정부도 위험에 처해지고 정치적 위험을 높일 수 있다.

(5) TI의 BPI(Bribe Payers Index)

반부패 활동을 확산시키는 활동을 목적으로 하는 가장 널리 알려진 국제기구가 국제투명성기구(Transparency International, TI)이다. 즉 각국 정부의 책임성을 높이고 국내적, 국제적 부패를 막기 위한 목적으로 활동하고 있는 비정부기구이며 1995년부터 공표된 부패인지지수(CPI) 외에 BPI를 발표하기 시작하였다. BPI는 1999년 OECD 뇌물방지 협약이 발효된 이후 이에 대한 인식을 높이고 협약을 준수하는지 감시하기 위한 목적으로 수출국 기업들이 해외활동을 수행하면서 외국 공무원들에게 뇌물을 제공할 것인지에 대한 인식조사를 기초로 개발된 지수를 말한다. 이러한 지수의 개발을 통해 각국의 정부들이 외국인에 대한 뇌물을 효과적으로 금지시킬 수 있게 한다.

(6) TI의 CPI(Corruption Perception Index)

부패인식지수(CPI)는 국제투명성기구가 각 나라의 공무원과 정치가들 사이에 부패가 얼마나 상존하는가를 평가하여 지수화한 것을 말한다. 부패인식지수는 직접 설문조사하여 전문가로 하여금 평가하도록 한 것은 아니고 기존의 다른 지수들을 이용하여 만들어낸 지수이다.

(7) Kaufmann·Kraay·Zoido-Lobatón의 부패지수(Graft Index)

Kaufmann의 부패지수는 부패인식지수(CPI)와는 다소 차이가 있다. 부패인식지수(CPI)는 부패라는 하나의 문제에 대한 지수이지만 Kaufmann의 부패지수는 부패도 포함하지만 정부 통치의 질도 포함하고 있다. 통치지수(Governance Index)라는 큰 지수 하위에 부패지수(Graft Index)가 포함되어 있고 CPI 보다 많은 원천자료 들을 이용하여 만들어졌다.

〈표 13-3〉 Kaufmann·Kraay·Zoido-Lobatón의 부패지수 사용 항목

	원천자료	포괄범위지수	부패관련 설문
대표성이 있는 자료	DRI	0.23	공무원들의 부패, 반부패정책의 효율성
	EIU	0.19	공무원들의 부패
	PRS	0.10	해외투자에 대해 위협이 되는 정치 체제적 부패
	WDR	0.25	사업을 성사시키기 위한 추가적 금품제공의 빈도 사업의 방해요인으로서 부패
대표성이 약한 자료	BERI	0.44	부패에 대한 인식
	CEER	0.85	어떤 국가의 사업지역으로서의 적격성에 대한 부패의 영향
	FHNT	0.82	공공서비스와 정책입안자들의 사업상 이해에 있어 부패에 대한 인식
	GALLUP	0.50	공무원들의 부패행위의 빈도
대표성이 약한 자료	GCR	0.42	수출입허가, 영업허가, 외환통제, 과세평가, 치안 및 대출에 있어서 비정상적이고 추가적인 금풍제공
	GCRA	0.73	수출입허가, 영업허가, 외환통제, 과세평가, 치안 및 대출에 있어서 비정상적이고 추가적인 금풍제공 사업 발전의 방해요인으로서 부패
	PERC	0.83	외국인 회사 사업 환경에 대한 부패의 영향
	WCY98	0.59	공공부문에서의 부적절한 행동

자료 : Kaufmann, Daniel, Aart Kraay, & Pablo Zoido-Lobatón. 1999. "Governance Matters." World Bank Policy Research Working.

(8) 레버링 트러스트 인덱스(The Levering Trust Index)

일하기에 가장 훌륭한 포천 100대 기업 선정에 사용되는 도구인 레버링 트러스트 인덱스는 신뢰경영지수 조사에 사용된다. 이 도구는 로버트 레버링이 현장조사와 연구를 바탕으로 개발된 후 엘테크의 연구진들이 국내 기업 현장에 적용하는 과정에서 문화적 차이에 대한 보완을 통하여 한국어로 개발되었다. 신뢰경영지수의 범주는 크게 신뢰, 자부심 및 재미라는 3개의 범주로 구성된다. 신뢰는 다시 진실성, 개인존중, 공정성으로 구성되고 조직의 구성원 입장에서 측정되었다.

(9) FTSE GOOD 주가지수

영국의 주가지수 전문기관 FTSE는 사회적으로 책임 있는 투자를 촉진하기 위한 목적으로 투자(SRI)의 실적을 평가하고 이를 토대로 주가지수를 개발하였다. FTSE4GOOD 주가지수 개발은 국제적으로 수용된 행동강령과 투명한 지수계산방식에 근거하여 이루어졌다. 이러한 주가지수의 개발은 사회적 책임을 준수한 기업에 투자하여 이익을 높여 더 많은 사회적 개발 투자를 확대해야 한다는 주장이 높아지는 현상을 반영한다. 이러한 환경변화에 대응하기 위해 사회적으로 책임 있는 기업을 발굴할 수 있도록 글로벌 표준을 만들고자 하는 취지

〈표 13-4〉 레버링 트러스트 인덱스의 구성항목

관계영역	구성요소		평가영역
경영진 및 상사와의 관계	신뢰	진실성	커뮤니케이션, 인적, 물적 자원의 효과적인 운영, 비전의 제시와 촉진, 일관성과 정직 등 상사와 경영진의 신용, 능력 및 성실성에 대한 사람들의 인식정도를 측정
		개인존중	능력개발을 위한 지원, 성과/노력에 대한 인정 및 보상, 참여적인 의사결정 및 관리방식, 고충처리 등 사원들이 자신의 상사와 경영진으로부터 존중을 받고 있다고 느끼는 정도를 측정
		공정성	공정한 평가 및 보상, 업무배분, 승격시 편애주의 배격, 공정성을 위한 명확한 기준과 절차 등 업무추진 과정에서 조직자신의 상사와 경영진에 대하여 느끼는 공정성을 측정
일, 부서, 회사와의 관계	자부심		조직구성원 개인의 직무, 부서의 성과, 회사의 성과 및 사회기여 등에 대하여 느끼는 자부심을 측정
동료와의 관계	재미		함께 일하는 동료들 간의 관계에서 상호배려와 협력, 우호적이고 친근한 분위기 등 일하는 재미를 측정

로 이루어졌다.

(10) 국제표준화기구(ISO)

국제표준화기구 ISO(International Standardization Organization)의 산하위원회인 소비자정책위원회(COPOLC0)는 사회적 책임에 관한 국제 표준 개발을 승인하였다. 특히 2010년 11월에 발행된 ISO 26000은 혁신적이고 도전적인 프로세스를 통해 개발되었고 책임성, 투명성, 윤리적 행동, 이해 관계자의 이익 존중, 법규준수, 국제 행동 규범존중, 인권존중이라는 7대 기본원칙을 수립하였다.

2) 국내평가 기관과 평가도구

(1) 경실련의 경제정의지수(KEJI INDEX)에 의한 평가

한국 10대 그룹기업의 기업차원에서 기업윤리 정도를 포괄적으로 측정하기 위하여 경실련은 매년 '경제정의 기업 상'을 정립하고 기업의 사회적 책임과 기업윤리의 정도 및 기업경영성과를 평가하기 위해 경제정의지수를 개발하였다. 경제정의지수는 7개 영역 58개의 평가항목으로 구성되어 있다. 기업 활동의 건전성은 주주구성, 투자지출, 영업활동, 자본조달의 건전성 등 10개 지표로 구성되고 공정성은 공정거래, 증권거래의 공정성, 중소기업관계에 관한 9개 지표로 구성된다. 사회봉사기여도는 사회복지, 사회지원에 관한 6개 지표가 있으며 환경보호만족도는 오염방지노력, 개선효과, 위반 및 오염실적에 관한 7개 지표로 구성되며 소비자보호기여도는 품질, 광고, 계약에 관한 4개 지표가 있고 종업원만족도는 산업재해, 인적자원투자, 복지후생, 노사관계, 남녀고용평등에 관한 지표가 있다. 경제발전기여도는 연구노력개발, 연구개발성과, 경영경제적성과, 고용창출, 대외교역에 관한 지표를 포함한다.

〈표 13-5〉 경실련의 경제정의기업상 선정 기준

	경제정의기업상 수상기업 선정 기준
1	공정거래질서와 기업관련 법규를 성실히 지키는 기업
2	재테크와 불건전지출을 지양하여 본업에 충실한 기업
3	산업공해 예방과 환경오염을 개선하는 기업
4	창의와 기업가정신으로 기술혁신을 강화하는 기업
5	종업원 능력개발, 복지증진과 산재를 방지하며 노사화합을 이루는 기업
6	기업정보를 성실히 공개하며 고객만족에 힘쓰는 기업
7	생산성 향상을 도모하며 재무구조를 건전하게 유지하는 기업
8	효율적 고용증대와 국제화로 경제발전에 기여하는 기업

WEF(World Economic Forum)의 부패지수 사례 WEF "한국, 부패지수 OECD 중 9위"

한국이 경제협력개발기구(OECD) 국가 중 9번째로 부패한 나라라는 조사결과가 나왔다.

Korea, Rep. 26th / 138

Global Competitiveness Index
2016-2017 edition

Key Indicators, 2015 Source: International Monetary Fund; World Economic Outlook Database (April 2016)

Population (millions)	50.6	**GDP per capita** (US$)	27195.2
GDP (US$ billions)	1376.9	**GDP (PPP)** % world GDP	1.63

Performance overview

	Rank / 138	Score (1-7)
Global Competitiveness Index	26	5.0
Subindex A: Basic requirements	19	5.7
1st pillar: Institutions	63	4.0
2nd pillar: Infrastructure	10	6.0
3rd pillar: Macroeconomic environment	3	6.6
4th pillar: Health and primary education	29	6.3
Subindex B: Efficiency enhancers	26	4.9
5th pillar: Higher education and training	25	5.3
6th pillar: Goods market efficiency	24	4.9
7th pillar: Labor market efficiency	77	4.1
8th pillar: Financial market development	80	3.9
9th pillar: Technological readiness	28	5.5
10th pillar: Market size	13	5.5
Subindex C: Innovation and sophistication factors	22	4.8
11th pillar: Business sophistication	23	4.9
12th pillar: Innovation	20	4.8

Edition	2012-13	2013-14	2014-15	2015-16	2016-17
Rank	19 / 144	25 / 148	26 / 144	26 / 140	26 / 138
Score	5.1	5.0	5.0	5.0	5.0

1st pillar: Institutions
2nd pillar: Infrastructure
3rd pillar: Macroeconomic environment
4th pillar: Health and primary education
5th pillar: Higher education and training
6th pillar: Goods market efficiency
7th pillar: Labor market efficiency
8th pillar: Financial market development
9th pillar: Technological readiness
10th pillar: Market size
11th pillar: Business sophistication
12th pillar: Innovation
Korea, Rep. East Asia and Pacific

1일 세계경제포럼(WEF)은 해마다 발행하는 세계경쟁력보고서를 통해 국가별 부패지수를 공개했다. 이 보고서에 따르면 OECD 국가 가운데 부패 수준이 가장 높은 국가는 멕시코인 것으로 나타났다. 한국은 9위로 부패 정도가 심한 국가 11개국에 포함됐다. WEF는 지난 2월부터 6월까지 141개국 기업가 1만 5000명을 대상으로 설문조사를 펼쳐 국가별 부패 순위를 선정했다. 설문에는 자국의 공공자금이 얼마나 많이 불법적으로 유용되는지, 정치인의 윤리적인 잣대가 어떻게 평가되는지, 기업들 간에 뇌물은 얼마나 많이 오고 가는지 등의 질문이 포함됐다. 응답자는 각 질문에 대해 1점부터 7점까지 점수를 매길 수 있으며 가장 부패됐다고 생각하면 1점, 가장 부패 정도가 낮다고 생각하면 7점을 부여했다. 그 결과 OECD 국가 가운데 부패 수준이 가장 높은 국가 1위는 멕시코, 2위는 슬로바키아, 3위는 이탈리아, 4위는 헝가리, 5위는 그리스 순으로 나타났다.

자료 : 뉴스핌(http://www.newspim.com)

참고문헌

제1장 기업윤리의 기초

김성수(2017), 윤리경영론의 콘서트, 탑북스.

김찬중·조준희(2016), "윤리경영과 구성원의 직무태도의 관계," 산업경제연구, 245: 2953-2957.

박상범·손을준(2009), 기업과 사회, 삼영사.

서도원·조준희·김찬중(2015), 글로벌시대의 경영학원론, 개정2판, 도서출판 대경.

서인덕·배성현(2009), 기업윤리, 경문사.

이종영(2011), 기업윤리, 탑북스.

김경묵(2021), 이해관계자 인식, 윤리경영 시스템, 그리고 기업의 사회적 성과, 인사조직연구, 29(3),25-62.

서도원·조준희·김찬중(2015), 글로벌시대의 경영학원론, 도서출판 대경.

Carroll, A. B., Brown, J. A. and Buchholtz, A. K.(2017), Business & Society Ethics, Sustainability & Stakeholder Management(10th Ed.), Cengage Learning.

Blair, M. M., Blair, M. M. and M. J. Roe(1999), Empioyees and Corporate Governance, Washington, D.C.: Brookings Institution Press.

Buchholtz, A. K. and A. B. Carroll(2008), Business and Society, Seventh Edition, South-Western.

Donaldson, T. and L. E. Peterson(1997), "The Stakeholder Theory of the Corporation: Concepts, Evidence and Implications," in Clarkson(Eds.), The Corporation and Its Stakeholders, University of Toronto Press.

Ferrell, O. C., Fraedrich, J. and L. Ferrell(2011), Business Ethics: Ethical Decision Making and Cases Ethical Decision Making and Cases, 11th, E. Cengage Learning.

Ghillyer, A.(2008), Business Ethics A Real World Approach, McGraw Hill.
Ghillyer, A.(2008), Business Ethics A Real World Approach, 2nd. ed. McGraw Hill.
Hartman, L. P.(2006), Perspectives in Business Ethics, 3rd. Ed. McGraw-Hill.
Hunger, J. D. and T. L. Wheelen(2000), Strategic Management, 7th ed. Upper Saddle River, NJ: Prentice Hall.
Sturdivant, F. D. and Vernon-Wortzel, H.(1990), Business and Society – a Managerial Approach, 4. Aufl., Homewood/Boston: Richard D. Irwin Inc.
H. Weihrich, and H. Koontz, p. 131 Management Hardcover – Import, 1988 by H. Weihrich, H Koontz, McGraw-Hill; N.e. of 9r.e. edition (1988)
Weihrich, H. and Koontz, H.(1988), Management 9th. McGraw-Hil.
Shaw, William H.(2007), Business Ethics, Thompson Wadsworth.

제2장 기업윤리의 전개

김성수(2017), 윤리경영론의 콘서트, 3판, 탑북스.
매일경제(2010a), 기업들 인도사업 속도낸다, 2010. 1. 18.
매일경제(2010b), 한국 인도 교역 5년 내 두 배 확대, 2010. 1. 26.
문휘창(2011), "착한데다 돈까지 잘버는… 이젠 스마트기업이다," Dong-ABusiness Review, 94(1): 18-22.
박형기(2005), 친디아, 해냄.
서인덕·배성현(2011), 기업윤리, 경문사.
임정성(2008), 가장 존경 받는 기업 타타그룹, Chindia Journal, 포스코경영연구소, 53-55.
정영근·장민수(2007), 지속가능발전의 논의와 한계. 질서경제저널, 10(1): 61-67.
정진섭·신영애(2010), "글로벌 M&A 전략을 통한 TATA 그룹의 성장," 전문경영인연구, 13(1): 113-146.
Buchholtz, A. K. and Carroll, A. B.(2008), Business and Society, Seventh Edition, South-Western.

Carroll, Archie B.(1991), "The Pyramid of Corporate Social Responsibility: Towards the Moral management of Organizational Stakeholders," Business Horizons, 34(4): 39-48.

Ferrell, O. C., Fraedrich, J. and Ferrell, L.(2011), Business Ethics: Ethical Decision Making and Cases Ethical Decision Making and Cases, 11th, E. Cengage Learning.

Frederick, W. C.(1994), "From CSR 1 to CSR 2," Business & Society, 33: 150-164.

Ghillyer, A.(2008), Business Ethics A Real World Approach, McGraw Hill.

Hartman, L. P.(2006), Perspectives in Business Ethics, 3rd. Ed. McGraw-Hill. (Yoo, 2015; Kang, Lee & Moon, 2014; Yang & Park, 2013).

Kohlberg, L. (1984). The Psychology of Moral Development: The Nature and Validity of Moral Stages (Essays on Moral Development, Volume, Harper & Row.

Meadows, H. D., Meadows L. D., Randers J. and Behrens W. W.(1972), Thelimits to Growth: A Report for the Club of Rome's Project on thepredicament of mankind, Universe Books New York.

Porter, M. E. and Kramer, M. R(2011), "Creating Shared Value," Harvard Business Review, 89(2): 62-77.

Raman, P. and Zboja, J. J.(2006), The effects of employee attitudes on workplace charitable donations. Journal of Nonporfit & Public Sector Marketing, 16(1-2): 41-60.

Reidenbach, R. E. and Robin, D. P.(1991), "A Conceptual Model of Corporate Model Development," Journal of Business Ethics, April, 10, 273-284 Shaw, William H.(2007), Business Ethics, Thompson Wadsworth.

Statman, M.(2005), "Socially Responsible Indexes: Composition and performance," Working Paper, Social Science Research Network. Available at http://ssrn.com/abstract=705344.

Visser, W., Matten, D., and Pohl, M.(2008), The A to Z of Corporate Social

Responsibility A Complete Reference Guide to Concepts, Codes and Organisations, Wiley.

Wartick, S. L. and Cocharn, P. L.(1985), "The Evolution of Corporate Social Performance model," Academy of Management Review, 10: 758-769.

Wood, D. J.(1991), "Corporate Social Performance Revisited," Academy of Management Review, 16(4): 691-718.

Ferrell, O. C., Fraedrich, J. and Ferrell, L.(2022), Business Ethics: Ethical Decision Making and Cases Ethical Decision Making and Cases(13th Ed.), Cengage Learning.

Kohlberg, L.(1984), The psychology of moral development: The nature and validity of moral stages, Harper & Row. 202.

제3장 기업윤리의 가치와 윤리이론

김항규(2009), 행정철학, 대영문화사, 272-285.

신현한·야나기마치이사오·곽주영(2017), 두산 120년 - 적응과 변신의 역사, 경영사학, 32(2): 97-122.

이종영(2013), 기업윤리-윤리경영의 이론과 실제-, 탑북스, 28-58.

하병천·박양규·조성빈(2014), "공급망 관리에서의 윤리적 의사결정 공급자와의 신뢰형성과 협력활동에 미치는 영향," 한국생산관리학회지, 25: 127-146.

Rawls, J.(1999), A Theory of Justice, Harvard University Press.

Rawls, J.(2001), Justice as Fairness: A Restatement, Harvard University Press.

Barry, V.(1983), Moral Issues in Business, Belmont, California; Wordsworth Publishing Co., 57-67.

Buchholtz, A. K. and Carroll, A. B.(2008), Business and Society, Seventh Edition, South-Western.

Dunfe, T. W. and Robertson, D. C.(1988), "Integrating Ethics into the Business School Curriculum," Journal of Business Ethics, 7: 845-859.

Ferrell, O. C., Fraedrich, J. and Ferrell, L.(2011), Business Ethics: Ethical

Decision Making and Cases Ethical Decision Making and Cases, 11th, E. Cengage Learning.

Gands, T. and Hayes, N.(1988), "Teaching Business Ethics," Journal of Business Ethics, 6: 31-34.

Ghillyer, A.(2008), Business Ethics A Real World Approach, McGraw Hill.

Hartman, L. P.(2006), Perspectives in Business Ethics, 3rd. Ed. McGraw-Hill.

Rawls, J.(1999), A Theory of Justice, revised edition, Cambridge: The Belknap Press of Harvard Uni Press.

Laczniak, G. R. and Murphy, P. E.(1993), Ethical Marketing Decision, Boston: Allyn and Bacon.

Malden, M. A, Blackwell Publishing Johnson, P. F., M. R. Leenders and A. E. Flynn(2011), Purchasing and Supply Management, 4th ed, 447, Singapore, McGraw Hill.

Newton, L. H.(2005), "Business Ethics and the Natural Environment," Wiley-Blackwell, 12-14.

Shaw, William H.(2007), Business Ethics, Thompson Wadsworth.

Velasquez, M. G.(1988), Business Ethics, 2nd ed., 18, 67-99, 100, 116, Englewood Cliff, NJ, Prentice Hall.

Wisner, J. D., K. C. Tan, and G. K. Leong(2012), Supply Chain Management: A Balanced Approach, 3rd ed, 104, Mason, OH, South-Western Cengage Learning.

제4장 사회적 책임의 개념적 인식과 이해

김성수(2009), 21세기 윤리경영론, 삼영사.

김성수(2009), 기업의 사회적 책임(CSR)의 이론적 변천사에 관한 연구, 국제·경영연구, 29권.

김성택(2012), CSR 5.0, 도서출판 청람.

김용주·김종열(2016), 사회적책임시스템, 범문에듀케이션.

마이클 패럴먼(2009), 기업권력의 시대, 오종석 역, 난장이.

문용갑(2006), 한국인의 기업의 사회적 책임에 대한 지향 한국인의 경제 및 시민의식과 사회연결망, 삼성경제연구소.

박성현(2013), 조직의 사회적 책임(SR) 발전과정과 우리의 과제, 서울대학교 명예교수회보, 제9호.

박흥식(2008), 한국 CSR 촉진 정책 발전의 평가, 피터드러커 소사이어티 [창조와 혁신] 논집 발간기념 국제학술대회 '사회적 책임과 지속가능경영' 발표논문집, pp. 1-16.

설승현(2009), 기업의 경영윤리와 소비자불만처리제도, consumer issue paper, 제09-24, 한국소비자원.

이형준·서영진(2004), 기업의 사회적 책임이란 무엇인가, 노동경제연구원.

주철기(2009), 국제 CSR 이니셔티브 역할과 전망, 유엔글로벌콤팩트 한국협회.

Ackerman, R. W. and Bauer, R. A.(1976), Corporate Social Responsiveness, Reston Publishing, Reston.

AVIVA GEVA(2008), Three Models of Corporate Social Responsibility: Interrelationships between Theory, Research, and Practice, Business and Society Review, 113(1): 1-41, Center for Business Ethics at Bentley College. Published by Blackwell Publishing.

Berle, A. A. Jr(1931), Corporate powers as powers in trust, Harvard Law Review, 44: 1049-1076.

Berle, A. A. Jr(1932). For whom corporate managers are trustees; a note. Harvard Law Review, 45: 1365-1372.

Bowen, H. R.(1953), Social Responsibilities of the Businessman, Harpor & Row, New York.

Buchholtz, A. K. and Carroll, A. B.(2008), Business and Society, Seventh Edition, South-Western.

capitalist state in its place, Global Society, 12(3): 299-321.

Carroll, A. B.(1979), A three-dimensional conceptual model of corporate performance, Academy of Management Review, 4(4): 497-505.

Carroll, A. B.(1991), The Pyramid of Corporate Social Responsibility: Toward the Moral Management of Organizational Stakeholders, Business Horizons, 34(4): 39-48.

Carroll, A. B.(1994), Social Issues in Management Research, Business and Society, 33(1): 5-25.

Carroll, A. B.(1999), Corporate Social Responsibility. Evolution of Definitional Construct, Business and Society, 38(3): 268-295.

Cavett-Goodwin, D.(2007), Making the case for corporate social responsibility. Retrieved January 26, 2012, from http://culturalshifts.com/archives/181

Clarkson, M. B. E.(1995), A stakeholder framework for analyzing and evaluating corporate social performance. Academy of Management Review, 20(1): 92-117.

Committee for Economic Development(1971), Social Responsibilities of Business Corporations, CED, New York.

Davis, K.(1960), Can Business Afford to Ignore Corporate Social Responsibilities?, California Management Review 2: 70-76.

Davis, K.(1973), The Case For and Against Business Assumption of Social Responsibilities, Academy of Management Journal, 16: 312-322.

Davis, K. and R. Blomstrom(1975). Business and society: environment and responsibility(3rd ed.), New York: McGraw-Hill Book Company.

Dodd, E. M. Jr(1932). For whom are corporate managers trustees? Harvard Law Review, 45: 1145-1163.

Donaldson, T. and L. E. Preston(1995), The Stakeholder Theory of the Corporation: Concepts, Evidence, and Implications, Academy of Management Review, 20(1): 65-91.

Donaldson, T. and T. W. Dunfee(1999), Ties That Bind: A Social Contracts Approach to Business Ethics, Harvard Business School Press, Boston.

Donaldson, Thomas(1982), Corporations and Morality, Prentice-Hall, Inc.,

Englewood Cliff, NJ.

Donaldson, Thomas and Dunfee, Thomas W.(1994), Towards a Unified Conception of Business Ethics: Integrative Social Contracts Theory, Academy of Management Review, 19(April): 252-84.

Drucker, P.(1965), The Future of Industrial Man, New York: John Day(New York: New American Library.

Freeman, R. E. and R. A. Philips(2002), Stakeholder Theory: A Libertarian Defence, Business Ethics Quarterly, 12(3): 331-349.

Freeman, R. E. and W. M. Evan(1990), Corporate Governance: A Stakeholder Interpretation, Journal of Behavioral Economics, 19(4): 337-359.

Freeman, R. E.(1984), Strategic Management: A Stakeholder Approach, Boston: Pitman, Google Scholar.

Freeman, R. E.(1994), The Politics of Stakeholdern Theory: Some Future Directions, Business Ethics Quarterly, 4(4): 409-429.

Freeman, R. Edward.(1998), A Stakeholder Theory of the Modern Corporation, In L. B. Pincus (ed.), Perspectives in Business Ethics, pp. 171-181, Singapore: McGrawHill.

Friedman, M. and R. Friedman(1962), Capitalism and Freedom, University of Chicago Press, Chicago.

Friedman, M.(1970), The social responsibility of business is to increase its profits, New York Times Magazine, September 13th, pp. 32-33.

Friedman, M.(1979), The social Responsibility of Business is to increase its profits, Business policy and strategy, Irwin.

Jeffrey Hollender(2010), Companies Must Account for the True Cost of Their Products, APRIL 22, 2010, HBR.

Leavitt, T.(1958), The Dangers of Social Responsibility, Harvard Business Review 36(September-October): 41-50.

Malcolm Waters, Leslie Sklair(1996), Globalization, The British Journal of

Sociology, 47(4).

Matthias, S. Fifka(2009), Towards a More Business-Oriented Definition of Corporate Social Responsibility: Discussing the Core Controversies of a Well-Established Concept, Journal of Service Science and Management, 2(4).

McFarland, D. E.(1982), Management and Society, Englewood Cliffs, NJ, Prentice-Hall.

McGrew, Anthony G.(1998), The Globalisation debate: Putting the advanced.

McGuire, J. W.(1963), Business and Society, New York, McGraw-Hill. Google Scholar.

Mondy, R. W., R. M. Noe, and S. R. Premeaux(1998), Human resource management, Englewood Cliffs, NJ: Prentice Hall.

PETKOSKI, D. and N. TWOSE(2007), Public Policy for Corporate Social Responsibility. WBI Series on Corporate Responsibility, Accountability and Sustainable Competitiveness. E-conference summary. World Bank Institute.

Repaul Kanji, Rajat Agrawal, IIM Kozhikode(2016), Models of Corporate Social Responsibility: Comparison, Evolution and Convergence, Society & Management Review, 5(2): 141-155.

Schwartz, M. S. and A. B. Carroll(2003), Corporate social responsibility: A three-domain approach, Business Ethics Quarterly, 13(4): 503-530.

Sethi, S. P.(1975), Dimensions of Corporate Social Performance: An analytical framework. California Management Review, 17(3).

Stone, C. D.(1975), Where the Law Ends. The Social Control of Corporate Behaviour, New York: Harper and Row.

Wartick, S. L. and P. L. Cochran(1985), The evolution of the corporate social performance model, Academy of Management Review, 10: 758-69.

William, F. Waters(2001), Globalization, socioeconomic restructuring, and community health, Journal of Community Health; Apr 2001.

Wood, D. J.(1991), Corporate social responsibility revisited, Academy of Management Review, 16: 691-718.

제5장 사회적 책임과 국제규범

강대만(2012), ISO26000(사회적 책임 국제표준)의 특징과 주요내용, https://blog.naver.com/humoohea/130145407963.

경총(2010), ISO26000의 주요내용과 기업의 대응방안, 경총 경영계 11월호.

국가인권위원회(2014), 인권경영길라잡이.

국민권익위원회(2011), ISO26000에 대한 이해를 돕기 위하여, 기업윤리브리프스.

김종열(2010), ISO26000의 기초가 되는 불변의 원칙들, 품질경영, 2010. 10월호.

김형욱(2010), ISO26000(사회적 책임) 국제표준 제정과 이행이 우리 산업에 미치는 영향과 효율적 대응방안, 품질경영학회지, 38(2).

노한균(2010), 사회적 책임 국제표준(ISO26000) 제정에 따른 한국기업의 대응방안, 제9회 CSR포럼, 콘라드 아데나워재단·경실련(사)경제정의연구소.

노한균(2011), ISO26000을 통해 사회책임 살펴보기 : 새로운 국제표준의 이해와 실천, 박영사.

설승현(2010), SR 국제표준 제정의 동향과 함의, 소비자정책동향 제16호, 한국소비자원.

유엔글로벌콤팩트 한국협회(2010), 유엔글로벌콤팩트 원칙과 ISO26000 핵심주제의 연계에 대한 소개.

이경은(2011), ISO26000 이해와 제정의 의의, 산업정책연구원.

이장원(2008), ISO26000(사회적 책임) 노동분야 작업 초안과 향후 전망, 국제노동브리프 6(4).

이장원(2010), ISO26000의 동향과 대응 과제, 한국노동연구원, 기업지배구조리뷰, 주요토픽 분석, pp. 47-52.

지식경제부, 기술표준원(2009), ISO26000 사회적 책임 국제표준.

한국노동연구원(2008), 기업의 사회적 책임과 노동, 정책연구 2008-03.

한국표준협회(2010), GRI와 ISO26000.

한국표준협회(2011), ISO26000 이행가이드.

한국표준협회(2011), ISO26000 이해와 제정의 의의.

한철(2009), 기업의 사회적 책임(CSR)과 기업지배구조, 상사판례연구, 22(3): 313-338.

황상규(2010), ISO26000(사회책임) 제정과 정부, 기업, 시민사회의 대응전략.

황상규(2015), 사회책임의 시대, ISO26000 이해와 활용, 틔움출판.

Anne, T. Lawrence, James Weber(2017), Business and Society : Stakeholders, Ethics, Public Policy 15th Edition, McGraw-Hill Education.

Clare Naden(2017), The rise of being "social", ISO.

ECOLOGIA(2011), ECOLOGIA's Handbook for Implementers of ISO 26000, Global Guidance Standard on Social Responsibility.

Ethical Corporation(2011), "Analysis: ISO26000-Certification denied"

GRI, ISO(2011), How-To-Use-the-GRI-Guidelines-In-Conjunction-With-ISO26000

GRI, ISO(2014), GRI G4 Guidelines and ISO26000 : 2010 How to use the GRI G4 Guidelines and ISO26000 in conjunction.

Halina Ward(2011), The ISO26000 International Guidance Standard on Social Responsibility: Implications for Public Policy and Transnational Democracy, Theoretical Inquiries in Law, 12(2).

ISO(2010), Guidance on social responsibility (ISO26000), www.iso.org/sr

ISO(2010), ISO 26000 project overview.

ISO(2010), It's crystal clear. No certification to ISO26000 guidance standard on social responsibility, www.iso.org

ISO(2010), Social responsibility - Discovering ISO 26000.

ISO(2011), Consumers care - Access to information for more sustainable markets, ISO Focus+

ISO(2011), ISO 26000 on social responsibility, ISO Focus+

ISO(2011), ISO responds to a worldwide challenge, ISO Focus+

ISO(2011), Promoting ISO 26000, ISO Focus+

ISO(2015), ISO 26000 and the International Integrated Reporting (IR) Framework.

ISO(2017), ISO 26000 and OECD Guidelines - Practical overview of the linkages.

ISO/TMB WG SR N 191(2010), ISO/DIS 26000 (Unedited Draft) IDTF_N115, ISO, 2010. 5.

ISO/TMB/WG SR N 172(2009), DRAFT INTERNATIONAL STANDARD ISO/DIS 26000, ISO, 2009. 9.

Marie Gradert and Peter Engel(2015), A comparison of 4 international guidelines for CSR, Danish Standards for Danish Business Authority, January 2015.

Rebecca Bowens(2011), UNDERSTANDING THE ISO 26000 SOCIAL RESPONSIBILITY STANDARD AND HOW IT RELATES TO AND CAN BE ASSESSED ALONGSIDE OTHER STANDARDS, SGS SA.

Roger Frost(2011), ISO 26000 Social responsibility - The essentials, ISO.

Samuel O. Idowu, Adriana Tiron Tudor, Teodora Viorica Farcas (2016), A From CSR and Sustainability to Integrated Reporting, International Journal of Entrepreneurship and Innovation, 2016, March.

The International Trade Centre(2014), AN INTRODUCTION TO ISO 26000 AND SOCIAL RESPONSIBILITY, BULLETIN No.904, Daniel Obi.

제6장 사회책임투자와 사회적 경제

기획재정부(2012), 협동조합 설립운영 안내서.

김신양(2011), 사회적 경제의 이상과 현실, 지역재단 지역리더포럼.

김아리(2012), 국내 기업의 지속가능성 보고서 작성 현황과 개선방안, CGS Report.

김영은·정우석(2012), 해외 주요 연기금의 기금규모 및 운용현황, 국민연금연구원.

김주원·이종오·박준영(2015), 한국의 사회책임투자 현황 및 분석, 한국사회책임투자포럼.

김헌·임효창·홍길표·박상안(2008), 기업의 사회적 성과와 경제적 성과간의 관계, 한국학술정보(주).

김현대(2011), 자본주의 위기의 대안, 협동조합으로 기업하기, 한겨레경제연구소, HERI Insight 연구보고서 3호.

김형철(2006), 사회책임투자펀드의 동향과 발전방안에 관한 연구, 상장협연구, 제53호.
김혜원 외(2008), 제3섹터 부문의 고용창출 실증연구, 한국노동연구원.
김혜원(2008), 노동부 사회적 일자리사업과 사회적기업 정책방향에 대한 제언, 사회적기업 정책포럼 자료집, 노동부.
김혜원(2014), 사회적 경제기본법의 의의, 한기협 사회적 경제기본법 대응 공청회 자료집.
노희진 등(2008), 사회책임투자를 위한 기업 정보공개, 한국증권연구원.
노희진(2009), 기업의 사회적 책임(CSR)과 사회책임투자(SRI), 기업지배구조리뷰, 한국기업지배구조원.
류영재(2008), CSR 활성화를 위한 SRI 발전방향의 제시, 사회적기업과 기업의 사회책임(CSR) 활성화를 위한 토론회.
문수정(2008), 글로벌 SRI현황: 해외 주요 SRI지수와 시장동향, Sustainability Issue Paper, 제93호, ECO200812, Eco-frontier.
문철우(2012), 사회적기업, 사회적 투자(Impact Investment)의 발전과 경영전략적 시사점, 경영학연구, 41(6): 1435-1470.
박경서(2016), 임팩트투자와 지속가능금융: 현황과 과제, 한국지배구조원.
사회적기업중앙회(2017), 사회적기업 10년 정책토론회 자료집.
설승현(2009), 자본시장통합법과 소비자권리 실현 확보 방안 연구, 정책연구 09-12, 한국소비자원.
스튜어드십코드제정위원회(2016), 기관투자자의 수탁자 책임에 관한 원칙.
안상아(2012), 국내 사회책임투자(SRI) 현황과 시사점, 기업지배구조리뷰, 한국기업지배구조원.
안수현(2007), 기업의 지속가능성 공시제도화를 위한 시론: 사회적 책임(Corporate Social Responsibility,CSR) 정보와 그 외 비재무적정보 유형화에 기초하여, 환경법연구, 29(1): 35-54.
오성근(2006), 기업의 사회적 책임(CSR)과 사회적 책임투자(SRI)에 관한 고찰, 비교사법, 2006. 12, pp. 505-543.
오윤진(2017), 2016 사회책임투자(SRI) 글로벌 현황, CGS Report.
유상현(2007), 공적 연기금의 사회책임투자 방안, 국민연금연구원.

이정화·원상희(2015), 해외 연기금의 기금관련 주요현황, 국민연금연구원.

임팩트스퀘어(2013), 사회적 성과 평가 방법론의 글로벌 발전 동향 연구.

입법조사처(2017), 우리나라 스튜어드십 코드 도입 현황과 개선과제, 현안보고서 제315호.

최준혁·양동훈·유현수·김령(2017), 비재무성과 공시의 신뢰성 검토: 지속가능보고서를 중심으로, 경영학연구, 46(4): 1157-1200.

한국SR전략연구소(KOSRI, 소장 이종재), 밀레니엄 힐튼호텔, ISO 26000&CSR 국제컨퍼런스.

한국사회적기업진흥원 http://www.socialenterprise.or.kr

한국소비자원(2012), 협동조합기본법 제정의 의의와 시사점.

한국지방행정연구원(2012), 협동조합 활성화를 위한 정책 방안, KRILA Focus, 제51호.

황진택(2003), 기업의 지속 가능성평가 지표개발 및 활용연구, 산업자원부.

황호찬(2009), 기업의 비재무적 정보가 기업 가치에 미치는 영향, 회계정보연구, 27(3): 215-236.

DONNA I. Woo D(1991), CORPORATE SOCIAL PERFORMANCE REVISITED, Academy ol Management Review, 16(4): 691-718.

Global Impact Investing Network(GIIN, 2014), Global Sustainable Investment Review.

Global Sustainable Investment Alliance (GSIA,2017), CGS Report, 7(5).

Ko, Wan Suk(2017), Financial Performance of Socially Responsible Investing Fund Firms, KOREAN INTERNATIONAL ACCOUNTING REVIEW, 71, 2017. 2, pp. 289-308.

Laville, J. L., Nyssens M.(2001), The Social Enterprise: Towards a Theoretical Socio-Economic Approach, in Borzaga C., Defourny J., eds, The Emergence of Social Enterprise, London and New York, Routledge, pp. 312-332.

Littlewood, P. and Herkommer, S.(1999). Identifying social exclusion: some problems of meaning. In Littlewood, P. (ed.), Social Exclusion in Europe: Problems and Paradigms.(pp. 1-22) Aldershot: Ashgate.

Putnam, R. D.(2000), Bowling Alone: The Collapse and Revival of American Community. New York: Simon & Schuster.
SAM(2006), Sustainability and Value Creation.
Sullivan and Mackenzie(2006), Responsible Investment, Greenleaf Publishing.
The Forum for Sustainable and Responsible Investment(SIF, 2016), Report on US Sustainable, Responsible and Impact Investing Trends.
The Global Sustainable Investment Alliance(GSIA, 2016), Global Sustainable Investment Review.

제7장 마케팅관리의 윤리

공정거래위원회(2012. 8.), "유통분야 공정거래질서 확립 및 구조개선을 위한 제도개선방안 연구".
국가기술표준원(2016. 11.), "사각지대 제품안전관리를 위한 제도개선방안 연구".
2017 Online Advertising Law System Guide
http://fastinformation.tistory.com/39

제8장 재무회계 윤리

강중재(2003. 8.), "우리나라 공정공시제도에 관한 연구," 전남대학교 대학원 석사논문.
박양균(2002. 8.), "공정공시제도의 문제점", 자유기업원, 3-4.
http://www.bain.com/offices/seoul/ko/publications/articles/governance-issue.aspx
http://blog.daum.net/_blog/BlogTypeView.do?blogid=0rlEt&articleno=116&_bloghome_menu=recenttext
http://biz.chosun.com/site/data/html_dir/2016/08/11/2016081101909.html#csidx3c32678d66584ff990f52a83a71f52f
조세일보 2016. 12.27 자유수임제, 도입한 주역마저 "근본적 한계" 실토.

제9장 인적자원 관리기능

대한서울상공회의소(2007), "고령화시대의 바람직한 연령차별금지제도 공청회".

금재호(2010), "여성의 경제적 지위는 향상되었는가?: 성별 임금격차를 중심으로," 「월간노동리뷰」, 9: 48-69.

김정원(2019), "사람중심의 조직관리와 윤리경영에 대한 고찰: 윤리적 기준과 이슈", 「윤리경영연구」, 19(1).

김성국 (2009). "윤리적 인적자원관리의 본질과 과제" 노사저널, 826(9월).

내부고발 : 공익을 위해 울려 퍼지는 호루라기 소리, 대학신문 snupress@snu.kr

박희준·정민영(2010), "인사관리의 윤리경영", 윤리경영연구, 12(2): 16-32.

이명신(2009), "윤리적 리더십의 선행요인과 결과요인", 경희대학교 대학원, 박사학위 논문.

Ferris, G. R., Hochwarter, W. A., Buckley, M. R., Harrell-Cook, G. and Frink, D. D.(1999), "Human resource management: Some new directions," *Journal of Management*, 25(3): 385-415.

Good Practice Guide, "Speak up Procdures' (Institute of Business Ethics, 2007), 3, Whistleblowing Best Practice (PCAW, 2004), 4, First To Know, 'Robust International Reporting Programs (ISIS, 2004)

Greenwood, M. R.(2002), "Ethics and HRM: A review and conceptual analysis," *Journal of Business Ethics*, 36: 261-278.

Heery, E. (1996), "Risk, representation and the new pay," *Personnel Review*, 25(6): 54-65.

Helms, M. M. and Hutchins, B. A.(1992), "Poor quality products : Is their production unethical?," *Management Decision*, 30: 35-46.

Jansen, E. and Gilnow, M. A. V.(1985), "Ethical ambivalence and organizational reward systems," *Academy of Management Review*, 10(4): 814-822.

Julia, J. B.(1993), "Trends toward part-time employment ethical issues," *Journal of Business Ethics*, 12(10): 811-815.

Morrison Torrey(1991), When Will We Be Believed? Rape Myths and the Idea of a Fair Trial in Rape in Prosecutions, 24 U.C. Davis L. Rev. pp. 1058-1059.

Near, J. P. and Miceli, M. P.(1995), "Effective-whistle blowing," *Academy of management review*, 20(3): 679-708.

policy.nl.go.kr/cmmn/DigFileDown.do?filepath=upload/cov_file/xx00

Purcell, J.(1996), "Business environments and the effects of core-periphery models on our understanding of ethical HRM," Introductory address at conference on Ethical Issues in contemporary HRM, Imperial College Management School.

the 8th Ernst & Young Global Fraud Survey, 2003.

Torrey, M.(1990). When will we be believed-rape myths and the idea of a fair trial in rape prosecutions. Uc DaViS l. reV., 24, 1013.

Velasquez, M. G.(2002), Business ethics – Concepts and cases, 5thed, New Jersey : Pearson Education.

Waluchow, W.(1988), "Pay equity: equal value to whom?," *Journal of Business Ethics*, 7: 185-189.

Weiss, J. W.(2006), Business ethics–A stakeholder and Issues Management Approach, 4th ed, Mason, OH: Thompson Higher Education.

Whistleblowing Arrangements Code of Practices (British Standards Institution, 2008).

Winstanley, D. and Stuart-Smith, K.(1996), "Policing performance: the ethics of performance management," *Personnel Review*, 25(6): 66-84.

제10장 정보 및 생산기술 관리기능

이경희(2003), "생명공학 기술에 있어서 차별과 윤리적 쟁점," 사회이론 23호: 209-237.

이경희(2010), "두 문화와 생명윤리, 그리고 생명공학자 윤리," 발생과 생식, 14(4): 307-316.

지글러 J.(2007) "왜 세계의 절반은 굶주리는가," 갈라파고스, 154-269.

히사다케 가토(1993), 환경이란 무엇인가, 중문출판사, 90-98.

제11장 환경경영 관리기능

산업자원부(2002), 기후변화협약과 교토의정서.

한국무역협회(2010), "미국 기업의 친환경 경영 사례와 시사점," 9(25).

환경부(2004), 친환경상품 보급촉진 및 환경마크제도 활성화 방안.

환경부(2015), 환경마크제도와 환경마크제품.

KOTR(2009), 세계 유명기업의 그린마케팅.

제12장 기업윤리 및 사회적 책임의 이행 및 확산

SBERI 격월간 기업윤리 동향 리포트(2014-8월호), 기업윤리 어떻게 고민하고 접근할 것인가.

Thorne, D. M., O. C. Ferrell, and L. Ferrell(2005, 2008), Business and Society; A Strategic Approach to Social Responsibility, Houghton Mifflin.

안상아(한국기업지배구조원 연구원), 국내 사회책임투자(SRI) 현황과 시사점.

이종영(2009), 기업윤리-윤리경영의 이론과 실제, 삼영사.

중앙일보 〈알아둡시다〉 부패라운드, 1996.12.4.

한국공공자치연구원 부설 한국윤리센터(2006), 윤리경영의 구축과 실천방안.

제13장 기업윤리 및 사회적 책임의 평가 및 검증

산업정책연구원(2002. 11), 기업윤리 경영실태조사 평가지표개발 및 실태조사에 관한 연구.

2009년 제5호 기업윤리 브리프스 윤리경영 사례, 「윤리경영 성과 평가제도」.

Kaufmann, Daniel, Aart Kraay, and Pablo Zoido-Lobatón(1999), "Governance Matters", World Bank Policy Research Working Paper No. 2196.

Niven, P. R.(2002), Balanced scorecard step-by-step: Maximizing performance and maintaining results, John Wiley & Sons.

Zadek, S.(2012), The civil corporation, Routledge.

http://www.sjournal.kr/news/articleView.html?idxno=231

http://www.unglobalcompact.kr/wp/?mod=document&uid=1456&page_id=2583

http://www.worldbank.org/wbi/governance/working_papers.htm.

https://www.iso.org/iso/home/standards/iso26000.htm/

www.globalreporting.org

색인

(ㄴ)

(ㄷ)

(ㄹ)

(ㅁ)

(ㅇ)

(ㅈ)

김정원

[저자약력]

- 오클라호마 주립대학교(조직행동박사)
- (현)강원대학교 경영학과 교수
- (역)한국윤리경영학회 회장(제12대)
- (역)한국인사조직학회 및 한국인사관리학회 부회장
- 중소기업진흥공단 청렴윤리경영위원회 위원
- 국무조정실 규제개혁 심판위원

[저서 및 연구분야]

- 경영조직론, 시대가치, 2019. 8.
- 경영학원론, 도서출판 범한, 2018. 9.
- 연구분야 : 조직행동론, 리더십, 조직개발, 조직역량 및 평가

김찬중

[저자약력]

- 충북대 경영학사, 고려대 경영학석사, 충북대 경영학박사(인사조직)
- (현)충북대학교 경영학부 교수
- (현)한국기업경영학회·한국경영컨설팅학회 부회장
- (현)충북지방노동위원회 공익위원
- 충북대학교 경영대학장·경영대학원장
- 한국경영학회 부회장
- 한국연구재단 사회과학분야 전문위원(RB)
- 한국개발연구원(KDI) 경제정책 자문위원

[저서 및 연구분야]

- 경영학원론(제5판), 대경, 2023.(2인 공저)
- 윤리적 인사관리(개정판), 도서출판 범한, 2022.(단독)
- 연구분야: 인사관리, 윤리경영, 조직행동, 인사조직전략컨설팅

저자소개

권종욱

[저자약력]

- 고려대학교 대학원(경영학박사)
- (현)강원대학교 경영학과 교수
- (현)강원대학교 경영대학장/경영대학원장
- (현)한국국제경영관리학회 회장(제22대)
- 미국 오하이오주립대 교환교수
- 미국 University of North Texas 교환교수

[저서 및 연구분야]

- 100가지 사례로 이해하는 글로벌경영 CASE 100, 청람, 2011. 8.(3인 공저)
- 세계화와 글로벌경영 : 개정판, 두남, 2012. 2.(3인 공저)
- 배낭여행으로 탐험하는 일본 일류기업, 청람, 2014. 6.
- Global Business : Routledge, 2017. 4. 30.

설승현

[저자약력]

- 동국대학교 대학원 경영학과(마케팅 박사)
- (현)가천대학교 경영학과 교수
- (현)가천대학교 경영윤리와 사회적책임연구소 센터장
- 한국소비자원 소비자정보센터 소장 및 생활경제국 국장 등(역임)
- 재정경제부 소비자거래개선전문위원회 위원(역임)
- 공정거래위원회 가맹사업거래분정조정협의회 위원(역임)
- SR Media Group ESG경영연구소 소장

[저서 및 연구분야]

- 기업의 경영윤리와 소비자피해불만처리제도(한국소비자원, 2009)
- 자본시장통합법과 소비자권리 실현 확보 방안 연구(한국소비자원, 2009)
- 스타트업과 마케팅, 도서출판범한, 2018. 3.(2인 공저)
- 강의분야 : 기업윤리, 마케팅관리, 광고론, 소비자행동론

기업을 위한 윤리경영

인쇄 2023년 09월 10일
발행 2023년 09월 20일

지은이 김정원, 김찬중, 권종욱, 설승현 공저
발행인 이낙용

발행처 도서출판 범한
등록 1995년 10월 12일(제2-2056)
주소 10579 경기도 고양시 덕양구 통일로 374 우남상가-102호
전화 (02) 2278-6195
팩스 (02) 2268-9167
메일 bumhanp@hanmail.net
홈페이지 www.bumhanp.com

정가 23,000원 ISBN 979-11-5596-208-4 [93320]